Czoernig, Karl Fr

Ethnographie der oes Monarchie

2. Band

Czoernig, Karl Frh von

Ethnographie der oesterreichischen Monarchie

2. Band

Inktank publishing, 2018

www.inktank-publishing.com

ISBN/EAN: 9783747780602

ETHNOGRAPHIE

DER

OESTERREICHISCHEN MONARCHIE

VON

KARL FREIHERRN v. CZOERNIG,

RITTER DES KAISERL. OESTERR. ORDENS DER EISERNEN KRONE II. CLASSE, COMMANDEUR UND RITTER MEHRERER ANDERER ORDEN, CORRESP. MITGLIED DER KAISERL. AKADEMIE DER WISSENSCHAFTEN ZU WIEN UND DER KOENIGL. BOEHM. GESELLSCHAFT DER WISSENSCHAFTEN ZU PRAG, SO WIE VIELER ANDERER GELEHRTER GESELLSCHAFTEN UND VEREINE, KAISERL. KOENIGL. SECTIONSCHEF IM MINISTERIUM FÜR HANDEL, GEWERBE UND OEFFENTLICHE BAUTEN, PRAESES DER CENTRAL-COMMISSION ZUR ERFORSCHUNG UND ERHALTUNG DER BAUDENKMALE UND DIRECTOR DER ADMINISTRATIVEN STATISTIK.

MIT EINER ETHNOGRAPHISCHEN KARTE IN VIER BLAETTERN.

HERAUSGEGEBEN

DURCH DIE

KAISERL. KOENIGL. DIRECTION DER ADMINISTRATIVEN STATISTIK.

II. BAND.

WIEN.

AUS DER KAISERLICH-KOENIGLICHEN HOF- UND STAATSDRUCKEREI.

1857.

Ethnographie

der

österreichischen Monarchie.

II. Band.

Historische Skizze

der

Völkerstämme und Colonien in Ungern und dessen ehemaligen Nebenländern.

I. Abtheilung.

A. Erste Periode.

Von den ersten Spuren einer Bevölkerung bis zur Einwanderung der Ungern.

B. Zweite Periode.

Von der Einwanderung der Ungern bis zur Vertreibung der Türken aus Ungern.

Inhalts-Verzeichniss des II. Bandes.

Historische Skizze der Völkerstämme und Colonien in Ungern, Kroatien und Slavonien, in der serbischen Wojwodschaft sammt dem Temeser Banate, dann in Siebenbürgen und in der Militär-Gränze.

A. Erste Periode.

Von den ersten Spuren einer Bevölkerung bis zur Einwanderung der Ungern.

B. Zweite Periode.

Von der ungrischen Herrschaft während der Arpaden- und gemischten Periode bis zur Vertreibung der Türken aus Ungern.
(894—1699.)

Chronologische Uebersicht

der in Ungern, in der serbischen Wojwodschaft und im Temeser Banate, in Slavonien, Kroatien und Dalmatien, dann in Siebenbürgen von den Magyaren bei ihrer Einwanderung vorgefundenen und der später dorthin eingewanderten Völkerstämme und Colonien.

Beilagen.

Historische Skizze

der

Völkerstämme und Colonien in Ungern, Kroatien und Slavonien, dann in Siebenbürgen und in der Militärgränze.

A. Erste Periode.

Von den ersten Spuren einer Bevölkerung bis zur Einwanderung der Ungern.

§. 1.

Urbewohner.

Europa scheint seine ersten Bewohner von Asien, und zwar an den Südküsten zur See, im Innern aber zu Lande auf zwei Hauptwegen erhalten zu haben: südlich an der Donau, und nördlich an der Wolga aufwärts. Die Mitte Europa's deckte der ungeheure hercynische Wald.

Den ersten Hauptweg mögen in unbestimmbarer Vorzeit die iberisch-keltischen Völker gezogen, und von den Donauquellen weiter am Rheine und am Rhone-Flusse in das westliche Europa vorgedrungen sein, während die ihnen nachfolgenden illyrisch-thrakischen Stämme die Alpenländer im Süden der Donau von der siebenfachen Mündung bis an deren Quelle besetzten.

Den nördlichen Weg an der Wolga scheinen die Germanen eingeschlagen zu haben, und als sie an die Nord- und die Ostsee vorrückten, folgten Slaven und Sarmaten.

Diese Völker begannen auch die hercynische Wildniss, die Mittel-Europa deckte, zu lichten, und drangen bis an die obere und mittlere Donau. Skythen setzten sich von da bis zur Donaumündung fest. Den äussersten Norden besetzten Finnen.

Die ersten historischen Spuren einer Bevölkerung der Donauländer reichen — freilich meist im Gewande der Sage — bis ins 15. Jahrhundert vor Christi Geburt.[1])

---

[1]) Die Mythe lässt Kadmus in der phönicischen Colonie Epidaurus (Alt-Ragusa) durch Verwandlung in eine Schlange sein Leben enden, um's Jahr 1430 v. Chr. Sein Sohn wird Illyrius, als angeblicher Stammvater der Illyrier genannt. — Die Sage von Jason's Rückkehr (1250 v. Chr.) auf der Save und über Istrien, und die Verfolgung durch Kolchier deutet auf Beschiffung des Isters und der Save, dann auf Verbindung von Istrien bis Kolchis.

Die Griechen benannten die verschiedenen Alpenvölker in ältesten Zeiten mit dem Collectivnamen der Illyrier; dazu gehörten: die Pannonier (Päonier),[1]) Japoden, Liburner, Dalmaten, Albaner, Karner, Tauriske r (später Norisker genannt), Rhätier, Tusker und andere; und selbst unter Augustus lebte der Name Illyricum für alle Donau-Provinzen: Rhätien, Noricum, Pannonien und Mösien wieder auf.

Wir wissen von diesen Illyriern, den Urbewohnern der Süddonauländer, nur so viel, dass sie ein kriegerisches, besonders im Gebrauche der Lanze wohl geübtes Volk gewesen, dessen Sprache nach den überkommenen Namen zu urtheilen, wohlklingend war, und bei welchem, wie bei den Thrakiern die Sitte des Tätowirens herrschte.

Uns berühren nur die Pannonier (im heutigen Königreiche Ungern südlich der Donau, so wie zwischen der Drave und Save in Slavonien und Kroatien, dann in Theilen von Serbien und Bosnien), zum Theile auch die Japoden (in Theilen von Krain und dem kroatischen Küstenlande), dann die Liburner (in der Karlsstädter Gränze).

In noch grösseres Dunkel ist in jener Urzeit der nördlich der Donau gelegene Theil Ungern's gehüllt. Die ältesten von Herodot genannten Völker sind die Sigynner, in den Ebenen jenseits des Isters, welche nach ihrer Aussage von medischer Abkunft (wie die Sarmaten) waren, und auch medische Kleidung trugen. Ihre kleinen langhaarigen Pferde werden so beschrieben, wie sie noch jetzt im Lande mehrfach vorkommen;[2]) dann die Agathyrsen am Maris (Maros), die Daker oder Geten werden an ihrer Stelle um zwei Jahrhunderte später bekannt und westlich von ihnen die sarmatischen Jazygen und germanischen Quaden.

Die goldreichen Agathyrsen verweigerten (513) den nachbarlichen Skythen Hilfe wider Darius und die Aufnahme in ihr Gebiet.[3]) Die Geten, von den Römern Daker genannt[4]), wohnten noch zu Thukydides Zeiten in Thrakien neben den Triballern und wurden wahrscheinlich im vierten Jahrhunderte vor Christi Geburt von den Skordiskern und andern Keltenstämmen über die Donau gedrängt; sie werden zuerst dort zur Zeit Alexander's genannt,[5]) und wohnten am Borysthenes (Dnieper) und Maris (Maros), welchen Strabo[6]) selbst Getenfluss nennt.

§. 2.

Ein- und Auswanderung der Kelten (Gallier) 600 bis 300 vor Christi.

Eine bedeutende Vermehrung der Bevölkerung erhielten die Süddonauländer durch die Auswanderung keltischer Stämme aus dem übervölkerten Gallien. Um's

[1]) Herodot IV. c. 49, und V. c. 1 und 3 schon kennt Päonier am nördlichen Abhange des Hämus (Balkan). — Dio Cassius (XLIX) tadelt zwar die Griechen, dass sie die Päonier mit den Pannoniern verwechseln; aber seine Etymologie der Pannonier von *pannus* (Tuchlappen, womit sie ihre Kleider ausflicken), kann eben so wenig als Grund seiner Meinung gelten, als die Folge zeigen wird, wie sich die Päonier allmälig von Süden gegen Norden zogen, und dass das römische Pannonien zur Zeit des Dio Cassius ganz ein anderes, als das ursprüngliche Päoner- oder Pannonier-Land gewesen. Ueberhaupt kömmt es vor, dass die Griechen und die Römer dasselbe Volk mit verschiedenen Namen bezeichneten, wie z. B. Gallier, Kelten, Geten, Daker.

[2]) Herod. V. c. 9.

[3]) Herod. IV. 10. 48. 104. 119.

[4]) Plin. IV. c. 25.

[5]) Arrian. I. 3.

[6]) Strabo. VII. 3.

Jahr 590 vor Ch. drangen keltische Stämme unter Bellowes nach Oberitalien, welches seither Gallia cisalpina hiess, unter Sigowes aber in die Alpenländer; in letzterem Zuge befanden sich vorzüglich Bojer, welche allmälig nicht nur das heutige Bayern (Bajuvarien) und Böhmen (Bojehemum) besetzten, sondern auch — die illyrischen Völker in die Gebirge drängend — das Uferland vom Inn bis zur Raab einnahmen. Kleinere keltische Völker liessen sich von den norischen Alpen bis an die Save der Donau entlang nieder, als: Vindonen (bei Wien, Vindobona); Karnunter (in den karnischen Alpen und an der Donau bei Carnuntum); Taurisker und Noriker in Noricum; Azaler (bei Ungarisch-Altenburg); Kytner und Arravisker (in der Schütt und an der Raab); Herkuniater und Bathanaten (vom Donaubuge bis zur Dravemündung).

Die Skordisker setzten sogar über der Save zwischen Margus (Morava) und Drinus sich fest, wodurch es den Päoniern (Pannoniern) möglich ward, sich mehr zwischen der Save und Drave, dann weiter westlich und nördlich bis an die Quellen der Kulpa und Raab auszudehnen.[1])

Dadurch scheinen auch die Bojer bald wieder von den Illyriern bedrängt worden zu sein, namentlich von Pannoniern, da ums Jahr 300 vor Christi die keltischen Tolistobojer, Tektosager und Trokmer unter Führung des jüngern Brennus vom Ister herab nach Macedonien, ja bis Delphi drangen und unter Lutatius sogar nach Kleinasien überschifften, wo sie sich in der von ihnen benannten Landschaft Gallatien festsetzten.

§. 3.

Verwüstung des Bojerlandes durch die Daker (Deserta Bojorum) um das Jahr 58 vor Christi.

Die erste Berührung der Ost- und West-Donaubewohner, welche die Geschichte aufbewahrt, war eine höchst feindselige. Die Daker (Geten) fielen unter ihrem Könige Börebistas in das Land der Bojer, und verheerten es von der Raab bis zum Inn der Art, dass es zur menschenleeren Oede und die Bojerwüste (Deserta Bojorum) genannt wurde, deren Colonisirung und Beurbarung erst unter der Römerherrschaft begann.[2])

---

[1]) Diese Stämme lebten zwar in der Folge in Pannonien, aber das römische Pannonien war von dem damaligen Pannonier-Lande verschieden. Für den keltischen Ursprung der Vindonen sprechen die gallischen Orte Vindomagus und Vindalus am Rhone, Vindonissa in Helvetien, Vindelicus (Lech), für jenen der Karner das gallische Carnuntum (Chartres). Die Skordisker werden von Athenæus (L. VI. p. 234) und Possidonius (L. VII. p. 318) ausdrücklich Galaten genannt. Auf die Keltenabstammung der übrigen obengenannten Volksstämme weiset die Zusammenhaltung der Quellen überhaupt, mit Berücksichtigung der Zeit und Lage hin. Noriker und Taurisker (im norischen Hochgebirge) werden als identisch und beide als Kelten von Plinius genannt. Der Ort Teutoburgime, den schon Ptolomäus in den Alpen nennt, scheint auf Teutonen hinzuweisen, welche mit den Cimbern im Jahre 113 vor Christi am Ister herabzogen, aber von den Skordiskern zurückgewiesen, nach Westen sich wendeten.

[2]) Die Angaben des Strabo und des Plinius bezüglich der Ausdehnung jener Wüsten scheinen sich zu widersprechen, stimmen aber bei gehöriger Auffassung vollkommen überein.

Strabo sagt nach der Beschreibung des Bodensees (lacus Brigantinus) „Attingunt lacum exigua parte Rhaeti, majore Helvetii et Vindelici. Inde est Bojorum solitudo, usque ad Pannonios. Hiernach reichte die Bojerwüste vom Inn bis zu den Pannoniern, d. i. nicht bloss bis zum Kahlenberge, sondern bis an die Raab; denn das römische Pannonien des Ptolomäus (zwischen

§. 4.

Pannonien unter römischer Herrschaft.

Die Eroberung der Alpenländer und die Gewinnung der Donau als Nordgränze war Augustus' Hauptaugenmerk. Nach der Besiegung der Japoden mit Metullum's Falle, zog Augustus selbst gegen die Pannonier und erstürmte nach 30tägiger Belagerung Siscia (Siszek) am Einflusse der Kulpa in die Save. Im Jahre 29 vor Christi hielt Augustus seinen Triumph über die Pannonier, die Japoden und Dalmaten, und im Jahre 27 vor Christi wurden Pannonien, Illyrien (Japoden- und Liburnierland) sammt Dalmatien römische Provinzen.

Die Unterwerfung war inzwischen nur scheinbar. Im Jahre 16 vor Christi sehen wir die Pannonier im Bunde mit den Alpenvölkern die Waffen gegen die Römer erheben, aber mit den übrigen wieder niederlegen. Gefährlicher wurde den Römern der Aufstand, den die Pannonier (in den Jahren 6—9 nach Christi) im Bunde mit den Dalmaten erhoben. Während Tiberius zu Karnuntum an der Donau gegen Marbod stand, erhielt er die Nachricht: „An die Spitze der in Pannonien und in Dalmatien ausgehobenen Truppen habe sich Bato (vom pannonischen Stamme der Breuker), ein anderer Bato (vom dalmatischen Stamme der Däsiaten) und Pinnes gestellt, und die Zahl der Aufständischen von 80.000 auf 200.000 Mann vermehrt." Erst nach dreijährigem muthvollen Widerstande lieferten die Pannonier am Flusse Bathinus ihre Waffen an die Römer aus, und Tiberius hielt den pannonisch-dalmatischen Triumph.[1])

Schon aus den gemachten Angaben, noch mehr aber aus der Menge der pannonischen Völker erhellt zur Genüge, dass Pannonien, ungeachtet seiner Eichenwaldungen, seiner Sümpfe und der geringen Zahl von Städten, an wohnhaften Stellen dicht bevölkert sein musste. Ausser den pannonischen Hauptvölkern der Serrater, Serrapiller, Jasen, Andizeten, Kolapiaber und Breuker, gab es noch viele kleinere Stämme.[2])

---

dem Mons cetius, den bebischen Gebirgen und der Donau), wornach man gewohnt ist, Pannoniens Westgränze an den Kahlenberg zu versetzen, passt nicht auf das vorrömische Land der eigentlichen Pannonier (Päoner). Diess bestätigt sich aus Plinius selbst am besten:

Nachdem er (in L. III c. 27) die Städte der Noriker, (zu welchem Stamme er nach c. 24 ausdrücklich die Taurisker rechnet), sämmtlich an oder unweit der Drave, aufgezählt, und unter Norikum nur das nachmalige römische Mittelnorikum (Noricum mediterraneum) versteht; folgt die bekannte Stelle: „Noricis, junguntur lacus Peiso (Balaton), deserta Bojorum, jam tamen Colonia Divi Claudii Sabaria (Steinamanger) et oppido Scarabantia Julia (Ödenburg) habitantur." Die Bojerwüsten reihten sich zunächst an Noricum (mediterraneum) und wurden nachmals theils als Noricum ripense zur römischen Provinz Noricum, theils als Pannonia superior zum römischen Pannonien geschlagen. Zu Plinius Zeiten war mit ihrer Colonisirung bereits begonnen, aber sie gehörten weder zu Noricum, noch zu Pannonien; daher verbindet er das folgende c. 28 mit den Worten: „Inde glandifera Pannonia," beschreibt die pannonischen Hauptvölker an der Drave und Save und nennt bloss Aemona und Siscia als römische Colonien, dann Sirmium und Taurunum als Städte

[1]) Die Details dieses hartnäckigen Kampfes (bei Vellej. Paterc., II. 110 und Dio Cassius LV und LVI) geben ein um so vollgiltigeres Zeugniss über den Muth und die Freiheitsliebe der Pannonier, als sie von den Römern ihren Feinden verzeichnet sind. Die Darstellung des Triumphes enthält der darauf bezügliche, im k. k. Antiken-Cabinette befindliche, unter den Namen: „Apotheose des Augustus" bekannte Kamee.

[2]) Strabo (VII. pag. 314) „gentes Pannoniorum sunt Breuci, Andizetii, Diasiones, Pyrusti, Mazæi, Dæsiatæ, quorum dux Bato, aliique conventus minores."

Nach Besiegung der mächtigsten pannonischen Stämme durch die Römer, unterwarfen sich die übrigen Pannonier und Reste der Kelten grösstentheils freiwillig (die Widerspenstigen wurden als Sklaven aus dem Lande geführt), und die Gewinnung der Donaugränze geschah ohne weitern Kampf.

Nach Karnunt führten die Römer Legionen, die bojische Wüste wurde seit Kaiser Claudius, dem Stifter von Sabaria, allmälig colonisirt, und der östlich des Kahlengebirges befindliche Theil dieser Wüste zu Pannonien geschlagen, so dass Ptolomäus für Pannonien den Mons cetius (das Kahlengebirge), Karavankas (Gonowitzergebirge), das Albanische (Kapella) und Bebische Gebirge (Vellebich) als West-, die Donau als Nord- und Ostgränze bis zur Savemündung, und in einer schiefen Linie bis zu den Bebischen Bergen die Südgränze angeben konnte. Die Donaugränze wurde durch eine Reihe von befestigten Städten (Coloniæ, municipia, oppida), Castellen und Stationen beschützt, durch Strassen die Verbindung zwischen ihnen hergestellt, und Pannonien zur erleichterten Aufsicht und Verwaltung (vermuthlich von Hadrian) zuerst nach einer von der Raab bis zur Mündung des Verbas in die Save gezogenen Linie in ein oberes (superior oder I[a]) und unteres (inferior oder II[da]) getheilt.

Als Kaiser Galerius durch Ablassung des Pelso (Balaton) und Ausrodung der umliegenden ungeheuern Wälder viel Land gewonnen, wurde der Theil Pannonien's zwischen der Save und Drave als drittes Pannonien ausgeschieden, und zu Ehren seiner Gemahlin Valeria genannt.[1]) Zur Zeit Constantin's des Grossen gehörte Pannonien zur Präfectur Italien, und zwar zur Diöcese Illyrien.

Damals hiess der östliche Strich zwischen Save und Drave Savia, und der westliche Pannonia inferior.[2])

Die Einrichtungen der Römer waren ganz geeignet, ihre Sprache und Sitten, ja selbst ihren Glauben ohne Befehl und Widerstand in den eroberten Ländern zu verbreiten. Zur Vermehrung der durch die Kämpfe und die Wegführung vieler Pannonier geschwächten Bevölkerung, so wie zum Schutze der Herrschaft, wurden nicht nur zahlreiche römische Truppen, sondern auch römische Bürger in die Pflanzstädte gezogen. Die Eingebornen in den übrigen Städten und Orten des Landes hiessen im Gegensatze

---

Plinius (III. c. 28). „Dravus per Serretes, Serrapillos, Jasos, Andizetes; Savus per Colapianos, Breucosque populorum hæc capita, præterea Arivates, Azali, Amantes, Belgites, Catari, Cornocates, Eravisci, Hercuniates, Latovici, Oseriates, Vaciani; Mons Claudius in cuius fronte Scordisci, in tergo Taurisci."

Dass Strabo's drei letztgenannte pannonische Hauptvölker von Plinius zu Dalmatien gerechnet werden, dürfte daher kommen, weil Strabo nahe der Zeit schrieb, wo Pannonier und Dalmaten vereint gegen die Römer in Waffen standen, Plinius aber zur Zeit, als schon die römischen Provinzen Pannonien und Dalmatien bestimmte Gränzen hatten. Eben desshalb scheint auch die bloss alphabetische Aufzählung der Nebenvölker Pannoniens keltische Stämme unter pannonischen zu nennen.

Ausserdem kennen wir noch die Poseni, Hipasini und Bessi (in Bosnien), von welchen Appian ausdrücklich meldet, dass sie sich freiwillig den Römern unterwarfen.

1) Dass der Pelso der Balaton sei, bestätigt die Notitia Imp., welche alle Orte von Mursa bis Bregetio in Valeria angibt; dass er identisch sei mit dem vermuthlich nur verschriebenen Peiso des Plinius, folgt aus der richtigen Auffassung des letztern von selbst.

2) Das Itinerarium Hierosol. sagt ausdrücklich, dass man von Petovium über die Draubrücke ins untere Pannonien komme („transis pontem, intras Pannoniam inferiorem").

der römischen Colonisten Provincialen, und wurden bei ihren besondern Rechten, bei ihrer Sprache und Religion belassen.

Da aber in den Colonien durchwegs römisch gesprochen wurde, eben so bei den Legionen, unter welche auch viele junge Pannonier vertheilt waren, da die Edicte in römischer Sprache erlassen wurden, dieselbe also als Geschäfts- und Verkehrs-Sprache den Pannoniern Bedürfniss war, und die Römer auch durch überlegene Bildung ihrer Sprache Geltung zu verschaffen wussten, so hatte sich dieselbe so schnell unter den Pannoniern verbreitet, dass schon Vellejus versichern konnte: Alle Pannonier haben Kenntniss der römischen Sprache, und die meisten auch der lateinischen Schrift.[1])

Dabei ging die alte pannonisch- illyrische Sprache unter den Provincialen eben so wenig verloren, als die alte Stammunterscheidung oder die berühmte Tapferkeit der Pannonier. Steinschriften nennen noch ums Jahr 360 die Volksstämme der Bojer, Azaler, Breuker.[2]) Die wichtige Bewachung des Donau-limes war meistens pannonischen Truppen anvertraut; das ganze Leben schien in Pannonien ein steter Kriegsdienst, ja selbst die Frauen werden für muthiger, als anderswo die Männer, angegeben.

Vorzügliche Kaiser: Probus, Aurelius, Maximinianus, waren Pannonier, so dass Mamertin mit Recht sagen konnte: Italien sei die Herrin der Völker durch alten Ruhm, Pannonien durch Tapferkeit.[3])

Der römische Götterdienst fand ebenfalls Eingang in Pannonien. Jupiter wurde besonders zu Petovium, Neptun zu Aemona, Silanus zu Sabaria, Apollo zu Karnunt verehrt.

Fast zugleich begann das Licht der christlichen Lehre die Finsterniss des doppelten illyrisch- römischen Heidenthums zu verscheuchen. Petrus, das Haupt der Apostel, selbst soll im Jahre 49 zu Sirmium gewesen sein. Zu Aemona, Petovium, Siscia Mursa und Sirmium erhoben sich Bischofstühle.

Die Märtyrerkrone erwarben während der Verfolgung des Diokletian (303) der h. Victorin, Bischof von Pettau, und der h. Quirin, Bischof von Siscia, der letztere in den Fluthen der Güns. Zu Sabaria war der h. Martin, zu Stridon der h. Hieronymus geboren.

Kaum war durch Konstantin den Grossen der Sieg des Christenthums entschieden (312), als die arianische Irrlehre in Pannonien Wurzel fasste. Ihr Hauptsitz war zu Sirmium, Photius ihr Verfechter, bis nach mehreren Concilien, erst auf der zweiten sirmischen Synode (351) seine Vertreibung gelang und der h. Ambrosius, Metropolit von Mailand (380), durch Ordinirung des rechtgläubigen Areminus den Sieg der Wahrheit befestigte.

---

[1]) II. c. 110. Dass die lateinische Sprache sehr allgemein, jedoch nicht ganz rein von den Pannoniern gesprochen wurde, sehen wir am h. Hieronymus, der als geborner Pannonier zwar das Lateinische als seine Muttersprache angibt, aber erst nach Rom ging, um sich eine reine Aussprache eigen zu machen.

[2]) Gruter pag. 490 n. 2., pag. 670 n. 3., pag. 560 n. 2.

[3]) Panegyr. Veter. Vol. II. pag. 42; auch das früher Gesagte beruht meist auf I. p. 145—146.

§. 5.

Die Völker im Norden der Donau, Pannonien gegenüber.

Als die Römer von ihren Donau-Castellen (limes Danubii, supercilia Istri) das jenseitige Barbarenland (frons Germaniæ et Sarmatiæ) bewachten, wurden sie mit den germanisch- sarmatischen Völkern auch näher bekannt, und wir können aus der Zusammenhaltung ihrer Berichte[1]), folgende Skizzen über die Nord-Donauvölker für die Zeit der Eroberung Pannoniens entwerfen. Wir müssen jedoch bemerken, dass die Römer selbst oft im Zweifel waren, ob ein Volk westlich der Weichsel zum germanischen oder sarmatischen Hauptstamme gehöre, und dass sie den Namen Sarmatien mehr als geographischen Collectivnamen für das weite, ihnen weniger bekannte grosse Binnenland von der Weichsel bis zum Don gebrauchten, aus dessen unsicherm Gebrauch, ebenso wenig wie aus dem Namen Skythien, ein richtiger Schluss auf die genetische Einheit oder Verwandtschaft der in diesem Raume befindlichen Völker gezogen werden kann.[2])

1. Zu beiden Seiten der March (Marus) und Waag (Cusus) lebten die (schon von Arrian erwähnten) Quaden, die östlichen Nachbarn der Markomannen und wahrscheinlich wie diese vom germanischen Hauptstamme.

Den Quaden untergeordnet erscheinen in der adrabenischen Ebene im Osten von der March bis an die Karpathen die Bämen (Bäemi, Βαιμοι), vermuthlich ein mit Sueven gemischter bojischer Stamm (Bojohaimi oder zusammengezogen Baimi). Längs der Donau sassen die Terakatrier (Teracatri) und Rhakater (Rhakatae).

Diese kleineren Völker werden aber bloss von Ptolomäus erwähnt, und verschwinden bald unter dem allgemeinen Namen der Quaden.

---

[1]) Arrian I. c. 3., Strabo VII. p. 201, 203. Plinius IV. c. 12, 13, 25., Vellej. P. II. c. 109., Tacit. Germ. c. 42, 44., Ptolomäus II. c. 7, 11.

[2]) Der Name der Skythen war ursprünglich, wie Herodot (IV. 48, 49, 50, 57, 80, 101) ihn braucht, der Name für ein dreifaches Volk, welches vom Don bis zur Donaumündung sich ausdehnte, und bei seinen auch bei Hippokrates angegebenen Merkmalen, nach unserm jetzigen Sprachgebrauch der mongolischen Raçe angehörte.

Als Alexander einerseits auch am Araxes solche Völker fand, anderseits die europäischen Skythen des Herodot unter den germanischen und sarmatischen Stämmen zur Unbedeutendheit herabsanken, wurde von Strabo der Name Skythien als ein allgemeiner, auf die nordasiatischen Völker, jener von Sarmatien auf die europäischen zwischen Don und Dniester übertragen. In der Folge wurden die Namen Skythen und Sarmaten als bald engere, bald weitere, auch einander identische Namen angewendet, so dass sie eine fast allgemeine geographische Benennung für den Nordost Europa's wurden. Siehe L. G. Niebuhr's treffliche Untersuchungen über die Geschichte der „Skythen, Geten und Sarmaten" in dessen kleinen historischen und philologischen Schriften. I. p. 352—398. Ueber die Skythen und Sarmaten vergleiche das kritisch fleissige Werk: Die Deutschen und ihre Nachbarstämme von Caspar Zeuss. München 1837, p. 275—312, 691—694 mit P. J. Schaffarik's: Slavische Alterthümer I. 16. Beide zeigen dass Sarmaten und Slaven verschieden seien.

Tacit. Germ. 42. gesteht seinen Zweifel hinsichtlich der Venedi, Peucini, Finni, der Oseni und anderer. — Plinius (IV. 13) spricht auf einleuchtende Weise das Schwankende jener Collectivnamen aus: „Scytharum nomen usquequaque transit in Sarmatas atque Germanos, nec aliis prisca illa duravit appellatio, quam qui extremi gentium harum, ignoti prope ceteris mortalibus degunt." — Procopius IV. 5. und V. 1. 2. sagt, dass die Gothen einst mit dem allgemeinen Namen Skythen, Sauromaten und Melanchläni, von Einigen auch Geten genannt wurden. Strabo VII. p. 9 (nach Ephorus der 340 Jahre vor Christi lebte) beschreibt die Sitten der Sarmaten so verschieden, dass einige Menschenfresser, andere die redlichsten Leute seien. Die neuere Literatur liefert einen reichen Beleg über die schwankende Anwendung und Ausdehnung des Wortes Sarmaten.

Die Römer, welche sich in die Streitigkeiten der Markomannen und Quaden zu mischen und die Vertreibung des mächtigen Marbod einzuleiten wussten, suchten auch an Vannius einen ergebenen Quadenkönig zu erhalten, dessen Reich aber nicht länger als 30 Jahre dauerte. Bald wurden die Quaden den Römern furchtbar als Verbündete der:

2. Sarmatischen Jazygen zwischen Gran, Theiss und Donau, zu welchen während des Kaisers Claudius Regierung eine neue Horde aus dem grossen Stammlande der Jazyger am schwarzen Meere wanderte, daher sie auch Jazyges metanastæ, d. i. wandernde oder vertriebene Jazyger, manchmal auch bloss Jazyges oder bloss Sarmatae benannt werden, weil sie aus dem grossen Sarmatien stammten.[1])

Durch die Romanisirung Daciens waren die Jazyger von ihren sarmatischen Brüdern am Pontus und Mäotis abgeschnitten; daher finden wir bis zur Ankunft der Hunnen die Jazyger stets im Bunde mit den Quaden, als gefürchtete Gegner der Römer.

Ihre Hauptmacht besteht in wohlgeharnischter Reiterei[2]), welche so trefflich beritten war, dass sie auf dem Eise der Donau kämpfen konnte. Die härtesten Kämpfe bestanden sie mit Mark Aurel und Valentinian. Sie dehnten ihre Wohnsitze zwischen der Donau und Theiss und auch noch über dieselbe aus, und bildeten ein eigenes Reich von berühmten und mächtigen Bewohnern.[3]) Man konnte im Anfange des 4. Jahrhunderts unter diesen Sarmaten Herren und Knechte unterscheiden (Sarmatae Domini et servi). Als die Herrn-Sarmaten von den Gothen gedrängt und am Maros geschlagen worden waren, bewaffneten sie auch ihre Knechte, mit deren Hilfe sie siegten. Als aber dieselben ihre Waffen weiter gegen ihre eigenen Herren gebrauchten, verlangten und

---

[1]) Die Stelle Arrians (Arriani Nicomedis Expeditiones Alexandri libri VII. Amstelodami 1757. 8. p. 15 und 16, L. I. c 3), worin bei den Völkern an der Donau zwischen Quaden und Geten schon zu Alexander des Grossen Zeit Jazyger als ein Theil der Sarmaten bezeichnet werden, ist meistens, selbst in Prof. Muchar's fleissigem Aufsatze: Die Ansiedlungen der Slaven an der Donau in der steiermärkischen Zeitschrift 1825 übersehen, und die erste Spur von Jazygen zwischen Donau und Theiss erst in die Zeit des Kaisers Claudius versetzt. — Allerdings muss mit diesem Verfasser zugestanden werden, dass die Römer die Jazyger für ein sarmatisches Volk hielten, dass aber die Jazyger Slaven, weil: Sarmaten waren, wie der gelehrte H. Verf. nach Jordanes (de orig. Slav. P. I c 10 und 11) und andern für ausgemacht hält, scheint irrig; denn, wenn auch wahrscheinlich ist, dass in dem nördlichen Theile Sarmatiens, oberhalb der Karpathen — schon damals, obwohl den Alten unbekannt — Slaven existirten, so folgt doch keineswegs, dass alle Völker, welche die Römer Sarmaten nannten, Slaven waren! — Die von Gatterer und Schlözer in Schwung gebrachte Ableitung der Jazyger von dem slavischen Worte: Jazyk, d. i. Zunge oder Volk, wornach Jazyges — Sloweni, — die Redenden im Gegensatze der Nemeti, d. i. Stummen bedeuten sollte, kann wohl eben so wenig den slavischen Ursprung der alten sarmatischen Jazyger beweisen, als Stephan Horváth's sehr gelehrte, in vieler Hinsicht höchst schätzbare Herleitung der sarmatischen Jazyger, und der mit ihnen identisch sein sollenden pannonischen und dacischen Jasen (Jasyx-Jasus?) von dem ungrischen Worte jász, d. i. Bogen, wornach dem genannten Schriftsteller zufolge die Jazyger und Jasen identisch sind und zum ungrischen (parthischen) Stamme gehören.

Doch wird in der Folge gezeigt werden, dass die letztere Ansicht mehr Wahrscheinlichkeit als die erstere für sich hat. Blosse Namen geben wohl nur Prämissen für Hypothesen, aber nicht für historische Wahrheit. — Vergl. Remêle: Ueber die Idendität der Magyaren und Jazyger (Sitzungsbericht der kais. Akademie der Wiss. vom 20. Nov. 1848, V. Heft.

Wir enthalten uns also, die alten sarmatischen Jazyger weder für Slaven, noch für Hunnen zu nehmen, und wollen lieber die Unmöglichkeit einer historischen Eruirung eingestehen.

[2]) Sie sind (Mann und Ross im Schuppenharnisch) abgebildet auf der Trajans-Säule zu Rom.

[3]) Ammian. Marcellin. XVII. p. 115.

erhielten die letztern von Kaiser Konstantin im Jahre 334 Aufnahme in Pannonien, Macedonien und Italien.[1])

Diese am Donaulimes zurückgebliebenen, nun aus der Knechtschaft frei gewordenen Sarmaten wurden auch Gränzsarmaten (Sarmatae limitantes, irrig limigantes) benannt. Dass hier unter den Sauromatis dominis die Vandalen, welche um diese Zeit sich zu Herren der Jazyger machten, unter den Sarmatis servis oder limitantibus aber die sich wieder befreienden Jazyger zu verstehen seien, wird aus Jornandes klar.[2])

Nach Ammianus Marcellinus wurden aber die Herren-Sarmaten wieder in ihre Sitze nördlich der Donau überführt.[3])

Nach vorübergehender Unterjochung durch die Vandalen erhoben sich (334 nach Christi) die sarmatischen Jazyger, als Anwohner des Donaulimes zur Unabhängigkeit, und behaupteten diese in ihren alten Sitzen zwischen Theiss, Donau und Gran neben den Gothen, wie früher neben den Dakern. Sie streiften seit der Ankunft der Hunnen durch Pannonien, Illyrikum etc. Ein Theil scheint mit den Vandalen und Alanen nach Hispanien gegangen zu sein, ein Theil ging unter Hunnen und Germanen verloren.

So wie die Jazyger am Pontus und im heutigen Ungern vorkommen, so finden wir auch Bastarner und Roxolanen. Sie scheinen am karpatischen Gebirge, die erstern mehr westlich an der Tatra und den kleinen Karpathen, die letztern an den Beskiden nomadisirt zu haben.

An den Weichselquellen, wohl auch an der obern Waag bis an die Tatra lebten aber die Osen. Tacitus schwankt zwar selbst, indem er als zweifelhaft angibt, ob die Osen von den Araviskern nach Germanien, oder umgekehrt von den germanischen Osen zu den Araviskern nach Pannonien gewandelt seien; er nennt sie aber an einer andern Stelle, als ein im Rücken der Quaden befindliches, pannonisch redendes Volk.[4])

Die Karpier wohnten in den nordöstlichen Karpathen (Mons carpaticus).[5])

---

1) Euseb. in vita Constantini Imp. L IV. c. 6.

2) Jornandes de rebus Get. c. 22.

3) Ammian. Marcell. XVII c. 13 und 19.

4) Bastarner und Peuciner scheinen identisch, und zu den Germanen zu gehören.

Tacit. 46. Peucini, quos quidam Bastarni vocant, sermone, cultu, sede ac domiciliis, ut Germani agunt.

Roxolanen und Alanen werden immer zusammen und mit Sarmaten genannt.

Plinius IV. c. 12. Roxolani superiora autem inter Danubium et Hercynium saltum usque ad Pannonica hiberna Carnunti, Germanorumque ibi confinium campos et plana Jazyges Sarmatæ: Montes vero et saltus pulsi ab his Daci ad Patissum (Theiss) amnem Alani et Roxolani etc.

a) Spartianus Hadrian c. 4, Euseb. Chron. a 120, Arrianus und andere nennen Alanen und Sarmaten zusammen.

b) Auch ihre Sitten werden sarmatisch (medisch) geschildert. Ammian. Marcell. I. 31. c. 2 sagt: Alanorum mores e Media. Wenn nun Procop die Alanen ein gothisches Volk nennt, so scheinen es schon gothisirte Alanen (Sarmaten) zu sein. Beachtenswerth bleibt übrigens, dass die Alanen, welche noch im Kaukasus leben, und sich selbst Iron (Parther) nennen, von den altrussischen Quellen Jasi, von den jetzigen Asi, und von den Grusiern Osi genannt werden.

Von den alten Osen sagt aber Tacitus c. 43, dass sie ein pannonisch redendes Volk seien, so wie die Jasen ein pannonisches Hauptvolk waren.

5) Im Namen Karpath scheint der Volksname Charbat (Horvath oder Kroat) anzuklingen.

Das 3. Hauptvolk im heutigen nordöstlichen Ungern und Siebenbürgen waren die Daker oder Geten.[1])

Nach des mächtigen Börebistas Tode zerfiel das grosse dacische Reich durch innere Zwistigkeiten und die Einmischung der Römer in mehrere Theile; doch waren die einzelnen Häuptlinge dieses schwer zugänglichen Gebirgsvolkes, wie Cotiso, den Römern noch immer so furchtbar, dass Augustus' Feldherr Lentulus gegen ihn das linke Donauufer befestigte. Gefährlicher wurde den Römern Decebalus, der wieder als König über die verschiedenen Stämme herrschte, aber seinen Hauptsitz zu Sarmizegethusa (bei Várhely im Hatzeger-Thale) hatte.

Domitian musste durch jährlichen Tribut den Frieden erkaufen, und überdiess noch römische Künstler und Handwerker liefern, was ein rühmliches Zeugniss für Decebalus Bestreben, sein Dacien durch Kultur zu heben, ablegt. Aber Trajan rächte diese Schmach durch den Untergang von Decebalus' Reich. Mit zahlreichem Heere zog er die

---

[1]) Die ganz verschiedene Benennung Daker durch die Römer, und Geten durch die Griechen (Plinius IV. c 12 und 25) dürfte (nach Analogie der Benennungen Gallier und Kelten, Pannonier, Dalmaten und Illyrier, Jazyger und Sarmaten etc.) daher kommen, dass Daker der Name des getischen Stammes war, mit welchem die Römer in Berührung kamen, Geten aber der allgemeinere der ganzen Sprachfamilie, dessen die Griechen sich meistens bedienten.

Bezüglich der genetischen Verwandtschaft dieser Geten sind verschiedene Meinungen:

a) Die älteste (Herodot V. 1. Strabo VII. 3. Diodor fragm. 1. 21) hält die Geten für Thraker.

b) Die mittlere des Jornandes (de rebus Get.), Aelius Spartianus (in Historia Augustor. Scriptor I. 198 c 10); des h. Hieronymus (S. Eusebii Hieronymi Opera III. col 318) identificirt Geten=Gothen, welchen Prokop im weitern Sinne beistimmt, indem er überdiess auch Vandalen und Sarmaten für Geten hält.

Nach Šafarik über die Abkunft der Slaven p. 81 sind Geten = Slaven.

Wir werden diese Ansichten bei den Gothen näher betrachten, und mehrere Gründe für die älteste Meinung beibringen. Hier nur so viel:

1. Die älteste Ansicht hat nicht nur seiner Zeugen wegen selbst, sondern desshalb Gewicht, weil damals die Geten (Daker) noch unvermischt waren.

2. Die Zeugen der zweiten Ansicht sind zwar nicht minder gewichtig, sie hatten jedoch nicht mehr die alten Geten (Daker), sondern die mit den skandinavischen (germanischen) Gothen gemischten vor sich.

3. Die Aehnlichkeit des Lautes Geten und Gothen und ihrer Sitze mochte beitragen, dass im Mittelalter der Name Gothen mit Geten verwechselt, und letzterer mehr zu einem geographischen Collectivnamen wurde.

4. Die Namen der alten getischen (dacischen) Heerführer: Dromichetes (in dessen Gefangenschaft Lysimach 286 vor Christi fiel), Börebistas, Cotiso, der Volksname Dakus selbst, haben nichts gemein mit den gotischen (germ.) Namen: Geberich, Hermanarich, Alarich, Theodorich, Wisumar, Walamir etc.

5. Eben so ist die Kleidung der gefangenen Daker auf der Trajanssäule nicht eng anliegend (germanisch), sondern weit (thracisch, sarmatisch).

Die letztern Gründe werden an Gewicht gewinnen, wenn der germanische Ursprung der Gothen nachgewiesen werden wird.

6. Erklärt sich daraus die leichte Verschmelzung der lateinischen mit der dakischen Sprache, die in dieser Mischung noch das Grundelement der rumunischen (walachischen) zu bilden scheint, während in Pannonien, Norikum, Illyrien die lateinische Sprache ganz verschwand.

7. Die alte thrakische Sprache scheint verwandt mit der hellenischen, keltischen, und wohl auch mit der slavischen, jedoch älter.

Zeuge dafür dürfte die in der walachischen Sprache vorkommende Infinitiv-Endung in ensk sein, welche im slavischen adjectiv Form ist. Es gehört aber der Kindheit der Menschen an, Eigenschaften in Form des Infinitivs auszudrücken, z. B. freuen, laufen, sagen etc. statt: er lauft, sagt, freut sich etc.

Donau herab, und drang nach Tapä's Erstürmung bis in die Nähe der Hauptstadt, worin Decebalus römische Besatzung annehmen und den Titel „römischer Bundesgenosse" führen musste.

Decebalus Versuch, das römische Joch abzuschütteln, misslang. Trajan erschien mit noch stärkerer Macht, baute zur sichern Verbindung eine steinerne Brücke über den Ister, besiegte den Decebalus, der — um der Gefangenschaft zu entgehen — sich selbst erdolchte.

§. 6.

Das trajanische Dacien. (Dacia trajana.)

Das durch den Krieg entvölkerte Dacien wurde durch mehrere Colonien besetzt, wozu nicht nur Italien, sondern fast alle römische Provinzen beitrugen;[1]) Veteranen verschiedener Zungen erhielten Grundstücke und italisches Recht, unter Caracalla wurde auch allen Provincialen das römische Bürgerrecht ertheilt, um die Römerherrschaft desto fester zu begründen. Bergwerke und Salzgruben machten Dacien zu einer einträglichen Provinz. Doch konnte dieselbe nicht behauptet werden. Die Unzufriedenheit der Daker erschwerte den Römern Daciens Besitz gegen die Gothen und Vandalen.

Schon Kaiser Hadrian liess die Donaubrücke[2]) abtragen, um die jenseitigen Provinzen nicht der Gefahr auszusetzen. Mark Aurel versetzte nach beendigtem Kriege gegen die Quaden einen Theil derselben nach Dacien. Der Versuch der Daken unter Commodus, das römische Joch abzuschütteln, misslang zwar (auch Dacius behauptete Dacien gegen einen Anfall der Gothen); aber Aurelian räumte, vermöge eines eigenen Vertrages, das trajanische Dacien den Gothen ein (274), um sie von ferneren Einfällen in Mösien und Thracien abzuhalten. Er verpflanzte die römischen Soldaten, Colonisten und einen Theil der Provincialen zwischen das obere und untere Mösien, welcher Bezirk sofort eine eigene Provinz: das aurelianische Dacien bildete.[3])

---

[1]) Die Cass. LXVIII 14, Eutrop. VII. Der letztere sagt sogar, dass „totus orbis Romanus" hierzu beigetragen habe. Es scheint daher nichts befremdliches, wenn man in Siebenbürgen Steinschriften findet, welche das einstige Dasein dacischer Jassier bei Várhely (Samuelis Köleséri Auraria Romano-Dacica pag. 17) und dacischer Parther (Katancsich Istri adcolarum geographia II. p. 239) bei Karlburg verkündigen, ohne dass man zu dem Schlusse Stefan Horváth's Zuflucht suchen müsste: Die dacischen Jassier seien Parther! Jonier! Panjonier! Pannonier! Horváth hält diese für identisch mit den Jazygen, deren Strabo VII p. 470 erwähnt. Allein dort ist von sarmatischen Jazygen als Nachbarn der Tyrrigeten (Daker) die Rede, also offenbar von den Jazygen zwischen Donau und Theiss. — Die dacischen Jassier, deren die obige Steinschrift um's Jahr 153 vor Ch. meldet, scheinen von den pannonischen Jassiern oder Jasen, deren nebst Strabo und Plinius auch Steinschriften als eines Gemeindewesens (res publica) erwähnen, zur Römerzeit nach Dacien als Colonisten oder Soldaten gekommen zu sein. —

[2]) Reste der Brücken-Pfeiler sieht man noch unterhalb Orsova bei Severin in der kleinen Walachei.

[3]) Auf diese Weise dürften wohl die Worte des Vopiscus „sublato exercitu et provincialibus" zu verstehen sein. — Ob und wiefern die Walachen (Rumunen oder Romamen) von den Dakern und Römern abstammen, wird später erörtert werden.

2*

§. 7.

Abstammung und frühere Sitze der Gothen, so wie deren Herrschaft über Dacien. (274—376 n. Ch.)

Der Gothe Jornandes[1]), die Hauptquelle über die ältere gothische Geschichte vermischt gothische alte Traditionen mit griechischen Nachrichten über die Geten (Tyra Geten, Massageten u. a.). — Nach jenen gothischen Ueberlieferungen waren ihre Sitze in den skanzischen Inseln (Skandinavien), aus denen sie an die Bernsteinküste schifften, und allmälig bis an den Pontus hinabzogen. Da sie in die Sitze der Geten gelangten, so scheint bei der Aehnlichkeit des Namens Gothen und Geten die Verwechselung bald eingetreten zu sein. —

Hält man aber die Nachrichten des Tacitus und des Ptolomäus mit dem Gange der Ereignisse, der Stellung der Völker und den alten gothischen Sprachdenkmalen zusammen, so folgt wohl als Resultat: die deutsche (germanische) Abkunft der Gothen daraus.

Tacitus nennt die Guttones im Rücken der Markomannen, sagt jedoch, dass sie eine gallische Sprache, die benachbarten Aesthen brittisch reden. Ptolomäus nennt sie Gyttones. Das Vordringen der Markomannen (166) (nebst Quaden, Jazygern, Roxolanen, Hermunduren etc.) war durch eine Bewegung im Rücken veranlasst; wahrscheinlich durch das Ausbreiten der gothischen Stämme.[2])

---

[1]) Im cap. 50 de rebus geticis gibt sich Jornandes als einen Gothen an; angeblich war er Bischof von Ravenna; doch zeigt seine ganze Darstellung von gänzlichem Mangel an historischer Kritik. — Daher ist auch seine Meinung, dass die Gothen Geten seien, von keinem Gewichte, indem er nur dem Sprachgebrauche seines Zeitalters folgte, und dadurch zu vielen Vermischungen verleitet wurde. — So wie Skythien und Sarmatien, so hatte auch Getenland eine mehr geographische, als ethnographische Bedeutung.

Der Tanais (Don) schied das europäische und asiatische Skythenland, das auch Sarmatien hiess. — Jornandes im 5. Cap. gibt nicht blos die Weichsel als Gränze zwischen Skythien und Germanien an, sondern dehnt das erstere bis an die Donau aus; Scythia siquidem germaniæ terræ confinis, catenus, ubi Ister oritur amnis." Gepiden, Gothen etc. waren daher nach Jornandes Vorstellung in Skythien. Die Massageten des Herodot las Jornandes auch in Skythien, also dachte er sich Gothen=Skythen=Geten.—

Diesen Sprachgebrauch hatten auch Eusebius, Procopius u. a. Der letztere spricht überdiess de bello gothico LIV. c 5 gerade aus, dass Skythien nur ein alter geographischer Name ist:

„Hinc (am palus Mäotis) longius siti erant Gothi, Visigothi, Vandali, aliique omnes populi Gothici, qui et Scythæ quondam nominabantur, communi utique illarum partium gentibus appellatione, in quibus erant qui Sauromatarum vel Melanchlænorum, aliæve quopiam peculiari cognomento gauderent." Und V. I. 2: „Plurimæ, quidem superioribus fuere temporibus, hodieque sunt nationes Gothicæ, sed inter illas Gothi, Vandali, Visigothi et Gepaedes, quum numero, tum dignitate præstant. Olim Sauromatæ dicebantur ac Malanchlaeni: quidam etiam Getarum nomen ipsis tribuerunt. Vocabulis quidem omnes ut dictum est, nulla vero re præterea inter se differunt. Cutis omnibus candida, flava cæsaries, corpus procerum, facies libera, eædem leges, eadem sacra, ariana scilicet, una demum lingua, quam Gothicam vocamus, Alanis Gothica natione."

Der wohlunterrichtete Prokopius, selbst Belisar's Begleiter, sagt durch jene im Zusammenhang aufzufassende Stellen offenbar, dass Gothen, Wandalen, Gäpiden, Alanen etc. zum Stamme der Gothen gehören, welche, weil sie in Skythien oder Sarmatien wohnen, auch Skythen oder Sarmaten, von einigen auch Geten genannt wurden. — Prokop sagt zwar: „Vandali ad Germanos se receperunt", aber der Beisatz „quos hodie francos nominant" zeigt an, dass hier nicht Vandalen den Germanen, sondern nur einem germanischen Stamme entgegengesetzt werden; dass der eigentliche Name der Gothen nicht Geten war, zeigen Münzen und Steine, worauf es heisst: „Claudius Diocletianus Gothicus, victoria Gothica, victori Gothorum."

[2]) Wenn der Codex, der von Kloster Werden im H. Berg nach Prag, und von Prag durch die Schweden nach mehrfachem Besitzwechsel in die Universität zu Upsala kam, auch nicht vom Ulphilas dem Bischofe der Mösogothen (4. Jahrh.) herrührte, so gehört er jedenfalls in die Zeit der ostgo-

Die Gothen waren von uralter Zeit in Ost- und West-Gothen geschieden[1]); über jene herrschten die Königsgeschlechter der Amaler, über diese die Balten (Kühnen).

Aus dem erstern erhob Hermanrich, ein zweiter Alexander. die Herrschaft der Ostgothen für kurze Zeit auf den Gipfel ihres Glanzes. so dass er über die verschiedenen germanischen, slavischen, finnischen, sarmatischen und skythischen Völker vom schwarzen Meere bis zur Ostsee durch Macht und Weisheit herrschte; doch bei dem Anstürmen der Hunnen starb der 110jährige Ostgothenkönig durch freiwilligen Tod.[2])

Die frühern und spätern Streifzüge der Gothen nach Thrakien, Macedonien und Kleinasien gehören nicht hieher; doch ist zu bemerken, das sie durch gefangene Priester Kenntniss des Christenthums erhielten. Es scheinen darüber Uneinigkeiten unter den Gothen entstanden zu sein, denn schon 355 begab sich eine Abtheilung christlicher Gothen in griechischen Schutz; als aber der Strom der Hunnen sich heranwälzte, bat die grösste Zahl der Westgothen unter Fritigern durch Vermittlung Ulphila's um Aufnahme in das byzantinische Reich, die ihnen von Valens mit der Bedingung der Bekehrung zum (arianischen) Christenthume gewährt wurde. —

§. 8.

Abkunft und frühere Sitze der Hunnen (Chuni, Hunni etc.) so wie deren Herrschaft über Dacien und Pannonien.

Der Name der Hunnen ist manchmal fast eben so allgemein geographisch, als jener der Skythen von den Alten gebraucht[3]); bedenkt man dabei die nomadische Le-

thischen Herrschaft in Italien (nach Johannis ab Ihre scripta versionem Ulphilanam et linguam moesogothicam illustrantia, edita ab A. f. Büsching. 4. Berolini 1773 p. 268). — Sein Text ist also jedenfalls gothisch, d. i. deutsch, dessen Verwandtschaft mit Keltischem, Latein und Griechischem daselbst nachgewiesen ist. — Daraus dürfte wohl die Stelle des Tacitus: „gothinos gallica lingua coarguit non esse Germanos" ihre Erklärung finden. Dagegen zählt schon Plinius IV. cap. 14 die Guttones zu den Germanen; Paul Diacon lässt die Gothen aus Germanien kommen, und Walafridus Strabo (de reb. eccles. c. VII); aus dem 9. Jahrh. sagt ausdrücklich: „Gothi, qui et Getæ, eo tempore quod ad fidem Christi, licet non recto itinere perducti sunt, in Græcorum provinciis commorantes, nostrum i. e. teotiscum sermonem habuerunt. Et ut historiæ testantur, postmodum illius gentis divinos libros in suæ locutionis proprietatem transtulerunt, quorum adhuc monumenta apud nonnullos habentur." Und in der That hat die Gunst der Zeit ausser obigem Codex zu Upsala noch in Wolfenbüttel, Neapel, Rom, Arezzo, Mailand, Paris und Wien gothische Bruchstücke bewahrt, und der Fleiss eines Knittel, Zahn, Mai, Castiglioni, Massmann, Haupt und anderer dieselben zu Tage gefördert. — Jakob Grimm aber hat in seiner deutschen Grammatik die gothische Sprache mit den übrigen altdeutschen Dialekten in Vergleichung gestellt. —

Auch die gothische Schrift, welcher das griechische Alphabet zu Grunde liegt, spricht dafür, dass sie dieselbe Schriftart sei, welche nach den Zeugnissen der gleichzeitigen: Sokrates, Philostargus, dann Jornandes etc. von Ulphilas herrührt.

Hier ist nicht Raum, die übrigen Gründe für die deutsche Abkunft der Gothen zu entwickeln, aber jene Andeutungen dürften genügen, um darzuthun, dass die Gothen weder Slaven (Gath, Tóth), noch Geten (Daker), noch eigentliche Skythen (Parther, Hunnen, Ungern) seien.

[1]) Die Eintheilung des skandinavischen Gothenlandes in West- und Ost-Gothenland scheint in jene uralte Zeit zurückzureichen.

[2]) Jornandes de reb. get. c. 23 „Habebat (Ermanaricus) siquidem, quos domuerat, Gothos, Scythas etc. et gentem Erulorum, iuxta Mæotidas paludes. — Veneti, Antes, Sclavi — Ermanrici imperiis serviebant. Aestorum quoque similiter nationem, qui longissima ripa Oceani Germanici insident, idem ipse prudentia, virtute subegit, omnibusque Scythiæ et Germaniæ nationibus, — imperavit. —

Jornandes ist der erste, welcher den Namen Sclavi (Slavini) ausdrücklich nennt, und zugleich andeutet, dass ihr älterer gemeinsamer Name Winden (Winidæ) sei.

[3]) Agathias aus dem 6. Jahrh. (Lib IV. p. 107, edit. Venet. pag. 154, Paris: „Hunnorum olim gens

weise, das stete Drängen und Verdrängen der einander bekriegenden mittelasiatischen Völker: so wird es nicht befremden, wenn wir von den kaspischen Pässen bis zur Gränze Indiens in den historischen Nachrichten von Hunnen hören.

Die älteste Spur des hunnischen Namens kömmt auf einer Wand des Palastes zu Karnak in Ægypten vor, wo unter den von Menephta I. (ums Jahr 1600 v. Ch.) besiegten Völkern des Nordens die Unnu genannt werden.[1]) — König Sesostris soll die Unnen (die auch Skythen oder Parther genannt wurden) als Bundesgenossen gewonnen haben, bei seinen asiatischen Eroberungen.[2]) — Das von Darius Hisdaspes (der 520—485 regierte) gesetzte Monument zu Persepolis gibt unter den ihm tributären Ländern und Völkern nach Armenien, Kapadocien und Sapardien die Hunä an.[3]) —

Plinius nennt Hunnen in der Nachbarschaft von Indern und Skythen.[4]) Dionysius' Halikarnassus Periegetes kennt bereits Hunnen am kaspischen Meere neben den Skythen; Ptolomäus nennt sie Chuni und versetzt sie zwischen Roxolanen und Bastarnen am Pontus (eben dahin, wo Strabo die Ugri kannte, während Herodot dieselben unter den Namen Yrken (Urgen) am Ural zu kennen scheint.[5]) —

Die armenischen Geschichtschreiber kennen die Hunnen unter dem Namen Hunk zwischen Don und Wolga, und nennen die Engpässe von Derbend wegen der hunnischen Einfälle in die vorkaukasischen Länder den hunnischen Wall. —

---

habitavit circa eam Mæotidis paludis partem, quo subsolanum ventum versus spectat, erantque Tanai flumine magis septemtrionales; quemadmodum et aliæ barbaræ nationes, quotquot intra Imaum montem in Asia consederunt. Hi vero omnes communiter Scythæ et Hunni vocabantur."

Prokop spricht in bello persico Lib. IV. cap. 3 u. 10 sogar von Ephtaliten oder weissen Hunnen als Nachbarn der Meder, welche nicht nur in keiner Verbindung mit den westlichen Hunnen standen, sondern selbst in physischer Hinsicht von den übrigen Hunnen verschieden, nämlich von weisser Farbe, wohlgestaltet, in festen Sitzen u. s. w. beschrieben werden.

[1]) Rosellini Mon. dell' Egitto e della Nubia P. III Mon. relig. Tar XLVI u. LXI. enthält die bezügliche Abbildung.

[2]) Constant. Manasse in Compendio Chronico p. 12 edit. Paris, Aegypti Rex Sesostris—assumtis belli sociis ex Unnorum gente terram universam, Asiam maxime percurrit, et omnes Unnos sive Scythas, Parthos appellavit. —

[3]) Die altpersischen Keil-Inschriften von Persepolis von Pr. Ch. Lassen. Bonn 1836. pag. 89. —

[4]) A sedibus Alanorum sunt gentes Hunni et Tochari, et jam Casiri intro versus ad Scythas versi. Plin. IV. c. 17.

[5]) Ptolem. III c. 5. eben so nach ihm Markian von Heraklea. Die Uiti bei Strabo (XX p. 514) scheinen mit diesen Hunnen oder Chunen identisch zu sein. — Jedenfalls bleibt die Stellung der Hunnen in den alten Sitzen der Skythen und Ugren im 2. Jahrh. neben Roxolanen und Bastarnen, wo auch die Jazyger am Pontus nachbarlich waren, um so beachtenswerther, als die mit Roxolanen identischen oder doch verwandten Alanen von altrussischen Quellen Jasi, von neueren Asi, von den Grusiern Osi, — und dass alle diese besonders als Pfeilschützen (Jászok) genannt werden. — Wir wollen hier keineswegs den Ketten-Schluss ziehen, dass Hunnen-Ugren Jazygern, Jasen, Osen (den Alanen des heutigen Kaukasus und den pannonisch redenden alten Osen), dass folglich Hunnen Pannonier, die jetzigen Ungern und Jazyger den alten Pannoniern stammverwandt, sohin die ältesten Bewohner ihres heutigen Landes seien; wir wollen noch weniger an das Resultat dieses Kettenschlusses glauben; wir möchten aber diejenigen, welche allenfalls die alten Jazyger und Pannonier, weil sie Sarmaten und Illyrier genannt werden, zu Slaven machen wollen, daran erinnern, dass wir mit eben so gutem historischen Grunde, oder besser Ungrunde, als sie, ihren Satz zu beweisen glauben, unsere Thesis darthun können. —

Ueber die ältern Sitze der attilaischen Hunnen ist wohl die Nachricht des Priscus entscheidend, wornach sie aus der Nachbarschaft der Meder kamen. — Der ihrem Einfalle nach Europa gleichzeitige Ammianus Marcellinus meldet, dass die Hunnen jenseits des mäotischen Sees bis an den eisigen Ocean wohnten. —

Vor der Ankunft der Hunnen in Europa waren also hunnische Völker bereits an der Nordgränze von Medien und Persien bis zum Don und mäotischen See bekannt.

Was nun ihre Abstammung betrifft, so scheinen sowohl:

a) deren physische und moralische Beschaffenheit, als:

b) deren Sitze durch mehr als 1000 Jahre zwischen Ural, Kaukasus und Imaus, in Verbindung mit

c) den geringen sprachlichen Merkmalen für die uralische (ugrische, skythische, tschudisch-finnische) Abkunft der Hunnen zu sprechen. —

ad a). Ammianus Marcellinus, Zosimus und Sidonius Apollinaris in Uebereinstimmung mit Jornandes schildern die Hunnen von dunkelbrauner Farbe, kleiner Statur, mit breitem Kopfe, kleinen Augen, platten Nasen, wenig Bart, da sie durch Einschnitte von Kindheit an dessen Wuchs hindern. Trefflich ist das Bild, das Jornandes von Attila entwirft[1]): „forma brevis, lato pectore, capite grandiori, minutis oculis, rarus barba, canis aspersus, simo naso, teter colore, originis suæ signa restituens." Wer sieht bei dieser Beschreibung nicht die Köpfe der Nordländer, Samojeden, Tungusen, Eskimo u. a. finnischen Völker vor sich?

Diese Beschreibung erinnert wohl auch an die Mongolen, und war der Anlass, die Hunnen für Mongolen und für die Hiongnu oder Hionu der chinesischen Annalen zu erklären[2]); allein bei näherer Betrachtung passen die physischen Merkmale besser auf die Finnen.

Die heutigen Ost-Uralvölker (besonders Wogulen, Sirjänen u. a.) kommen mit den Mongolen in vielen Merkmalen überein; doch ist ihr Kopf oben an der Stirne breiter, als unten am Kinne, während der Kopf der Mongolen bei zurückgehender Stirne und breitem vorragenden Kinne vergleichungsweise mehr spitz zuläuft. — In der Marmarosch liegen ganze Haufen sogenannter Tartaren (besser Mongolen) Schädel, die eine auffallend zurückgehende Stirne haben.

Uebrigens stimmen Blumenbach, Cuvier und Martin darin überein, dass die Nordländer (Finnen) zur mongolischen Raçe im weitesten Sinne des Wortes gehören. Der Streit, ob die Hunnen zu Finnen oder Mongolen gehören, fällt also in physischer Hinsicht in sich selbst zusammen. —

Noch näher als die physische berühret sich die moralische Seite der Ostfinnen und Mongolen.

Die berittenen asiatischen Söhne der Steppen: Skythen, Hunnen, Awaren, Mongolen etc. gleichen einander alle. Sie leben ohne feste Wohnsitze, nähren

---

[1]) Jornandes de reb. Get. c. 35.

[2]) Deguignes Histoire générale des Huns, des Turcs, des Mogols et des autres Tartares occidentaux. — Die Hiongnu gehörten überdiess nicht zur mongolischen, sondern zur türkischen Familie, und waren bereits um's J. 90 n. Ch. von den Chinesen in die Steppen zwischen Irtisch und Uralsee vertrieben. —

sich von mürb gerittenem Pferdefleisch und Stutenmilch (Kumas), hängen den ganzen Tag auf Pferden, auch oft in Frauenstellung ohne Sattel, sind treffliche Pfeilschützen, stürmen haufenweise gegen den Feind, fangen ihn mit Schlingen, lösen sich plötzlich auf, täuschen durch Flucht, und halten über wichtige Gegenstände gemeinsame Berathungen, wo aber nicht nach Gesetzen, sondern nach der augenblicklichen Leitung der Primaten meist tumultuarisch entschieden wird. —

Ein vom Himmel gefallenes Schwert gibt einem einzelnen Häuptlinge (Attila und Dschingischan) die höchste Macht bei seinem Stamme, und dieser wird durch den Glauben seiner Bestimmung der Welteroberung über viele Völker herrschend. In dieser Periode wird der Name des herrschenden Volkes meistens auf viele unterworfene ausgedehnt, daher der spezielle ethnographische Name dann eine grosse, bloss historische, und in der Folge geographische Allgemeinheit erhält. — Diese moralische Gleichförmigkeit der Nomadenvölker erschwert ausserordentlich deren ethnographische Sonderung und trug Vieles zur Verwechslung von Hunnen und Mongolen bei. —

b) Wichtiger sind die Sitze der Hunnen für die ethnographische Frage. Seit 1600 J. v. Ch. nomadisirten hunnische Völker von Mediens Gränze bis zum Kaukasus und von dort in unbestimmbarer Weite über den Ural nördlich; sie gränzten östlich an Türken und Mongolen, westlich an Sarmaten und Skythen, nördlich an die Finnen und scheinen vielmehr der südlichste Zweig der Uralvölker und stammverwandt mit Sarmaten und Skythen zu sein.

Ausser der physischen Aehnlichkeit, ausser der Gleichheit der Sitze der Hunnen mit den Skythen und Sarmaten zur selben Zeit, sprechen auch die wenigen sprachlichen Merkmale dafür.

c) Althunnische, ja altmagyarische Namen finden sich noch bei den heutigen Awaren des Kaukasus, z. B. Attila awar. Adilla, Bleda awar. Beled (d. i. Anführer), Balamir awar. Balamir, Ellak awar. Ellak, Zolta awar. Solta, Almus awar. Armus, Budak awar. Budach u. s. w.

Der Name Hunk für Hunnen, wie er in armenischen Quellen vorkömmt, scheint die Pluralform Hunn-ok in sich zu schliessen. — Das Wort uar bedeutete nach Jornandes[1]) bei den Hunnen einen Fluss, so wie noch jetzt bei Awaren uar, uor, or und hor dasselbe bedeutet. Chun bedeutet bei den Awaren einen Mann; Chuni (Hunok) würde also Männer bedeuten, so wie der älteste Name der Deutschen „Manen" war, der bald als Germanen, Cenomanen, Markomannen, Alemannen u. s. w. speziell erscheint. Ein Bezirk im Lande der Awaren heisst noch Chundzag (wie in Ungarn der Kumanenbezirk Kunság). Vadan hiess bei den alten Hunnen, Vadon heisst noch bei den Ungern eine Wüste.[2])

---

[1]) Jornandes cap. 52. Danubii amnis fluenta — quæ lingua sua Hunni uar nominant, ist die nach einem Pariser Codex hergestellte Leseart für die in Muratori abgedruckte irrige „Hunnivar." —

[2]) Wien Jahrb. LXII pag. 62. — Andere Analogien hunnischer, ungrischer und finnischer Namen und Worte werden später angeführt werden, wenn die Stammverwandtschaft der Hunnen und Awaren mit Ungern und Finnen dargethan sein wird, wodurch die Wahrscheinlichkeit, dass die Hunnen nicht zu den Mongolen, sondern zu den Finnen gehören, verstärkt wird. —

Zwar finden wir auch einige mongolische Worte bei den Finnen. So heisst z. B. bei Mongolen und Awaren der Anführer Chagan; blau köke (ungr. kék) etc.; es folgt jedoch daraus nur, dass Sprachanalogien allein nichts entscheiden, zumal wo die Prämissen nur in einzelnen Namen und Worten bestehen, wohl aber dürfte in Verbindung mit den übrigen Gründen mehr Wahrscheinlichkeit für die finnische, als für die mongolische Abkunft der Hunnen vorhanden seyn[1]). —

Wenn wir nun bedenken, dass eben dort am Araxes, wo nach bestimmten Nachrichten die Hunnen sassen, von den Begleitern Alexanders des Grossen Skythen getroffen wurden, dass skythische Götter u. a. Namen in der Zendsprache ihre Wurzel haben, dass auch Sigynner und sarmatische Jazyger, wie die Hunnen nach ihrer eigenen Aussage aus Medien kamen, und von den Medern abstammten, dass die Parther in ihren Sitten und inneren Einrichtungen mit Jazygern viel Aehnlichkeit haben, so folgt, wo nicht die Vermuthung über eine Verwandtschaft dieser Völker, doch die sichere Thatsache, dass die drei ältesten Völker, die einst das heutige Flachland Ungerns bewohnten, aus Mediens Nähe kamen, und zwischen Kaukasus und Ural, dann weiter vom schwarzen Meere im Donauthale aufwärts dahin einwanderten.

Nach übereinstimmender Aussage stürmten die Hunnen im Jahre 375 unter Balamir über den Tanais, die Alanen mit sich fortreissend, auf die Ostgothen.

Der mehr als 100jährige Hermanrich entleibte sich selbst bei ihrem Nahen; die Westgothen suchten und erhielten mit ihrem Anführer Fritiger Aufnahme in Mösien. Die Hunnen setzten sich unter Rua in Dacien fest, streiften unter verschiedenen Führern nebst Gothen, Alanen, Vandalen, Quaden, Markomannen und Sarmaten durch Mösien, Thracien, Macedonien, Dalmatien und Pannonien, bald als Feinde, bald als Bundesgenossen der Römer[2]).

Attila hob die hunnische Macht auf den Glanzpunkt. Vom Pontus bis zum baltischen Meere war er Herr der „skytischen und germanischen Lande;" mit Persien führte er Krieg; den byzantinischen Kaiser Theodos zwang er zum Tribut; auch Pannonien gehorchte ihm[3]).— Zwischen Donau und Theiss

---

[1]) Schaffařik in den slavischen Alterthümern nimmt die uralische (finnische) Abkunft der Hunnen als ausgemachte Sache an; Remusat Recherches I. p. 305 sucht nachzuweisen, dass die Finnen die Reste der nördlichen Hunnen seien; mehr als historische Wahrscheinlichkeit für die vorliegende Thesis dürfte nicht zu erhalten sein.

[2]) Der h. Hieronym. Epist. 36. ad Heliod. um's J. 395 sagt ausdrücklich: „Viginti et eo amplius anni sunt, quod - Hunni - - - Dalmatiam cunctasque Pannonias, vastant, trahunt, rapiunt." Nach Ammian. Marcellinus haben die Römer im J. 427 Pannonien von den Hunnen zurückerhalten. Doch war noch von keinem rechtmässigen Besitze Pannoniens die Rede. Erst Aëtius, der die Hunnen nach Honorius Tode zu Gunsten des Kaisers Johannes zu Hilfe gerufen, trat Pannonia Savia denselben ab.

[3]) Wenn sich auch die Gränzen von Attila's Reich nicht genau angeben lassen, so ist doch gewiss, dass nicht nur alle Völker, die den Gothen unterworfen waren, folglich auch die Slaven unter Attila's Oberhoheit standen, sondern diese scheint sich auch über die alten Hunnensitze in Asien ausgedehnt zu haben. Ob ganz Pannonien dem Attila gehorchte, ist eine nicht zu entscheidende Frage.

Priscus excerp. Legat. p. 25. 37. sagt: „Pæonia regio ad Savum — ex foedere inito cum Aetio-barbaro (Attilæ) parebat," und in der Folge p. 43 „Pæonum regio Attilæ parebat." —

Jornandes c. 43. „ab Dacia et Pannonia provinciis, in quibus tunc Hunni cum diversis subditis nationibus insidebant," dann c. 50. „Gepidæ Hunnorum sibi sedes viribus vindicantes, totius Daciæ

in den Sitzen der einst mächtigen sarmatischen Jazygen, war seine Hauptresidenz. Von dort zog Attila aus zur Völkerschlacht in den katalaunischen Gefilden (451) und nach Italien (452), worauf er zurückgekehrt — bald auch sein Leben beschloss. —

§. 9.

Auflösung des attila'schen Reiches (454—494).

a) In Pannonien: Ostgothen, Rugier, Heruler, Satager;
b) In Dacien: Gepiden, Hunnen, Scirren;
c) In den Sitzen der Jazyger und Quaden: Heruler, Hunnen, Scirren und Slaven.

Die Vasallenkönige Attila's benützten die Uneinigkeit seiner Söhne, das hunnische Joch abzuschütteln.

Der gewaltige Gepidenkönig Ardarich erhob sich zuerst, schlug und tödtete am Flusse Netad in Pannonien Attila's erstgebornen Sohn Ellak mit Hilfe der Gothen, Sueven, Alanen und Heruler; 30.000 Hunnen sollen geblieben sein, der Rest floh gegen den Pontus.

Die Gepiden herrschten nun über das ganze (einst trajanische) Dacien, doch waren auch an der Donau hunnische und scirrische Stämme zurückgeblieben.— Ueber den grössten Theil Pannoniens herrschten die ostgothischen Brüder Walamir, Theodemir und Widimir in musterhafter Eintracht und desshalb stark: doch breiteten im obern Pannonien die Rugier ihre Sitze vom jenseitigen Flachlande in die Umgegend Faviana's (Wien's) aus, und im untern Pannonien waren die (vermuthlich slavischen) Satager[1]).

Die einst mächtigen sarmatischen Jazygen und Roxolanen erscheinen unter dem allgemeinen Namen der Sarmaten; die Quaden, Markomannen, Hermunduren u. a. germanische Stämme unter jenem der Sueven und Alemannen[2]).

---

fines velut victores partiti, — — Gothi vero, maluerunt a Romano regno terras petere, accipientes Pannoniam."

Man sieht also, dass, wenn auch Attila ausser dem vertragsmässig besessenen untern Pannonien, das übrige besass, solcher Besitz nur ein factischer gewesen.—

Der Hauptsitz Attila's war jedoch unstreitig nördlich der Donau, obgleich Priskus sagt, dass Attila mehrere Residenzen hatte.

Ob daher Attila zu Aquincum eine Burg hatte, und dieses desshalb Ezilburg genannt worden sei, oder vielmehr Etilburg (d. i. Stromburg als alt-ungr. Uebersetzung von Aquincum) bleibt dahingestellt.—

1) Zum Verständnisse der damaligen Verhältnisse muss man sich die von Jornandes de rebus get. c. 50 beschriebenen Gränzen Pannoniens gegenwärtig halten: „Pannonia habet ab oriente Moesiam superiorem, a meridie Dalmatiam, ab occasu Noricum, a septemtrione Danubium. Ornata patria civitatibus plurimis, quarum prima Sirmis, extrema Vindomina." Dass die Gothen nur einen Theil Pannoniens inne hatten, sieht man aus dem cap. 53. „Suevia (Noricum mediterraneum) nec a Pannoniis multum distabat, praesertim ea parte, ubi tunc Gothi residebant."— Ferner aus der Biographie Severius, der im obern Pannonien unter den Rugiern lebte; und aus dem Anfang des cap. 53: „Gothi primo contra Satagas, qui inferiorem Pannoniam possidebant, arma moventes." (Die Lesart interiorem ist nach Obigem offenbar irrig.—

2) Die Gothen scheinen also nach dem ganzen Zusammenhange zwischen Leitha und Drave gesessen zu sein, obwohl die cap. 50 von Jornandes erzählte Theilung der drei Ostgothen Brüder und seine Flussgeographie überhaupt nicht klar ist: „Walemir inter Scarniungam (Raab) et aquam nigram (Leytha, die noch am Ursprung bis an die ungrische Gränze Schwarza heisst), Theodomir iuxtum lacum Pelsodis (Balaton), Widemir inter utrosque manebat."—

Die Sarmaten sammt einigen Hunnen begaben sich nach Illyricum, die Sueven zogen durch Noricum und Rhätien bis an die Donauquellen in ihre alten Sitze.

Die Ostgothen, welche mit Genehmigung des Kaisers Markian in Pannonien wohnten, mussten erst durch blutige Kämpfe ihren Besitz behaupten. Zuerst wurde Walamir von den Söhnen Attila's angegriffen, schlug sie aber so entscheidend, dass sie der Donau entlang flohen[1]. — Am Tage dieses Sieges beschenkte Ehrenlich den Theodemir mit Theodorich. Jetzt suchten sich die Gothen vor Allem nach Süden auszudehnen und rüsteten gegen die Satager[2]. —

Da aber indess Dinzius, ein Sohn Attila's mit den rückgebliebenen Stämmen der Ulzinguren, Bituguren, Barduren und Angiscirren, Bassiana (an der Raab in Pannonien?) umlagerte, kehrten die Ostgothen ihre Waffen und besiegten die Hunnen. so dass die rückgebliebenen Hunnen fortan nichts gegen die Gothen zu unternehmen wagten. —

Kaum waren die Hunnen besiegt, drohte neue Gefahr durch die Sueven.

Der Sueven-Anführer Hunimund, auf einem Streifzuge nach Dalmatien begriffen, raubte gothische Heerden; Theodemir aber, der in der Gegend des Sees Pelsodis auf ihn traf, nahm ihn gefangen. Theodemir liess den Hunimund grossmüthig frei, dennoch wiegelte letzterer zuerst die im Norden der Donau als friedliche Nachbarn lebenden Scirren gegen die Gothen auf, wobei Walamir im Kampfe blieb, obwohl die Scirren bis zur Vernichtung geschlagen wurden. Hierauf zog Hunimund einen andern suevischen Herzog[3]) Alarich, und die sarmatischen Häuptlinge Beuge und Babai an sich, dann die Ueberreste der Scirren unter der Führung von Ediko und Welf, welche auch einige Gepiden und Rugier mit sich hatten. Theodemir besiegte jedoch am Flusse Bollia in Pannonien die vereinten deutsch-sarmatischen Schaaren, und rächte hiemit Walamirs Blut; ja er überfiel im Winter die Sueven in ihrem eigenen Lande, und besiegte sie sammt den verbündeten Alemannen[4].

Sein Sohn Theodorich, aus Konstantinopel, wo er als Geissel verweilte, zurückgekehrt, schlug ohne Vorwissen seines Vaters den Sarmatenhäuptling Babai, und bemächtigte sich Singidunums.

---

[1]) „ut eas partes Szythiæ peteret, quas Danubii (nach anderer Lesart Danabri) amnis prætermaneant, quæ lingua sua Hunnivár (nach anderer Lesart Hunni war, d. i. Fluss) appellant." Auch der Fluss Netad in Pannonia ist unbekannt. — Erst nach einer mehr kritischen Ausgabe des Jornandes, als jene des Muratorius, dürfte einiges Licht für die damalige Geographie Pannoniens aus Jornandes folgen.

[2]) Die Satager, deren Jornandes c. 50 neben Scirren und Alanen in Kleinskythien (Niedermösien) und c. 53 im untern Pannonien erwähnt, scheinen durch jene Ereignisse erschreckt, zu den von den Karpathen nachrückenden Stammverwandten, den Slaven, gezogen zu sein, und die Vorfahren der in Oberungern vorhandenen slovakischen Sotaken zu bilden.

[3]) Die Sarmatenhäuptlinge werden bei Jornandes Reges, die suevischen Duces genannt; wenn auch nicht an eigentliche Könige und Herzoge civilisirter Staaten dabei zu denken ist, so zeigt doch die Unterscheidung im Ausdrucke das grössere Ansehen der erstern; während die letztern Heerführer ihrer Volksstämme waren.

[4]) Der Ausdruck Alemannen dürfte so viel als Alm-Mannen, d. i. Alpenbewohner bedeuten.

Sein Vater Theodemir selbst von den kriegslustigen Gothen genöthigt, fiel über die Save[1]) in Illyrikum ein, und starb auf diesem Zuge zu Cerras. — Um so erwünschter waren dem Kaiser Zeno die Verhältnisse in Oberpannonien, die gothische Gefahr abzulenken. Odoaker, der aus S. Severins Zelle zur Weltherrschaft ausgezogen, entriss dem Rugier-Fürsten Friedrich II., der seinen gleichnamigen Vatersbruder erschlagen hatte, das obere Pannonien. Als Friedrich II. zu Theodorich entfloh, der eben damals die Herrschaft der Ostgothen übernommen hatte, und jetzt Odoaker mit Krieg bedrohte (488), liess dieser alle römischen Donaubesatzungen nach Italien abziehen, wodurch der Donaulimes auch im oberen Pannonien gänzlich verlassen, und den Barbaren der freie Uebergang nach Pannonien und Norikum geöffnet wurde. — Mit Genehmigung des Kaisers Zeno, der dem Theodorich die Consulswürde verliehen hatte, zog derselbe von Sirmium an der Save über die julischen Alpen an dem Isonzo gegen Odoaker, schlug ihn bei Aquileja und Verona, nahm ihn nach dreijähriger Belagerung in Ravenna gefangen und liess ihn ermorden. Er vertauschte nun die gothische Kleidung mit dem k. Purpur der Römer.

Durch die Zertrümmerung von Attila's Reich waren auch die „slavischen Völker" in eine Bewegung nach Süden, gegen die Donau zu, gelangt. Diess erhellt aus Prokop, welcher bei dem Zuge der von Langobarden besiegten Heruler aus der Gegend der Donau an die Ostsee (ums Jahr 494) erwähnt, dass alle slavischen Völker denselben freien Durchzug durch ihr Gebiet gestattet hätten; und beim Anfang der Regierung Justinians (527) sagt derselbe, dass Hunnen, Slaven und Anten über den Ister setzend, fast jährlich in grossen Haufen Einfälle in's römische Gebiet machen; ja dass der grösste Theil der Länder auf der Nordseite des Isters in ihrer Gewalt sei[2]). — Die Erzählung der folgenden Begebenheiten, des Vorrückens und Abziehens der Langobarden zeigt, dass die Slaven unmittelbar nach denselben das heutige Oberungern einnahmen, und bereits bei ihrem Erscheinen daselbst die rückwärts gelegenen höheren Gebirgsgegenden besetzt hatten.

§. 10.

Die Langobarden ziehen 490 von Rugiland (dem nördlichen Unterösterreich) ins Feld (das ungrische Flachland an der Donau), dann nach Pannonien (Ungern jenseits der Donau), wo sie 42 Jahre (526—568) herrschen, und mit Hilfe der Awaren (Hunnen) das Gepiden-Reich zerstören.

Nachdem durch Odoaker (488) die Donaukastelle in Norikum und Pannonien gänzlich geräumt und die Ostgothen (490) aus letzterem abgezogen waren.

---

[1]) Da hier Jornandes c. 56 ausdrücklich die Save „Saum amnem" nennt, so kann die Scarniunga des c. 50 nicht die Save sein.

[2]) Prokopius Bello Goth. II. c. 15; dann I. M. c. 14 und Hist. arc. c. 18. Die etwas umständliche Erzählung dieser Ereignisse scheint für die historische Ethnographie nothwendig, da nach Attila's Tod die alten Völker: Sarmaten, Jazygen, Quaden etc. von ihrem lange inne gehabten Schauplatze verschwinden, und das unsichere Wogen der neuern Deutschen, der Slaven und Hunnen (Ungern) nur durch jene Kämpfe anschaulich wird.

breiteten sich die von den Langobarden[1]) über die Donau gedrängten Rugier und jener Theil der Heruler, welcher nicht nach der Ostsee Bahn suchte, im ersten und zweiten Pannonien aus, die Gepiden drangen ins untere Pannonien herüber. Aber das ungeschwächte Volk der Langobarden, welches nicht nur Rugiland, das obere Pannonien, und das nördliche Donau-Ufer bis in das Feld (das Flachland zwischen Donau und Theiss[2]) eingenommen hatte, besetzte unter Audoin (526) mit Genehmigung Kaiser Justinian's ganz Pannonien[3]).

Die Langobarden verlangten von den Gepiden die Räumung des ganzen unteren Pannoniens, die letzteren weigerten sich Sirmium und Singidunum zu räumen, und riefen die von Mäotis bis nach Thüringen streifenden hunnischen Cuturguren zu Hilfe, welche unter Chinials Führung kamen; der junge Langobardenkönig Alboin bewog, nach einem Siege über die Gepiden diese Hunnen, die auch nach dem Eigennamen eines ihrer früheren Fürsten Awaren genannt wurden, mit den Langobarden gegen die Gepiden zu kämpfen, wodurch sie zum ruhigen Besitze von Dacien gelangen könnten. Die Gepiden, im Westen von den Langobarden, im Osten von den Awaren angegriffen, erlagen gänzlich sammt ihrem Könige Chunimund. Ein Theil der Gepiden floh in's byzantinische Reich zu Theodos II., der den Titel Gepidicus annahm, ein Theil wurde den Langobarden in Pannonien, der Rest den Awaren in Dacien, dessen Herren sie geworden, unterworfen. Als die Langobarden (568) von Narses eingeladen, durch 20.000 Sachsen, ihre einstigen Nachbarn, dann durch die ihnen unterworfenen Reste der Noriker, Pannonier, Sarmaten, Bulgaren, Sueven und Gepiden verstärkt[4]), unter Alboin nach Italien zogen (568), rückten Bulgaren, Awaren und Slaven in Pannonien ein. Die Awaren-Herrschaft erstreckte sich also über Pannonien und Dacien über die Reste der Gepiden, Scirren, attila'schen Hunnen und die von Nord und Osten eingewanderten Stämme der Slaven und Bulgaren.

§. 11.

Abkunft der Awaren als Stammverwandte der Hunnen.

Der Diakon Paul Warnefried bezeichnet die Awaren als Hunnen, welche nur von einem ihrer Chane den Namen angenommen hätten[5]). Damit stimmt die frühere Angabe des Theophilaktus Simokatta überein, dass die ältesten Fürsten

[1]) Ob die Langobarden von den langen Bärten oder langen Barden, d. i. Lanzen, ihren Namen haben, bleibt jedenfalls die Schreibart richtiger, als: Longobarden. Da auch ihre deutsche Abkunft allgemein anerkannt ist, so genügt hier zu erinnern, dass sie nach der durch Paul Warnefried aufbewahrten eigenen Sage aus Skandinavien an die Ostsee kamen, dann unter lygischen Stämmen begriffen, zwischen Elbe und Oder allmälig bis an die Sudeten, und von dort als Langobarden an die Donau wanderten, während allenthalben in die von ihnen verlassenen Sitze Slaven: Obotriten, Sorben, Böhmen (Czechen und Mährer), Slowaken und Kroaten wanderten.

[2]) Die Flucht der Heruler zu den Gepiden und nach Singidunum in Illyrien zeigt, dass das von Paul W. genannte Feld das besagte Flachland sei, es mag das deutsche Feld, oder das hunnische (ung.) „föld" bedeuten.

[3]) Konst. Phorphyrogenitus: De administr. Imp.; Paul Diacon, Sigbertus, Blancas u. a.

[4]) Paul Diacon II. 26.

[5]) Paul Diacon I. 24. „Alboin cum Avaribus, qui primum Hunni, postea a Regis nomine Avares appellati sunt."

der Ogoren an der Wolga Var und Chun genannt werden. — Der folgende Sprachgebrauch des Mittelalters nimmt durchaus Hunnen und Awaren als identisch. — Bedenkt man dabei die noch vorkommende Gleichheit der alt-hunnischen und jetzt awarischen Namen: Attila (Adilla), Bleda (Belda), Ellak u. a. uar (Fluss) etc.; ja mit altungrischen Leel, Verbules, Sarolta u. a., so erhält wohl Paul Warnefried's Angabe einige Wahrscheinlichkeit.

Sieht man ferner auf die Benennungen einzelner hunnischer und awarischer Stämme: Bituguren, Ulzinguren, Kutuguren, Uturguren, Onoguren u. a., so scheint denselben der allgemeine Name der Uguren, (Ugren, Οὐγγρόι oder Ungern) zu Grunde zu liegen. Und wirklich kennt Strabo neben den sarmatischen Jazygen am Mäotis Ugren (ὀυγγρόι). Jornandes[1]) berichtet, dass die Hunugari am mäotischen See in Skythien durch Handel mit Marderfellen bekannt seien; er setzt sie also eben dahin, wo die Hunnen ihren Hauptsitz hatten.

Zemarchus, der Gesandte des griechischen Kaisers Heraklius an Dissabul (Dsabul) den Chan der Türken fand unweit der Wolga Huguren und einen Anführer der Ongoren unter Dissabuls Hoheit.

Die der türkischen Herrschaft (575) entkommenen Awaren werden auch Warchoniten, d. i. Warchunen oder awarische Hunnen genannt[2]).

Diess erklärt zugleich, warum die späteren Byzantiner die Ungern Türken nennen, nämlich, weil sie die Ungern zuerst unter türkischer Herrschaft kennen lernten.

Nestor stimmt hiemit überein, indem er die meisten Ugri, welche im Kriege des Heraklius gegen Kosroës bekannt wurden, an die kaukasischen Pässe versetzt. Der Geograph von Ravenna versetzt das Land der Onogoria in die Nähe des Mäotis[3]).

Wie sehr die Byzantiner die Ausdrücke Hunnen (οὖννοι, ὀνόγουροι, οὐννουγοῦροι, Ungern) und Τοῦρκοι (Türken) als gleichbedeutend gebrauchten, erhellt aus Leo Grammatikus[4]). „Die Bulgaren gelangten (836) zu den Ungern; — die Hunnen kamen indess in ungeheurer Anzahl; — die Türken kämpften von Früh bis am Abend," obwohl nach dem Zusammenhange nur von Ungern die Rede ist.

Die Fulder Annalen ad a. 900 identificiren Ungern und Awaren (Avares, qui dicuntur Hungari). Diese Andeutungen werden genügend darthun, dass der Name Ogor, Ugur (ὀυγγρόι), Ungor, Hungar, wo nicht älter als jener der Hunnen und Awaren, doch ebenso allgemein als dieser sei, dass dieser Name Unger in verschiedenen Zeiten für den allgemeinen Namen der Hunnen und Awaren gebraucht wurde: dass man folglich auch Hunnen, Awaren und Ungern als stammverwandt ansehen kann. —

---

[1]) Jornandes de reb. Get. cap. V.
[2]) Menander pag. 299–400.
[3]) IV. 2.
[4]) Leo Grammat. bei Stritter in Bulgaricis Th. II., P. II., pag. 459.

Das Land zwischen Ural und Kaukasus, welches die Hunnen (Awaren, Ungern) einst bewohnten, hiess noch im 13. Jahrhundert, als der ungrische Dominikaner Julius an Batu gesandt worden, Grossungern (Ugoria magna), d. i. das Land ungrischer Völker, und noch leben in der ganzen Strecke finnische Völker, deren Sprache mit der ungrischen verwandt ist, und die man eben so gut ungrische nennen könnte, die man aber in geographischer Hinsicht wohl Uralvölker nennen sollte[1]).

Ueber den Zusammenhang der Magyaren mit den Ungern im weiteren Sinne, d. i. mit Hunnen, Awaren etc., wird besonders gehandelt werden.

§. 12.

Abkunft und Sitze der Bulgaren (Bulares), und ihre Wanderung nach Mösien (Pannonien und Dacien).

Wir finden die Bulgaren seit den ersten Spuren ihres Daseins neben hunnischen und ungrischen Stämmen. Sie scheinen bei den Griechen unter dem Namen Philyres (Bilyres, Bulares) am Pontus als Nachbarn der Macrones, Bechiren und Byzeren vorzukommen[2]). Im fünften Jahrhundert wanderten die Bulgaren nördlich an die Wolga, und erbauten Bulgar (Kasan)[3]).

Während ein Theil dieses Volkes dort blieb, ergoss sich ein grosser Schwarm Bulgaren seit Ende des fünften Jahrhunderts über Thracien und Illyrien; auch an der Donau aufwärts bis nach Pannonien verbreiteten sich Bulgaren[4]), denn wir hörten, dass mit Alboin Bulgaren nach Italien gezogen waren (568). Auch im siebenten Jahrhundert treffen wir Bulgaren in Pannonien, im Streite mit den Awaren um die Herrschaft, und selbst im alten trajanischen Dacien treffen wir sie neben Awaren und Slaven. In der zweiten Hälfte des sechsten Jahrhunderts mussten sich nämlich die Bulgaren dem awarischen Joche beugen, bis ums Jahr 640 ihr Anführer Kubrat sie davon befreite. Derselbe wurde der Gründer der bulgarischen Herrschaft über Mösien, indem er mit seinen Bulgaren über die Donau setzte und die dort befindlichen slavischen Stämme unterwarf (678). Er hatte fünf Söhne, wovon der drittgeborene

---

[1]) Die Deutschen wohnten zunächst dem finnischen Stamme, daher der Name Finnen in der Folge auf alle Stammverwandte der Finnen angewendet wurde: die Slaven nennen die Finnen Tschuden; die Magyaren könnten sie füglicher Ungern nennen. Um aber keiner nationalen Rivalität Raum zu geben, wäre das Wort: Uralvölker bezeichnend. —

[2]) Ausser Dionysius, Periegetes, Stephanus Byzantinus, Ammianus Marcell. u. a.

[3]) Cod. Derbent. l. c. — Von ihren Sitzen an der Wolga neben Russen, Chazaren und Burtasen (Baskiren) wissen auch Nestor und die Araber Ibn Foszlan und Ibn Haukal; Araber berichten von der Zerstörung der Stadt Bulgar durch die Russen (ums Jahr 968 n. Chr.). Die Reisenden des dreizehnten Jahrhunderts, z. B. der ungrische Predigermönch Julian (1238) kennen heidnische Bulgaren an der Wolga, neben heidnischen Ungern. Plan Carpin (1246) und sein Gefährte Ascelin nennen dort Bileren in Grossbulgarien neben Baskarken in Baskart oder Grosshungarien. Auch Rubruquis (1253) stimmt damit überein. —

[4]) Der erste bekannte Einfall über die Donau in's Gebiet byzantinischer Oberhoheit geschah im Jahre 487, wo sie jedoch der Ostgothen-König Theodorich besiegte; die ersten Einfälle nach Thracien erfolgten 493 und 499.

Asparuch sich im Gebiete Onklos (zwischen der Donau und den Karpathen), der vierte Kubrat zwischen Maros und Theiss sich festsetzte. Nach dem Sturze der Awarenherrschaft im Norden der Donau (798) scheinen sich die Bulgaren im trajanischen Dacien mit ihren Brüdern im aurelianischen Dacien (Mösien) vereint zu haben, und die bulgarische Herrschaft reichte bis an die Quellen der Theiss[1]).

Nicht nur die Sitze der Bulgaren waren skytischen und hunnischen Völkern nachbarlich, sondern auch ihre Körperbeschaffenheit war diesen ähnlich[2]); daher die Bulgaren bei ihrem Erscheinen in Europa oft für Hunnen gehalten und fast von allen Byzantinern also genannt wurden. Auch die Abendländer nannten die Bulgaren manchmal Hunnen.

Dort, wo Jornandes in der ersten Hälfte des sechsten Jahrhunderts von den Verheerungen der Bulgaren, Slavinen und Anten redet, nennt Prokop Hunnen, Slavinen und Anten.

König Athalarich in seinem Schreiben an den römischen Senat, über den gothischen Feldherrn Tulwin, gebraucht abwechselnd Hunnen und Bulgaren von demselben Volke[3]); daher werden die Bulgaren auch Unugunduren genannt.

So sehr einerseits Sitze und physische Beschaffenheit für die hunnische und ungrische Abkunft der Bulgaren zu sprechen scheinen, so nähern sie sich andererseits hinsichtlich der Sprache und Sitten den Chazaren und Türken.

Ibn Hankal sagt: die Sprache der Bulgaren und Chazaren ist ähnlich, sie ist von jener der Burtasen (Baskiren in Grossungern) verschieden[4]).

Ouseleys Geograph hält sie gar für gleich mit der chazarischen und diese mit der türkischen Sprache[5]).

Aus Konstantin Porphyrogenitus wissen wir, dass die Sprache der Chazaren von der magyarischen verschieden sei, und nach dem genannten Geographen mit der türkischen verwandt sei. Das letztere bestätigen die chazarischen Worte: Karachazar, Tschauschiar, Bak u. a.[6]). — Auch die Bulgarischen Namen und ihre Sitten trugen türkisch-hunnisches, aber kein slavisches Gepräge.

Demnach scheinen Bulgaren und Chazaren türkisirte hunnische (ungrische) Völker, von denen die ersteren in Europa abermals ihre Sprache mit der

---

1) Stritter II. p. 528–531. Vergl. Engel, Gesch. der Bulgarei S. 322 u. 323 mit Schafařiks slav. Alterthümern II. 163–173. Dass die Bulgaren im Besitze der Salzwerke der Marmaros waren, erhellt daraus, dass die fränkischen Gesandten im Jahre 892 verlangten: die Bulgaren möchten den Slaven kein Salz verabfolgen (Annal. Fuld. ad a. 892).

2) Ennodius schildert die Bulgaren in seiner Lobrede an Theodorich über dessen Besiegung der Bulgaren vor seinem Auszuge aus Mösien (Opp. Sirm. I. 1588 u. 1599).

3) Cassiodor Var. VIII. 10: Hunnis inter alios triumphum et emeritam laudem primis congressibus auspicatus, neci dedit Bulgaros, toto orbe terribiles. —

4) Frähn de Chasaris Excerpta p. 27, vergleiche p. 15.

5) The oriental geography of Ebn Haukal p 190, welchem Werke nach Frähn Ibn Foszlan (256) ein noch älterer Autor, Istachri aus dem ersten Viertel des zehnten Jahrhunderts zu Grunde liegt.

6) Wenn Ibn Foszlan sagt, dass die chazarische Sprache von der türkischen, persischen und allen anderen Sprachen verschieden sei, so scheint er wohl die chazarische Sprache als hunnisch-türkisches Gemisch anzudeuten. —

slavischen vertauschten. — Die Slavisirung der Bulgaren scheint im achten Jahrhundert begonnen, nach ihrer Christianisirung im neunten Jahrhundert vollendet worden zu sein [1]).

§. 13.

Abkunft und älteste Sitze der Slaven [2]) (von Deutschen Wenden, von Ungern Tóth genannt, während sie sich selbst Serben nannten).

Die Ansicht, dass die Slaven die Nachkommen der Sarmaten seien, ist besonders seit Jordan's Werk: „De origine Slavorum" gewurzelt, und noch mehr durch Schaffařik's „Abkunft der Slaven" befestigt worden. Doch hat dieser Forscher in seinen slavischen Alterthümern den Irrthum eingestanden, und ein eigenes Capitel (16) der Widerlegung seiner frühern Ansicht gewidmet.

Plinius unterscheidet die Wenden von Sarmaten; Tacitus zweifelt zwar, ob er die Wenden und Finnen zu den Germanen oder Sarmaten zählen soll; er beschreibt jedoch die Sitten der Wenden als in festen Sitzen wohnender Völker ganz von den nomadischen Sarmaten verschieden [3]). — Eine Bestätigung dieser Ansicht erhält man, wenn man die Eigenthümlichkeit der offenbar sarmatischen Jazygen, Jaxamaten, Roxolanen u. a. mit den bekannten Charakterzügen der unzweideutig slavischen Wenden, Slavinen, Anten und der besonderen Abtheilungen der Czechen, Mährer, Kroaten, Serben, Polen u. a. vergleichet.

Der Gothe Jornandes ist der erste, der Wenden, Slaven und Anten ausdrücklich und zwar als Einem Stamme entsprossene Völker nennt, wofür der ältere gemeinsame Name Wenden sei, und in der That wurde der Ausdruck: Wenden (Venedæ, Venetæ, Vinidi) im Mittelalter von den Deutschen als allgemeiner Name für sämmtliche Slaven gebraucht [4]). Auch kennt Jornandes noch Sarmaten, setzt sie aber, als mit jenen Wenden, Slaven und Anten in gar keinen Zusammenhang.

---

[1]) Vergl. Theumann's Untersuchungen über östl. Völker; Engel's Geschichte der Bulgaren S. 252 bis 254; Klaproth's Tableaux hist. de l'Asie p. 260—262; Ch. M. Frähn's: Die ältesten arabischen Nachrichten über die Wolga-Bulgaren (Mem. de l'Acad. VI. Ser. T. I. p. 546—551); Fejérs Aborig. et incunabula Magyarorum p. 118 etc.; Schaffařik's Alterthümer II. 164 -174, welche sämmtlich für den hunnischen Ursprung der Bulgaren sind.

[2]) Wir glauben hier der gründlichen Darstellung Schaffařik's in seinen slav. Alterth. folgen zu dürfen, nur hinsichtlich der ältesten europäischen Sitze der Slaven in Illyrikum und Pannonien können wir seiner Hypothese nicht beipflichten.

[3]) Wir erinnern an die bereits früher §. 5 erwähnte ursprüngliche Bedeutung vom Lande der Sarmaten zwischen Don und Wolga, wo Herodot ihre Sitze östlich von den Skythen schildert, und an die spätere weitere Anwendung des Namens Sarmatien, auch auf Skythien und die nördlichen Länder, nachdem die Sarmaten über den Don und Dnieper und bis zur Donau heraufrückten. Doch unterscheidet Ptolom. III. c. 5 selbst Sarmatien und die darin wohnenden Völker. In Sarmatien wohnen folgende grössere Völker: nebst den Wenden und vielen andern grössern und kleinern Nationen führt er längs der Möotisküste die Jazygen und Roxolanen, zwischen Bastarnen aber und Roxolanen die Chunen an; wo also ausser sarmatischen, auch germanische und finnische Völker genannt werden.

[4]) Dass der Name Wenden für Slaven von deutschen und skandinavischen Chronisten nicht nur von den Slaven zwischen Elbe und Weichsel, sondern auch für Czechen, Polen, Russen u. a. slav. Stämme gebraucht wurde, darüber siehe Schaffařik's slav. Alterth. I. §. 7, 5 u. 12; §. 18, 5 u. 15; §. 28, 1; §. 38, 1; §. 40, 1; §. 42, 1; §. 43, 3 u. 4; §. 44, 1. Doch auch von den alten deutschen Colonisten in Ungern, z. B. den Krikehayern, Metzenseifern u. a. (welche durchwegs W = B

Prokop gibt als deren ältern gemeinsamen Namen Sporen (Srben?) an, nach seiner griechischen Auslegung, weil sie vereinzelt wohnen; nach der von Schaffařik adoptirten Dobrowsky'schen Erklärung aber soll in dem gräcisirten Ausdrucke Sporen das slavische Wort Srben (Verbundene) verderbt sein.

Das Wort Slavini, Slavni, Slavi soll von Slava kommen, und so viel als Ruhmwürdige bedeuten; nach einer andern wahrscheinlicheren Meinung soll Slavini eigentlich Sloveni heissen, und die Redenden, d. i. sich Verstehenden, im Gegensatze der Němci (Stummen, Fremde, Deutschen) bedeuten.

Die Verwechslung des Wortes Slavi mit Sclavi scheint übrigens von dem gedrückten Verhältnisse herzurühren, unter welchem die Slaven in älterer Zeit, besonders unter den Awaren, lebten.

Welchen allgemeinen Namen die Slaven aber auch in ältester Zeit haben mochten, so viel scheint gewiss, dass sie, gleich den übrigen europäischen Urvölkern, in vorhistorischer Zeit den Norden Europa's zwischen germanischen, finnischen und sarmatischen Völkern (von den Quellen der Weichsel bis zu jenen der Düna und Wolga, nördlich der Karpathen) besetzten, und dass eben dieser vom Verkehre entfernteren Lage wegen keine näheren Nachrichten auf Griechen und Römer, und durch dieselben auf uns gelangen konnten.

Durch den hunnischen Sturm scheinen die Slaven weiter südlich über die Karpathen, und nach dessen Vertoben im sechsten Jahrhundert hinter Gothen, Langobarden etc. erst über die Donau nach Illyrikum und Pannonien gedrungen zu sein[1]).

---

aussprechen), werden noch die benachbarten Slaven Binden oder Bindische und ihre Sprache bindische Sprache benannt. Vergl. Bartholomaeides Mem. Prov. Csetnek p. 46 und dessen Notit. Com. Gömör. p. 103 u. 574. — In der Umgegend befinden sich die slav. Märkte und Dörfer Windisch-Bronn (Tót-Pron), Windisch-Dorf (Tót-Falu), Windisch-Litta, Windisch-Nussdorf, Windischendorf, Winden; in Siebenbürgen: Windau, Wendau u. a.

[1]) Die Hypothesen der Slavisten über die Abstammung der Slaven, ihre Verwandtschaft mit den Adria-Venetern, und namentlich über ihre Urheimath im grossen Illyrikum, sind in Kürze zusammengestellt im Handbuch der Geschichte Kärnthens von Freih. von Ankershofen I. Heft, Quellenstellen 7. — Am geistreichsten scheint uns wohl Schaffařik's Darstellung in den slav. Alterth. II. Die Gründe Schaffařik's sind in Kürze, für Beantwortung der schwierigen Frage, folgende:

a) Nestor hielt bereits Illyrien für ein altslavisches Land; desshalb setzt er in der Beschreibung der Völker nach Kedrenos neben Iljurik das Wort Slowenjene, und erzählt, dass die Slaven, an der Donau von den Wlachen (Kelten, Galen, Walen) vertrieben, zu ihren Brüdern ober den Karpathen geflohen seien.

b) Viele alte, illyrisch-pannonische und dakische Worte finden ihre Erklärung aus der slavischen Sprache, z. B. lacus Pelso aus Pleso (das bei Mährern und Slovaken noch einen See bedeute), die Station Tsierna an der heutigen Černa im Banate, die Stadt Partiscus aus potitsj (an der Theiss), der Fluss Granua aus Hran oder altslavisch Gran (Gränze), der Name Carpatus aus Chrbet (hohes Gebirge) u. s. w.

Allein: a) Nestor scheint desshalb Illyrien für ein altslavisches Land gehalten zu haben, weil dort zu seiner Zeit (1100—1114) schon lange Slaven wohnten. Schaffařik selbst gesteht, dass Nestor nach dem Zusammenhange von dakischen Wlachen rede, dass er jedoch eine alte Ueberlieferung auch von den gallischen Wlachen (Kelten) damit vermischt zu haben scheine.

b) Die gedachten u. a. Namenserklärungen ergeben sich allerdings leicht und folgerecht, allein sie dürften höchstens im Allgemeinen auf eine nähere Verwandtschaft der pannonisch-illyrischen mit der slavischen, als mit den übrigen indo-europäischen Schwestersprachen hindeuten. — Im Worte Carpat dürfte vielleicht das in den Alpen so weit verbreitete keltisch-deutsche Wort Kar (Fels) die Wurzel bilden, welches zugleich eine entfernte Verwandtschaft mit gor, hor (ὄρος) und chrb haben dürfte.

Auf doppeltem Wege scheinen die Slaven dahin gelangt. Die Anten an der Donau aufwärts nach Mösien und Illyrien; die eigentlichen Slaven von den Karpathen an und über die Donau nach Pannonien.

Aber, eben weil die Slaven fortwährend in die Sitze der Gothen, in Skythien am Dnieper, in Dacien am Dniester, in Illyrikum und Pannonien an der Donau vorrückten, so werden dieselben auch bei Byzantinern manchmal Geten (oder Gothen) genannt.

Auch die Awaren (ugrischen Hunnen) mögen desshalb, weil sie die Slaven stets in den Sitzen der Gothen fanden, dieselben Goth (Γόθ) oder Tóth (Τόθ), und in der Folge nach ihnen die Magyaren (magyarische Hunnen) die Slaven also benannt haben, ohne dass aus solchen Vermuthungen und bezüglich Namensverwechslungen irgend eine Verwandtschaft von (germanischen) Gothen, thrazischen Geten und Slaven gefolgert werden könnte.

§. 14.

Herrschaft der Awaren (ugrischen Hunnen) über Dacien (seit 566), Pannonien (582) und Theile von Norikum (600—791).

Das Verhältniss der Awaren zum griechischen Hofe war Anfangs friedlich. Um ein Gegengewicht wider die schrecklichen Verheerungen der Bulgaren, Anten und Slovenen zu haben, welche in der ersten Hälfte des sechsten Jahrhunderts Illyrien und Thracien plünderten, begünstigte Justinian I. das Erscheinen der Awaren in den Sitzen dieser Völker nördlich der Donau, und räumte ihnen das untere Pannonien [1]) ein (500), wo damals die Langobarden sassen, worüber aber die Byzantiner noch eine Schattenhoheit erhalten wollten. — Die Besitznahme fand aber nicht statt, und die Awaren streiften einerseits bis Thüringen (561), anderseits mit Anten und Bulgaren bis gegen Konstantinopel. — Indess schienen die Awaren selbst, nach dem Abzuge der Langobarden (568), das alte Recht des byzantinischen Hofes auf Pannonien zu achten, indem ihr Chan Bajan (581) erklärte, dem Kaiser Tiberius II. gegen seine grimmigsten Feinde, die Slaven, welche die awarischen Gesandten ermordet hatten, Hilfe zu leisten. Als aber das griechische Heer im folgenden Jahre (582) gegen die Perser im Oriente beschäftigt war, meldete eine awarische Gesandtschaft dem Kaiser: Sirmium gehöre zum Besitze der von den Awaren besiegten Gepiden, Bajan habe eine Brücke über die Save geschlagen, Sirmium könne sich nicht halten. Tiberius, entblösst von Hilfe, sah sich gezwungen, der römischen Besatzung Befehl zum Abzuge zu geben, und die Awaren konnten sich nun ungehindert im untern Pannonien ausbreiten.

Kaum war Sirmium, Illyrikums Metropole, der Hauptangelpunkt zwischen dem alten West- und Ostreich, im Besitze der Awaren, so trat ihr feindliches Verhältniss zum byzantinischen Hofe offen hervor, und die Verheerungen Illyrikums und Thraciens dauerten fort, ungeachtet die Donau als unüberschreitbare

---

[1]) Maenander in Excerpt. de Leg. inter Byzant. l. IV. P. I. p. 99 et p. 126—132.

Gränze zwischen Awaren und Griechen zweimal festgesetzt wurde. Als die Awaren das obere Pannonien besetzten, sassen daselbst bis an die fränkisch-bajoarische Gränze Slaven, die sich, bei dem Vordrängen der erstern, in Norikum bis an die Quellen der Drave und Save auszubreiten begannen. Daher gelangten die Slaven mit dem Bayernherzoge Thassilo (595) in Kampf, und wurden hierbei auch von den Awaren unterstützt [1]). Doch bald sanken die Slaven allenthalben in die Knechtschaft der Awaren. Die norisch-pannonischen Slaven erscheinen an der Drave unter dem besondern Namen der Karantaner (Carantani), wovon das Land selbst den Namen Karantanien (Carantanum, Carinthia, Kärnthen) erhielt [2]); an der obern Save ging der alte Name Karner in Carnia (Carneola, Carneeh) und Chreine marcha als Slavorum patria über, und die slavischen Bewohner wurden Carnioles (Krajnci), Krainer, d. i. Gränzslaven, genannt. Weil aber die Slaven in den Schlachten der Awaren meist vorauskämpfen, und wenn sie besiegt wurden, mit den Awaren auf's Neue die Schlacht beginnen mussten, wurden sie (nach Fredegar) auch Bifulci, d. i. doppelte Lastträger, genannt. — In Pannonien wurden die Slaven selbst auch nach Konstantin Porphyrog. Awaren genannt, was auf ihre Unterdrückung hinwies [3]).

Als die Söhne der Awaren (Hunnen), welche diese mit den Weibern und Töchtern der Slaven gezeugt, das Joch ihrer Väter nicht mehr ertragen konnten, erregten sie (um's Jahr 624) einen allgemeinen Aufstand. Samo stellte sich an die Spitze der Unzufriedenen, welche unter seiner Führung die Awaren allenthalben besiegten. Samo wusste eine Verbindung der Nord- und Süd-Donauslaven zu bewirken, und deren Unabhängigkeit auch gegen den ostfränkischen König Dagobert und die ihm verbündeten Langobarden und Alemannen zu behaupten (um's Jahr 630).

Um diese Zeit erhalten wir auch Nachricht vom Dasein der Bulgaren in Pannonien. Schon beim Abzuge der Langobarden aus Pannonien (568) hatten sich Bulgaren angereiht. Awaren und Bulgaren geriethen (630) in einen Streit um die Oberherrschaft, wobei 9000 bulgarische Familien aus Pannonien vertrieben, bei den Franken Schutz suchten. Dagobert wies sie an die Bayern, gab aber Befehl, alle in einer Nacht zu morden. Nur 700 Familien entkamen und retteten sich in die windische Mark zu Herzog Valduch [4]).

---

[1]) Paul Diacon IV. 7. 11. 40. 41. Tassilo — — cum exercitu in Sclavorum provinciam introens etc. Baivarii usque ad duo millia virorum super Sclavos irruunt, superveniente Cacano omnes interficiuntur. — Garibaldus in Agunto a Sclavis devictus etc. — Taso et Caco — suo tempore Sclavorum regionem, quæ Zellia (Celeja) appellatur, usque ad locum, qui Medaria vocatur, possederunt. — Dass aber die Slaven erst durch die Awaren dahin gedrängt wurden, folgt aus Procop (de bello Goth. I. 15), welcher um's Jahr 562 in jenen Gegenden noch von Norikern und Karnern spricht.

[2]) Zuerst erscheint dieser Name zur Zeit Grimwald's des Langobarden-Königs. fugit ad Sclavorum gentem in Carnuntum, quod corrupte vocitant Carantanum. — Einige leiten den Namen von der civitas Carantana ab, die an der Stelle des alten Virunum noch 892 urkundlich erscheint; andere von den keltischen Karnern, noch andere vom slavischen gore, wo Gorentani oder Carantani Gebirgsslaven hiesse.

[3]) Konst. Porphyr: de adm. c. 29. trans Danubium invenerunt Sclavinos qui et Abari nuncupati, gentem inermem.

[4]) Fredegar.

Dass aber noch Bulgaren in Pannonien zurückgeblieben, erhellt aus der Fortsetzung der griechischen Legende des Erzbischofes Johannes von Thessalonich vom heil. Demetrius durch einen anonymen Thessaloniker, wornach die von den Awaren gefangen weggeführten römischen Unterthanen in Pannonien an der Donau mit Bulgaren und Awaren zu einem eigenen mit ihnen vermischten Haufen herangewachsen seien [1]).

§. 15.

Einwanderung der Chorwaten (Kroaten) und Serben nach Dalmatien, dem unteren Pannonien.

Die Macht der Awaren (Hunnen) hatte sich, wie wir sahen, durch die Begünstigung der Griechen und Langobarden um so schneller über die slavisch-bulgarischen und germanischen Völker in Pannonien und Dacien zur Herrschaft erhoben, als manche hunnische Stämme daselbst an der Donau zurückgeblieben waren. Die Macht der Awaren schien durch die Westslaven seit Samo, wo nicht gebrochen, doch erschüttert und begränzt; sie suchten sich daher nach Süden im byzantinischen Dalmatien auszudehnen, wo besonders seit der zweiten Hälfte des sechsten Jahrhunderts, noch mehr im Anfange des siebenten, die Slaven sich furchtbar gemacht hatten [2]).

Unter diesen Umständen erscheint die Wanderung zuerst der Kroaten, dann der Serben von den Sudeten und Karpathen durch Kaiser Heraklius (zwischen 620 bis 640), wo nicht veranlasst, doch gerne begünstigt [3]). Sie erkannten die byzantinische Hoheit, nahmen in ihren neuen Sitzen das Christenthum an und versprachen dem Papste eidlich, sich darin friedlich zu verhalten.

---

[1]) Boll. Octob. 4. 179.

[2]) Konstant. Porphyr. gibt de adm. c. 35 an, dass Slaven im Jahre 449 Salona in Dalmatien eingenommen hätten, was die älteste bestimmte Spur von Slaven, nicht nur in Dalmatien, sondern im Süden der Donau überhaupt wäre. Allein selbst Lucius Dalm. de regno Dalm. et Croat. p. 63 nimmt nach dem ganzen Zusammenhange richtiger das Jahr 549 an. — Von den Verheerungen der Slaven in Liburnien schreibt Papst Gregor der Grosse an die Bischöfe Istriens um's Jahr 604: De Slavorum gente, quæ nobis imminet, et affligor vehementer et turbor: affligor in his, quæ in vobis jam patior; conturbor, quia per Istriam in Italiam intrare coeperunt.

[3]) Man hat vielfach den Konst. Porphyr. eines Irrthums angeklagt, dass er das Land Weiss- oder Gross-Chrobatien und Serblien über den Sudeten, statt nördlich der Karpathen, und zugleich von Ungerland begränzt, angibt (de adm. c. 31 u. 32); allein seit von Boček (cod. dipl.) urkundlich nachgewiesen worden ist, dass bis zum Jahre 1030 die Herrschaft der Ungern bis an die Quellen der March, also bis an die Sudeten reichte, fällt wohl jener Zweifel weg. Man hat ferner Anstand genommen, Konst. Porphyr. zu glauben, weil er von den Serbiern sagt: Ulteriora Turciæ incolunt in loco ab illis Boiki (βόικι) nuncupato; von den Chrowaten, dass sie an Bajobarien (Βαγιβαρείας) gränzen. Allein man muss unter diesen Ausdrücken nicht Böhmen und Bayern, sondern Bojerland (Sitze der slavischen Böhmen, worunter Czechen und Mährer überhaupt gemeint zu sein scheinen), welches weit an der Elbe und bis zur Weichsel reichte, verstehen, und alle Schwierigkeit verschwindet. Auf diese Sitze deutet auch Bajas, das Elbeland (Patria albis) des Geographen von Ravenna, eine Gegend an der Elbe, und dort finden wir noch bis 1086 im Norden Böhmens chrowatische Gaue in der Gränzurkunde des Bisthums Prag bei Cosmas: Ad aquilonem hi sunt contermini: Psuane, Ghrouati et altera Chrouati, Zlasane etc. Der Name Chrobati wird vom slavischen Chrb = Hügel; von Dobrowsky wegen des ursprünglichen slavischen w (Chrowati bei Nestor u. a.) von chrw = Baumstrunk abgeleitet. — Die erstere Ableitung stimmt mit ihren Sitzen überein. — Man wollte auch aus βαγιβαρεία, Babiegore machen und den gleichnamigen Theil der Karpathen darunter verstehen.

Die Kroaten nahmen den Küstenstrich Dalmatiens sammt Liburnien von der Cettina bis Istrien, ein anderer Theil das savische Pannonien und Theile Illyriens, letztere unter einem eigenen Fürsten ein [1]); die Serbler liessen sich östlich von den Kroaten, vermuthlich durch den Höhenzug der Gebirge (Vellebich) geschieden, von der Bosna bis zu den mösischen Bulgaren an der Morawa, im übrigen Dalmatien nieder. Wie zahlreich die Kroaten waren, erhellt daraus, dass sie dem griechischen Kaiser 60.000 Reiter und 100.000 Mann zu Fuss ums Jahr 640 stellten. Bedenkt man, dass bereits andere slavische Stämme nebst den, wenn auch schwachen Ueberresten der alten Pannonier, Illyrier, Dalmaten, Awaren [2]) und Römer daselbst existirten, so muss man auf eine bedeutende Bevölkerung jener Gegenden schliessen.

Die Kroaten und Serbler lebten unter mehreren von einander unabhängigen, doch in einer gewissen Verbindung bleibenden Banen, d. i. Herren (Ducibus), die als Heerführer und Gränzgrafen thätig waren, und welchen Zupane (Comites) untergeordnet erscheinen [3]). — Sie machten sich nach Kaiser Heraklius Tode bald frei von griechischer Hoheit, bis sie durch Karl den Grossen grösstentheils unter fränkische kamen [4]).

---

[1]) Konst. Porphyr. de adm. Imp. c. 30: At a Chrobatis, qui in Dalmatiam venerunt, pars quædam secessit, et Illyricum et Pannoniam occupavit, habebantque etiam ipsi principem supremum, qui ad Chrobatiæ tantum principem amicitiæ ergo legationem mittebat. Da die in Pannonien und Illyrien (im heutigen Kroatien und einem Theile Krains) eingewanderte kroatische Abtheilung damals wahrscheinlich schon Slowenen fand, so scheint sich bereits damals der sprachliche Unterschied der Sloweno-Kroaten von den mit den Serben sprachlich näher verwandten übrigen Kroaten, den sogenannten Serbo-Kroaten angebahnt zu haben.

[2]) A. o. suntque etiam in Chrowatis Avarum reliqui, et Avares esse cognoscuntur.

[3]) Aus Zusammenhaltung der bei Konst. Porphyr. c. 29 u. 30 mit der Hist. Presb. Diocleatis c. 11—13 enthaltenen Nachrichten blieb die alte Eintheilung Dalmatiens die Grundlage für die Hauptabtheilungen der kroatisch-serbischen Stämme. — A Zentina fluvio Crobatia incipit, extenditurque versus mare ad Istriæ usque confinia. — Divisa est eorum Regio in Zupanias XI. Ipsorumque Banus tenet Chribassam (Corbaviam), Litzam (Liccam) et Gutzekam (Niederlassung der Guduskaner). Unter den Städten werden Tersatica und Fanum S. Viti (Flumen, Fiume) als die nördlichsten angegeben an der Gränze des Herzogthums Friaul (Konst. Porph. c. 30). Nach alten geschriebenen Privilegien soll auf einer Synode (875), wobei latein und slavisch verhandelt wurde, Kroatien und Servien in folgende Theile getheilt worden sein: Secundum cursum aquarum, quæ a montanis fluunt et intrant in mare contra meridianam plagam et intrant in magnum flumen Donavi, vocavit Surbia (Servia). Deinde maritima duas in partes divisit: a loco Dalmæ usque ad Valdininam vocavit Croatiam albam (quæ et inferior Dalmatia), ab eodem loco Dalmæ usque Bambalsam civitatem, quæ nunc Dyrhachium Croatiam rubram (quæ et Dalmatia superior). Surbiam, quæ et transmontana dicitur, in duas divisit provincias: una a fluvio Drini contra occidentalem plagam usque ad montem Pini (Bosna), altera contra orientalem usque ad Lapiam.

[4]) Mehr über den Gegenstand dieses §. sich bei Stritter II. p. 108—148 und 383—402, wo die betreffenden Stellen aus den Byzantinern gesammelt sind; bei Lucius (De Regno Dalmat. et Croatiæ VI.) und bei Schwandtner (SS. rer. Hung. III.); die Chronik des anonym. Priesters v. Diocleas; Farlati Illyrica sacra VI.; Raic Istoria slawsk. naroda etc.; Pejacsevich hist. Serviæ; Engel Gesch. von Servien und Bosnien, dann von Dalmatien, Kroatien und Slavonien; Kercselich De R. Dalm., Croatiæ et Sclavoniæ Notit.; Katona hist. crit. VI.; D. Dawidowič Djejanija k ist. serbskoga naroda in dessen Zabawnik (Zeitschrift: der Unterhaltende) für's Jahr 1821; Schaffařik's slavische Alterth. II. S. 237—311. Derselbe erwähnt auch (Seite 237, Note 1) ungedruckte einheimische Quellen.

§. 16.

Sturz der Awarenherrschaft durch Karl den Grossen in Norikum und Pannonien (791—811).

Als die Bulgaren während der Regierung des Kaisers Konstantin Pogonatos das untere Mösien besetzt, und daselbst verschmelzend mit den dortigen Slaven einen unabhängigen Staat, das bulgarische Reich (678) gegründet hatten, wirkte diess auch wohl günstig auf die freiere Stellung der Bulgaren in Pannonien und jenseits der Donau im alten Dacien [1]. Daraus begreift man einerseits die Concentrirung der awarischen Streitkräfte im Westen gegen die Enns, anderseits das plötzliche Zusammenstürzen der awarischen Macht nach der Eroberung Pannoniens durch Karl den Grossen.

Seit Anfang des siebenten Jahrhunderts war die durch Verhaue gesicherte Enns die Gränze zwischen Bayern und Awarenland [2], doch hatten sich der heil. Rupprecht, Virgilius und ihre Schüler noch zu den Awaren gewagt. Im Jahre 737 hatten aber dieselben den alten norischen Bischofsitz Laureacum (Lorch) verwüstet, so dass Bischof Vivilo seinen Sitz nach Patavium (Passau) verlegte. — Im Jahre 788 waren die Awaren Bundesgenossen des aufrührerischen Bayernherzogs Tassilo II.; sie wurden jedoch zurückgeschlagen. Als nach Tassilo's Falle Bayern in Grafschaften aufgelöst und hierbei zu Regensburg von Karl dem Grossen dessen Gränzen geordnet wurden, fühlten sich die Awaren durch jene Gränzbestimmung beschwert, worüber es zum Kriege kam. Von drei Seiten wurden die Awaren bedrängt; Karl's Sohn Pipin fiel mit dem Herzog Erich von Friaul und Wonomir von Karantanien aus Italien in Pannonien ein; ein Heer von Friesen, Thüringern und Sachsen zog durch Böhmen ans nördliche Donauufer; am südlichen rückte Karl der Grosse selbst, von einer Flotte auf der Donau begleitet, von Regensburg über die Enns, erstürmte zwei Hauptringe am Einflusse des Kamp und am Chumeberg (Kahlengebirge) [3] und verfolgte die Fliehenden bis zur Raab. Somit war das obere Pannonien in fränkischer Gewalt, welches sammt dem Ufernorikum bis zur Enns unter dem Namen Awaria dem Gränzgrafen Gerold als fränkische Ostmark übergeben wurde [4]. — Als die Ermordung des awarischen Gross-Chanes und Jugurro [5]) innere Unruhen bei den

---

[1]) So weit die Awaren herrschten, deckt Nacht den Boden ihrer Geschichte. Das Dämmerlicht, das von den Nachbarländern anfänglich auf Pannonien und Dacien fällt, verschwindet zwischen 640 bis 790 (mit Ausnahme der früher erwähnten einzelnen Angaben) beinahe gänzlich. Die historische Sonnenfinsterniss hat hiermit ihren totalen Punkt erreicht; erst mit Karl dem Grossen beginnen die erleuchtenden Stralen der Sonne von Neuem.

[2]) Aribonis Vita S. Emerici. Boll. SS. 6. 475.

[3]) Siehe über diese mehrere Meilen grossen kreisförmigen Verschanzungen, die im Awarischen Hring, im Deutschen Hagin genannt wurden, den Bericht des Mönchs von St. Gallen bei Pertz II. 748: Terra Hunorum novem circulis cingebatur — — novem hegin munichatur. Noch heisst ein Kogel im Kahlengebirge bei Ober-Kirchbach Hunnberg, und ein Thal Hagenthal. — Die Beschreibung eines solchen Ringes gibt der Mönch von St. Gallen.

[4]) Diese Ostmark erscheint bald unter verschiedenen Namen: Avaria, Hunnia-Avaria (wobei Hunnia das alte Ufernorikum bis zur Enns, Avaria das obere Pannonien zu bedeuten scheint), Provincia Avarorum et Hunnorum, limes Pannonicus, confines Carantanorum, Oriens, orientalis plaga.

[5]) Chagan und Jugurro waren keine Personen-, sondern Würdenamen, was aus Eginh. Annal. erhellt: Missi quoque Hunnorum Cagani et Jugurri.

Awaren verursachte, benützte Herzog Erich diese Umstände, zog sammt Wonimir in Pannonien ein, und gewann den mit grossen Schätzen erfüllten Ring zwischen Raab und Drau. Auf diese Nachricht gab Karl der Grosse seinem Sohne Befehl, den Sieg weiter zu benützen, worauf Pipin mit seinen Franken, Langobarden, Bayern und Alemannen die Awaren bis in ihren letzten Hauptring zwischen Donau und Theiss [1]) verfolgte.

Schon 795 erschien, vermuthlich in Folge der Wirren im Awarenlande ein Tudun, d. i. ein awarischer Grosswürdenträger, zu Achen und nahm die Taufe [2]). Selbst der Gross-Chan, der ebenfalls bereits das Christenthum mit dem Namen Theodor erhalten hatte, begab sich vor den andrängenden Slaven auf's südliche Donauufer in Karl des Grossen Schutz, welcher ihm (805) nach seiner Bitte den Landstrich zwischen Sabaria und Carnunt, sammt dem Titel des obersten oder Gross-Chanes einräumte [3]). Obwohl aber die Awaren getauft worden waren, blieben sie doch bis in die zweite Hälfte des neunten Jahrhunderts neben Slaven und Deutschen kenntlich [4]).

Bei dem Sturze des Awarenreiches erhalten wir also auch einige nähere Züge über ihre Verfassung, die hiernach mit der alten türkischen und chazarischen viele Aehnlichkeit hatte: Ein Gross-Chan gebot über die einzelnen Chane (Könige und zugleich Heerführer), welchem ein Tudun oder Statthalter (Palatin) nebst mehreren Juguren zur Seite standen [5]).

Bald verschwindet aber unter Slaven und Deutschen mit dem Namen der Awaren auch die Spur ihrer Einrichtungen, ihrer Sprache, ihres Daseins [6]).

---

[1]) Siehe Pertz I. 182. Annal. Lauriss. ad a. 796. Eginh. Annal. (183): Pippinus, Hunni, trans Tizam fluvium fugati eorumque regia, quæ ut dictum est Hringus, a Langobardis autem Campus vocatur, ex toto destructa (302). Chron. Missiniæ ad an. 796: transito Danubio cum exercitu suo pervenit ad locum, ubi reges Avarorum cum suis principibus sedere consueti sunt, quem et in nostra linqua Rinno nominant. — Diese einstimmigen Angaben lassen wohl keinen Zweifel, dass Pipin bis in den Hauptring jenseits der Donau, in den einstigen Hauptsitz Attila's vorgedrungen sei.

[2]) Dass der Name Tudun zunächst kein awarischer Personen-, sondern Würdenname zweiten Ranges sei, gibt Eginh. ad a. 795 an: Legati unius ex primoribus Hunnorum, qui apud suos Tudun vocabatur. — Nach dem Etymol. M. Lips. 1816, p. 763 bedeutet Tudun einen Statthalter (Τουδοῦνοι οἱ τοποκράται παρὰ Τούρκοις), und auch bei den Chazaren, die mit den Awaren eine fast gleiche Verfassung hatten, war Tudun ein Titel für die Nachkommen des Chanes (Theoph. et Par. p. 316 und Hist. miscell. p. 144). Vermuthlich ist Zodan (nur nach norddeutscher Aussprache), der im Jahre 803 Karl dem Grossen zu Regensburg mit den übrigen awarisch-slavischen Fürsten huldigte, derselbe Tudun.

[3]) Gewöhnlich hält man den Chan Theodor für den getauften Tudun; allein in allen Stellen ist von Theodor als Gross-Chan die Rede, und bei dem Erscheinen der slavischen und awarischen Fürsten in Aachen im Jahre 811 der Gross-Chan und Tudun nebeneinander angeführt: De Pannonia venerunt Canizauci (offenbar corrupt für Chaganus), princeps Avorum et Tudun.

[4]) Der Anon. Salisb. schrieb im Jahre 873: Hunni-terram quam possident, residui, adhuc pro tributo retinent regis usque in hodiernum diem.

[5]) Der Titel Chagan oder Chan dient übrigens auch bei den Mongolen zur Bezeichnung ihres Oberhauptes. —

[6]) Alle sind weggestorben und kein Awar ist übrig geblieben; daher in Russland das Sprichwort: Sie sind untergegangen, wie die Awaren, kein Erbe ist mehr von ihnen da (Nestor II. 113).

Die fränkischen (deutschen) Einrichtungen wurden mit der Besitznahme Pannoniens daselbst eingeführt. So lesen wir bei dem unbekannten Salzburger von den fünf Gränzgrafen Guntram, Werinchar, Alberich, Gottfried und Gerold, welchen die slavischen Herzoge Briwislaw, Cemikas, Zaimar und Etgar untergeordnet waren [1]). In diese Grafschaften kamen zu den vom Joche der Awaren befreiten Slaven, fränkische, bayrische und sächsische Ansiedler.

Bei diesen Kämpfen wider die Awaren waren die Franken auch von den Kroaten unterstützt, und Istrien, Liburnien, Dalmatien und Savien (Pannonia Savia) erkannten gleich dem übrigen Pannonien und Dacien die fränkische Oberhoheit durch Entrichtung von Tribut [2]).

Die nachfolgenden Ereignisse werden die fränkische Herrschaft und die Unterabtheilungen der Marken und Volksstämme näher beleuchten, und wir wollen von den kirchlichen Verhältnissen hier nur so viel berühren, dass Karl der Grosse seinem Lieblinge, dem Bischofe Arno von Salzburg, mit Unterordnung des Passauer Bischofes unter denselben zur Metropolitenwürde verhalf (798), und dessen Diöcesanstreit mit Aquileja dahin entschied, dass die Drave die Gränze zwischen ihren Erzdiöcesen bilden sollte.

§. 17.

Aufstände der Slaven und Bulgaren, namentlich Swatopluk's, wider die Herrschaft der Karolinger (818–894).

Als nach Karl des Grossen Tode (814) Ludwig I., der Fromme, Alleinherrscher des grossen väterlichen Reiches, und dessen ältester Sohn, Lothar, Mitregent wurde, erhielt der Zweitgeborne, Ludwig II., der Deutsche, nebst der Verwaltung von Bayern auch die Aufsicht über die Karantaner, Böhmen und im Osten von Bayern befindlichen Awaren und Slaven mit dem Königstitel [3]).

Ihm unterstanden der kaiserliche Markgraf Gerold in Oberpannonien (Hunnia-Avaria), die an die Stelle der frühern Grafen und slavischen Herzoge getretenen fränkischen Grafen Helmwin, Albgar und Pabo in Unterpannonien [4]) (plaga orientalis) und Balderich in Karantanien.

In Italien war Pipin's Sohn Bernhard gefolgt. Die bedeutendste Mark Italiens war Friaul (Austria Italiæ), welche auch Istrien, Liburnien und das fränkische Dalmatien unter Kadoloch in sich begriff; diesem waren, nebst dem kroatischen Bane und Zupanen auch Liudewit, als Herzog in Savien (das jetzige Slavonien und ein Theil

---

[1]) Anon. Salisb. in Kopitars Glagolita glozian LXXIV. Ich halte mit diesem gelehrten Herrn Commentator dafür, dass die obigen fünf Markgrafen der Zeit nach coordinirt zu nehmen seien. — Gerold dürfte das obere, die vier andern das untere Pannonien verwaltet haben.

[2]) Einhardi Vita Caroli M. c. 16: Carolus per bella utramque Pannoniam et oppositam in altera Danubii ripa Daciam (usque Tibiscum), Istriam quoque ac Liburniam atque Dalmatiam (exceptis maritimis urbibus, quas ob amicitiam et iunctum cum eo foedus Constantinopolitanum Imperatorem habere permisit) ita perdomuit, ut tributarios efficeret.

[3]) Siehe: Carta divisionis Imperii bei Pertz III. c. 2.

[4]) Hiermit scheint das einstige Pannonia Valeria zwischen Drau und Raab verstanden werden zu müssen.

Kroatiens zwischen Save und Drave) untergeordnet. — Kadoloch hatte den Borna, Herzog der Guduskaner und Timotianer vermocht, von den Bulgaren unter fränkische Herrschaft zu treten. Eben war eine Gesandtschaft (818) dieser slavischen Völker und der Abodriten an König Ludwigs Hofe [1]).

Liudewit beschwerte sich über Kadoloch, fand aber kein Gehör; vielmehr rückte, als Liudewit den Borna in einem Kampfe geschlagen und in die Flucht gejagt hatte, ein dreifaches fränkisches Heer gegen Liudewit, welches ihn so bedrängte, dass er von Siscia über die Save zu den Serben entfloh [2]). — Jetzt erschienen zu Frankfurt a. M. die Gesandten der Marwanen (Mährer), Prädenecenten (Abodriten) und der in Pannonien herrschenden Awaren [3]).

Kaum war Liudewit's Aufstand beruhigt, als die Kunde von neuer Gefahr für die südöstliche Gränze des Karolinger Reiches durch die Bulgaren erscholl. Der Zusammenhang der Ereignisse macht kenntlich, dass das Vorrücken der Mährer auch die Slaven und Bulgaren zwischen Donau und Theiss in Bewegung brachte. Die Letzteren bedrängten die ihnen zunächst in Dacien wohnenden Abodriten [4]) (die gemeiniglich auch Prädenecenten genannt wurden). Als diese desshalb (824) eine Gesandtschaft an Kaiser Lothar abschickten, um Schutz oder Aufnahme zu erbitten. erschienen auch Abgeordnete des Bulgarenherzogs Ortomagus, welche ankündigten, er wünsche sehnlichst einmal die Gränzstreitigkeiten zwischen Pannonien und seinem Lande beigelegt. Als aber keine Abhilfe erfolgte, fielen die Bulgaren über die Drave in Pannonien ein, und verwüsteten sogar die Gränzen des oberen Pannoniens. — Balderich, der ihre Angriffe nicht abwehrte, wurde abgesetzt und bei diesem Umstande die grosse Mark Friaul in vier kleinere abgetheilt: 1. In Friaul mit

---

[1]) Einh. Annal. ad a. 818 (bei Pertz I. p. 205 und vita Hludovici Imp. II. p. 624). Legati Abodritorum ac Bornae, ducis Guduscanorum et Timotianorum, qui nuper a Bulgarorum societate desciverant et ad nostros fines se contulerant. Da Borna auf Anlass Kadoloch's angesiedelt, und auch ein kroatischer Herzog genannt wird, so scheint derselbe im nordwestlichen Theile Istriens, welches einen Theil des fränkischen Kroatiens bildete, sich niedergelassen zu haben. Vielleicht dürften die Čičen und Savriner (Sewerani) die Nachkommen der Guduskaner und Timotianer sein, worüber bei der Erörterung über Istrien einige Wahrscheinlichkeitsgründe vorkommen werden.

[2]) Annal. Einh. ad a. 822. (Pertz I. pag. 209: Liudewitus, Siscia civitate relicta ad Sorabos, quæ natio magnam partem Dalmatiæ obtinere dicitur, fugiendo se contulit.

[3]) A. a. O. Orientalium Sclavorum, id est Abodritorum, Soraborum, Wiltzorum, Beheimorum, Marvanorum, Praedenecentium, in Pannonia residentium Avarorum legationes. Hier kommt das erstemal der Name Marvani, d. i. Anwohner der Marawa oder March vor, da sie früher unter dem allgemeinen der Baemi und Slavi erscheinen. — Schaffarik sucht in seinen slav. Alterth. II. §. 30. 3. die slavischen Namen obiger Volksstämme herzustellen. Er vermuthet, dass Abodriti = Bodrizer, Praedenecenten = Branitschewzer, Guduscani = Kutschaner oder Kutschewzer und Timotianer = Timotschaner lauten sollten. Unter den Osterabtrezi versteht er Ost-Bodrizer, d. i. östliche Abodriten im Gegensatze der westl. in Nord-Deutschland.

[4]) Ob hier das trajanische oder aurelianische Dacien gemeint sei, lässt sich nicht mit Bestimmtheit entscheiden. Der Zusammenhang mit den Timotianern spricht für letzteres, so wie die Bemerkung des slav. Völkerverzeichnisses, dass die Ost-Abodriten mehr als 100 Städte haben. Ein Nachhall der Prädenecenten soll (nach Schaffařik's hist. Nachweisungen in den Wien. Jahrb. d. L. 42. B. p. 30) in der alten serbischen Stadt und Landschaft Braniczewo an der Morava (griechisch Βρανίτζοβα, bei Abendländern des Mittelalters Brandiz) vorhanden seyn. — Vergleiche auch dessen slav. Alterthümer II. §. 30. 3.

Istrien, 2. in Karantanien, 3. in Krain mit Liburnien oder das fränkische Kroatien, und 4. in Savia[1]). Um diese Zeit flüchtete zu Ratbod, dem damaligen Obermarkgrafen der pannonischen Marken, der mährische Fürst Privinna, welcher von Moymar aus der Gegend von Neutra vertrieben worden war. Privinna liess sich auch in der St. Martinskirche zu Traismauer (traisma) unter dem Namen Bruno taufen; floh aber — bei einer entstandenen Misshelligkeit — sammt seinem Sohne Chozel (Hezilo) zu den Bulgaren (in regionem Wulgariam), und bald darauf von dort zu Herzog Ratimar. Als aber dieser von Ratbod geschlagen wurde, begab sich Privinna über die Save zu dem dortigen Grafen Salacho, von welchem er mit Ratbod wieder ausgesöhnt wurde[2]).

Auf Verwendung einiger fränkischen Kronvasallen wurde dem Privinna ein Theil Unter-Pannoniens am Flusse Sala als Lehen ertheilt. Er lichtete den Wald, trocknete den Sumpf, baute sich mit Hilfe salzburgischer Handwerker und Künstler eine Burg (Moosburg), sammelte Mährer aus der Gegend von Neutra nebst Salzburgern auf seinem Gebiete. Drei Kirchen erhoben sich in der um jene Burg entstandenen Stadt, und viele andere in den zu seinem Gebiete gehörigen Orten; darunter zu Pettau und Fünfkirchen, welche der Salzburger Erzbischof Liupram (850) weihte, und Privinna's Priester in seine Metropoliten-Diöcese aufnahm. — Ludwig der Fromme, bei der Kunde von Privinna's treuem und frommen Sinn, gab ihm den verliehenen Besitz als Eigenthum[3]).

Den Karolingern gefährlich wurden die mährischen Fürsten. Ludwig der Deutsche, seit 843 unabhängiger Alleinherrscher in Deutschland, setzte zwar an Moymar's Stelle Rastislaw (846) ein, dieser aber erschien bald noch verderblicher, als er sich durch Bündnisse mit Griechen und Bulgaren[4]), und sogar mit den Markgrafen

---

[1]) Einh. Annal. a. 818: Percepto Ludovicus imperator Bulgarorum facto, Baldericum ducem Foro-Juliensem, cum propter ipsius ignaviam Bulgari fines Pannoniæ superioris impune vastassent (darunter müssen die oberen Gegenden der Save und Drave gemeint seyn, denn ober der Raab hatte Baldarich kein Land) honoribus privavit, et Marcham inter quatuor comites divisit. Diess bestätigen die Annal. Fuld. ad a. 829: Bulgari navibus per Dravum fluvium venientes, quasdam villas nostrorum flumini vicinas incenderunt. Hiermit scheint der streitige Bezirk zwischen Drave und Save gewesen zu seyn. — Obige 4 Theile hat Hansitz in germ. sacra T. II. p. 128 ausgemittelt, welchem Lucius, Schönleben, Coronini, Richter u. a. folgten.

[2]) Die ganze, Privinna betreffende Erzählung beruht auf den Anon. Salisb. a. a. O. Auch daraus ersehen wir, dass die Bulgaren in der Nähe Pannoniens, und zwar nach dem Zusammenhange zwischen Drave und Save im östlichen Theile, Salacho im westlichen Saviens, Ratimar aber im fränkischen Kroatien zu suchen seien.

[3]) Seit Kopitar in Glag. Gloz. LXXIV. aus Vergleichung der Handschriften die Lesart Sala statt Sana, sicher gestellt, wird wohl Niemand mehr Privinna's Gebiet am Sanflüsschen bei Cilly suchen wollen. Leider ist jener frühere Irrthum auf Sprunner's ausgezeichneten historischen Atlas noch übergegangen. Die Ehre der ersten richtigen Bestimmung gebührt übrigens dem Fünfkirchner Canonicus Josef Koller, welchem auch Salagius de statu eccles. Pann. IV. folgte. Die von dem Anon. S. genannten Orte: Salapingin, dudleipin, ussitin, liusiniza, bettovia, stepilipere, lindeveschirichun, keisi uveidheeres Wort chirichun, issangrimeschirichun, beatuseschirichun, quinque basilice u. a. geben nicht nur den Umfang des Gebietes, sondern auch die gleichnamigen Mutterstätten jener salzburgischen Colonien an, indem wir die meisten auch im Gebiete der Salzburger Metropole (in Norikum) finden, was wohl Manche früher in der irrigen Meinung bestärkte, Privinnas Gebiet in Norikum zu suchen.

[4]) Prudentius Trecens. bei Pertz I. 448. Diess spricht auch für die Nachbarschaft der Mährer und Bulgaren. — Das Uebrige über jene Kämpfe enthalten: Annal. Fuld. a. a. O. p. 367—379, Hincmari Remens. Annal. 455, 459, 473, 482.

5*

Rathod und Karlmann stärkte. Rathod verlor seine Würde und seine Güter (bei Tuln). Wilhelm und Engelschalk folgten als Markgrafen, und nach einigen Irrungen mit Karlmann, Ludwig's Sohne, zog das fränkische Heer (864) gegen Rastislaw's Felsenburg Dowina (Theben), wo jedoch Rastislaw Frieden anbot und erhielt.

Die Zeit des Friedens benützte Rastislaw zur Unterwerfung der Sorben (an der Elbe) und zur Einführung des Christenthums. Schon im Jahre 862 hatte Rastislaw eine Gesandtschaft an den griechischen Kaiser Michael abgesendet, um die Brüder Cyrill (Konstantin) und Method (Söhne des Patriziers Leo von Thessalonich) als christliche Lehrer für die mährischen Slaven zu erbitten, da der erstere durch die Bekehrung der Chazaren und Erhebung der Gebeine des h. Clemens, der andere durch Bekehrung des Bulgarenkönigs Boris mittelst eines Gemäldes vom jüngsten Gerichte, beide überdiess durch ihre Frömmigkeit grossen Ruf erworben hatten. In Mähren angelangt, weihte Cyrill (863) die Kirche St. Peter zu Olmütz [1]) und vollendete daselbst die Bibelübersetzung in's Slavische mittelst der von ihm benannten cyrillischen Schrift. —

Die christliche Lehre in slavischer Mundart fand auch bei den Mährern in Unter-Pannonien Eingang, wo Privinna gegen Rastislaw sein Leben verloren hatte, und nun Chozel (861) nach seines Vaters Tode über dieselben herrschte. Als die bayrischen Bischöfe darüber beim Papste Klage führten, berief Nicolaus das Brüderpaar Cyrill und Method nach Rom (867). Nachdem sein Nachfolger Adrian ihre Lehre als rechtgläubig anerkannt, und Cyrill daselbst (14. Febr. 868) verstorben war, kehrte Method als Erzbischof von Mähren und Pannonien zur weiteren Wirksamkeit in jene Länder [2]).

Jene kirchlichen Umstaltungen zogen auch politische nach sich. Die kirchliche Einheit von Mähren und Pannonien musste offenbar, einerseits die Eifersucht und Wachsamkeit der fränkischen Macht, andrerseits den Wunsch Rastislaws nach dem Besitze Pannoniens rege machen. Wir finden daher noch in demselben Jahre Rastislaw im Kampfe mit Ludwig; drei fränkische Heere rückten gegen Rastislaw's Hauptsitz Welehrad [3]), ohne diese Feste zu bezwingen, obwohl die Franken allenthalben siegreich waren [4]).

Erst der Verrath seines Neffen Swatopluk lieferte Rastislaw in die Hände sei-

---

[1]) Cod. dipl. Morav. XLII. Nach einer Transumt. des Prager Bischofes Sever vom Jahre 1062.

[2]) Vergl. Dobrowsky's Cyrill und Method, dann dessen mährische Legende, mit Blumberger's kritischen Bemerkungen in den Wiener Jahrb. 37. Bd. und mit Wilhelm Wattenbachs Beiträge zur Geschichte der christlichen Kirche in Mähren und Böhmen (Wien 1849), dann mit der pannonischen Legende (im Moskwitarin für 1843, Nr. 6, übersetzt in's Böhmische von W. Hanka in Časopis Českého Mus. 1846, S. 3—33). Der Beweis für Method's mährisch-pannonisches Erzbisthum liegt ausser den Legenden hauptsächlich in den vier berühmten Briefen Papst Johann VIII. — Die Echtheit dieser Briefe aus äusseren Gründen ist schwer vollkommen zu beweisen, da sie zwar zu Rom in den Regesten vorhanden sind, diese selbst aber nicht Original-Regesten, sondern eine Abschrift des eilften Jahrhunderts sind. Doch sprechen für deren Echtheit der genau aufgefasste Zusammenhang der damaligen politischen und kirchlichen Ereignisse.

[3]) Wahrscheinlich Hradisch in Mähren, wofür Name, Lage und Sage sprechen.

[4]) Hauptquelle: Annal. Fuld. ad a. 869; ihre Aussage ist aber zu mildern durch Hinkmar von Rheims bei Pertz I. 482.

ner Feinde, von welchen er in Regensburg zum Tode verurtheilt, von König Ludwig jedoch mit Blendung bestraft wurde. Swatopluk heuchelte Treue und wusste Karlmann also zu täuschen, dass ihm die Führung des fränkischen Heeres gegen Wellehrad anvertraut wurde. Wie zur friedlichen Unterhandlung begab er sich in die Veste, jetzt warf er aber die Maske ab, indem er mit den Mährern unvermuthet die Deutschen überfiel, und beinahe gänzlich aufrieb. Swatopluk, durch ein Bündniss mit Böhmen auf den bevorstehenden Rachezug vorbereitet, war sogar über die Donau nach Pannonien gegangen, wo Karlmann dergestalt bedrängt wurde, dass er Eilboten an seinen Vater Ludwig nach Metz sendete. Zu Regensburg kam durch königliche Gesandte (Missis) der Friede zu Stande, worin Swatopluk und die übrigen mit ihm verbündeten, in Ludwig's Reiche lebenden, slavischen Fürsten zur Ruhe gebracht wurden[1]).

Zehn Jahre hielt Swatopluk Friede mit den Karolingern; daher schweigen die fränkischen Chronisten von seinen Thaten. Als er wieder in Kampf mit Arnulf wegen Pannonien trat, sehen wir ihn von Magdeburg bis zu den Bulgaren über nördliche und östliche Völker als grossmährischen Herzog und Oberhaupt vieler slavischen Fürsten mit wahrhaft königlicher Macht auftreten.

Bevor wir diesen folgenreichen Kampf, der mit der Zerstörung des grossmährischen Reiches und der Besitznahme der Trümmer dieses Reiches und Pannoniens durch die in Atelkusu befindlichen Magyaren endigte, schildern, wollen wir versuchen, die Gränzen dieser Länder anzudeuten.

§. 18.

Gränzen und Eintheilung Pannoniens (vom sechsten bis zum zehnten Jahrhundert).

Manche anderweitige ethnographischen, geographischen, historischen und chronologischen Bestimmungen hängen von der richtigen Auffassung jener noch dunklen Geographie Pannoniens ab, daher eine vorläufige Untersuchung obiger Momente als nothwendig erscheint. Jornandes im sechsten Jahrhundert gibt uns den Umfang Pannoniens fast eben so an, wie Plinius und Ptolomäus dasselbe beschrieben: Das über das weite Flachland sich erstreckende Pannonien gränzt im Osten an das obere Mösien, im Süden an Dalmatien, im Westen an Norikum, im Norden an die Donau. Dieses Land ist mit vielen Städten geschmückt, wovon Sirmium die erste, Vindomina die letzte ist[2]).

Dass bis auf Jornandes Zeit noch immer Unterabtheilungen Pannoniens bestanden, sehen wir nicht nur aus den früheren Erzählungen aus der Zeit der Hunnen und Gothen, sondern auch aus der Verleihung des sirmischen Pannoniens, den einstigen Sitz der Gothen, durch König Theodorich an den Comes Collossæus[3]). — Wenn nun um die-

[1]) Annal. Bertin ad a. 873.

[2]) Jornandes de reb. Get. c. 50. — Vergl. damit Plinius III. 28: da Septemtriones Pannonia vergit, finitur inde Danubio. Pannoniæ jungitur Mösia, incipit a confluente Savi, quæ pars ad mare adriaticum spectat, appellatur Dalmatia et Illyricum. — Ptolomäus gibt als Westgränze den mons cetius (bei Vindobona), im Südwesten den Mons Caravancas, Albius und die Bebischen Gebirge, im Osten Mösien, am Einflusse der Save in die Donau, nördlich die Donau.

[3]) Cassiodor. Varia LIII. epist. 23.

selbe Zeit Papst Symachus den Sprengel des Lorcher Erzbisthums über die Provinz der Pannonier ausdehnt, so scheint, wenn anders die Urkunde echt wäre, das sirmische Pannonien davon ausgeschlossen; denn über das sirmische Pannonien suchte der griechische Kaiser Justinian I. seine Oberhoheit zu behaupten, und dasselbe dem von Sirmium nach Justiniana prima (Tauresium) übertragenen Metropolitensitze unterzuordnen, wozu auch Papst Vigilius seine Einwilligung gab[1]).

Wir sehen hieraus zugleich, dass die Langobarden über das sirmische Pannonien nicht geboten.

Erst, nachdem den Awaren nach langer Belagerung Sirmium vom Kaiser Theodos II. überlassen wurde, schrieb Papst Gregor der Grosse an die Bischöfe Illyriens, die vertriebenen Bischöfe schützend aufzunehmen, und also den Nächsten in Gott und Gott in dem Nächsten zu lieben[2]).

Nach den bisher gegebenen Andeutungen war die Donau stets die Nordgränze Pannoniens und die Save die Südgränze, obschon seit vier Jahrhunderten Pannonien zur Präfektur Illyrikum gehörte, und sonach bis auf Attila's Zeit Sirmium der Hauptort Illyrikums war[3]). Aber selbst nach der Eroberung des Awaren-Bezirkes zwischen Donau und Theiss wurden von Einhard beide Pannonien nur bis an die Donau ausgedehnt, das Land jenseits derselben aber Dacien genannt[4]), womit auch der Anon. Salisburg. übereinstimmt, welcher sagt, dass Pipin den Awaren-Ring über der Donau zerstörte und dann nach Pannonien zurückkehrte. Aus den bereits[5]) erzählten Thatsachen geht hervor, dass man im neunten Jahrhunderte ein oberes und unteres Pannonien (vermuthlich nach der Eintheilung des Ptolomäus durch die Raab) unterschied, wobei jedoch das obere auch unter dem Namen Avaria, Hunnia-Avaria, Oriens u. s. w. im Westen bis über den Kahlenberg (nämlich bis an die Enns) reichte[6]); das untere aber bis an die Drave, indem die Fulder Annalen zum Jahre 884 angeben, dass Arnulf Pannonien, Herzog Braslav aber das Reich zwischen Drave und Save (die römische Provinz Savia) beherrschte[7]). Es ist sogar wahrscheinlich, dass die sirmische Provinz einige Zeit im Besitze der Bulgaren, ja der Zankapfel zwischen diesen und den Franken gewesen, bis die letzteren in deren Besitze geblieben, und dasselbe nebst den slavischen Bewohnern kolonisirt hatten[8]).

---

1) Authenticæ seu novellæ const. Justiniani Imp. XI. in Fejér's Cod. dipl. I. p. 181: sub ejus sint auctoritate, et secunda pars Mesopotamiæ, pars secunda etiam Pannoniæ quæ in Bacensi est civitate? welcher Theil nach dem Zusammenhange die sirmische Provinz ist. — Justinian I., zu Tauresium in Dardania geboren (Procop de aedif. Justinian IV. c. 1), liess seine Geburtsstadt schön und fest aufbauen und nach seinem Namen benennen; und Novella CXXXI. a. a. O. p. 137: Primo Justiniano nostra patria. Archiepiscopum habere semper, sub sua jurisdictione episcopos provinciarum Daciæ mediteraneæ et Daciæ Ripensis et Privalis (Prævalitana) et Dardaniæ, et Mysiæ superioris (II.) atque Pannoniæ secundum ea, quæ definita sunt a S. S. Papa Vigilio.

2) A. a. O. 138.

3) Cum enim Sirmii præfectura fuerit constituta etc. a. a. O. 131.

4) Vid. §. XVI. Anm. 1.

5) Vid. §. XVI. und XVII.

6) Monum. Boica XXVIII. 1. 50 (ad a. 859): Tullina situs in regione Pannonia.

7) Annal. Fuld. ad a. 884 bei Pertz I. p. 401: Braszlowoni duce, qui id temporis regn. inter Dravum et Savum tenuit. Die Annal. Franc. dagegen: Pannonia infer. cum duce Braslao a. 885 ad officium rediit.

8) Wahrscheinlich stammt aus jener Zeit die im XII. Jahrhunderte bei den Byzantinern Kinamus und

Nach dem Gesagten war bis zur Ankunft der Magyaren die Donau die Nordgränze Pannoniens, welche Provinz wohl bei der besonderen Benennung Hunniens und Awariens, Chrobatiens und des Reiches zwischen Drave und Save, neben der alten weiteren, auch in einer engeren Bedeutung, als das alte römische Pannonien genommen wurde. Die engste politische Begränzung hatte aber das byzantinische Pannonien, welches nicht mehr als Sirmien (auch regio Wulgaria) umfasste.

Es erübrigt also nur noch einige dunkle geographische Ausdrücke über Pannonien, von Seite der päpstlichen Kanzlei (Kurie) gebraucht, aufzuklären. Unter Karl dem Grossen erhielt der Erzbischof Arno von Salzburg (nebst Karantanien) Pannonien bis an die Drave (798 u. 812), wofür Bischof Ulrich von Passau für den Verlust der Metropolitenwürde mit Besitzungen in der Ostmark (Hunnia-Avaria) entschädigt wurde[1]). Die Diöcesan-Gränzen zwischen Salzburg und Passau wurden aber von Ludwig dem Deutschen so bestimmt, dass zu Passau's Sprengel die nördlichen und westlichen Theile (Pannoniens) vom komagenischen Gebirge bis zum Zusammenflusse der Spiraza mit der Raab; das übrige Pannonien im Osten und Süden aber zum Salzburger Sprengel gehören sollte[2]). Die Salzburger Erzkirche erhielt namentlich durch König Ludwig den Deutschen viele Besitzungen, nicht nur im unteren Pannonien, darunter die Stadt Sabaria (Sabariam civitatem) und ein zweites Sabaria an der Raab (ad Rapam ad siccam? Sabariam), Salaburg u. a., sondern auch in Avaria und Carantanum, welche Schenkungen Arnulf bestätigte und vermehrte[3]). Nachdem Cyrill und Method durch slavische Schrift und slavischen Vortrag, sowohl in Mähren als auch im unteren Pannonien, Eingang gefunden, und ihre Lehre in Rom wiederholt gerechtfertigt hatten, kehrte Method wieder nach Pannonien und Mähren zurück, und lebte — wie aus allem hervorleuchtet, als Archiepis copus regionarius, ohne bestimmten Sitz; daher Method von Papst Johann bald ein pannonischer (879), bald (880—881) ein mährischer Erzbischof

---

Niketas (bei Stritter III. 636) vorkommende Benennung Frankenland (Φραγγοχωριον) für Sirmien, wie bereits Katona Hist. crit. I. c. 433 und Severini Pannon. I. p. 21 vermutheten. — Nach Konst. Porphyr. wurde das Binnenland zwischen Drave und Save zwar von den Magyaren (c. 896) bei der Besitznahme Ungerns eingenommen; doch nach der in der Eintheilung des byzantinischen Reiches gegebenen Uebersicht (de Thematibus) gehörte zu seiner Zeit (950) das Sirmier Gebiet als Präfektur Pannonien mit zwei Städten zum Thema Dyrrhachium.

[1]) Auch die Wachau, so wie einige Orte am nördlichen Donau-Ufer gehörten zum Hunnenland. Die bezügliche Bestätigungsurkunde vom Jahre 823 ist noch mit dem irrigen Zusatze: et totidem (i. e. duas ecclesias) in favianis abgedr. in Hormayers: Wiens Geschichte III. Band, nach dessen Berichtigung (aus dem k. Münchner Archiv) aber in Fejér Cod. I. 155—157.

[2]) A. a. O. p. 162. Auch hier liegt die alte politische Abtheilung des oberen und unteren Pannoniens durch die Raab zu Grunde. Die angebliche Bulle Papst Eugens II. an den Loreher (Passauer) Bischof Urolf verleiht (826) diesem Kirchenfürsten das Pallium, und dehnt dessen Diöcese in præfatis regionibus Hunniæ quæ et Avaria appellatur, sed et Moravia, provinciarum quoque Pannonia sive Mœsia, und ist gerichtet an die Bischöfe Ratfred von Faviana, Method von Speculi Julium, Adelwin von Neutra und Anno von Vetwar. Da aber diese Urkunde alle äusseren und inneren Kriterien der Unechtheit an sich trägt, so kann hier keine Rücksicht auf seine Angaben genommen werden. Ihre einzige Quelle ist ein alter Reichersberger Codex (Gewold in append. dipl. ad Chron. Reichersperg 1611), während weder die Passauer, noch die päpstlichen Urkunden und Briefsammlungen, noch die übrigen gleichzeitigen Chroniken etwas enthalten. Die Theilungsurkunde zwischen Passau und Salzburg vom Jahre 829 müsste doch eine Erwähnung des Bisthums Faviana (Wien) im Passauer Sprengel machen, und Wiching wurde 880 von Papst Johann zuerst als Bischof von Neutra ordinirt.

[3]) A. a. O. p. 169—172, 183, 184, 193—196, 220.

(vermuthlich nach dem jeweiligen Aufenthalte) genannt wird, ohne dass man daraus die Folgerung ziehen könnte: die pannonische Diöcese und somit Pannonien habe nach damaligem kirchlichen Sprachgebrauche auch nördlich der Donau über Grossmähren gereicht[1]).

Als der Salzburger Erzbischof an der Spitze der bayrischen (norischen) Bischöfe sich über Schmälerung seiner Diöcese beklagte, so bezog sich diess nur auf das Land im Süden der Donau. Somit bildete zur Zeit der Einwanderung der Magyaren nach weltlichem und kirchlichem Sprachgebrauche des Abendlandes die Donau die Nordgränze Pannonien's und zerfiel in ein oberes (Passau) und ein unteres (Salzburg), welche unter Method jedoch als pannonisch-mährische Erzdiöcese vereinigt wurden. Der Vollständigkeit wegen müssen auch noch die dunkeln geographischen Angaben der Päpste Agapit II. und Benedikt VII. — obwohl sie dem zehnten Jahrhundert angehören, um so mehr berührt werden, als sie auf ältere Quellen sich berufen.

Papst Agapit II. ernennt 946 — in Anerkennung des alten, für beide Pannonien bis auf Arno, bestandenen Lorcher Metropoliten-Sitzes, den Passauer Bischof Gerard zum Erzbischof, und theilt Pannonien zwischen die zwei erzbischöflichen Sprengel Salzburg und Passau dergestalt, dass dem Salzburger Erzbischof Herold das westliche, dem Passauer Erzbischof Gerard aber das östliche Pannonien sammt den Regionen der Awaren, Mährer und Slaven übertragen wird, mit dem Beifügen, dass wenn Herold mit jener Entscheidung nicht zufrieden seyn sollte, das obere und untere Pannonien, wie früher, in der Lorcher Erzdiöcese vereint werden würde[2]).

Wo diese Theile Pannoniens sammt den genannten Regionen zu suchen seien, erklärt die Bulle, worin Papst Benedikt VII. im Jahre 974 (mit Beziehung auf obige Theilung der Salzburger und Passauer Erzdiöcesen durch Papst Agapit II.) festsetzt, dass Salzburg das obere (westliche) Pannonien besitzen solle; Passau aber das untere (östliche Ufer-) Pannonien sammt Mösien, deren Provinzen Awarien und Moravien sind[3]).

So verwirrt diese Bestimmungen bisher den Forschern dünken mochten[4]), so sehr verliert sich die Dunkelheit bei genauer Auffassung der pannonischen Theilungen im neunten Jahrhundert. Seit des Papstes Symachus Erhebung Lorchs (Laureacum) zur Metropole bis zum Einbruch der Awaren (504—737), wo der Lorcher Sitz nach Passau zurückflüchtete, erstreckte sich Lorchs Wirksamkeit über beide Pannonien bis zur Drave. Als unter Karl dem Grossen Pannonien den Awaren entrissen worden, lebte die

---

[1]) Gleich beim Auftreten Cyrills und Methods in Pannonien suchte Salzburg seine alten Diöcesan-Rechte über das untere Pannonien darzuthun, und dieser (von Kopitar in Gl. Gloz. kritisch edirten) Darstellung des Anon. Salisb. vom Jahre 873 verdanken wir wichtige historisch-geographische Aufschlüsse über Pannonien, kurz vor der Magyaren Ankunft. An diese reihen sich zunächst die Briefe Papst Johanns a. a. O. p. 187, 188, 195, 197, 211—218. Die Klagebriefe der Metropoliten von Salzburg und Mainz a. a. O. p. 229—240.

[2]) A. a. O. p. 253—257.

[3]) A. a. O. p. 260—270.

[4]) Muchars röm. Norikum II. p. 288—303 hebt mit vielem Scharfsinn die dunkeln Stellen hervor, und sucht den letzten Grund in der Unbekanntschaft der Päpste mit den geographischen Verhältnissen an der Donau.

alte Ptolomäische Eintheilung in ein oberes (westliches) und unteres (östliches) Pannonien (nach einer von der Raab zum Verbas gezogenen Linie) wieder auf; doch wurde der nördliche Theil des obern Pannoniens, von der Raab bis zur Enns, unter dem Namen Avaria meist besonders genannt, und in kirchlicher Hinsicht Passau, alles übrige Pannonien (der südliche Theil des obern westlichen, sammt dem untern östlichen) bis zur Drave, der neuen Salzburger Metropole untergeordnet (798, 812, 819). — Als aber Passau's Bekehrungseifer der Donau entlang sich wirksam zeigte, wurde dessen Diöcese (946 und 974) mit Einschränkung der Salzburger am Donau-Ufer bis Mösien erstreckt [1]).

19.

Versuch einer Nachweisung der Gränzen von Grossmähren.

Da die Magyaren im grossmährischen Reiche vom Osten her sich festsetzten, so ist die Kenntniss seines Umfanges, namentlich seiner Südostgränze wünschenswerth, doch ihre Angabe höchst schwierig.

Wir beginnen daher mit der Südostgränze dieses Reiches.

Einige Kunde hierüber gibt uns der im Purpur geborne Kaiser Konstantin, dessen Vater Leo, der Weise, die Magyaren gegen die Bulgaren herbeigerufen. Die in seinem Werke: de administratione Imperii hieher bezüglichen Stellen sind:

Cap. 13. „De gentibus, quæ Turcis finitimæ sunt.

Turcis (Hungaris) hæ gentes conterminæ sunt: ad occidentem francia, ad septemtrionem Patzinacitæ, ad meridiem magna Moravia sive Sphendopolci regio, quæ omnino a Turcis vastata est, et ab ipsis jam continetur."

Es erscheint allerdings bei dem ersten Anblicke überraschend, wenn wir uns auch nach der gewöhnlichen Vorstellung Grossmähren bis an die Gran ausgedehnt vorstellen, wie Konstantin Grossmähren im Süden der eigentlichen Ungern angeben kann; doch macht uns zugleich der Beisatz: oder Swatopluks Region, aufmerksam, dass dieses Mähren im Süden der Ungern erst von Swatopluk erobert und benannt worden sei, und dass wir dasselbe im Süden des frühern bis an die Gran reichenden Mährens zu suchen haben.

Weitere Spuren bekommen wir im:

Cap. 38. „Turcæ itaque (a Patzinacitis ex Atelcuso) profligati fugientes et terram ad sedes collocandas quaerentes Magnam Moraviam ingressi, et ex eo tempore bellum cum Patzinacitis Turcæ non habuerunt."

---

[1]) Die ganze Verwirrung (der sonst vorkommenden Eintheilungen Pannoniens seit dem neunten Jahrhundert) in der vom Papst Benedikt VII. genannten Abtheilung, reduzirt sich also darauf, dass Awaria eine Provinz des untern Pannoniens genannt wird, während dieselbe nach dem frühern Sprachgebrauche zum obern gehörte; ferner, dass Mähren eine Provinz Mösiens genannt wird, woraus wohl erhellt, dass jener Bezirk an der Morava (Margus) damit gemeint sei. — Es musste ja den Päpsten darum zu thun sein, den Sprengel der ihnen eifrig ergebenen Bischöfe so weit als möglich nach Südosten auszudehnen.

Diese Stelle deutet an, dass Grossmähren nicht weit von Atelcusu (Pruth und Seret) zu suchen sei, da die Ungern unmittelbar nach der letzten Niederlage durch die Patzinaciten nach Grossmähren gelangten.

Die weitere Erklärung der Südgränze liefern:

Cap. 40. „A quibus (Patzinaeitis) sane pulsi Turcæ et profugientes sedes posuerunt illic, ubi nunc habitant (i. e. in Magna Moravia). In hoc autem loco antiqua quædam monumenta supersunt, inter quæ pons Trajani Imperatoris ad initia Turciæ et Belegrada, quæ trium dierum itinere ab ipso ponte distat, ubi turris est sancti et magni Constantini Imperatoris, et rursus ad cursum fluminis exstat Sirmium, quod Belegrada abest duorum dierum itinere [1]). — Inde Magna Moravia baptismo carens, quam Turcæ devastarunt, cuiusque princeps olim fuit Sphendopolcus. Atque hoc quidem iuxta Istrum fluvium monumenta et cognomina."

Aus dieser Stelle folgt:

1. Dass Swatopluks Grossmähren bis an den Ister und die Save gereicht, und zwar wenigstens zwischen Belgrad und Sirmium nördlich der Donau, und

2. dass dasselbe der heidnische Theil Grossmährens war.

Die Fortsetzung desselben Kapitels in Verbindung mit dem 42. Kapitel scheint aber anzudeuten, dass Grossmähren südöstlich weit über die Aluta bis gegen Silistria reichte:

„Ulteriora (M. Moraviæ) vero, quæ omnia Turcis habitantur, cognomina nunc habent a fluminibus transcurrentibus. — Eorum primum Timeses (Temes), alterutrum Tutes (Aluta?), tertium Moreses (Maros), quartum Crisus (Körös), quintum Titza (Theiss). Confines autem Turcis sunt orientem versus Bulgari, ubi eos Ister fluvius, qui et Danubius dicitur, separat, Septemtrionem versus Patzinacitæ, ad occidentem Franci, ad meridiem Chrobati."

Cap. 42 beginnt: „A Thessalonica usque ad Danubium flumen, in quo urbs Belegrada octo dierum interest. Et habitant quidem trans Danubium flumen Turcæ in terra Moravia, atque etiam ulterius inter Danubium et Sabam fluvios. Ab inferioribus vero partibus Danubii ex opposito Distræ (Silistriæ) procurrit Patzinacia etc."

Aus allem Bisherigen folgt mit Gewissheit, dass nach Konstantin Porphyrogenitus Vorstellung am nördlichen Donau-Ufer, Belgrad gegenüber, Grossmähren lag; mit Wahrscheinlichkeit aber:

a) Dass dasselbe auch das sirmische Pannonien umfasste, jedoch nicht weiter westlich reichte, denn, einerseits war von Belgrad bis Sirmium zu Konstantin's Zeit (950) noch der alte Name Grossmähren bekannt und üblich, andererseits wohnten die Ungern auch noch über den mährischen Antheil Saviens westlich aufwärts.

[1]) Konst. Porphyr. scheint hier nach der alten griechischen Vorstellung des Herodot die Save für die Fortsetzung des Ister zu nehmen.

b) Dass dasselbe im Osten bis in die Nähe Silistria's reichte, denn aus den Sitzen der Patzinaciten (Atelcusu) kamen die Magyaren nach Grossmähren, ohne dass irgendwo von Konstantin ein Zwischenland von Atelcusu und Grossmähren angedeutet wird. —

c) Grossmähren scheint zu Swatopluk's Zeit auch südlich der Donau (über das obere Mösien) sich erstreckt zu haben, denn Konstantin sagt zwar: dass die Ungern zu seiner Zeit in Grossmähren, und zwar in dem Theile jenseits der Donau, wohnten (c. 42); die Vergleichung der dortigen Gränzbestimmung mit jener des 13. Capitels, wornach einerseits Kroatien, anderseits Grossmähren oder die Region Swatopluk's als Südgränze Ungerns angegeben wird, zeigt jedoch, dass nördlich der Donau nach Konstantin's Aussage nur der heidnische Theil Grossmährens lag, der sich an das alte Mähren anschloss, südlich der Donau aber die eigentliche Region Swatopluk's oder das christliche Grossmähren, welches nach weitern historischen Spuren von der Morawa bis ans Adriameer über Chrowatien (Dalmatien) sich erstreckte.

Schon Rastislaw hatte Verbindungen mit den Bulgaren angeknüpft und wahrscheinlich auch mit den Slaven an der Morawa (Margus); vielleicht wurde er auch desshalb von den Annal. Fuld. ad a. 863 Margensium Sclavorum dux genannt. Der griechische Biograph des bulgarischen Erzbischofes Clemens scheint mit seiner pannonischen Stadt Morabos, wo Method lehrte und starb, jenes Margus (am Einfluss der Morawa in die Donau) anzudeuten, und nur durch die Annahme eines untern Mährens hat seine Benennung eines obern Mährens einen Grund. Endlich zeigt noch von dem bestimmten Dasein eines Mährens im Süden der Donau Konstantin Porphyr. in seinem Werke: de Ceremoniis aulæ Byzantinæ (l. 2. c. 48), worin lange nach Zerstörung des grossmährischen Reiches im Norden der Donau noch von einem Fürsten die Rede ist, dem der Titel: Fürst Mährens (ἄρχων Μοραβίας) gebührt. Auf der Synode des Sirmier Bischofes Photius 879 unterschrieb sich ein Metropolit Agathon: Ἀγαθὼν Μοράβου, nebst zwei bulgarischen Bischöfen[1]). — Von dem Dasein eines untern Mähren an der Morawa weiset noch (mit Beziehung auf ältere Dokumente) die Bulle Papst Benedikt VII. vom Jahre 974, worin Passau's Diöcese über Mösien ausgedehnt, und als dessen Provinz Moravia angegeben wird. — Endlich gibt die aus dem neunten Jahrhundert ursprünglich stammende Völkertafel der Slaven: Mährer, dann Bulgaren, dann wieder Mährer an, und auch Nestor im zwölften Jahrhundert sagt: „Nach Mähren kam der Apostel Paulus, dort ist Illyrikum." — Unter den Bulgaren an der Donau wohnten getaufte Slaven, und ihre Fürsten waren Rastislaw, Swatopluk und Chozel.

Swatopluk scheint also die von Rastislaw angeknüpfte Verbindung mit den Bulgaren zwischen Theiss und Donau und mit den untern March- (Morawa-) Slaven, wenn nicht in eine Herrschaft verwandelt, doch wenigstens eine Art Oberhoheit auch über die Bulgaren und andern Slaven, so wie über die Reste der Awaren bis an die Aluta, behauptet zu haben.

---

[1]) Assemani Kalend. III. 138.

6*

Nur die Oberhoheit über die pannonischen Mährer fehlte, und desshalb trat er in wiederholten Kampf mit den Karolingern, aus dessen Erzählung erhellt, dass er nie im gesetzlichen Besitze Pannoniens gewesen.

Nach zehnjähriger Waffenruhe gab die Flucht des von den Grafen Wilhelm und Engelschalk vertriebenen Aribo, Markgrafen Awariens, zu Swatopluk den erwünschten Anlass zur Erneuerung der Fehde (883). Swatopluk siegte über Arnulf, die Grafensöhne ertranken im Raabflusse. Da kam Kaiser Karl der Dicke, welcher zuletzt den Besitz der Reiche Karl des Grossen vereinte, in die Ostmark (Avaria) und schloss am komagenischen Berge den Frieden (884).

Aribo erhielt die Markgrafschaft (Avaria oder Oberpannonien, von der Raab bis zur Enns) wieder, Swatopluk leistete den Vasalleneid (hinsichtlich seiner mährischen Lande) und gelobte, so lange Karl leben würde, Frieden, den Arnulf, der das untere Pannonien (zwischen Raab, Donau und Drave) behielt, auch im folgenden Jahre (885) anerkannte. Da zu gleicher Zeit im savischen Pannonien (zwischen Drave und Save) Brazlaw (Chozels Sohn) als fränkischer Herzog regierte, welchen Theil Pannoniens könnte Swatopluk besessen haben? — Nach dem früher Gesagten höchstens das sirmische Pannonien [1]). Die nachfolgende Fehde scheint diese Ansicht zu bestätigen. Swatopluk sah im Besitze Pannoniens ein zu wichtiges Verbindungsglied seiner Besitzungen, so dass ein geringer Anlass die Kriegsflamme entfachte.

Arnulf hatte nach seiner Thronbesteigung die Ostmark (Avaria) dem Engelschalk (dem Sohne des in der Raab ertrunkenen gleichnamigen Markgrafen) anvertraut; dieser hatte jedoch in jugendlicher Kühnheit eine Tochter Arnulf's entführt, und war desshalb zu Swatopluk entwichen. Darüber begann der Kampf, welcher nach der Besiegung der Normänner erst 892 recht lebhaft und hartnäckig wurde. Arnulf sendete damals Gesandte an die Bulgaren, welche, um nicht in die Hände Swatopluk's zu fallen, ihren Weg auf der Odra, Kulpa und Save nahmen.

Daraus folgt zwar, dass der Landweg durch Pannonien, als den Kriegsschauplatz, nicht sicher war, ohne dass jedoch ein legaler Besitz Pannoniens für Swatopluk daraus folgen würde; in demselben Kriege streiften die von Arnulf zu Hilfe gerufenen Magyaren durch Pannonien, und im Jahre 896 überliess Arnulf dem Herzog Braslaw die Vertheidigung der Moosburg an der Sala im untern Pannonien.

Wie weit Swatopluk's Herrschaft im Westen und Norden reichte, ist gleichfalls nicht genau zu bestimmen. Doch scheint Böhmen, Gross-Chrobatien und Gross-Serbien (an der Elbe nördlich der Sudeten) unter Swatopluk's Einflusse gestanden zu haben [2]). Sonach scheint das grossmährische Reich ausser Böhmen, Mähren

---

[1]) Die Annal. Fuld. (bei Pertz I.), die über jene Verhältnisse die Hauptquelle sind, sagen ad a. 884, dass Arnulf damals Pannonien, Braslaw aber das Reich zwischen Drave und Save besessen habe. Da jedoch der letztere zu Siscia seinen Sitz hatte, so scheint er gleich dem Liudewit nur das obige und mittlere savische Land beherrscht zu haben.

[2]) Regino bei Pertz I. 601 an. 890: Arnulphus rex concessit Zuentiboldo, Marahensium Sclavorum regi, ducatum Bohemiensium, qui hactenus principem suæ cognationis super se habuerunt.

und Schlesien, Ungern im Norden der Donau, das Sirmier Komitat sammt Theilen der Wallachei, Serviens und Bosniens, auf kurze Zeit umfasst zu haben.

§. 20.

Ueber die Abkunft, die früheren Sitze und die Einwanderung der Magyaren.

Bevor das Völkergemälde des heutigen Ungerns zur Zeit der Einwanderung der Magyaren mit historischer Beruhigung gegeben werden kann, muss noch die Glaubwürdigkeit einer darauf bezüglichen reichen, jedoch vielfach bestrittenen Quelle, nämlich des Anonymus Belæ Notarius, des ältesten ungrischen Geschichtschreibers geprüft, und daher vorerst das von demselben Vorgebrachte mit der Aussage der fremden, aber noch älteren Quellen über obige Punkte verglichen werden.

Ueber die Abstammung und ältesten Wohnsitze der Magyaren herrschten die verschiedensten Ansichten.

a) Die älteste seit Bela's Notar in Ungern bestehende Tradition, so wie die übrigen einheimischen Chronisten des Mittelalters leiten die Magyaren von den Hunnen ab, welche Ueberlieferung die ungrischen Geschichtsforscher Desericius [1], Pray [2], obwohl mit einigen Abweichungen unter sich, doch im Ganzen mit scharfsinnigen Gründen zur historischen Gewissheit zu erheben suchten, welcher Meinung auch Katona, Kornides, Engel u. a., und in neuerer Zeit Dankowsky [3]) mit neuen Gründen, beitraten.

b) Die Byzantiner, welche die Magyaren zuerst in Verbindung mit den Türken kennen lernten, rechneten dieselben meistens zur türkischen Völkerfamilie, und nannten sie daher auch Türken, welche Ansicht Fessler wieder aufnahm [4]).

c) Durch die Jesuiten Hell und Sajnovics wurde man auf die Verwandtschaft der ungrischen und lappländischen Sprache aufmerksamer, und Schlötzer wusste der dadurch entstandenen Ansicht von der finnischen Abkunft der Magyaren Ansehen zu verschaffen, worauf Mehrere diese Ansicht weiter zu begründen suchten.

d) Stephan Horváth [5]) verlegt die ältesten Sitze der Magyaren (Mazaren) nach Aegypten (Mizer oder Mazer), von wo sie unter dem Namen der Philister (Philistaei) nach Kanaan gezogen, diesem Lande den Namen Palästina gegeben, nachher aber die Wanderung nach Cilicien und Chowaresmien (Georgien) angetreten hätten. Sie seien daher von den Griechen Georgii (Scythæ, Parthæ), ihrer glücklichen Freiheit wegen

---

Ditmar Merseburg Chron. VI. p. 196: Bohemi (Moravi) regnante Suetopulco duce, quondam fuere principes nostri. Huic a nostris quotannis solvebatur census et hic in sua regione Marhan dicta episcopos habuit.

[1]) Jos. Innoc. Desericius Coment. de initiis et maioribus Hungarorum commentaria. Tom. V. Budæ 1748 (2. Aufl. 1754, 3. Aufl. Pest 1800).

[2]) Georg Pray: Annales veteres Hunnorum, Avarum et Hungarorum. Vindobonæ 1774.

[3]) Professor Dankowsky schrieb 6 Abhandlungen (Pressburg 1825—1827).

[4]) Fessler's Geschichte Ungarns. I. Bd.

[5]) Istvan Horvath, † Professor und Custos am Nationalmuseum in Pest, Rajzotatok á Magyar Nemzet legrégiebb történeteiböl. Pest 1825.

auch Makari (die Glücklichen), von den Slaven Jugri, von den Deutschen Angareni (Bewohner des Angers) oder Ungari (Hungari) genannt worden.

e) Valentin Kiss leitet die Magyaren von den Medern (Madaj-ar) ab.

f) Georg Fejér, seine frühere Ansicht vom parthischen Ursprunge der Ungern verlassend, schliesst gleichsam den Kreis aller jener Ansichten, indem er in neuester Zeit Hunnen und Ungern stammverwandt und für ursprünglich partische Völker hält [1]).

Schon die verschiedenartige Beantwortung der vorliegenden Frage zeigt die Schwierigkeit ihrer Lösnug, und das hier Gesagte muss als Versuch um so mehr die Nachsicht in Anspruch nehmen, als hier nur gelegentlich in Kürze die Frage berührt werden kann.

So verschieden die angeführten Ansichten über die Abkunft und Ursitze der Magyaren auch sein mögen, so haben sie doch einen gemeinsamen Berührungspunkt. — Alte Quellen und darauf gestützten neueren Ansichten zeigen uns die Magyaren zwischen Kaukasus und Ural, dem kaspischen Meere und Pontus, Irtisch und Don, dann weiter am Pontus bis zum Pruth in den alten Sitzen der Skythen, Sarmaten, Hunnen, Awaren und Ugren, nomadisirend in dem grossen Raume, der zu verschiedenen Zeiten Scythia, Sarmatia und Ongoria oder Ugoria genannt wurde.

Wir werden daher zunächst unsere Aufmerksamkeit auf diesen Raum wenden, und überlassen es Männern von grösserer Gelehrsamkeit, die noch früheren Sitze bis an die chinesische Mauer, oder bis ans Eismeer, oder bis an die Quellen des Nil zu verfolgen. —

Die erste bestimmte Spur des Namens Magyar (arabisch Madsar oder Mazar) reicht bis ins sechste Jahrhundert nach Ch. G., indem die Chronik von Derbent [2]) 70 Jahre vor Mahomed's Geburt von Bewegungen mogolischer Völker spricht, wovon ein Theil Bulgar (das nachmalige Kasan), der andere am Nordabhange des Kaukasus Madschar [3]) gründete.

Dass diese Mogolen keine eigentlichen Mongolen gewesen, zeigt der ganze Verlauf der Geschichte. Dass dort im sechsten Jahrhundert, also um dieselbe Zeit, von welcher die Derbenter Chronik spricht, Ungern (Hunugari) waren, weiss Jornandes: Hunugari autem hinc sunt noti, quia ab ipsis venit pellium murinarum commercium. Quorum mansionem primum esse in solo Scythiæ juxta paludem maeotidem. Zur Bekräftigung seiner Aussage fügt er noch bei: Siquis aliter dixerit in nostro orbe.

---

[1]) Georg Fejér, Domherr, k. Rath und Präfekt der Pesther Universitätsbibliothek: Aborigines et incunabula Magyarorum ac gentium cognatarum populi Pontici. Budæ 1840, welche Abhandlung hier benützt wurde. Vergleiche auch die Anzeige Dr. Wenzel's in den Wien. Jahrb. B. C. p. 266—279.

[2]) Vide Reinegg's Reise nach dem Kaukasus. I. p. 66.

[3]) Mit vieler Wahrscheinlichkeit sucht Fejér a. a. O. p. 85 die Spur des Namens Magyaren bis in die Zeit Herodot's zu verfolgen, seit welchem die Griechen Macrones (Μακρωνες) in Nachbarschaft der Syrer Phyleres (Bulares), Mosynæci, Tibareni, Byzares und anderer pontischer Völker kannten. — Ihre Sitze bestimmt am genauesten Xenophon Anal. IV. c. 8. am Berge Teches. — Nach Moses Chronens. waren im fünften Jahrhundert nach Ch. G. im zweiten Sarmatien über dem Palus Mæotis am Kaukasus Chaziri = Hunni = Gudamakari.

quam quod diximus, fuisse exortos, nobis aliquid obstrepit: nos enim potius lectioni credimus, quam fabulis anilibus consentimus [1]).

An der Wolga fand auch Zemarch, der Gesandte des Kaisers Heraklius an den Türken-Chan Dissabul Huguren (et rursus per alias paludes Atilam inde ad Huguros), und Nestor weiss noch, dass die weissen Ungern unter Kaiser Heraklius den Griechen näher bekannt wurden.

Die Derbenter Chronik weiss aber auch von der Vertreibung der Gissr und Mogolen (Chazaren und Magyaren) durch die Araber, wobei die am Kumaflusse wohnenden Völker sich von den Chazaren trennten, und der in Madschar wohnende Theil derselben sich über den Terek und den Atelfluss rettete.

Die nächste Nachricht von einem Aufenthalte der Magyaren in der Ural - Region gibt Konstantin Porphyrogenitus: Sciendum est, Patzinacitas primo ad Atel (Wolga) et Geech (Jaik oder Ural) fluvios habitasse, iisque conterminos fuisse illos, qui Mazari atque Uzi cognominantur [2]). — Auch Abulgasi weiss von dem Aufenthalte der Madscharen (Magyaren) in der Nähe der Russen, Wlachen und Baskiren am Tin (Don), Atil (Wolga) und Ural (Jaik) [3]).

Nach der pannonischen Legende über Cyrill und Method (aus dem neunten Jahrhundert) gerieth Konstantin (Cyrill) auf seiner Wanderung zu den Chazaren (Kosaren) im Jahre 851 unweit der kaspischen Pässe unter die Ungern (Magyaren), gelangte aber ungefährdet von ihnen weiter zu den Chazaren. In derselben Legende werden die Ungern c. 890 an der untern Donau (in der Bulgarei) befindlich angegeben [4]).

Dass auch nach der Auswanderung der Magyaren ein nicht unbedeutender Theil Ungern am Ural zurückgeblieben, und dass diese Ungern mit den Magyaren wenigstens nahe verwandt waren, zeigen die übereinstimmenden Berichte der Reisenden des dreizehnten Jahrhunderts.

Der von Bela II. an die Mongolen abgesendete Predigermönch Julian fand 1236 um den grossen Wolgafluss neben Grossbulgarien, Leute, welche ungrisch verstanden und sich darüber sehr freuten, einen Landsmann zu finden (quia

[1]) Jornandes de reb. Get. verdient in dieser Stelle um so mehr Glauben, da er von den (gothisirten) Alanen abstammte, und hier auf seine Aussage besondern Ausdruck legt. — Schon Priscus (456) spricht von einer Gesandtschaft der Sarguri, Urogi und Hunoguri, welche in jener Gegend von den Sabiren so wie diese von den Awaren verdrängt wurden.

[2]) De adm. Imp. c. 38. Wenn auch die Lesart Mazari gefehlt und Chazari heissen sollte, so ändert diess den Sinn der Stelle nicht, da nach Konst. Porphyr. die Magyaren in enger Verbindung mit den Chazaren angegeben werden. Den Aufenthalt der Uzen zwischen Wolga und Ural bewahren noch die Namen zweier Steppenflüsse: grosser und kleiner Use (Müller's ungrischer Volksstamm. I. p. 54). Ob von diesen Uzen (Ghusen) die Polowzen (Uzen der Steppe) abstammen, wird später erörtert werden. Uebrigens dürfte, wenn die Lesart Mazar richtig ist, Konstantin den Namen nicht von den Magyaren selbst, sondern von den Chazaren gehört haben. Die Usen sassen in der Folge am Dnieper, der von ihnen (im Türkischen) Usu genannt wurde, so wie dessen Mündung Usolimne, d. i. Hafen der Usen. Auch die Osseten im Kaukasus sollen ein Zweig der Usen sein.

[3]) Bei Gatterer III. Bd. p. 19.

[4]) Diess bestätigt die früher entwickelte Ansicht über die Sitze der Ungern in der zweiten Hälfte des neunten Jahrhunderts (Moskwitanin J. 1846 und daraus in Casopis Ceského Mus. 1846. S. 5—33).

omnino habebant Ungaricum idioma et intelligebant eum, et ipse eos). Sie wussten auch durch Ueberlieferung ihrer Vorältern, dass jene (weggezogenen) Ungern von ihnen abstammen; aber wo sie sich befänden, wussten sie nicht. Ihre Nachbarn waren (im Osten) die Tataren (Mongolen). — Die dortigen Ungern zeigten ihm einen gesicherten Rückweg durch das Land der Morawiner, welches er, die Wolga überschreitend erreichte, und von dort durch Russland und Polen nach Ungern zurückkehrte [1]).

Ein anderes, erst in neuerer Zeit bekannt gewordenes, von Hormayer in der Chronik von Hohenschwangau [2]) edirtes Schreiben desselben Julian gibt weitere wichtige Aufschlüsse über jenes Grossungern:

Ungari pagani et Bulgari et regna plurima sunt destructa. — — — Gurgutha ad terram Cumanorum accedens ipsos Cumanos superavit, terram sibi subjugans eorum. Inde reversi ad magnam Ungariam, de qua nostri Ungari originem habuerunt, et expugnaverunt eos, quatordecim annis et in decimo quinto obtinuerunt eos, sicut ipsi pagani Ungari viva voce retulerunt. — Wir sehen daraus sowohl die bedeutende Zahl der am Ural (in Grossungern) zurückgebliebenen Ungern, als auch deren Tapferkeit, da dieselben den Mongolen (welche in einigen Monaten Herren des Königreichs Ungern waren), vierzehn Jahre Widerstand leisten konnten. Wir werden aber auch auf die Lage im Norden des Kumanen- (oder einstigen Chazaren-) Landes hingewiesen. Genauer wird von Carpin (1246) das Baskirenland als Grossungern im Westen von Grossbulgarien bezeichnet; der damit übereinstimmende Rubruquis (1253) fügt bei, dass der Jaik (Ural) im Baskirenlande entspringe, und dass die Sprache der dortigen Baskiren und jene der Ungern gleich sei. Grossbulgarien habe Städte, Grossungern aber weder Städte noch Dörfer; denn die Baskiren seien Nomaden, wie die Hunnen, die in der Folge Ungern genannt worden seien [3]).

Fassen wir das, hier mit dem (II. §. 8) Gesagten zusammen, so ergeben sich (mit einer an historische Gewissheit streifenden Wahrscheinlichkeit) folgende Sätze:

1. Die Hunnen (in eigener Sprache wahrscheinlich Chunok, von Fremden auch Unni und Hunk genannt) erscheinen seit ungefähr 1600 Jahre v. Ch. G. bis zu ihrem Uebergange nach Europa in dem grossen Raume vom Imaus der Alten an der medisch-parthischen Gränze bis zum Ural, Kaukasus, obwohl einzelne Stämme auch bis über den Don (nach Herodot's Skythien) vordrangen. Dieser grosse Bezirk, welcher von

---

[1]) Bei Desericius I. p. 170. Das Originalschreiben befindet sich in der vatikanischen Bibliothek.

[2]) Freih. v. Hormayer Chronik von Hohenschwangau. München 1842. II. Die Mongolenfluth. Das fragliche Schreiben Julian's ist an den päpstlichen Legaten Bischof von Perugia gerichtet, jedoch von Bela IV. auch dem Patriarchen von Agtar, Berthold von Anderhs, so wie dem Grafen Albrecht von Tyrol und dem Bischofe von Brixen Egon von Ulten mitgetheilt worden.

[3]) Carpin (bei Berger p. 7) les Bastarques (Baskurt), qui est la grande Hongrie p. 48. Baschart ou Paskatir, qui est la grande Hongrie. — Rubruquis p. 47: Jagog (Jaik) qui vient du — pays de Paskatir. — Le langage de ceux de Pascatir et des Hongrois et la même. — Ibn Foszlan nennt zwar die Baskiren ein Türkenvolk. Dieser Widerspruch dürfte sich dadurch beheben, wenn man annimmt, dass die Ungern, obwohl mit türkischen Baskiren gemischt, noch im Baskirenlande mit ihrer ungrischen Sprache fortlebten.

hunnischen Völkern bewohnt wurde, hiess bei Ptolomäus „Scythia intra Imaum," später auch „das zweite Sarmatia" und (wahrscheinlich nach der einheimischen Benennung) Unnoguria, Ongoria, Ugria, Jugria.

2. Hunnen, Awaren und Ungern sind stammverwandt zu Folge sprachlicher, ethnographischer und geographischer Einheit, und nach alter bis in's dreizehnte Jahrhundert in Ugorien einheimischen Tradition. Mit geringerer Wahrscheinlichkeit ergeben sich die weiteren Sätze, wobei wir auch die Etymologie zu Hilfe nehmen, in Erinnerung an Humboldt's Worte: „Die Benennung wird oft ein geschichtliches Faktum." —

3. Nach der gedachten Tradition und nach Vergleichung der hunnisch-awarischen Stämme der Hunu - Ono - Kutu - Ulzig - Sarag - Uren, der Bagoren, Huguren, Jugren, Ugren etc. ist der Name Hunuguren (Onogoren, zusammengezogen Ὀυγγροί, Ungri) der älteste gemeinsame Name, der besonders zur Zeit, als die Attila-schen Hunnen nach Zertrümmerung des Attila'schen Reiches unter die Herrschaft der Awaren und anderer ungrischer Stämme am Ural und Kaukasus gelangten, wieder auflebte, und nichts anderes zu bedeuten scheint, als der Hunnen Herren oder hunnische Herrenstämme (Hunnok-urai) oder bei der weichen ungrischen Sprache des k = g und der tiefen Betonung des a = o nach fremder Umwandlung Ὀυνογούροι, Hunug-uri, Unnuguri, Onogori, Huguri, Ὀυγγροί, Ungri, Ugri, Jogri [1]).

4. Die Magyaren [2]) sind, nebst den Bulgaren, der südlichste Stamm der hunnischen oder ungrischen Völker. Sie sassen längere Zeit, zwischen dem Pontus und dem kaspischen Meere, am Kaukasus, in der Nähe syrischer und arabischer Völker; ja sie gehörten vielleicht ursprünglich der semitischen, jedenfalls einer sehr gebildeten Völkerfamilie an, daher der Bau der ungrischen Sprache mit der syrisch chaldäischen, insbesondere mit der uralten hebräischen Verwandtschaft hat, und die vollen, wohltönenden Vokale und weichen Konsonanten musikalisch südlicher Sprache, mit einem sehr logischen Gedankengange und kräftigen Ausdrucke, vereinbart.

---

[1]) Noch jetzt wird das Wörtchen ur = Herr, den Namen und Titeln im Ungrischen stets beigesetzt: daher Hun (Chun) = Hunnur; Hunnok = Hun urai. — Hunnokurai (ὀυνογουροι). Hiermit stimmt genau überein die türkische Benennung eines Ungers: Hunk-jar = ein Hunnen Herr; dasselbe also, was Hunok-ur ausdrückt. Der Verfasser ist kein Freund von Etymolisiren in der Geschichte; aber diese Ableitung scheint aus dem Innern der hunnisch-ungrischen Geschichte hervor zu gehen. Hier wird nicht aus der Wortbedeutung auf ein Faktum, sondern aus historischen Thatsachen auf die Wortbedeutung geschlossen.

[2]) Der Name Moger = Magyar wurde verschieden herzuleiten versucht: von Mak Kern, wo Mak-ur (durch tiefe Aussprache des u wie o, und o wie tiefes a in Makar oder gemildert Magyar) einen Kernmann bedeuten sollte. Eine andere Ableitung wäre von Magos, wornach Magyar einen hochstämmigen Mann anzeigen würde, da aber der Name Magyar der einheimische für die Ungern ist, so kann es keinesfalls vom Griechischen μακαρ = glücklich entlehnt sein, wie Einige glaubten. Oder wurde ihr Steppenland von den häufigen Beerensträuchen Mogyország, sie selbst Mogyor = Herren der Steppen genannt? — Dass man auf Beerenfrüchte einiges Gewicht für den Namen des Landes legen könnte, zeigt der Umstand, dass schon Herodot (IV. 23) Beeren ein Hauptnahrungsmittel der kahlköpfigen Agrippäer am Ural, und Müller (I. 153) noch die Traubenkirsche (prunus padus) als solches bei den Baskiren angibt.

Unter den hunnischen oder ungrischen Völkern wurden die Magyaren in sprachlicher Hinsicht hunnisirt; sie litten zwar, wie die Awaren, durch die türkischen Völker einigen Einfluss, zogen sich jedoch, bevor sie gleich den Chazaren, Bulgaren und Baskiren türkisirt wurden, zu den nördlichen Hunnen oder Ungern (Jugren oder Finnen) in die heutigen Sitze der Permier, Matscherjäken, der Wogulen, Syrjänen und Baskiren (Grossungern) zurück [1]), wo sie durch die Natur des Landes zu einem Jäger- und Fischervolke wurden, daher auch das nach Europa mitgebrachte Sprachmaterial mehrfach mit dem finnischen und theilweise auch mit der Sprachform Verwandtschaft zeigt [2]). Wenn auch der Sprachreichthum damals nicht gross sein konnte, so war bei der semitischen Grundlage doch die grösste Bildungsfähigkeit der Sprache vorhanden, deren Keime jedoch in der Umgebung europäischer Sprachen, und bei Mitwirkung anderweitiger Hindernisse sich nur wenig bis in die neueste Zeit entwickeln konnte [3]).

5. Hunnen gehören, hinsichtlich ihrer physischen Beschaffenheit, zur mongolischen, Magyaren aber zur Kaukasus-Raçe (im weiteren von Blumenbach gebrauchten Wortsinne), und zwar zu demjenigen nördlichen Hauptzweige derselben, welche Deutsche unter dem Namen der Finnen, Gothen und Byzantiner mit dem Namen Skythen und Sarmaten, Slaven unter jenem der T s c h u d e n (Čud), Martin und neuere Physiologen unter der Bezeichnung H y p e r b o r ä e r auf die meisten Völker des nördlichen Europa und auf einen Theil Asiens übertragen, und die man mit dem Namen U r a l v ö l k e r umfassen könnte, weil die Uralregion ihre Heimath zu sein scheint. Schon Herodot (IV. c. 22) nennt dort Jurken (Ἰύρκαι, Urgi, Ugri, Jugri).

6. Der Name S k y t h e (Σκύθα, gothisch Skiuta, d. i. Bogenschütz) ist nach Herodot eine fremde (wahrscheinlich gothische) Benennung, indem die Bewohner des heutigen Südrussland damals sich selbst S k o l o t e n nannten. Nach Strabo reicht Skythien vom Tanais bis zum Rhein; Tacitus verbindet Bastarnen und Skythen. Auch jenseits der Wolga in Ugorien fand man Völker, die den Skythen ganz ähnlich waren, wesshalb Ptolomäus, der den Namen Sarmatien bis Asien erweitert, den Namen S k y t h i e n über beinahe ganz Nord- und Mittelasien ausdehnen mochte. Da aber ausser der Gleichheit der Sitze auch eine physische und moralische Aehnlichkeit der Skythen, Jazygen (Sarmaten) und Hunnen (Finnen oder Tschuden) nachgewiesen werden kann, da beide vorzügliche Bogenschützen (gothisch Skiuta, ungarisch Jász), so entsteht die Muthmassung, dass S k y t h e n, J a z y g e n und H u n n e n stammverwandt, dass der

---

[1]) Permier und Syrjänen, Komi-murt, wovon das Grundwort Kom von Kum = Steppe an die ungrischen Kumaner oder Steppenbewohner (?) erinnert. Permisch, Wogulisch und Syrjänisch kommt mit dem Ungrischen in vielem überein, doch ist von letzterm nur der den Samojeden nächste Dialekt von Sjörgen näher untersucht. Die Lebensart der nomadisirenden wohlberittenen Baskiren, dann jene der bartlosen Jäger Wogulen mahnt an Hunnen und Ungern. Vide Müller I. 139—172, 300—312.

[2]) Namentlich soll das unregelmässige ungrische Hilfszeitwort lenni (sein) in den finnischen Dialekten regelmässig zusammengesetzt werden können. Nähere Aufschlüsse erwartet man von Reguli, der sich einige Jahre in den Uralgegenden aufhielt, um die Verwandtschaft der finnischen mit der ungrischen Sprache und die ältern ungrischen Sitze zu eruiren.

[3]) B e r e g s z á s z i Paul: „Ueber Aehnlichkeit der ungrischen Sprache mit den morgenländischen" Leipzig 1796.

Ausdruck Skythe einen Bogenschützen bedeute, und dass das Wort Skythe (Σκυθαι) vielleicht der bloss gräcisirte Name der Tschuden (russisch Čuden) für die Hunnen sei [1]).

7. Da die Sarmaten nach Herodot (IV. 117) eine veraltete skytische Sprache redeten, und aus Medien stammten, so scheinen die berittenen sarmatischen Jazygen u. a., wo nicht mit den Skythen, Hunnen und Magyaren stammverwandt, doch ihre früheren Nachbarn am Kaukasus und in Aria gewesen zu sein. Je dunkler der Pfad der Geschichte zur Genesis der Nationen, desto erfreulicher scheint sich doch die Spur der Wahrheit durch ein gewisses Uebereinstimmen der neuesten, ganz von einander unabhängigen Forschungen [2]) über die Sarmaten, die man bisher fast allgemein für die Stammväter der Slaven hielt, anzukündigen.

Eine gewisse Uebereinstimmung der verschiedenen Ansichten herrscht nach allem Gesagten nicht nur hinsichtlich der ältesten bekannten Sitze der Ungern zwischen Kaukasus und Ural; sondern es liegt darin zugleich der Ausgangspunkt für allfällige weitere Forschungen sach- und sprachkundiger Reisenden. Namentlich dürften einerseits die noch ununtersuchten drei Dialekte der Syrjänen, so wie jene der Kaukasus-Awaren und Osseten (Osen, Asen, Jasen) nähere Aufmerksamkeit verdienen. — Eine weitere Andeutung liegt in dem Lebensresultate des ungrischen Reisenden Körösy Czoma Sándor, welcher am Schlusse seiner Reisen zur Ueberzeugung gelangte, dass der ursprüngliche Name der Hunnen oder Hungern (Hungur) erst in der griechischen, keltischen, slavischen, deutschen etc. Sprache in Onogor, Ungar, Ugur, Yngar und Jugr ausgeartet sei, dass auch in armenischen, arabischen, türkischen und persischen Werken Erwähnung eines Volkes Hunk, Ugur, Wugur, Jugur geschieht, dem als ursprünglichen Aufenthalt das Land ober dem Himalaja um Lassa angewiesen werde, in dessen Nähe im Ländchen Butan auch von Campbell der Stamm „Hung" des Limbuvolks erwähnt wurde. Möge ein neuer Reisender auch dieses Land der letz-

---

[1]) Schaffařik I. S. 238. Bayer Scyth. p. 66 leitet das Wort Skythe ab von dem litthauisch-finnischen skitta, kyta (sagitarius), und J. Grimm Geschichte der deutschen Sprache I. 220 nach einer längst vorgeschlagenen Ableitung den Namen aus der deutschen Wurzel skiutan (jaculari) vom Gebrauche des Speers und Bogens unter allen Skythen her. Skythe würde also so viel als Bogenschütz (ungrisch Jász, griechisch τοξότης) bedeuten. Doch gibt auch J. Grimm zu, dass die Slaven das ihnen dunkle Wort vielleicht aus Skythe entnommen und später auf die Finnen angewandt hätten. Weiter als zu blossen Vermuthungen wird man hierüber schwerlich kommen. Die eine oder andere Ableitung scheint auf Hunnen zu passen. Die sogenannten skythischen Gräber in Südrussland, am Kaukasus und Ural, die schon zur Zeit des Ammian. Marcellinus, dann den Reisenden des dreizehnten Jahrhunderts bekannt waren, zeigen allerdings steinerne Statuen, deren Körperform und Kleidung ganz mit der Beschreibung der Skythen und Hunnen (Chunen) und der ungrischen Jazygen übereinkommt. Vide Pallas Reisen. James Cowles Prichard Researches in to the physical history of mankind. Deutsch von Professor Wagner als: Naturgeschichte des Menschen. Leipzig 1840. III. Bd. p. 298. J. V. Haeufler's Aufsatz in Magyar hajdan és jelen. Pest 1847. I. 1. Heft.

[2]) Schaffařik, der ausgezeichnete slavische Sprach- und Alterthumsforscher, Zeus ein sehr fleissiger Bearbeiter der Geschichte der Deutschen und ihrer Nachbarstämme, so wie der verstorbene gelehrte ungrische Alterthumskenner Stephan Horvath, stimmen darin überein, dass die Sarmaten keine Slaven seien. J. Grimm jedoch hält die Sarmaten für Slaven; derselbe glaubt in der Wurzel Srm das slavisch Srb zu erkennen. Diese Bemerkung mag allerdings bestehen; doch scheint der vielleicht ursprünglich slavische Name Sarmaten auf skytisch-hunnische Völker von den lateinisch-griechischen Autoren angewandt.

ten Sehnsucht Czoma's berücksichtigen, an dessen Erforschung ihn die Reise in's Land ewiger Wahrheit hinderte.

§. 21.

Auswanderung der Magyaren vom Kaukasus einerseits nach Grossungern (am Ural), anderseits an den Pontus, und deren weitere Verdrängung durch die Patzinaciten nach Lebedias, Atelkusu und Grossmähren.

Als zu Anfang des siebenten Jahrhunderts die Araber die Lehre des Islams auch über den Kaukasus bei den ungrisch-türkischen Völkern zu verbreiten suchten, und die Mogoren (Mogores) sammt den Chazaren mehrere Male besiegt waren, entschlossen sich dieselben zur Auswanderung. Um's Jahr 734 (im 112ten Jahre der Hidsret) trennten sich (nach Cod. Derbent) die an der Kuma und die in Madschar wohnenden Mogoren (im weitern Sinne auch Kunen, Hunuguren und Türken genannt). Jene von der Kuma wendeten sich gegen Westen, und scheinen dieselben zu sein, welche zwischen Don und Dnieper bald wieder mit den Chazaren vereinigt (nach Leo Grammaticus) unter dem Namen Ungri (Turki, Unni) um's Jahr 842 den Bulgaren und (nach Hinkmar [1]) 862) den Mährern zu Hilfe zogen; die aus Madschar ausgewanderten Mogoren (Magyaren) [2]) wendeten sich aber nach Norden zu ihren Stammverwandten in Ugorien (Grossungern am Ural, nördlich von den Bulgaren bis zur Kama und Wolga), bis ein Theil derselben (bereits hunnisirt) von den Petschenegen (Bessenyök) (884) vertrieben, unter Lebedias den Weg zu ihren, mittlerweile chazarisch gewordenen stammverwandten Magoren (den Cabaren des Konstantin, Kunen oder Kumanen des Notars) am Don, Dnieper und Ingul herabzog. Da an letzterm Lebedias, der vornehmste magyarische Woywode sich festgesetzt, erhielt auch das Land selbst auf kurze Zeit den Namen Lebedias [3]).

Ueber diese letztern Verhältnisse ist Konstantin Porphy. de adm. Imperii die (vorsichtig aufzufassende) Hauptquelle. Er gibt die ältesten (ihm bekannt gewordenen) Sitze der Patzinaciten [4]) an, zwischen Atel (Wolga) und Geech (Ural) in der

---

[1]) Hincmari Remens Annal. ad a. 862. Pertz I. 458.

[2]) Die fremde Schreibweise Mogor für Magyar scheint nur durch die tiefe Betonung des â in Magyar entstanden zu sein.

[3]) Die in Lebedias befindlichen Magyaren wurden nach Konstantin auch Sabartiasphali, aus irgend einem ihm unbekannten Grunde genannt, vielleicht, weil sie einst neben der Feste Sabarti (Zapaorti) in Parthien gewohnt, oder als Nachkommen der skythisch-hunnischen Sabiren und Spaten, die eben dort wohnten? oder zum Unterschied der unterworfenen Magyaren sabad spalen? Lauter Vermuthungen, über die man nie in's Reine gelangen wird.

[4]) Mit Konstantin Porphyr. stimmt über diese Sitze der Patzinaciten mit einiger Modification Cedren überein, der angibt, dass c. 834 gegen dieselben Sarcel am Don angelegt wurde; ferner die Araber Dimeschky und Jakut, die sie in's siebente Klima unter die äussersten türkischen Völker setzen (bei Frähn I. 104, 194). Auch der Perser Mirchond hält sie nebst Chazaren, Awaren und Uzen für Türken (übersetzt von Vuller. Giessen 1838. p. 80). Da aber der Gebrauch des Namens Türk so unbestimmt, wie Skythe gebraucht wird, und Anna Comnena sie Skythen, ihre Sprache aber mit der kumanischen gleich schildert (Κομάνοις ὡς ὁμογλωττεῖς), und auch die ältesten nachweisbaren Sitze der Patzinaciten in Ugorien sind, so scheinen die Patzinaciten oder Petschenegen gleich Awa-

Nachbarschaft der Magyaren und Uzen, aus welchen sie durch die gemeinschaftlichen Waffen der Chazaren und Uzen vertrieben wurden, worauf die letzteren die Sitze der Patzinaciten einnahmen. Die Patzinaciten, nach neuen Wohnsitzen suchend, vertrieben die Magyaren [1]). Diese zogen unter ihrem Führer Lebedias zu den Chazaren, wo sie vom Don bis über den Dnieper umherzogen, besonders aber an dem Flusse Chyngilus oder Kidmas (vermuthlich den Syngul) sich niederliessen, welcher Sitz nach diesem Woywoden Lebedias genannt wurde, worin sie unter den Chazaren drei Jahre lebend, an allen ihren Kriegen Theil nahmen [2]). Als die Patzinaciten abermals durch die Chazaren besiegt und aus ihrem Lande verdrängt wurden, trafen die flüchtigen Schaaren auf die Ungern. Bei dem hierdurch entstandenen Kampfe wurden die Ungern getheilt, ein Theil zog östlich gegen Persien, der andere wich vom Don bis zum Dnieper zurück, und begab sich noch unter demselben Lebedias in das westliche Binnenland am schwarzen Meere vom Dnieper bis zur Donaumündung, welches von den Flüssen Baruch (einst Boristhenes, jetzt Burlad oder Dnieper), Cubu (jetzt Kabolta oder Bug), Trullus (Turlu oder Dniester), Prut und Seret auch Atelkusu (Atel-Köz), d. i. Flussbinnenland (Vizköz oder das Land zwischen den Flüssen) genannt wurde [3]).

ren und Chazaren türkisirte Hunnen zu sein. Sie erscheinen unter den verschiedensten Namen: Bedschfakje, Bajtak, Bahbak, Petsbal u. a. bei den Arabern, und als Petschenegen bei den Slaven, als Bessenyök, Bisseni und Bessi bei den Ungern und Abendländern.

[1]) Diess erzählt Konstantin Porphyr. im 37. C., welches durch 37—42 ergänzt werden muss, indem das 37. die verschiedenen Kämpfe in Einen zusammenfasst. Die in dessen Eingang genannte Zahl: ante 50 annos berichtigt der Schluss auf 55, kann aber nur auf die letzte Niederlage der Ungern in Atelkusu (im Jahre 894) bezogen werden.

[2]) Die entscheidenden Stellen für die Lage Lebedias zwischen Don, Dnieper und Ingul (nach der Vorstellung des Konst. Porphyr.) sind c. 38: Turcarum gens olim prope Chazariam habitabat in loco, cui cognomen Lebedias a primo ipsorum Boëbodo — in praedicta Lebedia fluit Chidmas, qui etiam Chingylus cognominatur. Dass dieser Fluss der gräcisirte Singul oder Ingul (zwischen Don und Dnieper) sein dürfte, aber keineswegs der Kilmas (ein Nebenfluss der Wiätka) sein kann, dafür spricht das 37. cap., welches nach der von den Patzinaciten durch die Chazaren und Uzen erlittenen Niederlage beifügt: venientesque (Patzinacitæ) in terram, quam nunc incolunt, inventis illic Turcis incolis, debellatos ejecerunt, sedesque ipsi suas ibi posuerunt. Dieses Patzinacitenland, das sie zur Zeit Konstantins (950) bewohnten, wird im Verfolg desselben c. 37 als vom Don bis über den Seret in die Gegend um Silistria beschrieben, wovon vier Themata oder Stammbezirke jenseits und vier diesseits des Dnieper lagen. Die vier östlich des Dnieper gelegenen Themata Patzinacitiens sammt dem Strich am Ingul umfassten also ungefähr das Land Lebedias, die vier westlichen Atelkusu. Das 37. cap., von den Patzinaciten handelnd, fasst daher die mehrmaligen Kämpfe, in deren Folge die Magyaren Lebedias und Atelkusu räumten, in ein Ganzes die Räumung Patzinacitiens zusammen, so wie beide Länder zu Konstantins Zeit genannt wurden. Lebedias und Atelkusu fallen zum Theil zusammen, daher die scheinbare Verwirrung; c. 38 von den früheren Sitzen der Ungern oder Magyaren handelnd, gibt die einzelnen Kämpfe, wodurch die Ungern zuerst aus Lebedias, dann auch aus Atelkusu nach Grossmähren gedrängt wurden. Doch muss das Lokale dieser Detailskämpfe (c. 38) mit Rückblick auf den beschriebenen Gesammt-Kriegsschauplatz (c. 37) aufgefasst werden. Dass der Magyaren Aufenthalt in dem von Konst. Porphyr. bezeichneten Lande Lebedias nicht auf 203 ($\sigma\gamma$) zu verbessern, sondern drei Jahre (γ), wie der Text hat, zu belassen, zeigt der Umstand, dass die Ungern unter dem Woywoden Lebedias nach dem gleichnamigen Lande einwanderten, und unter demselben noch nach Atelkusu zogen: altera pars (Turcorum) cum Boebodo suo ac Duce Lebedia in locis Atelcusu nuncupatis sedes posuit.

[3]) Für diese Lage von Atelkusu sprechen nicht nur die Namen der Flüsse Brutus und Seretus, welche offenbar den Prut und Seret bezeichnen, sondern der ganze Zusammenhang der von Konstantin er-

Bis zu jener Zeit hatten die sieben Stämme der Ungern keinen gemeinschaftlichen Beherrscher (Heerführer, Herzog), sondern nur Woywoden (Stammeshäupter), von welchen eben Lebedias das vorzüglichste Ansehen genoss [1]). Die mehrfachen Unfälle mochten aber die Ungern über die Nothwendigkeit eines festen Zusammenhaltens unter einem Oberhaupte belehren; daher sie auf Anrathen des Lebedias, welcher wegen seines Alters jene Würde von sich ablehnte, den thatkräftigen und klugen Arpad, den Sohn des Atmus durch Erhebung auf den Schild zu ihrem Herzoge wählten [2]).

Zu den sieben ungrischen Stämmen, die im c. 40: Neke, Megere (Magyaren), Kuturgemati (Kuturguren), Tariani, Genach, Kare und Kasi genannt werden, kamen die von den Chazaren sich lostrennenden Kabaren (Awaren oder Chunen) nach Atelkusu, wo sie zwar mit ihren Stammeshäuptern eigene Bezirke erhielten, auch ihren eigenthüm-

---

zählten Begebenheiten. Im c. 38 wird das Land Atelkusu (Ατελκουζου) von den dort beigefügten fünf Flüssen als ein Fluss-Binnenland angedeutet, im c. 40 aber in Beziehung auf jene Stelle als weitere Namenerklärung des altmagyarischen Ausdruckes Atelkozu beigefügt: locus a fluvio interlabente nuncupatur Etel et Kozu (Ετελ και Κουζου), d. i. Etéles köz (fluvius et inter). Bekanntlich bedeutet Atel oder Etil in mehreren orientalischen Sprachen, namentlich im Türkischen einen Fluss. Zwar heisst auch die Wolga: Etel und der Don: Uzu, man kann aber nicht zugeben, dass Konstantin unter Atelkuzu das Land zwischen Wolga und Don (Ατελ και Ουζου) gemeint habe, weil Konstantin — wenn er c. 40 eine Real- und nicht eine Nominal-Erklärung geben wollte — a fluviis interlabentibus (Etel et Ozu) hätte sagen müssen. Wie sollte aber der Prut und Seret nebst drei andern Flüssen zwischen Wolga und Don zu suchen sein, wie die neue Ansicht von Atelkusu diess nothwendig machte?! Nach der Analogie des Prut und Seret und dem Gange der Erzählung nach zu schliessen, zählt Konst. Porphyr. im 38. cap. die Flüsse von Ost nach Westen auf, und demnach dürfte der Baruch (altungrisch für Barucs) aus Borystenes, d. i. Dnieper; Cubu aus Bugus, d. i. Bug; und Trullus aus Turlu (wie noch Dniester im Türkischen heisst), sich gebildet haben. Der Umstand, dass Konstantin an andern Stellen den alten Namen Bugus, Danastris nennt, hindert diese Erklärung nicht, da derselbe nur bei Atelkusu Anlass hat, die bezüglichen Flüssenamen, wie er sie von den (türkisch-hunnischen) Patzinaciten oder Chazaren erfahren, anzugeben. Hiernach dürfte sich die durch Freiherrn von Hammer's gelehrte Untersuchungen entstandene, durch Kállai Franz im Tudománytár vom Jahre 1840 weiter entwickelte neue Ansicht über die Lage Lebedias am Kidmas, so wie Atelkusu's zwischen Don und Wolga von selbst beheben. Diese sehr fleissige Abhandlung stellt zwar viele Daten zusammen, welche einen längern Aufenthalt der Ungern am Kidmas (am Westabhange des Ural in Grossungern) bestätigen, und ist so weit sehr schätzbar; jedoch die Thesis, dass dort nach Konstantin das Land Lebedias zu suchen sei, scheint zuerst aus der irrigen Aufschrift des c. 38: De Turcarum gente genealogia, et unde ea gens originem ducat, entstanden zu sein, da doch diese Aufschrift durch c. 37 sich berichtigt, wo Konstantin selbst ältere Sitze der Magyaren, als in Lebedias, andeutet. — Diese Lage von Atelkusu scheint auch der arabische Geograph Abulfeda (welcher zwar vom Jahre 1271—1331 lebte, jedoch ältere Werke benützte) in seinem von Freiherrn von Hammer-Purgstall übersetzten Werke: „Ueber die wahre Lage der Länder" anzudeuten: „Magyari, gens turcica, dicunt terram illorum sitam esse inter regionem Bedsnak (Petschenegen-Land) et Sekel (Szekler-Land) in tractu bulgariensi (Bulgaren-Gebiet)" — — — adorant ignem, vivunt sub tentoriis et in tuguriis, sequuntur locos imbribus irrigatos et virentes. Extendit se regio illorum in latitudine ad centum parasangas (bei 75 deutsche Meilen) et confines regioni Rum (Rumilien) ultima ex parte deserti."

[1]) C. 38: Et quidem tunc temporis (in Lebedia) non Turcæ, sed Sabartieas phali (vide Dankovszky), quadam de causa dicebantur, erantque gentes eorum 7 et principem vel indigenam vel aliegenam habuerunt, nunquam sederant inter ipsos Boëbodi quidam, quorum primus — Lebedias.

[2]) Die weitere Angabe, dass der Chan der Chazaren dem Lebedias die Herzogwürde angetragen, scheint wohl ein ruhmrediger Bericht der Chazaren zu sein, da die Magyaren damals schon in Atelkusu, also nicht mehr unter chazarischer Oberhoheit waren. Um so mehr, als aus chazarischem Munde vernommen, verdienen folgende Eigenschaften Arpad's Glauben: Arpadem-prudentia, consilio et fortitudine insignem talique principatur parem.

lichen chazarischen (türkisch - hunnischen) Dialekt beibehielten, doch unter Arpad's Führung gemeinsam mit den sieben ungrischen Stämmen Streifzüge aus Atelkusu unternahmen [1]).

Die unternommenen Streifzüge der Magyaren aus Atelkusu waren hauptsächlich zwei: 1. nach Bulgarien, in Folge der Einladung Kaiser Leo's und von dort 2. nach Pannonien, wohin ihnen Kaiser Arnulf den Weg öffnete [2]).

Als zwischen dem griechischen Kaiser Leo und dem Bulgaren-Könige Simeon, wegen nicht abgewendeter Bedrückung bulgarischer Kaufleute, ein mehrjähriger Krieg entstanden [3]) (888 — 894), gewann Leo die Magyaren zu Bundesgenossen, welche, die Donau übersetzend, dem Simeon eine so furchtbare Niederlage beibrachten, dass er mit Noth in Distra (Silistria) Schutz fand. Arnulf, durch den Ruhm dieses Sieges auf die Ungern aufmerksam, knüpfte schon 889 Verhandlungen mit denselben an, in Folge welcher sie ihn unter Arpad gegen Swatopluk unterstützten. Als nämlich der Kampf zwischen Arnulf und Swatopluk 892 hartnäckiger wurde, öffnete der erstere den Magyaren die Klausen und Verhaue, welche nach Unterpannonien führten, wo sie als rechter Flügel des Heeres des Herzog Braslaw, dessen Bewegungen unterstützten [4]).

Als die Magyaren aus Pannonien nach Atelkusu zurückkehrten, fanden sie ihr Land von den während ihrer Abwesenheit verbündeten Bulgaren und Patzinaciten

—

[1]) C. 39 et 40: Man hat verschiedene Ableitungen des Wortes Cabaren versucht. Pray. Dissert. V. 96 von der cabarischen Religionssekte; Katona I. 7. Von Chaba (nach Keza und Thurocz) Attila's Sohne. — Die natürlichste scheint wohl die Annahme, dass Cabari = Abari, wie Chuni = Unni bedeuten. — Auch die Chazaren, wie Awaren hatten Tudun's, Chagans etc. — Hiernach wären die Cabaren = Awaren (mit allgemeinen Namen =) Cunen = Cumanen.

[2]) Diese Streifzüge aus Atelkusu müssen wohl unterschieden werden von der bald darauf erfolgten Einwanderung nach Grossmähren (Ungern nördlich der Donau) und der Besitznahme Pannoniens. — Lässt man diess, wie meist bisher geschehen, ausser Acht, so widersprechen sich Konstantin, Luitprandt, Anonymus Belæ etc. gegenseitig; fasst man aber scharf die sich unterscheidenden Verhältnisse auf, so stimmen die Abendländer, Byzantiner und die einheimischen Quellen völlig überein.

[3]) Katona Hist. crit. I. 153—161.

[4]) Luitprandt l. c. 2: Hungarorum gens quibusdam difficillimis a nobis separata erat interpositionibus, quas clusas nominat vulgus, ut neque ad meridianam, neque ad occidentalem plagam exeundi habuerunt facultatem: c. 5: Arnulfus — depulsis his — pro dolor! munitissimis interpositionibus, — Hungarorum gentem in auxilium evocat. Was und wo können jene Klausen sein? — Nur jene Schanzen, Verhaue u. a. Befestigungen, welche theils aus der Römerzeit zwischen Drave und Save, Donau und Theiss, dann an der Donau an Pannoniens Gränze (limes Danubii), theils aus der Awarenzeit, welche ihr Land durch Wüsten schützten, herrührten, und wo jetzt der Hauptverbindungspunkt zwischen den Nord- und Süd-Donauländern Swatopluk's war. Man sucht gewöhnlich, — durch die irrige Vorstellung verleitet, als ob Pannonien schon damals (wie zur Zeit der ungrischen Könige) bis an den Kranz der Karpathen gereicht hätte, — die fraglichen Klausen in den Karpathen. — Aber was hatte Arnulf, dessen Macht bloss bis an die Donau reichte, dort zu gebieten? — Zudem waren die Ungern damals eben im Süden der Donau in Bulgarien beschäftigt. Welchen Weg sie von dort nach Pannonien einschlugen, erhellt aus dem (bisher zu wenig beachteten) gleichzeitigen und ortsnahen Chron. Aquil. (bei Rubeis p. 453): Iste (Fridericus Patriarcha) mirabiliter ecclesiam gubernavit (884 — 897). Huius tempore Hungarorum gens a Servia egressa in Pannoniam (Saviam), quæ adjungitur finibus ecclesiæ Aquilejensis, venit.

grässlich verwüstet. Mit Wuth ward der Krieg gegenseitig erneuert, welcher nach einer furchtbaren Niederlage, mit der Verdrängung der Ungern aus Atelkusu, endigte (894 oder 895) [1].

Wo konnten nun die Ungern neue Wohnsitze suchen? in welcher Richtung wurden sie verdrängt? Im Süden wurden sie durch die Bulgaren, von den Patzinaciten im Osten verdrängt. Es blieb ihnen also nur der nordwestliche Weg an den Flüssen Atelkusu's: Dnieper, Bug, Dniester etc. aufwärts zur Flucht, und da gleichzeitig das grossmährische Reich mit dem Tode seines Gründers Swatopluk (894) durch die Uneinigkeit seiner Söhne zerfiel und in kleinere, leicht zu überwindende Herrschaften sich auflöste, so mussten sie die Trümmer dieses Reiches über den Karpathen um so mehr anziehen, als sie dasselbe Land, so wie Pannonien bereits durch ihre Hilfszüge kannten, und wohl auch alte Traditionen von dem Hunnenreiche Attila's bei den stammverwandten Ungern sich erhalten haben mochten [2].

§. 22.

Ueber die Glaubwürdigkeit der Nachrichten des Anonymus Belæ, namentlich in Betreff der Einwanderung der Ungern in ihr heutiges Gebiet, und der dort angetroffenen Völker.

Von der Entscheidung über die Glaubwürdigkeit des Anonymus hängt zum Theil die Entscheidung über die bisherige Hauptgrundlage der älteren ungrischen Geschichte ab. Lassen sich seine Angaben, wenn auch nicht im Einzelnen doch im Ganzen rechtfertigen, so hat die ungrische Nation die vollständigste Tradition über die Besetzung ihres Landes vor allen übrigen Völkern des österreichischen Kaiserstaates, ja vielleicht jedes europäischen Reiches. Beruhen aber seine Angaben, wie vielfach mit scheinbaren Gründen darzuthun versucht wurde, auf Mährchen und Erdichtungen, die mit den übrigen Quellen im Widerspruche stehen: so ist nicht nur Ungerns ältester Geschichtschreiber ein Betrogener oder Betrüger, sondern auch die vaterländischen spätern Geschichtsforscher sind getäuscht worden, und haben getäuscht. Ja, in diesem Falle beruht selbst das Gebäude der älteren ungrischen Staatsverfassung zuletzt auf einem Scheine, da der erste Grundstein desselben, der mit Almus geschlossene Bund und der Grundvertrag der ungrischen Nation, bloss den Anonymus zur Quelle hat. Und doch sind die bereits erhobenen Bedenken über des unbekannten Notars Glaubwürdigkeit so erheblich, dass sie nicht unberücksichtigt gelassen werden dürfen [3].

---

[1]) Konst. Porphyr. c. 37: Tenentque (Patzinacitæ) jam hodie — 949 oder 950 — in welcher Zeit jener Theil von Konstantin niedergeschrieben wurde — annum 55 — diess ist zu ergänzen aus c. 38. „Turcæ itaque profligati fugientes et terram ad sedes collocandas quærentes, Magnam Moraviam ingressi, et ex eo tempore bellum cum Patzinacitis Turcæ non habuerunt," wornach diese letzte, mit der Vertreibung aus Atelkusu nach Grossmähren endende Niederlage 894 oder 895 fiel. — Hiernach dürfte die Auswanderung aus Grossungern 884, der Besitz Lebedias 884 — 887, der Aufenthalt in Atelkusu 888—894, und die Einwanderung nach Ungern 894 oder 895 geschehen sein.

[2]) Hieran knüpfen sich die einheimischen Quellen.

[3]) Wir erinnern an den Streit zwischen Szklenar und Katona, an Dobrowsky's kritisirende Anzeige der durch Endlicher erhaltenen korrekten Edition des Anon. Belæ Reg. Notarii in den Wiener Jahrb. der Literatur XI. Bd. Art IV.

Hier gestattet zwar nicht Raum und Zweck unserer Darstellung, in eine detaillirte Widerlegung aller gegen den Anon. vorgebrachten Einwürfe einzugehen, so fern sie jedoch obige Fragepunkte betreffen, sollen die wichtigsten Beschuldigungen zusammengefasst werden. Wir können denselben um so unparteiischer Gehör schenken, als bei der ganzen Erzählung der Begebenheiten bisher bloss fremde Quellen, namentlich Konstantin der in Purpur-Geborne benützt, auf die Aussagen des Anonymus aber gar keine Rücksicht genommen wurde.

Zusammenfassung der Haupteinwürfe gegen die Glaubwürdigkeit des Notars:

1. Seine Angaben stehen mit den bestimmten Aussagen der übrigen Quellen, namentlich mit Konstantin Porphyr. im Widerspruche. Während uns die Byzantiner und Abendländer erwiesen und erweisbar die Magyaren in Atelkusu und Bulgarien zeigen, und an der untern Donau durch Servien nach Pannonien gelangen lassen (889—894), von wo sie (bis 900) bereits Kärnthen und Italien durchstreifen, wandern nach dem Notar die Magyaren aus Dentumoger (Skythien) über Kiew, und die erst hundert Jahre später erbauten Städte Wladimir und Halitsch, dann über die Karpathen bis an die Theiss und den Bodrog (903). Obwohl man des Anon. Chronologie aufgegeben, so bleibt doch der Widerspruch, hinsichtlich des Weges der Einwanderung: Versuche man diesen doppelten Weg durch die gewöhnliche Hypothese einer in Lebedias erfolgten Theilung der Ungern (von welchen ein Theil auf dem südlichen Wege durch Atelkusu und Siebenbürgen, der andere aber über die Karpathen ziehend, nach dem heutigen Ungern, gelangt sei), auszugleichen, so schaffe man durch jene Hypothese einen neuen Widerspruch; man setze nämlich zwei Arpad, da nach Konstantin Porphyr. der südliche Theil der Magyaren unter Arpad, nach dem Anonymus aber auch die nördliche Abtheilung unter Arpad eingewandert wäre. Ein Widerspruch sei auch hinsichtlich der Person und der Wahl des ersten magyarischen Herzogs. Nach Konstantin ist derselbe Arpad, der eigentlich vom Chazaren-Chane gewählt wird; nach dem Anonymus aber Almus, der von den sieben Stammhäuptern erhoben wurde, und erst zu Ungvár die Führung der Magyaren seinem Sohne Arpad überliess.

2. Für einen glaubwürdigen Zeugen weiss der Notar zu viel und zu wenig. — Während er die Reden des Almus und Arpad so wörtlich gibt, als ob er nicht Bela's, sondern Arpad's Notar gewesen, während er die sonst unbekannten Fürsten Zalan, Menmoruth, Glad, Gyla und Zobor allein kennt, nennt er weder Leo, noch Arnulf, noch Swatopluk. Von Almus Tode wird kein Wort erwähnt, er verschwindet spurlos, während über seine Geburt eine ausführliche Fabel erzählt wird.

3. Fast alles Erzählte trägt das Gepräge seiner Zeit, d. i. des zwölften Jahrhunderts. Während nach den Byzantinern damals Griechen und Bulgaren feindlich waren, werden beim Anonymus die Bulgaren von den Griechen unterstützt. Während Böhmen ein Theil des grossmährischen Reiches war, wird beim Anonymus Mähren nur als Zugehör Böhmens dargestellt. — Diese Färbung nebst prahlerischer Uebertreibung spiegele sich fast in jedem einzelnen Faktum ab. Kumanen seien zuerst im eilften Jahrhundert eingewandert u. s. w.

Die meisten dieser Mackel verschwinden jedoch bei näherer Beleuchtung.

1. Der erste Einwurf wird nach der vorausgegangenen Darstellung und Unterscheidung der Kriegszüge der Magyaren, während ihres Aufenthaltes in Atelkusu (889 bis 894) von der darauf (895) erfolgten Einwanderung über die Karpathen verschwinden. Der Anonymus nimmt dort den Faden auf, wo Konstantin und die Abendländer die Magyaren aus den Augen verlieren; seine Nachricht wird unterstüzt von Nestor [1], der auch von ihrer Besitznahme Atelkusu's zu wissen scheint, ohne das Land ausdrücklich zu nennen: „Zu den Slaven an der Donau kamen Bulgaren. Hierauf kamen die weissen Ugren [2]) und eroberten das slavische Land, nachdem sie die Walachen aus einem Theile Atelkusu's vertrieben hatten. Nach diesen sind aber die Petschenegen angekommen, und die Ugren gingen wiederum Kiew vorbei (nachdem sie nämlich durch Petschenegen und Bulgaren nach Norden getrieben wurden)." — „Im Jahre 888—898 gingen die Ungern bei Kiew vorbei, über das Gebirge, welches heutiges Tages noch das ugorische genannt wird, kamen an den Dnieper; sie zogen herum, so wie die Polowzen und zogen über grosse Gebirge, welche die ugorischen Gebirge (Karpathen) genannt wurden, und fingen an, wider die daselbst wohnenden Wolochen und Slaven Krieg zu führen." — „Hierauf aber vertrieben die Ugrer die Wolochen und eroberten das Land, und wohnten mit den Slaven zusammen, nachdem sie solche überwunden hatten, und es wurde daher das ugorische Land (Ungern) genannt." — „Und die Ugren fingen an, wider die Griechen Krieg zu führen und verwüsteten Thracien und Macedonien, und wider die Moraver und Čechen."

Auch mit Regino steht der Anonymus im Einklang ad a. 889: „Ex supradictis igitur locis (a Scythicis Regnis et a paludibus, quas Tanais sua refusione in immensum porrigit), gens memorata (Hungarorum) a finitimis sibi populis, qui Pecinaci vocantur, a propriis sedibus expulsa est, eo, quod numero et virtute præstarent, et genitale rus exuberante multitudine non sufficeret ad habitandum. — Et primo quidem Pannoniorum et Avarorum solitudines pererrantes, venatu et piscatione victum quotidianum querunt, deinde Carantanorum, Marahensium et Vulgarum fines crebris incursionum infestationibus irrumpunt." Diese Begebenheiten geschehen offenbar nicht alle in einem Jahre; aber Regino gibt sie höchst wahrscheinlich desshalb ad a. 889 an, weil damals Arnulf zuerst mit den Magyaren in Unterhandlung trat, und diese an

[1]) Nestor älteste Jahrbücher der russischen Geschichte. Edit. Scherer p. 45, 59. Schlözer II. 112, III. 117. Timkovsky 6—7, 15—16.

[2]) Es ist bekannt, dass die Völker des Ostens mit dem ethnographischen Beisatze: „Weiss" oft den grössern und herrschenden Stamm, im Gegensatz von „Schwarz" für den kleinern verwandten Volksstamm bezeichneten. Nestor II. 85 nennt auch weisse Kroaten, gleich Konst. Porphyr., der Weiss- oder Gross-Kroatien und Serbien erwähnt. Ibn Haukal (bei d'Osson peuples Cauc. p. 34) nennt Kara-Kazaren (schwarze Chazaren) und Akatirzen (Ak-Kazaren oder weisse). Thurocz nennt die Moldau „Schwarz-Kumanien" im Gegensatze zu Gross-Kumanien (Walachei); die arme Abtheilung der Lesghier heisst Kara-Kajtak. Siehe Neumann's Völker des südlichen Russland p. 98. Die schwarzen und weissen Bulgaren etc. Selig Cassel: Magyarische Alterth. p. 114, Note 3, und Schaffarik II. 166. So sagt selbst der abendländische Ademar (bei Pertz VI. 129): abiit in Provinciam Ungariam, quæ dicitur alba Ungaria ad differentiam alteræ Ungariæ nigræ pro eo, quod populus est colore fusco, velut Etiopes (vergl. Lib. III. p. 131).

der Donau von Bulgarien nach Pannonien als Arnulf's Hilfstruppen streiften. Dass man aber dieses Jahr als die Zeit annahm, in welcher die Magyaren die Karpathen überstiegen, und darnach die Chronologie des Anonymus verbessern wollte, statt nach Konst. Porphyr. das Jahr 895 dafür zu setzen, ist ein Fehler, der die Vermischung der frühern Streifzüge der Magyaren aus Atelkusu, mit der eigentlichen Einwanderung über die Karpathen und der Besitznahme Ungerns, zur Folge hatte. Dieser Irrthum wurde auch dadurch genährt, dass man Pannonien, wie zur Zeit der ungrischen Könige sich bis an die Karpathen (als heutiges Ungern) dachte, während bei Regino nach dem Sprachgebrauche seiner Zeit unter „Pannoniorum et Avarum solitudines." das eigentliche untere und obere Pannonien gemeint ist.

Der Anonymus stimmt (wenn man von den Ausschmückungen der Tradition abstrahirt) mit dieser und den andern Quellen auch hinsichtlich der frühern Sitze und Abkunft im Ganzen überein. Cap. V: „Gens itaque Hungarorum de gente Scythica, quæ per idioma suum proprium Dontumoger (Don-Magyaren?) dicitur, originem duxit." Der Name Skythien war für die Gegend am schwarzen Meere von der Donaumündung bis zum Don, und auch noch weiter in unbestimmbarer Weite nach Norden und Osten, nie ganz seit Herodot und Ptolomäus Angaben verschwunden. Bei Jornandes beginnt Skythien jenseits der Donau, daher Gothen, Sarmaten u. s. w. auch Skythen heissen. Bei Regino reicht es vom Pontus und den Riphäen (Karpathen?) nach Asien bis zum Fluss Ithasi (Atel?) [1].

Wenn also der Anonymus die Magyaren ein skytisches Volk nennt, so bezieht sich das zunächst auf ihre frühern Sitze in Skythien, so wie er durch die Abstammung des Almus von Attila die Magyaren näher ethnographisch bezeichnend zu einem hunnischen Volke macht; Resultate, die auch nach Vergleichung der übrigen Quellen die wahrscheinlichste Abstammungslehre der Ungern enthalten.

Was die Person und Wahl des ersten ungrischen Herzogs betrifft, so geben allerdings Konstantin und der Notar abweichende Nachrichten; aber Konstantin kann namentlich bei den innern Angelegenheiten des magyarischen Volkes eben so wenig, als bei magyarischen Namen als untrügliche Quelle genommen werden. Vielleicht dürfte der annäherungsweise wahre Verlauf folgender gewesen sein: Der Chazaren-Chan, durch die zweifache Niederlage der befreundeten Ungern erschreckt, liess ihre Stammhäupter darauf aufmerksam machen, dass ein gemeinsames Oberhaupt, ein Herzog höchst nothwendig für sie sei, um den gefährlichen Petschenegen Widerstand leisten zu können. Lebedias, der erste der Stammeshäupter, führte im Namen aller die Verhandlung. Die Wahl fiel auf Lebedias, als dieser sie ablehnte, auf Almus; der tapfere Sohn desselben, Arpad, übernahm aber zugleich die Führung der Hilfsschaaren, welche dem Leo und Arnulf dienten, während Almus in Atelkusu blieb.

---

[1]) Schlözer (Geschichte der Deutschen in Siebenbürgen p. 228) wundert sich, dass Regino dieses Skythien zugleich Germanien nannte. — Auch Paul Diacon und Alfred dehnen Germanien bis zum Don aus, weil dort die germanischen Gothen wohnten.

8*

Daher scheint Konstantin, der nur von den südlichen Begebenheiten in Bulgarien Kunde hatte, den Arpad mit Uebergehung des Almus (Salmutzes) als ersten Herzog zu nehmen; der Notar aber, der aus mündlicher Tradition nähere Nachrichten haben konnte, richtiger den Almus; während Arpad erst nach dem Uebergange über die Karpathen als Nachfolger eintrat. Was insbesonders den Grundvertrag anlangt, so gestehen selbst die Gegner, dass er im Wesen des ungrischen Staatsrechtes zu des Notars Zeit gegründet, ja von ihm aus demselben abstrahirt war, dass somit dem Vertrage eine innere Wahrheit zukomme; diese genügt aber auch; denn, wer wird wohl bei den Magyaren im neunten Jahrhundert einen schriftlichen Vertrag, und sonach einen urkundlichen Beweis bezüglich ihrer innern Verhandlungen verlangen wollen.

Dass aber jene Theile des ungrischen Staatsrechtes, welche des Anonymus Grundvertrag enthält, nicht erst allenfalls vom heiligen Stephan oder einem andern christlichen Könige herrühren, zeigt der Anblick der bezüglichen Gesetze, und wird später noch erörtert werden.

Die Ableitung des Namens Hungari von Hung (Ungvár), wo Arpad zum Herzog erhoben wurde, widerspricht allerdings den übrigen Quellen, welche uns die Namen Hunuguri, Huguri, Ungri, Ugri u. s. w. als allgemeine Namen der Hunnen und Awaren lange vor jener Einwanderung der Magyaren angeben; allein, weil daselbst die Erhebung Arpad's als Herzog der Ungern vor sich gegangen, so mag der Ort, wo solche geschah, den Namen Hung erhalten, und sich eben desshalb jene Tradition daran geknüpft haben. Die Schreibart Hung (Hunok) bezeugt übrigens das einheimische Element der Tradition und deutet auf den hunnischen Ursprung der Ungern.

2. Es ist allerdings richtig, dass der Notar weder die Kaiser Leo und Arnulf, noch Swatopluk nennt; wenn man aber bedenkt, dass derselbe vorzüglich von der Einwanderung der Magyaren nach Ungern spricht, worauf zunächst weder Leo, noch Arnulf einen Einfluss hatten, so wie, dass damals (895) Swatopluk bereits (894) mit Tode abgegangen, und das auf seine Persönlichkeit gegründete grossmährische Reich in Auflösung begriffen war, so dürfte das Schweigen über jene drei Fürsten, so wie die Angabe kleinerer (von den übrigen Quellen verschwiegener) Fürsten nichts Befremdliches enthalten, vielmehr in der Natur des geschichtlichen Verhältnisses und der darauf fussenden Sage gegründet sein.

3. Es kann keineswegs geläugnet werden, dass Vieles, was der Notar erzählt, mit subjektiver Färbung und im Sprachgebrauche seiner Zeit vorgetragen wird; aber die meisten Chronisten waren auf ähnliche Weise befangen, ohne dass man sie desshalb verwerfen wollte. So mag auch der Notar die Tradition, welche die Magyaren von Kiew über die Karpathen einwandern liess, also vernommen oder verstanden haben, dass sie über Wladimir und Halitsch zogen, weil sie nach der Sage aus jenen Gegenden kamen, obgleich die gedachten Städte damals noch nicht bestanden. Desshalb nimmt er Pannonien für ganz Ungern, Mähren als Bestandtheil Böhmens u. s. w. Selbst die Gegner bekennen endlich, dass der Anonymus Belæ ein guter und genauer Geograph und Ethnograph seiner Zeit war.

Zieht man des Anon. ethnographische Angaben in Betracht, so stehen sie völlig im Einklang mit den übrigen Quellen. Er zeigt uns zwischen Donau, Theiss und Maros Bulgaren, wo wir dieselben nach den frühern morgen- und abendländischen Quellen, nach dem bayrischen Anonymus über die Nord-Donauslaven, und nach dem sprachlichen Merkmal Pest (das im Bulgarischen Ofen heisst) finden; südlich und nördlich, dann zwischen Drave und Save gibt er Slaven verschiedener Abtheilungen, wo wir sie nach andern Quellen gefunden. Seine Römer in Pannonien bedeuten wohl nichts als Unterthanen des heiligen römischen Reiches, welche die damaligen Pannonier auch wirklich waren. Wir müssen also nur noch insbesondere von den Sikulern (Szeklern) und Romanen (Walachen) handeln.

§. 23.

Abkunft der Szekler (Siculi).

Die älteste Spur dieses Namens bewahrte uns Abulfeda, indem er die nach seiner Beschreibung noch heidnischen Magyaren zwischen Petschenegen und Szekler versetzt [1]. — Die älteste urkundliche Erwähnung des Namens Siculi enthält aber das Schreiben des Milkover Bischofes Laurentius an die Szekler-Priester von Keesd, Orbak und Scepus vom Jahre 1096 [2]. Aus der darin enthaltenen Angabe: „utriusque ordinis tam Loohfeu (lofö) quam Giharlog (gyalog)" lässt sich schliessen, dass die Szekler schon damals magyarisch sprachen. Waren sie aber auch Magyaren? was bedeutet ihr Name? diese Fragen sind bisher noch nicht genügend beantwortet, und werden auch bei dem Mangel an Quellen nur durch Combination annäherungsweise gelöst werden können. —

Eine alte, zuerst von Anonymus [3] und von Thurocz [4] aufgestellte und vorzüglich von Benko [5] vertheidigte Meinung, hält die Szekler für Ueberreste der Hunnen.

Weil man die Hunnen von den Skythen abstammen glaubte, wurden sie auch Scythuli statt Siculi genannt. Wir wissen allerdings aus Jornandes, dass von Pannonien der Donau entlang, bis zum Pontus und Mäotis, eine Kette hunnischer Stämme zum Theile geblieben; allein, da es nie die Sache der berittenen Hunnen war, freiwillig die Gebirge zu beziehen, und die von Norden herabrückenden Slaven vielmehr dieselben, sofern sie dort gewesen waren, weg drängen mussten, so bleibt

[1]) Auf diese bereits früher erwähnte Stelle hat von Hammer-Purgstall aufmerksam gemacht, und Jerney János dieselbe erklärt im Tudom. Febr. 1842. Vergl. die Auslegung Graf J. Kemény's im Magazin II. Bd. 3. Hft. S. 235—268.

[2]) Benko Milkovia T. I. p. 55 und Fejér II. p. 16. Die Urkunde ist jedoch nicht unverdächtig.

[3]) Anonymus c. 50: Omnes Siculi, qui prima erant populi Athilæ regis.

[4]) Thurocz l. c. 24: Tria millia virorum de eadem natione Hunnorum — Siculos, ipsorum autem vocabulo Zekel se denominasse perhibentur.

[5]) J. Benko Transilvania Edit. II. Claudiopolis 1834. Tom. I. p. 388. Imago nationis Siculicæ. Edit. II. Cibinii 1837. p. 21.

die hunnische Abkunft der Szekler nicht nur eine Hypothese, sondern auch minder wahrscheinlich, als die magyarische, für welche der geschichtliche Zusammenhang günstiger ist [1]).

Als die Magyaren durch die vereinten Bulgaren und Patzinaciten zur Räumung Atelkusu's gezwungen und nach Norden gedrängt wurden, hatte zwar die zwischen Dnieper und Bug befindliche Hauptmasse der Magyaren keinen Haltpunkt im Norden, wohl aber der am Pruth und Sereth befindliche Unger-Stamm an den Siebenbürger Karpathen. Dieser in den östlichen Karpathen zurückgebliebene Stamm scheinet zwar unter die Oberhoheit der Patzinaciten gelangt, aber einen eigenen Bezirk bewohnt zu haben, nämlich das Thema Ertem [2]), worin wohl der ungrische Name Erdély (Erdeuleu, d. i. Erdö Ifgon elö oder Transilvania) sich anzukündigen und die fragliche Annahme zu bestätigen scheint. Nach Konstantin zerfielen die acht Themata Patzinaciens in vierzig kleinere Bezirke, deren jeder seinen eigenen Vorstand (princeps) hatte. Diess gilt um so mehr von dem Thema Ertém (Erdély), als die Natur eines Gebirgslandes mehrere Abtheilungen mit sich führt. Bedenkt man die allgemeine alte Sitte, dass nur die Richter und Beisitzer bei Gericht sassen, dass insbesondere nach der (noch von Otto von Freisingen erwähnten) altmagyarischen Sitte jeder der Beisitzer seinen Stuhl selbst zu Gericht mitbrachte; so erhellt wohl, warum ein derlei kleinerer Bezirk Erdély's: Szék oder Székhely und sonach auch die Bewohner eines solchen Bezirkes Szék oder Székely oder lateinisirt Siculus genannt werden konnte.

Als in der Folge die Macht der Patzinaciten durch Russen und Byzantiner geschwächt, östlich zurückwich und ganz Siebenbürgen zur Krone Ungerns kam, bildeten diese Szekler (Székelyek, Siculi) Ungerns östliche Gränzer; daher dann der Name Szekler für Gränzer gebraucht und also auch von westlichen Szeklern an der Waag u. s. w. gesprochen werden konnte.

Einige halten die Szekler (Siculi) für Patzinaciten (Bisseni) [3]), da die Patzinaciten über Erdély (Ertém) herrschten. Allein Szekler und Bissenen werden immer bestimmt von einander geschieden [4]). — Endlich ist noch die Meinung ausgesprochen worden, dass die Szekler die Nachkommen der Kabaren seien, welche nach Konst. Porphyr. Zeugnisse selbst nebst der chazarischen die ungrische Sprache redeten, aber

---

[1]) Wenn sich in der That aber Reste der Hunnen in den Sitzen der Szekler erhalten hatten, so werden sie mit den stammverwandten Szekler-Magyaren eben so gut, als die Awaren, Kumanen, Bissenen u. s. w. mit den Magyaren in Ungern verschmolzen sein.

[2]) Patzinacia (welches Lebedias jenseits und Atèlkusu diesseits des Dnieper umfasste) war nach Konst. Porphyr. de adm. c. 37 in acht Themata (Bezirke) getheilt. Unter den vier Bezirken diesseits des Dniepers werden genannt: Giazichopon (um Jassy?) Bulgariæ finitimum est; inferius Thema Gyla Turciæ proximum est (es scheint aber nicht um das siebenbürgische Gyula hinaufzureichen, da Patzinacia vier Tage weit von Ungern entfernt ist); Charoböe Thema Russiæ adjacet; Ertem (das östliche Siebenbürgen sammt Bukowina), auch Jabdiertim conterminum est tributariis pagis Russiæ regionis, puto Ultinis, Derbleninis, Lenziniis, reliquisque Sclavis.

[3]) Vorzüglich Pray Annal. p. 388.

[4]) Bisseni atque Siculi vilissimi, Bisseni pessimi et Siculi vilissimi. Thurocz II. p. 63, 65. Eine Urkunde von 1354: Castrum Waarhegy ad reprimendos paganos et Pichenetos per Siculos ab olim ... exstructum. —

im Laufe der Zeit ihre eigene aufgegeben hätten [1]). Aber eben der dort angeführte Grund, weil der Notar Chazaren bei der Ankunft der Ungern an der Ostgränze Ungerns gegen Siebenbürgen kennt, zeigt, dass sie von den im östlichen Siebenbürgen selbst befindlichen Szeklern zu unterscheiden sind.

Sollte eine nähere Vermuthung gewagt werden dürfen, so wäre nicht unmöglich. dass auch ein Theil der chazarischen Chabaren (Awaren), welche nach Konst. Porphyr. Zeugnisse ausser der chazarischen, auch die ungrische Sprache redeten. mit den Magyaren, nach der grossen Niederlage, welche letztere an den Karpathen erlitten, und noch vor der Besitznahme Ungerns durch die Magyaren aus Erdély sich über den Wald Ifgon zwischen Maros und Szamos gegen die Theiss zog, wo uns der Notar diese Abtheilung der Chazaren neben Szeklern bei der Einwanderung der Magyaren zeigt [2]).

Die ältere und neuere Ansicht über die Abstammung der Szekler scheint sich dadurch zu vereinen, wenn man annimmt, dass die Szekler: Ungern, und eben desshalb im weitern stammverwandten Sinne auch hunnischer Abkunft seien.

§. 24.

Abkunft der Walachen (Rumuni, Blachi).

Fast in noch grösseres Dunkel, als die Abkunft der Szekler, ist jene der Rumunen oder Walachen gehüllt; und doch ist das Auftauchen dieses Volkes bei der Einwanderung der Magyaren mit seiner römisirenden Sprache sehr interessant. Während in den wohlorganisirten Donauprovinzen: Rhätien, Noricum, Pannonien und Illyrikum die Spuren der römischen Sprache durch Deutsche und Slaven beinahe ganz verschwunden waren, erscheint im Norden der Donau in Dacien, welches nur kürzere Zeit römisch, hierauf aber — seit Aurelian von römischen Besatzungen und Provincialen entblösst — der Hauptkreuzweg gothischer, slavischer und hunnischer Völker war, das römische Sprachelement. wie auf ein hohes Eiland gerettet, mitten unter der fremdartigen Völkerfluth.

Die Wurzel des Wortes Wlach (Wal, Walah) scheint der Volksname Gâl zu sein, woraus die Römer und Griechen Gali, Galatæ, Kelti, Celti u. s. w. formten. indem die Deutschen damit nach ihrer Spracheigenheit zunächst einen Gallier, dann auch Italiener u. a. Völker südlich der Gallier, endlich auch einen Fremdling und Knecht darunter verstanden. — Dieses Wort erlitt jedoch mannigfache Modificationen. Altdeutsch lautet es: Walh, Walah, mitteldeutsch: Walch, Walhes, norddeutsch: Wälsch und Wäls [3]).

---

[1]) K. Zeus: Die Deutschen und ihre Nachbarstämme. München 1837. p. 756.

[2]) C. 11. Terram, quæ est inter Tisciam et silvam Ifgon, quæ jacet ad Erdeuleu a fluvio Morus usque ad fluvium Zomus, præoccupavisset sibi dux Morout — — et terram illam habitarent gentes, qui dicuntur Chozar.

[3]) So nannten die Burgunder und Alemannen den keltischen Theil der penninischen Alpen: Wallis und die Bewohner Waliser oder Walser; die keltischen Stämme in Belgien erhielten von den Fran-

Die Slaven scheinen nach ihrer Spracheigenthümlichkeit aus dem deutschen Wal durch Umsetzung des l und Beifügung des bei Personen- und Völkernamen üblichen ch — Wlach gebildet, und (da sie ihn erst aus zweiter Hand. nämlich von Deutschen erhielten, und nicht wie jene, den Galliern benachbart waren) den Namen Wlach — in weiterer Bedeutung für Südländer, zunächst aber für die in Dacien befindlichen Römer gebraucht zu haben, indem diese die ihren Sitzen nächsten Südländer waren. Die Kolonisirung des trajanischen Daciens dauerte zwar nicht volle 200 Jahre (106—274), doch war sie besonders hinsichtlich der römischen Sprache durchgreifend, da sie das Hauptbindungsmittel zwischen den Legionen der verschiedensten Zungen unter sich, und mit den Dakern selbst bildete. Zur leichtern Festsetzung der römischen Sprache im trajanischen Dacien mochte der Umstand beitragen, dass die dacische (getische) Sprache als thracische eine arme, aber bildungsfähige indo-europäische Ursprache, und vielleicht sogar die Mutter der griechischen und lateinischen gewesen zu sein scheint [1]).

Daraus dürfte auch die leichtere Aufnahme gothischer und bulgarisch- slavischer Sprachelemente und deren Verschmelzung mit der dacisch- römischen zur walachischen Sprache seine Erklärung finden, während die asiatischen (hunnisch- awarisch- ungrischen) Sprachen wenig Einfluss auf sie übten. Dazu muss man noch das Uebergewicht römischer Bildung und die durch Gebirge geschützte Lage Daciens in Anschlag bringen, um die Bildung des walachischen Volkes und seiner eigenthümlichen Sprache bei vorwiegendem römischen Elemente begreiflich zu finden, wenn gleich die Geschichte selbst hierüber keine nähere Nachweisung liefert.

Auch hier bei den Walachen, wie bei der dunkeln Urgeschichte des magyarischen Volkes, bewährt sich wieder der Satz: dass in der Sprache eines Volkes seine Urgeschichte liege.

Die Kämpfe, welche der Vermischung der Römer und Daker (Geten) vorhergingen, hat die Geschichte aufbewahrt; auch über die Besetzung Daciens durch Gothen haben wir Kunde; dass auch die Aufnahme des slavischen und bulgarischen Sprachelementes in's Dacisch-Römisch-Gothische nicht ohne Kämpfe vor sich gegangen; davon drang ein Nachklang zu Nestor, und derselbe weiss auch, dass die Wlachen vor der Ankunft der Chazaren und Ungern auch weiter östlich am Pontus wohnten, und sich erst damals in die Karpathen zurückzogen.

Als somit die Ungern anlangten, fanden sie in den heutigen Siebenbürger Karpathen ein dacisch - römisch - gothisch - slavisch - bulgarisches Meng-

---

ken den Namen. Wallanan; die Angelsachsen das keltische Bergland im Westen Britaniens Wales; und die Gothen und andere Ostdeutsche nannten wohl auch die Rumunen (wegen Achnlichkeit der Sprache) Walachen, so wie sie und ihre Nachfolger in Ober-Italien dieses romanisirte Keltenland Wälschland benannten.

[1]) J. Grimm: Geschichte der deutschen Sprache. I. B. IX. hält die Geten für Gothen, die Daci (Dacini) für Dänen, und daher das Walachische eine romanisirte-germanische, u. z. Gothen-Sprache, welche den Uebergang der germanischen zur thrakischen Sprachengruppe vermittle. Allein die scharfsinnige und gelehrte philologisch-historische Untersuchung scheint doch nur eine indo-europäische Verwandtschaft des Dakisch-Getischen und des Germanischen nachzuweisen.

volk [1]), welches die Slaven Wlachen nannten, obwohl sie sich selbst, an die Römerzeit erinnernd, den Namen Rumuni beilegten. Die Ungern modifizirten nach ihrer Spracheigenheit, welche zwei oder mehrere Konsonanten neben einander, nicht wohl verträgt, den Namen Wlach in Wolah und Oláh. Als sie aber bald nach Italien streifend, daselbst eine ähnliche Sprache hörten, so bezeichneten sie wahrscheinlich auch die Bewohner Italiens mit dem ähnlichen Namen Olász um so mehr, als sie den Namen Walhas (Wälsche) von Deutschen vernommen haben mochten.

Da jedoch die Walachen grösstentheils als Hirten lebten, so mochte man bald unter Walach (Oláh) im Orient einen Hirten, und unter Walachen Hirtenvölker verstehen. Diess vernehmen wir von Anna Komnena, welche nebst Niketas und Lupus Protospatha im Anfange des zwölften Jahrhunderts zuerst des Namens Blach ausdrücklich erwähnt. Jene sagt zwar auch, dass die Patzinaciten in der gemeinen Sprache Blachen genannt wurden, wahrscheinlich aber nur desshalb, weil sie die Walachei, d. i. die ehemalige Heimath der Walachen inne hatten, oder weil die Walachen die Mehrzahl der Bevölkerung bildeten [2]). Bela's Notar nennt die Walachen Blasii oder Blachi und gibt sie als ein ärmliches, wenig kriegerisches Volk unter Gelon im westlichen Siebenbürgen an, welches mit Slaven vermischt lebte, und von Kumanen und Patzinaciten beunruhigt wurde [3]). Thurocz [4]) nennt sie ebenfalls Hirten.

Die Walachen waren aber nicht bloss an den siebenbürgischen Karpathen, sondern auch in andern Theilen des europäischen und asiatischen Orients zerstreut. So hiess bei den Byzantinern ein Bezirk am Pindus (Larissa, Pharsalus und Demetrios) Grosswalachei (Μεγαλοβλαχια). Ein kleiner Bezirk in Serbien zwischen Ibar und dem Drino, heisst bei den Serben Altwalachien (Stari-Wlah) [5]), und auch die Gränzgegend von Dalmatien, Kroatien und Bosnien führt noch den Namen Wlachien [6]), so wie die dortigen Bewohner Morlachen (Meer-Wlachen) heissen.

Der arabische Geograph Edrisi aus dem zwölften Jahrhundert nennt im achten Theil des neunten Klima neben Besegbert (Baskurt), welches den siebenten Theil die-

---

[1]) Eine genauere Erforschung der wlachischen Sprache dürfte auf manche interessante Resultate führen. Man darf übrigens bei der ethnographischen Mosaik des Wlachenthums sich nicht wundern, dass in dessen Sprache und Geschichte Anhaltspunkte für die Vertheidigung der verschiedensten Ansichten über seine Genesis vorhanden sind. Vergleiche Kopitar in den Wiener Jahrbüchern der Literatur 1826. Band 34, mit Diez Grammatik der romanischen Sprachen. Bonn 1836. Band I., Andreas Clemens Walachische Grammatik (Hermannstadt 1836) und Wörterbuch (1837), Schuller (J. C.) argumentorum pro latinitate linguæ Valachicæ s. Rumuniæ epicrisis. Cibinii 1831, 8. und Entwicklung der wichtigsten Grundsätze für die Erforschung der rumunischen oder walachischen Sprache. Archiv des Vereines etc. I. 1. Heft.

[2]) Nachrichten der Byzantiner über die Blachen bei Stritter III. p. 796.

[3]) C. 25. Blasii et Slavi — alia arma non haberent, nisi arcum et sagittas et dux eorum minus esset tenax, non habebat circa se bonos milites etc. Natürlich spiegelt sich darin nur das Walachenthum des zwölften Jahrhunderts.
C. 26. (Tuhutum) præparavit se contra Gelounı ducem Blacorum.

[4]) Thurocz I. c. 17. Solis Valachis ipsorum, qui erant pastores, sponte remeantibus.

[5]) W. St. Kardzit: Srbski rječnik s. h. v. (Serbisches Wörterbuch). Dess. Dunica 1827. p. 56. Allein bei den Südslaven wurden die nichtunirt-griechischen Serben im Gegensatz der katholischen und unirten (Sokazen) häufig Wlachen, statt Razen, genannt.

[6]) Farlati Illyria Sacra IV. p. 63.

ses Klimas ausmacht, walachische Türken. Abulfeda nennt Rum (Rum-ili) als Nachbarland der Ungern, Szekler und Petschenegen (Bessenyök). Von den abendländischen Chronisten nennt, ausser Anonymus Belæ, Operius Panis (in seinen Annal. Genuens. ab anno 1197—1219) zuerst im Jahre 1205 Wlachen. Rubruquis bezeichnet das Land Baskatir auch mit dem Namen Ilak (tartarisch für Blak) und sagt, dass das dortige Volk von den Römern abzustammen vorgebe.

Roger Baco versetzt nahe bei Baskatir die Blacianen, welche diesen Namen von Grossblachia führen, woraus diejenigen gekommen seien, die in der Nachbarschaft von Konstantinopel und der Bulgarei wohnen [1]). Ein Theil der Wlachen scheint also bei dem Andrange der Slaven, Awaren oder Ungern getrennt worden, in's byzantinische Reich zu ihren Stammesbrüdern im Aurelian'schen Dacien und andern Provinzen, ein anderer aber nach Osten über die Wolga gewandert und mit den Bulgaren zurückgekehrt zu sein [2]).

§. 25.

Uebersicht der Volksstämme, welche bei der Einwanderung der Magyaren in Ungern, Slavonien, Kroatien, Dalmatien und Siebenbürgen sich befanden (894).

Da wir die Völker, welche vor den Magyaren obige Länder bewohnten, bereits in kurzen Umrissen vorführten, so frägt sich zunächst: welche dieser Völker haben sich bis zur Ankunft der Magyaren erhalten? welche sind daraus verschwunden, und auf welche Weise?

Ein Volk kann auf dreifache Art aus einem Lande verschwinden: durch physische Vertilgung, durch Auswanderung und Wegführung und durch moralische Umbildung in ein neues (meistens durch ein herrschendes) Volk.

Zur leichtern Uebersicht der Theile handeln wir in dieser Hinsicht zuerst von dem im Süden der Donau befindlichen, dann von den nördlichen Theilen der gedachten Kronländer.

a) Uebersicht der von den Magyaren bei ihrer Ankunft im Süden der Donau gefundenen Völker.

1. Spuren der in Pannonien bei der Ankunft der Magyaren vorhandenen Reste alter Völker.

Kelten, namentlich Bojer im nördlichen (obern) und Pannonier im untern (südlichen) Theile Pannoniens zwischen Drave und Save, waren die Hauptvölkerschaften, als die römischen Adler bis zur Donau vordrangen. Doch waren die Bojer durch die Daker theils aufgerieben, theils zu ihren Stammesgenossen in's taurische Gebirge (Mittelnorikum) getrieben, es konnten sich im römischen Pannonien somit nur schwache Ueberreste der Kelten (Cytnier, Vindalen, Bojer, Azalen u. a.) erhalten haben, welche unter dem Einflusse römischer Kultur und Einrichtungen, und in der Umgebung

---

[1]) D'Anvilles Handbuch der mittlern Erdbeschreibung, p. 250.

[2]) Nur eine genaue Erforschung und Vergleichung der verschiedenen Mundarten der Wlachen könnte auch in dieser Hinsicht nähern Aufschluss geben.

pannonischer Stämme allmälig ihre Eigenthümlichkeit verloren, indem sie theils, wie die Avarisci zu Pannoniern, theils zu Römern wurden.

Nur keltische Namen: Vindobona (Wien, d. i. Zusammenfluss der Gewässer). Carnuntum (Stadt der Karner), Insula Cytnorum (Chut, Schütt), Laitha (d. i. Fluss), Marus (Marawa, March), Arrabona (Raba, Raab) u. a. scheinen noch aus der Keltenzeit lange nachzuklingen.

Länger erhielten sich, ungeachtet der in Pannonien eingeführten römischen Einrichtungen und Sprache, so wie der Wegführung vieler Eingebornen, die illyrischen Pannonier, d. i. als römisch-pannonische Provinzialen mit ihrer Eigenthümlichkeit. Auch durch den hunnischen Sturm gingen sie nicht unter; denn mit den Langobarden zogen Pannonier (ausdrücklich unterschieden von den übrigen in Pannonien damals ansässigen Völkern) nach Italien (II. §. 10). Aber auch nach der Awarenzeit wird in päpstlichen Briefen nicht nur von Pannonien, sondern auch von Pannoniern geredet. Ja, das fortwährende Aufleben des Namens Pannonien selbst, besonders für die Abtheilung zwischen Raab und Drave, auch nachdem mährische Slaven und Deutsche dort wohnten, während das obere Pannonien meist Hunnia avaria, das von Slaven und Bulgaren bevölkerte Savia aber Slavonia hiess, dürfte für eine Fortdauer pannonischer Einwohner auf dem heimathlichen Boden sprechen.

Hiernach wird uns weniger befremden, wenn der Notar Bela's erzählt, dass die bis an die Raab vordringenden Magyaren die Slaven und Pannonier bekämpften, und ihr Land einnahmen [1]).

Dass auch die Römer (Romani), d. i. die römischen Colonisten selbst, nach der gänzlichen Verlassung des Donaulimes (488) sich in Pannonien und Norikum erhielten, davon haben wir einige Spuren. In der (509) von Eugipp verfassten Lebensbeschreibung St. Severin's sind ausdrücklich im obern Pannonien Romani, und zur Zeit des heil. Ruppert (600), Virgil's und Arno's (also bis in's neunte Jahrhundert) Romani tributarii erwähnt, welche nur mit Wahrung ihrer besondern Rechte verschenkt werden konnten [2]).

Ausser diesen geringen Ueberresten der Römer versetzte Karl der Grosse Italiener (Romani) in's südliche Pannonien: man konnte aber auch im weitern Sinne die in Pannonien befindlichen Völker überhaupt wieder Romani nennen, nachdem Karl der Grosse, als er die römische Kaiserkrone erhielt, das von ihm eroberte Pannonien zu einem Theil des heiligen römisch-fränkischen Reiches bildete. Um so deutlicher wird, dass und warum der Notar insbesondere die kaiserlichen Soldaten und Besatzungen in Pannonien, zum Gegensatz der deutschen Bewohner, unter

---

[1]) C. 50. Usque ad Rabam et Rabuceam venerunt, Sclavorum et Pannoniorum gentes et regna vastaverunt, et eorum regiones occupaverunt, wie der Zusammenhang c. 48 zeigt, bis an die Loponsu (Lafnitz, dem heutigen Gränzfluss von Ungern und Steiermark), obwohl das damalige Pannonien im weitern Sinne bis zur Enns und die Schwanberger Alpen an der Gränze von Steiermark und Kärnthen reichte. (II. §. 18.)

[2]) Cod. Juaviæ P. I. §. 17—79 und bei Koch-Sternfeld topogr. Matr. p. 101.

den Namen Romani. milites romani. begreift [1]). — Also scheinen von den Völkern der alten Welt in Pannonien:

a) Die Kelten theils durch das Schwert vernichtet, theils durch moralische Einflüsse pannonisirt und römisirt. somit verschwunden. Auch die Hauptmasse der Pannonier und Römer hatte. theils durch Auswanderung nach Italien den Boden Pannoniens verlassen. theils waren sie durch Hunnen. Awaren und Slaven ohne Nachkommen verblutet; doch scheint sich bis zur Ankunft der Magyaren

b) ein kleiner Ueberrest pannonischer Provinzialen unter fränkisch-slavischer Herrschaft als privilegirte Landbebauer. dann Italiener und ein Theil römischer Colonisten als römisch-fränkische Krieger erhalten zu haben. — Wären aber die Römer auch ganz verschwunden gewesen. äusserten doch die Trümmer ihrer gewaltigen Bauten, ihre Einrichtungen und Sprache einen indirekten Einfluss auf die Magyaren und auf die übrigen Volksstämme Ungerns.

II. Uebersicht der durch Pannonien während der Völkerwanderungszeit gezogenen, so wie der daselbst verbliebenen Völker.

Man nennt die grosse Völkerfluth. von welcher die Magyaren die letzte gewaltige Welle gewesen, gewöhnlich die hunnisch-germanische Völkerwanderung, weil die Hunnen den Anstoss gaben. die germanischen Völker aber die Hauptbewegung bei jenem Völkerströmen vollführten; allein richtiger wird man, namentlich in Beziehung auf Ungern: die hunnisch-germanisch-slavische Völkerwanderung sagen, da die Slaven bis zur Ankunft der Ungern und auch nachher, der Masse nach, einen bleibenderen Einfluss. als die Deutschen auf die ethnographische Gestaltung Pannoniens bewirkten.

Seit dem letzten Viertel des vierten Jahrhunderts zogen Quaden, Sueven. Alanen, Gothen. Vandalen, Gepiden, Sarmaten, Hunnen u. s. w. im bunten Gewirre durch Pannonien. Doch Attila's Macht und Hauptsitz war in Dacien, daher nach dem Zerfalle seines Reiches wenige Hunnen unter den Ostgothen selbst zurückblieben. und in der Folge unter den Awaren sich verloren. nachdem nach einem vorübergehenden Besitze, Gothen und Langobarden nicht nur Pannonien selbst verlassen, sondern die verschiedenen deutschen Stämme nebst Sarmaten. Norikern und Pannoniern nach Italien mit sich geführt hatten.

Die meisten dieser Barbaren hatten durch Weiterwanderung Pannonien verlassen, und fast nur durch die Zerstörung der alten Werke der römischen Kultur Spuren ihres dortigen Aufenthaltes hinterlassen.

---

[1]) C. 48. Tunc Usubun et Eusce, ordinato exercitu, contra romanos milites, qui castrum Bezprem custodiebant. pugnare acriter coeperunt, — plures milites Romanorum in ore gladii consumerunt, — reliqui vero Romanorum, videntes audaciam Hungarorum, dimisso castro Bezprem, fuga lapsi sunt, et pro remedio vitæ, in terram Theutonicorum properaverunt; ubi Usibun et Eusee usque ad confinium Theotonicorum persecuti sunt (d. i. bis an den Fluss Loponsu, der zu des Notars Zeit, wie noch jetzt, die Gränze Ungerns und Steiermarks macht). Merkwürdig ist ein im Nationalmuseum zu Pest befindlicher Grabstein eines im Bruststück abgebildeten römisch-fränkischen Kriegers, in der Tracht des neunten Jahrhunderts mit der Inschrift: Francus ego sum miles Romanus.

In die Sitze der Langobarden theilten sich Slaven, Awaren und Bulgaren; doch bald waren die Slaven der Awaren Knechte, und die Bulgaren mit den Awaren um die Herrschaft im Kampfe. — Der pannonische Theil der letztern kam unter fränkische Hoheit, der in Dacien befindliche musste die Herrschaft der Bulgaren anerkennen. —

Die Befreiung der Slaven vom awarischen Joche durch Samo war nur vorübergehend; dafür durch Karl den Grossen dauernd. Ein grosser Theil der Awaren in Pannonien fiel durch's Schwert, ein Theil unterwarf sich; namentlich zwischen Karnunt und Sabaria waren Awaren, denn solche wurden vom jenseitigen Ufer durch die an der March (Mara) wohnenden Slaven (Marvani) auf die südliche Seite der Donau gedrängt; obwohl das ganze bis zur Enns erweiterte Oberpannonien den Namen Hunnia-Avaria führte. Doch auch im untern Pannonien zwischen Raab und Drave hatten sich Awaren erhalten, da der ungenannte Salzburger ausdrücklich noch daselbst zu seiner Zeit (873) der Awaren erwähnt.

Franken, Alemannen, Bayern und selbst Sachsen bevölkerten das obere Pannonien; Bayern, Karantaner, Lombarden (Italiener) das untere Pannonien; die Mährer wurden unter Privinna's Schutze im untern Pannonien zahlreicher, und eben so die deutschen Colonisten, namentlich aus Salzburg. Die zahlreichen christlichen Kirchenorte geben uns ein Bild für die schnell emporkeimende deutsch-slavische Kultur.

Das ethnographische Bild Pannoniens zur Zeit der Einwanderung der Magyaren wird erst deutlich, wenn wir einen Rückblick auf den Kulturstand des Landes und seiner Bewohner im neunten Jahrhundert werfen.

Obwohl die Awaren die Gränzen ihres Landes in eine Wüste verwandelt hatten, und in den Feldzügen der Franken, namentlich das Flachland, vom komagenischen Berge bis zur Raab verheert worden war, so muss doch im Innern Pannoniens Acker- und Weinbau fortbestanden haben, da Alcuin, Karl des Grossen Lehrer, an den neuen Salzburger Metropoliten Arno, liebreich mahnend, schrieb: Et esto prædicator pietatis, non decimarum exactor. Die Zehentgabe setzt aber Landbebauer voraus; da die Awaren nicht mit Landbau sich beschäftigten, wer konnten diese Landbebauer anders sein, als Deutsche und Slaven, nebst den Ueberresten der alten Provinzialen, d. i. der eigentlichen Pannonier. Bald kamen neue arbeitende Hände mit den deutschen Colonisten der Markgrafen, Grafen, Erzbischöfe und Bischöfe, welche nach dem damaligen Zeitgeiste zwar grösstentheils leibeigen (hörig) gewesen zu sein, aber doch einige Vorrechte genossen zu haben scheinen. Denn schon im heimathlichen bayrischen Boden gab es eine geringe Zahl freier Bauern und zwar Bargilden, d. i. welche frei (bar) von aller Zahlung (Gild) waren, und Parschalken, d. i. welche für den genossenen Schutz Zins zahlten; um so mehr musste ihnen ein Anreiz zur Colonisirung dadurch gegeben werden, dass sie eine Art persönliche Freiheit erhielten; wir sehen diess auch daraus, dass in Urkunden von Mansen (Mansus) die Rede ist, welche die Bischöfe in Pannonien von den Kaisern erhielten, da nur Freibauern nach bayrischem Rechte solchen Mansen (d. i. Ausspann oder Joch, welches ein Mann mit ein Paar

Ochsen ausspannen oder bearbeiten kann) inne hatten. Die gute Kultur in den bischöflichen Besitzungen spricht ebenfalls für den freien Zustand der deutschen Bauern; denn, obgleich die wiederholten mehrjährigen Kriege zwischen den Karolingern und Swatopluk neuerdings viele Strecken Pannoniens zur Wüste machten, so waren doch andere Strecken, namentlich die Salzburger Besitzungen, in einem bessern Zustande, wie wir aus der Bestätigungsurkunde Arnulf's vom 20. November 890 sehen, worin vielfach von Aeckern, Weingärten, Wiesen, Wäldern, Zehent und Zollregale die Rede ist [1]).

So wie die Erzbischöfe von Salzburg und die Bischöfe von Passau in ihrem Eigenthume deutsche Colonisten unter die Mährer ansiedelten, so setzte auch Kaiser Arnulf (892) unter die Awaren Deutsche, indem er seinem Mundschenken Haimo auf der Stätte Carnuntums volles Eigenthum und die Erlaubniss gab, zur Sicherung von Land und Leuten dort eine Burg seines Namens: „Haimburg" zu erbauen [2]).

Die Markgrafen hatten die oberste Kriegsführung und Verwaltung, und ihrer Aufsicht wurden bald nach Errichtung der Marken die slavischen Herzoge unterstellt. Privinna erhielt wohl durch seine Frömmigkeit und Anschmiegung an deutsche Einrichtungen, unter den slavischen Fürsten Pannoniens das grösste Gebiet und zwar als erbliches Eigen: doch fiel er selbst im Kampfe gegen den mährischen Rastislaw. — Die unselige Herrschsucht Swatopluk's, welcher viele slavische Volksstämme unter seiner Hoheit vereinigend, den Deutschen gefährlich wurde, gab Anlass zur Einwanderung der Magyaren und dadurch zur Unterdrückung des in Pannonien aufblühenden Slaventhums.

Die Kirchen, die friedlichen Weiser christlicher Kultur, sanken bald in Schutt; die Schifffahrt, die mit Salz, Eisen, Tuch u. a. abwärts, mit Honig, Wachs, Pferden, Kupfer, Leder u. a. die Donau aufwärts durch Pannonien thätig betrieben wurde, stockte; die friedlichen Salzburger Künstler und Handwerker, welche in Privinna's Residenzstadt allein drei Kirchen, und sonst viele in seinem Gebiete gebaut und geschmückt hatten, wurden verscheucht; mit einem Worte: die Magyaren nahten — und die Civilisation pannonischer Völker ward auf längere Zeit unterbrochen.

Fassen wir also nach dem bisher Gesagten, die Bevölkerung Pannoniens, zur Zeit der magyarischen Eroberung, nach ihrer Abstammung und nach Ständen zusammen, so dürfte folgendes Schema sich ergeben:

a) Die Hauptmasse der Bevölkerung bildeten Slaven, daher auch das untere Pannonien sammt Karantanum (Carinthia) Slavonia hiess. Diese Slaven bestan-

---

[1]) Ad Sabariam Civitatem et ecclesiam, cum decimis et theloneis, vineis, agris, pratis, pascuis, forestibus, montibus, cunctisque ad eandem civitatem iuste et legitime pertinentibus ad Salapiugin curtem cum CCC. mansis et totidem vineis, ad Quinque ecclesias cum theloneis ac vineis, forestibus, et cum omnibus, que ab antecessoribus nostris antea beneficiata fuissent, firmamus in proprium.

[2]) Cod. dipl. Juv. p. 118. coment. von Koch-Sternfeld in den gelehrten Anzeigen der Münchner Akademie Nr. 21—24. Daraus erklärt sich die noch übliche Schreibart Haimburg als die richtige. Gewöhnlich wird die Erbauung Haimburg's den Hunnen zugeschrieben, und als Hunnen- oder Hunburg betrachtet. —

den, theils aus bereits früher, unter dem Awarenjoche ansässigen pannonisch-karantanischen Slowenen, theils aus nachmals vom Norden der Donau übersiedelten Mährern [1]).

Diese Slaven scheinen auch grösstentheils den Stand der hörigen Bauern ausgemacht, auch hauptsächlich die Fracht zu Land und zu Wasser besorgt zu haben.

Zwar gab es auch slavische Edle, Županе und Herzoge, doch standen diese zunächst unter dem Einflusse deutscher Markgrafen, und waren meistens tributpflichtig.

b) Awaren, ursprünglich der Zahl nach nicht geringe, verloren sich bei ihrer geringen Bildungsstufe und unter dem Einflusse der Deutschen und Slaven so, dass bei der Festsetzung der Magyaren wenige Ueberreste vorhanden waren, welche sich um so leichter mit denselben bald verschmelzen mochten, als sie stammverwandt waren.

c) Die Deutschen (Bayern, Franken, Alemannen, Sachsen u. a.) waren oasenförmig unter Slaven und Awaren verbreitet, und zwar theils als freie und hörige Bauern der Markgrafen und Bischöfe, theils als Künstler und Handwerker, als Kriegsleute, Vasallen, Ministerialen, freie Heerbannsleute oder Herren, Grafen, Markgrafen, Geistliche und Bischöfe.

d) Die wenigen Reste der Pannonier scheinen sich der Klasse der Bauern;

e) jene der Römer dem deutschen Kriegerstande: die allfälligen

f) Bulgaren, theils den Slaven, theils den Awaren angeschlossen zu haben.

III. Andeutungen über die in Syrmien und im fränkischen Slavonien und Kroatien (Savia et Liburnia) von den Magyaren vorgefundenen alten und neuern Völker.

Der gebirgige Strich zwischen Save, Kulpa und Drave, das untere Pannonien, oder die nachmalige Provinz Savia (später Sclavonia), war der ursprüngliche Hauptsitz pannonischer Stämme. Zwar ging an jenen Flüssen der Hauptzug der Hunnen, Gothen u. a. deutscher Völker, später der Awaren, Bulgaren und Slaven, dennoch scheinen sich nach Analogie des übrigen Pannoniens einige Ueberreste pannonischer und illyrischer Urstämme erhalten zu haben, die aber an die Slaven um so leichter sich anschliessen mochten, und daher unter denselben bald verlieren, da (nach Analogie altpannonischer Volks-, Orts- und Fluss-Namen) eine nähere Sprachverwandtschaft zwischen Pannoniern und Slaven als mit den übrigen germanisch-hunnischen Völkern herrschte [2]).

Die syrmische Provinz, welche selbst nach der hunnischen und gepidischen Herrschaft bis zur Awarenzeit (582) und auch, nach vorübergehender fränkischer und

---

[1]) Da diese Mährer nach der Vorrückung der Gränze Karantaniens (1043) bis an die heutige Westgränze Ungerns (im zwölften Jahrhundert) nach Karantanien gehörten, so ist begreiflich, warum Bela's Notar diese Mährer Moronenses-Carantini nennt. Er stimmt aber hierin mit dem Anonymus Salisburg. überein, der ad a. 803 sagt: Arno episcopus — — undique ordinans presbyteros, et mittens in Sclavoniam, in partes quarantanas atque inferiores Pannoniæ, woraus erhellt, dass Carantanum und Pannonia inferior zusammen im weitern Sinne Slavonia, d. i. Slavenland genannt wurden.

[2]) Innerhalb welcher Gränze diess gemeint sei, siehe II. §. 15.

grossmährischer Oberhoheit in der Folge (bis 1081) einen so wichtigen Haltpunkt für die Oströmer bildete, war zur Zeit der magyarischen Einwanderung zwar im Besitze der Bulgaren, doch scheint noch ein Theil der Gepiden kenntlich gewesen zu sein [1]; und ein Theil der römischen Colonisten, welche nicht früher im byzantinischen Reiche Zuflucht suchten, dürfte vor den Awaren mit den allfälligen Resten der keltischen Skordisker und der Gepiden, an die Morawa und in's dalmatinische Gebirge sich geflüchtet, und dort unter dem Einflusse, einerseits von Bulgaren, andererseits von Slaven sich zu einem eigenen Mengvolke, ähnlich dem in Dacien sich gebildeten Volke der Walachen gestaltet, aber in der Folge slavisirt haben. Vermuthlich waren aus der Zeit der fränkischen Periode auch noch Franken in der fränkischen Veste Francavilla übrig, da der Name Frankochorion für Syrmien von den Byzantinern gebraucht wurde [2]. Da kurz vor der Ankunft der Magyaren (bis 894) Swatopluk über Syrmien herrschte (II. §. 19) so gab es wohl auch Mährer daselbst.

Die Hauptmasse der Bevölkerung im Save-Pannonien oder in Slavonien bildeten aber Slaven, die an der Donau vor und mit den Bulgaren und Awaren nach Pannonien heraufgezogen waren, und die mit den, von den Sudeten herabziehenden pannonisch-illyrischen Kroaten zu einem Volke verschmolzen; die letztern verbreiteten sich weit hinab auch über die Gränze des Save-Pannoniens (Savia) über das von den Awaren verheerte Liburnien und Dalmatien mit Genehmigung des Kaisers Heraklius (c. 640). Die Kroaten wechselten zwischen byzantinischer und fränkischer Herrschaft und eigener Unabhängigkeit. Die in Slavonien befindlichen Kroaten als Fortsetzung der Karantaner-Slaven (Slowenen) betrachtet, waren seit Karl dem Grossen unter der Aufsicht des Herzogs von Friaul; doch hatten sie Herzoge aus slavischen Stämmen, wie die Namen Liudewit, Salacho und Braslav (Wratislaw) zeigen. Der letztere, ein Enkel Privinna's neigte sich anfänglich (873) zu Swatopluk, war aber in der Folge ein eifriger Anhänger Arnulf's, von welchem er die Verwaltung Slavoniens, d. i. des fränkisch-pannonischen Kroatiens zwischen Drave und Save erhielt (884).

Die Masse der Kroaten war in diesem Gebiete viel kompakter, als in Pannonien jene der Slaven, welche mit deutschen Colonisten häufig durchbrochen und vermischt waren. Konst. Porphyr. nennt uns fünf Stammeshäupter, welche aus Grosskroatien einwanderten; im Nachtrage zu des Diakon's Geschichte von Spalato ist von zwölf kroatischen Stammgeschlechtern (generationes) ganz Kroatiens die Rede.

Unter den liburnisch-dalmatinischen Kroaten befanden sich auch die kleinern slavischen Stämme der Guduskaner und Timokaner, welche unter Borna früher am Timokflusse wohnend, sich um's Jahr 818 unter fränkische Herrschaft begaben, und in Liburnien bis zur Arsia sich niederliessen. Sie scheinen in Istriens öst-

---

[1] Der Anon. Salisb.: Post annos nativitatis 377 et amplius Hunni ex sedibus suis in aquilonari Parte Danubii in desertis locis habitantes, transfretantes Danubium expulerunt Romanos et Gothos atque Gepides; de Gepidis autem quidam adhuc (873) ibi resident, d. i. in Sirmium, denn nur das syrmische Pannonien nebst Dacien war im Besitze der Gepiden.

[2] Stritter III. p. 636. Mehr hierüber in der folgenden Periode.

lichem Theile neben den Kroaten angesiedelt worden zu sein, doch hatten sich ausser Slaven auch Ueberreste der Awaren im fränkisch-dalmatischen Kroatien (Liburnien) erhalten, da Konst. Porphyr. noch zu seiner Zeit (950) diess ausdrücklich sagt [1].

Da die Herzoge von Friaul die Oberaufsicht und die Patriarchen von Aquileja die Diöcese über Kroatien hatten, so konnte es wohl nicht an einzelnen friaulischen und langobardischen Colonisten fehlen, ohne dass deren Zahl bedeutend sein mochte.

Hiernach ergibt sich folgende Völkerskizze für das Binnenland zwischen Drave, Save, Kulpa, Arsia und Unna.

I. In der sirmischen Präfektur:

a) Bulgaren und Mährer sammt Resten von Gepiden, Kelten, Römern, welche vor den Ungern fliehend in der Folge zu

b) Walachen vermengt, sich gestalteten.

c) Franken.

II. Im fränkischen Kroatien und Slavonien (Liburnia et Savia):

a) Kroaten und Slovenen;

b) Guduskaner, Timokaner und andere Slaven, die sämmtlich bereits mit den Kroaten ziemlich verschmolzen sein mochten;

c) Ueberreste der Awaren;

d) Walachen;

e) Römer, und vereinzelte

f) Deutsche.

IV. Andeutungen über die Bewohner des eigentlichen (byzantinischen) Dalmatiens.

Ausser dem von Kroaten bewohnten, bald fränkischen, bald unabhängigen Dalmatien und Liburnien gab es noch mehrere Städte: Diadora (Jadera, Zara), Traugurium (Traü, Trogir), Split (Spalato), Rausium (Ragusa, Dubrawnok); dann einige Inseln: Arbe (Rab), Opsara (Absorus, Osero), Kerk (Wekla, Veglia), welche zum Unterschiede Kroatiens (des alten Liburniens und Dalmatiens nördlich der Zettina) fortwährend Dalmatien, seine Bewohner aber Römer (Romani) benannt wurden [2].

Die dalmatinischen Städte hatten zwar im Jahre 806 sich unter den Schutz Karl's des Grossen gestellt; in dem mit dem oströmischen Kaiser Nikephorus (810) abgeschlossenen Vergleiche aber wurde die byzantinische Oberhoheit über die oben erwähnten Städte und Inseln anerkannt [3].

Dass jedoch unter dem Ausdrucke Romani für die Bewohner des byzantinischen Dalmatiens nicht bloss eigentliche Römer, sondern römische Colonisten und überhaupt Unterthanen des oströmischen Reiches zu verstehen seien, zeigt die frühere Geschichte

---

[1]) De adm. c. 30. Suntque etiam nunc in Chrobatia Abarum reliquiæ, et Abares esse cognoscuntur. Doch werden an andern Stellen die Awaren auch desshalb Slaven genannt, weil sie unter den Slaven im Slavenland lebten. Einige halten die Morlachen für Nachkommen dieser slavisirten Awaren; Andere für slavisirte am Meere wohnende Walachen oder Hirten-Slaven (More-Vlachi).

[2]) Konst. Porphyr. de Adm. Imp. c. 29.

[3]) Einhard Vita Karoli bei Pertz I. 451 etc.

Dalmatiens. — Die Urbewohner Dalmatiens, wahrscheinlich seit dem siebenten Jahrhundert mit den Kroaten verschmolzen, waren von illyrischem Stamme [1]; römische Colonisten bildeten die Hauptbevölkerung jener Städte. Unter deren Mauern und auf dem meerumspülten Eilande suchten bei dem Einfalle der Awaren noch andere römische Colonisten aus dem Festlande Schutz [2]. — Die römischen Colonisten waren von verschiedener Abstammung, jedoch durch römische Sprache und Institutionen vereint. Die slavischen Namen dieser Städte und Inseln deuten auch auf die Anwesenheit von Slaven (Kroaten) in jenen Orten und die folgende Periode wird den slavischen Einfluss auf die Entwicklung des dalmatinischen Städtewesens darthun.

b) Uebersicht der im Norden der Donau von den Magyaren angetroffenen alten und neuen Völker.

I. Zwischen March und Gran.

Nachdem die keltischen Bojer von den germanischen Markomannen und Quaden unterworfen wurden, blieb doch der Name Bojohemum (Bojerheimath) dem Gebiete von der Elbe bis zur Gran, und namentlich scheinen die unter den Quaden zwischen der March (Marus) [3] und Waag (Cusus) [4] vorkommenden Baëmi (Baimi) ein Ueberrest jener Bojer oder Bojohemi zu sein. Auch nachdem die Markomannen und Quaden unter dem allgemeinen Namen der Sueven wieder jene Gegenden verliessen, und theils in ihre frühern Sitze an den Quellen der Donau, theils mit Vandalen selbst bis über die Alpen und Pyrenäen zogen; so ging doch der bojische Name der Baëmi oder Beheimi (Bohemi) auf die neuen slavischen Bewohner, die Čechen, bis zur Gran über, und das erste Mal im Jahre 822 werden die March-Böhmen mit dem besondern Namen der Marvani (Anwohner des Marus), bald auch Marchanii und Marharii genannt.

Der Name der Mährer erhielt bei dem Aufschwunge des grossmährischen Reiches auf kurze Zeit eine, die ethnographischen Gränzen der Mährer weit überschreitende Ausdehnung; scheint sich aber nach der Zertrümmerung Grossmährens auf einige Zeit fast ganz unter fremden Völkern zu verlieren. Namentlich wurden die mit Böhmen verbundenen Mährer wieder Böhmen genannt, und auch die in Ungern befindlichen Mährer im zwölften Jahrhundert unter diesem Namen begriffen; daher auch Bela's Notar (c. 33—37) nach dem Sprachgebrauche seiner Zeit die Neutraer Mährer, welche die Ungern unterwarfen, Böhmen (Boëmi) nennt.

---

[1] Livius Lib. XIX. c. 12, XXX. c. 20, XXXIV. c. 27; Strabo Lib. VII., Appollodor in Argonaut. — Skylax de Coriando in Periplo, Fabius P. I. V. c. 5, Farlati Illyr. sacra T. IV. p. 160. etc. Alex. von Reutz Verfassung und Rechtszustand der dalmatinischen Städte und Inseln. p. 5—6.

[2] Konst. Porphyr. a. a. O. c. 29 und 30.

[3] Der uralte Flussname Marus scheint bojischen Ursprungs zu sein, von dem keltischen Worte Mar = Pferd (daher das Wort Marquis = Reiter = Ritter; das altdeutsche Wort Mähre = Pferd u. s. a.) Der Fluss Marus (später Morava und March), dürfte also von den daran befindlichen Pferdeweiden, die Nation der Mährer aber von dem Flusse den Namen erhalten haben.

[4] Der Name Cusus deutet auf orientalischen Ursprung hin, da Usu noch im Türkischen und andern orientalischen Sprachen einen Fluss bedeutet; vermuthlich stammt jene Benennung von den sarmatischen (medischen) Jazygen her.

II. Zwischen Gran und Theiss.

Das berittene Volk der sarmatischen **Jazyger** wanderte unter dem allgemeinen Namen der **Sarmatæ** seit **334** aus seinen Wohnsitzen zwischen Donau und Theiss durch Pannonien theils nach Italien und Illyrikum, theils mit Alanen und andern Völkerstämmen bis über die Pyrenäen. — Der letzte Rest scheint sich an die Langobarden (567) angeschlossen zu haben. Auch die Vandalen, Gothen. Taifalen, Scyren. Heruler, Turcilinger und andere **germanische Völker** waren nur im vorübergehenden Besitze dieses Striches.

Selbst die Attila'schen **Hunnen** zogen grösstentheils wieder südöstlich der Donau entlang, und ihre Ueberreste verloren sich unter den stammverwandten Awaren. Die höhere Gebirgsregion dieses Striches scheinen im Rücken der Awaren verschiedene **slavische** Völker (Slavi. Slavini) besetzt zu haben. als: die Stämme der **Kroaten** [1]. **Serben**. **Mährer**. **Goralen** [2]. **Satager** (Sotaker) [3] u. a. Die Mährer scheinen die übrigen Stämme grösstentheils assimilirt zu haben. und Ahnen der Slowaken zu sein. — Im Flachland zwischen Donau und Theiss begegneten sich Slaven (besonders Mährer und Bulgaren). und die letztern scheinen bis gegen die Zagywa vorgedrungen, da der Name Pest (welcher so viel als: Ofen bedeutet) selbst aus dem Bulgarischen stammt.

Dass die **Bulgaren** nicht nur in Pannonien. sondern auch jenseits der Donau in Daciens Flachlande waren. sehen wir aus der **Geographie König Alfred des Grossen**: „ostwärts von Kärnthen. jenseits der Wüste (des in der Völkerwanderungszeit verheerten. und später durch die Kriege der Franken mit den Awaren und Mährern verwüsteten Pannoniens) ist **Purgaraland**. — ostwärts von Mähren ist Visle- (Weichsel-) Land. und noch unten ostwärts Datien (das trajanische gebirgige Dacien)". Der **bayrische Anonymus** aus dem neunten Jahrhundert über die **slavischen Völker im Norden der Donau** [4]. nennt nach den Böhmen die Mährer (Marhani). dann die **Bulgaren** (Vulgarii). und abermals Mährer (Marchanos): und

[1]) Die **Kroaten** werden von Schaffarik für Nachkommen der Carpi gehalten, die Peuciner scheinen in die Wlachen verschmolzen.

[2]) Die **Goralen** (die man mit den thracischen Koralli identifiziren wollte). sind die Vorhut des Ljächen-Stammes oder Gebirgs-Polen.

[3]) Die **Sotaki** werden jetzt unter die Slovaken gerechnet; sie unterscheiden sich vor den benachbarten Russinen durch Sprache und Sitte. — (Albrecht von Sydow Bemerkungen auf einer Reise 1827 in die Beskiden p. 340.)

[4]) Descriptio civitatum et regionum ad septemtrionalem plagam Danubii — — Beheimare, in qua sunt civitates XV. **Marharii** habent civitates XI. Vulgarii regio est immensa et populus multus, habent civitates V., eo, quod multitudo magna ex eis sit et non sit eis opus civitates habere (wegen der nomadischen Lebensweise der im Norden der Donau befindlichen Bulgaren). — Est populus, quem vocant **Marchanos**, ipsi habent civitates XXX. Istæ sunt regiones, quæ terminant in finibus nostris. Deutlich genug sind hier die Mährer in der Region Swatopluk's angedeutet, die bis nach Mösien reichte. Dieses merkwürdige Document ist in einem Codex der Münchner Hofbibliothek aus dem neunten Jahrhundert zuerst mitgetheilt im Archiv 1827 p. 282 von Hormayer und von Dobrowsky daselbst p. 509 kommentirt.

10*

da diese Völker unter den an Deutschlands Gränze zunächst ansässigen Slaven genannt werden, verdient sein Zeugniss um so mehr Glauben.

Auch der Zusammenhang aller Ereignisse, der Gränzstreitigkeiten der Bulgaren mit Karl dem Grossen und seinen Nachfolgern, die Flucht Privinna's aus dem obern Pannonien zu den Bulgaren, die Kämpfe mit Swatopluk, die Angabe, dass die Mährer nach der Auflösung des grossen Reiches zu den benachbarten Völkern flohen, worunter Bulgaren genannt werden, zeigen, dass Mährer und Bulgaren in jener Region zwischen Donau und Theiss lebten, welche nach dem Falle Grossmährens an das grosse Bulgarenreich sich wieder anschlossen. — Hiemit stimmt nun in ethnographischer Hinsicht die Angabe unseres Anonymus Belæ [1]) zusammen, der zwischen Donau und Theiss Slaven und Bulgaren setzt.

III. Im Süden der Maros bis zur Donau und Theiss.

Slaven und Bulgaren, Hunnen (Awaren, Cabaren) und Walachen waren auch weiterhin im alten Dacien südlich des Maros die Hauptbevölkerung, namentlich scheinen daselbst die Abodriten, die Einhard auch Prädenecenten, der bayrische Anon. aber Osterabretzi (Ost-Abodriten) nennt, gesessen zu sein.

Denn der erstere erwähnt sie unter den slavischen Völkern, die an König Ludwig nach Beilegung der Gränzstreitigkeiten zwischen Bulgaren und Franken Gesandte abordneten, und zwar in Dacien; der letztere führt sie nach den südlichen Mährern unmittelbar an.

IV. Im Norden der Maros bis zur Theiss.

Für dieses Gebiet haben wir zwar ausser dem Anon. Belæ keine Quelle, welche uns über die dortigen Völker damaliger Zeit Aufschluss gäbe, allein, da wir ihn in ethnographischer Hinsicht eben so wie in geographischer allenthalben als unterrichteten Zeugen gefunden haben, so dürfen wir seiner Angabe, dass dort Chazaren (Cabares) und Szekler (Magyaren) wohnten [2]), um so mehr Glauben schenken, als diess mit dem Zusammenhang der Ereignisse völlig übereinstimmt und mehrere Orte in jener Gegend urkundlich vorkommen, welche den Namen Kozar und Székely [3]) enthalten.

Endlich

V. Im Lande jenseits des Waldes Igon (Erdeulen oder Ultratransilvania)

waren Walachen (Blachi) und Slaven [4]), die meist als Hirten friedlich lebten, und Szekler, welche bald unter die Herrschaft der Petschenegen (Bessenyök) fielen.

---

[1]) C. 11. Ibi (inter Tisciam et Danubium) habitare Sclavos et Bulgaros.

[2]) C. 11. Tractam — a fluvio Morus usque ad castrum Urscia præoccupavisset quidam dux Glad - adjutorio Cumanorum (der rückgeblicbenen Awaren oder flüchtigen Cabaren, die alle im weitern Sinne Hunnen (Kunok) heissen). C. 44. Glad-adjutorio Cumanorum, Bulgarum atque Blacorum.

[3]) C. 11. Terram illam (a fluvio Morus usque Zomus) habitarent gentes, qui dicuntur Cozar. C. 50. Omnes Siculi sponte obsides dederunt, præcedentibus Syclis. C. 51. Syeli et Hungarii ictibus sagittarum multos homines interfecerunt etc. — Nagy's M. S. Urkundensammlung.

[4]) C. 26 et 27.

B.

Zweite Periode.

Von der ungrischen Herrschaft während der Arpaden- und gemischten Periode bis zur Vertreibung der Türken aus Ungern (894—1699).

B. Zweite Periode.

Von der ungrischen Herrschaft während der Arpaden- und gemischten Periode bis zur Vertreibung der Türken aus Ungern (894—1699).

§. 26.

Allgemeine Bemerkungen über die Magyaren, ihre Stammgeschlechter und ihre Ausbreitung.

Bei der Einwanderung war das Volk der Magyaren in sieben Stämme [1]) und einhundert acht Geschlechter [2]) getheilt. Die Zahl der Krieger wird auf 216.000 (ohne Familien) angegeben, daher die Gesammtsumme der sieben ungrischen Stämme höchstens eine Million Köpfe betragen mochte.

Nach den ungrischen Chroniken bestanden diese Geschlechter schon als die Magyaren aus Asien nach Europa wanderten.

Schon das Wort Stammgeschlecht (Generatio) sagt, dass es sich auf Blutsverwandtschaft gründe.

---

[1]) Die sieben Stammeshäupter (Hétumoger) nach dem Anon. Belæ c. VI. p. 103 waren: Almas pater Arpad. Eleud pater Zoholsu, a quo genus Saac descendit. Ound pater Ete, a quo genus Calan et Colsoy descendit. Tusu pater Lelu. Huba, a quo genus Zemera descendit. Cundu pater Curzan. Septimus Tuhutum pater Horca, cuius filii fuerunt Gyula et Zombor, a quibus genus Moglout descendit, ut inferius dicetur. Quid plura? Iter historiæ teneamus. — Der Anonymus nennt uns die Stammgeschlechter selbst nicht, wohl aber Konst. Porphyr. c. XL., welcher sie Neke, Megere (Magyaren), Kuturgemati (Kuturguren?), Tariani, Genach, Kare und Kase nennt. Nach Stephan von Horváth: Magyaren, Kumanen, Jazyger, Paloczen, Szekler, Uzen und Walen. Es mögen die Namen wie immer gelautet haben, in der Zahl der ungrischen Stammgeschlechter stimmen sowohl die Byzantiner als einheimischen Quellen überein.

[2]) Simon Kéza p. 35 edit. II. Horanyanæ edit. II.: „Habet etiam (Scilicum Regnum) provincias centum et octo propter centum et octo progenies," und etwas später: „Centum enim et octo generationes Pura tenet Hungaria et non plures." P. 134 heisst es: „Cum Pura Hungaria plures Tribus vel Progenies non habeat, quam Generationes Centum et octo, videndum est, unde esse habent illorum Progenies, qui de terra Latina, vel de Alemannia, vel de aliis Regionibus descenderunt." Die Wiener Bilder-Chronik vom Jahre 1358 sagt (und hiernach Thurocz u. a.): „Universum coetum armorum, quem ducebant, in septem exercitus diviserunt; et unicuique exercitui Capitaneum specialem præficientes, centurionesque ac decanos more solito constituerunt; et unusquisque exercitus 30.000 virorum armatorum, nec non 857 continebat. Nam in secundo eorum de Scythia egressu, de Centum et Octo Tribubus 216.000, de unoquoque scilicet Tribu 2000 armatorum, excepto familiæ numero eduxisse perhibentur." — Auch nach Kéza bestand das ungrische Lager aus 216.000 Kriegern.

Bei der Einwanderung wählten sich sowohl die sieben Stammeshäupter, als auch die Generationen besondere Niederlassungen [1], und da die Ungern als ein Reitervolk die Ebenen liebten, so besetzten sie vorzüglich die mittlern Theile ihres heutigen Vaterlandes.

Bei der Eroberung und Besitznahme Ungerns wurden die vorgefundenen besiegten Nationen theils unterworfen, theils in die Gebirge, also an die Gränzen des ungrischen Reiches gedrängt, und zwar die mährischen Slaven oder Slowaken in die nordwestlichen Karpathen; die Deutschen und karantanischen Wenden oder Slowenen in die südwestlichen Gränzgegenden, und die Romanen oder Walachen und vermischten slavisch-bulgarischen Stämme in die südöstlichen Gebirge.

Im Wesentlichen zeigt also bereits damals Ungern das ähnliche ethnographische Hauptbild, d. i. die wesentlich charakteristische Vertheilung der Hauptvolksstämme, wie die ethnographische Karte der Gegenwart noch ausweiset. — Nur die zahlreichen Colonien, welche in verschiedenen Epochen, theils berufen, theils unberufen einwanderten, brachten, in Verbindung mit den häufigen und umstaltenden Kriegsereignissen, manche theilweise Veränderungen, sowohl in der Stellung der Hauptmassen der Volksstämme, als vorzüglich in der Gruppirung der grösseren und kleineren Sprachinseln hervor.

Von den ungrischen einhundert acht Stammgeschlechtern hat der Fleiss eines ungrischen Geschichtforschers [2]) theils aus Chroniken, theils aus Urkunden, theils aus beiden zusammen, noch acht und sechzig zusammengelesen, nämlich:

1. Aba (wovon die Familien Somosi, Bentholi und Rhedei Zweige sein sollen). 2. Akus, 3. Almásy, 4. Apuch, 5. Baad, 6. Bancha, 7. Bartjan, 8. Bastech, 9. Bel, 10. Bikach, 11. Bigmán, 12. Bochond, 13. Bolok Simány (ein Zweig desselben ist die Familie Kallay), 14. Bór, 15. Borchod, 16. Borsa, 17. Bouch, 18. Buken, 19. Capatan, 20. Chaba, 21. Chaak (wovon die Grafen Chaki stammen), 22. Chanad, 23. Cherna, 24. Churd, 25. Cortold, 26. Diwék (die Rudnay, Bassanyi, Ujfalusi sind Zweige dieses Geschlechts), 27. Erd, 28. Erdöd, 29. Geecz, 30. Gyula, 31. Gordon, 32. Jeur (Jör), 33. Kalan und Kolsoy, 34. Kán, 35. Kanta, 36. Kynis, 37. Koblon (wovon die Zweige Karoly, Ibrányi, Csomaközi abgeleitet werden), 38. Lacha, 39. Leurenthe, 40. Loya, 41. Mark, 42. Miskouz, 43. Moglout (wovon Sarolta die Mutter des heiligen Stephan), 44. Nadasd, 45. Opour, 46. Papa, 47. Peek, 48. Puk, 49. Rust, 50. Saikas, 51. Sentemakus, 52. Symad, 53. Solomun, 54. Tatun, 55. Tekun, 56. Tet, 57. Tekele (Tököli), 58. Turda.

---

[1]) Kéza p. 69 schreibt ausdrücklich: „Isti quidem Capitanei Loca, Descensumque ut jam dictum, sibi elegerunt, similiter et Generationes, aliæ, ubi eis placuit, eligentes. Hedrico datur mons Kijseen per descensum in quo Castrum fieri facit ligneum."

[2]) Siehe Stephan Horváth von den altungrischen Stammgeschlechtern, übersetzt von Grafen Mailáth II. p. 232 (Geschichte der Magyaren).

59. Turdos, 60. Turul (wovon Arpad stammte), 61. Uz, 62. Zaach, 63. Zemein. 64. Zemera, 65. Zydoy, 66. Zolok, 67. Zounuk und 68. Zouard.

Die ungrischen Stammgeschlechter erhielten uneingeschränktes erbliches Eigenthum, theils vermög ursprünglicher Theilung, theils vermög königlicher Schenkung. Schon nach dem Dekrete Stephan des Heiligen konnten sie ihre Güter auch auf Aeltern, Gattinnen und Töchter vererben [1]).

Auch von den eingewanderten Rittergeschlechtern wurden mehrere nicht nur reich begütert, sondern auch, mit Einwilligung der ungrischen Grossen, den Stammgeschlechtern gleich gesetzt. Die Verleihung des Indigenates geschah seit dem Jahre 1550 unter Zustimmung der Landtage [2]).

Die Stammgeschlechter waren in mehrere Zweige abgetheilt, welche miteinander durch das Stammeshaupt in Verbindung standen. Sie bewahrten ihre gemeinschaftlichen Rechte in gemeinschaftlichen Gütern, theilten sich in dieselben, und suchten im Falle des Aussterbens eines Zweiges (familiæ) ihre Gerechtsame auf dem Rechtswege vor dem Richter [3]).

Es würde zu weit führen, die Geschichte der ungrischen Stämme, Geschlechter und ihrer Familien, ihre Ausbreitung, Vertheilung, Wirksamkeit u. s. w. hier näher zu beleuchten; denn da der ungrische Adel (nobiles) theils bei den Berathungen des Königs und der Nation, theils im Felde den vorzüglichsten Antheil an den Ereignissen des Vaterlandes hatte, so würde diese Darstellung die Erzählung der ganzen ungrischen Geschichte bedingen. Wir begnügen uns, hier zu erwähnen, dass schon in den ersten Jahrhunderten die aus Asien eingewanderten Stämme nach Sprache, Sitten und Gebräuchen allmälig sich magyarisirten und mit den Ungern gleichsam verschmolzen, und dass auch Ungern im eigenen Lande als Colonisten (hospites) angesehen wurden, wovon später die Rede sein wird.

In manchen Komitaten Ungerns und der verbundenen Theile scheinen die Magyaren vor der Schlacht von Mohács sich weiter als jetzt ausgebreitet zu haben. — Schon Konst. Porphyr. in der Mitte des zehnten Jahrhunderts sagt, dass die Ungern zu seiner Zeit zwischen der Drave und Save wohnten. Auch die abendländischen Schriftsteller: Hermannus Contractus, das Chronicon Acquilejense, Antonius Belloni u. a. erwähnen die Ungern im savischen Pannonien [4]), und E.-

---

[1]) Decreta S. Stephani L. II. „Decrevimus Regali Nostra Potentia, ut Unusquisque habeat facultatem sua Dividendi uxori, filiis, filiabusque atque Parentibus, sive Ecclesiæ nec post eius obitum quis hoc destruere audeat."

[2]) (Juxta morem nobilium Ungarorum) — — habito communi consilio Episcoporum et Jobbagionum nostrorum — sicut ab antecessoribus nostris fieri consueverat — heisst es in Urkunden Andreas II. — Vergl. Art. 77 vom Jahre 1550. — Die einzelnen Indigenen werden bei den besondern Volksstämmen angedeutet werden.

[3]) Die nähere Ausführung dieser Rechte enthält die erwähnte Abhandlung St. v. Horváth's.

[4]) Chron. Aquil. bei Bern. de Rubeis p. 453: „Quod Hungarorum gens tempore Friderici Patriarchæ Aquilejensis (regierte 884 — 897) a Servia egressa in Pannoniam (nämlich Saviam), quæ adjungitur Ecclesiæ Aquilejensis finibus, venit, quod Fridericus Patriarcha repressit." — Ferner bei Muratori in anecdotis Codex Bibl. Ambros. Patavii 1713. 4. Tom. IV. p. 241: „Magna Ungarorum gens e Servia egressa, in quamdam provinciam, quæ adjungitur finibus Ecclesiæ Aquilejensis, primi-

sterer gibt an, dass sie beide Pannonien besetzten. Damit stimmt im Wesentlichen der Umfang überein, welchen der älteste ungrische Chronist dem Ungerlande nach der Einwanderung zueignet. Nur darf man sich nicht vorstellen, dass die Magyaren in diesem Gebiete allein wohnten, sondern vielmehr, dass sie an den Gränzen ihres Reiches, besonders zwischen Drave und Save, bei weitem die Minderzahl bildeten [1]). — Auch für spätere Zeiten existiren urkundliche Spuren, dass im jetzigen Slavonien, namentlich im alten Komitate Valpó viele Local-Namen ungrisch waren; selbst in dem alten Slavonien (d. i. in den Komitaten Agram, Kreuz und Warasdin) besassen die Ungern Güter, laut Urkunden des Agramer Kapitels [2]). Es erhielten sich ferner vom zehnten bis in's dreizehnte Jahrhundert in jenen Gegenden die Namen der Ungerstrasse (Strada Hungarorum) und des Kastells Ungersbach [3]).

In Valpó, Veröcze und andern Städten werden nebst andern Bewohnern ausdrücklich auch Ungern als hospites urkundlich bezeichnet [4]).

Ebenso weisen im Torontaler Komitate die ungrischen Ortsnamen bis zum sechzehnten Jahrhundert grossentheils auf ungrische und kumanische Bevölkerung [5]).

Im Pester Komitate waren vor dem siebzehnten Jahrhundert, mit Ausnahme von Ofen und Pest selbst, wo Deutsche wohnten, fast durchaus ungrische Bewohner und selbst im jetzigen Stadtgebiete Ofens erscheinen bis dahin alle Orts-, Berg- und andere Localnamen durchaus ungrisch [6]).

Auch im Neutraer Komitate, so wie in den westlichen Komitaten: Oedenburg, Wieselburg und Eisenburg deuten die ungrischen Localnamen in manchen nun kroatischen und deutschen Orten auf frühere ungrische Bewohner hin.

Die ungrischen Sprachinseln Also und Felsö Eör (Unter- und Ober-Warth) in der Eisenburger, so wie Felsö Pulya (Ober-Pullendorf) in der Oedenburger Gespanschaft scheinen als Ueberreste des alten magyarischen Sprachgebietes, zugleich dessen einstige Westgränze zu bezeichnen.

Es ist übrigens zu bemerken, dass im ganzen Umfange des ungrischen Sprachgebietes, die meisten Städte fast durchaus oder doch vorwiegend deutsche Bevölkerung hatten [7]).

Die Gerechtigkeit und Weisheit, mit welchen bereits die Könige des arpadischen Stammes die Eigenthümlichkeiten jeder Nationalität berücksichtigten und schützten, hatte um so mehr zur Aufrechthaltung des guten brüderlichen Einvernehmens der

---

tus venit, et ibi habitare coepit." — Belloni ad annum 897 bei Muratori: Scriptores rerum italic. Tom. XVI. col. 33: „Scythas in Pannonia egressos, quæ Aquilejensis Ecclesiæ Ditioni jungitur." Und Hermannus Contractus sagt: „Ungari hostes novi Pannonias depopulatas occupant."

[1]) Vergleiche die erste Periode II. §. 25.

[2]) Tud. Gyüjtem. 1830 XI. p. 3—5.

[3]) Die betreffenden urkundlichen Stellen siehe zusammengefasst: in Gyurikovich: Illustratio critica, situs et ambitus Slav. et Croat., pars III. pag. 26—27.

[4]) Siehe II. Die gemischten Colonien.

[5]) Bárány Ágoston Torontálvármegye' Hajdana. pag. 145 etc.

[6]) Häufler's Buda-Pest, I. Th. §. 58.

[7]) Art. 11 vom Jahre 1609. — Die speciellen Nachweisungen siehe bei den Deutschen.

Volksstämme beigetragen, als die Geschäftssprache die lateinische war. Erst nachdem auch in den grösseren Städten im fünfzehnten Jahrhundert die ungrische Bevölkerung sich vermehrte, kam es zu bedauerlichen Reibungen zwischen Deutschen und Ungern, z. B. zu Ofen (1439), Klausenburg (1450) u. a. — Selbst König Mathias Corvin bethätigte den Grundsatz der Gleichberechtigung durch die Bestimmung, dass Deutsche, Slaven und Ungern auf städtische Aemter und Besitzungen gleiche Ansprüche hätten [1], so wie durch Aufnahme einer sächsischen Colonie in seiner königlichen Residenzstadt Visegrad, und durch die Berufung ausländischer und inländischer Gelehrten und Künstler an seinen musenfreundlichen, berühmten Hof; so wie dieser König nebst Latein und Italienisch auch alle Sprachen seines Landes redete [2].

In der Schlacht von Mohács und den folgenden Kämpfen gegen die Osmanen war die Blüthe des Adels und der Kern des magyarischen Stammes gefallen. Während der, grossentheils durch die Uneinigkeit und Herrschsucht der Parteien herbeigeführten und befestigten Herrschaft des Halbmondes waren namentlich die untern Gegenden in ihrer Bevölkerung sehr gelichtet, und der fruchtbare Boden zum Sumpf- und Steppenlande geworden, bis das verheerte Land erst in der folgenden Periode durch die Colonisationseinrichtungen und durch die Arbeit deutscher und slavischer Hände wieder zur Kultur gelangte.

Da übrigens die Türken — bei dem verwandten Baue ihrer Sprache — leicht die ungrische Sprache lernten, so findet man während des sechzehnten und siebzehnten Jahrhunderts vielfache Spuren, dass in dem türkischen Paschalike Ungern die Geschäftsverhandlungen theils türkisch, theils ungrisch, selbst in den nordöstlichen Theilen geführt wurden, ja dass die türkischen Pascha's sogar in Schreiben an Erzherzoge und deutsche Kaiser sich der ungrischen Sprache bedienten [3].

Auch durch Poesie und Gesang erhielt die ungrische Sprache einige Ausbildung und Verbreitung. Arpad und die Heldenthaten seiner Nachkommen und Feldherrn wurden zu Zeiten der Arpaden- und gemischten Periode in Liedern gepriesen; an König Mathias I. Hof ertönten ungrische Gesänge, und selbst der Ban Niklas Zrinyi, der beste ungrische Dichter des siebzehnten Jahrhunderts, besang die Thaten seines Urgrossvaters in ungrischer Sprache. Nebst dem Epos existirten auch geistliche und weltliche Lieder in Menge [4].

---

[1]) A. a. O. §. 36. Doch war selbst zu dieser Zeit die Eidesformel der königlichen Städte noch in deutscher Sprache abgefasst. — Vergl. Art. 44 vom Jahre 1609.

[2]) Siehe den Abschnitt von den Deutschen und Italienern.

[3]) Ausser den bereits von Döbröntey Gábor: Régi Nyelv-emlökek VI. Köt. u. A. Gevay: az 1625 Majus 26: költ gyarmati Békekötés czikkelyei deakúl, magyarul és törökul etc. edirten diessfälligen Urkunden und Acten, existiren noch viele ungrische Geschäftsverhandlungen jener Periode in Privat-Archiven und namentlich in Herrn August v. Szalay's Sammlung magyarischer Dokumente und Handschriften. Wir erwähnen aus letzterer nur folgende Stücke: Briefe von und an Nikolaus Zrinyi (1559); an Anna Szluiny (Frangepan); Kameral-Instruktionen und Untersuchungen; ungrische Verhandlun- von Kongregationen in den Komitaten Abaujvar, Trenchin und Liptau; ungrische und lateinische Landtagsartikel; ungrische Briefe von Mustapha Pascha an Kaiser Rudolph II. und Erzherzog Ernst etc.

[4]) Franz Toldy: Handbuch der ungrischen Poësie II. B. Wien 1828.

§. 27.

Allgemeine Bemerkungen über die nach Ungern eingewanderten Volksstämme und Colonien (hospites) und deren Eintheilung.

In dieser Periode finden wir fast eine ununterbrochene Kette von Einwanderungen aus allen Weltgegenden. Wir treffen in Ungern [1]) theils einzelne Volksstämme, theils Colonien, welche einerseits zur Verstärkung der Bevölkerung, andererseits zur Kultur des Landes nothwendig oder doch nützlich waren.

Werfen wir überdiess den Blick auf die Gefahren, die Ungern von Aussen und Innen drohten, so wie auf den damaligen geringen Kulturstand der Magyaren, so werden wir die Wichtigkeit begreifen, welche der heil. Stephan und seine Nachfolger den Fremden beilegten, und sie als Gäste (hospites) besonders schützten, achteten, und dieselben theils mit erblichen Eigen (hæreditas, proprietas), theils mit Lehen (beneficium, feudum) und Würden beschenkten [2]).

Stephan der Heilige hatte Lehen erblich gemacht (nur Hochverrath oder Erblosigkeit sollte sie dem Könige zurückbringen), ein mächtiger Trieb zur Beurbarung des Landes. In jedem der (72) Gaue errichtete oder benützte er eine schon vorhandene Burg, stiftete Bisthümer, Klöster etc., begann den Bergbau, prägte die einheimische Scheidemünze. Auch die Grossen, Hochstifte, Hospites etc. errichteten Burgen, und Fremde machten den Magyaren mit der abendländischen Bewaffnung und mit dem häuslichen Leben bekannt [3]). Um die Burgen siedelten sich in Niederlassungen (villis) die Burgholden und Burghörigen (castrenses liberi et conditionarii); auch die Jobbagionen, ärmerer Lehensadel (später manchmal in Unterthanen verwandelt), die Hofleute (Udvornici, d. i. Ministerialen), Unfreie, die alle dem Burggrafen (comes castri) als ihrem Richter unterworfen waren. Doch die Hospites (meist Deutsche) wurden ihrem eigenen Richter (Villicus, auch Scultetus, Judex etc.) zugewiesen [4]).

Unter den Herzogen waren es Ruthenen und Bissenen, welche vorzüglich nebst den mitwandernden Kumanen die Bevölkerung Ungerns vermehrten. Stephan der Heilige zog vorzüglich Italiener und Deutsche herbei; dieses Prinzip be-

---

[1]) Thurocz II. c. 22 nennt: Bohemi, Poloni, Græci, Hispani, Hismahelitæ seu Saraceni, Bessi, Armeni, Saxones, Thuringi, Misnenses et Rhenenses, Cumani et Latini. — Kéza p. 142: Boemi, Poloni, Græci, Bessi, Armeni et fere ex omni extera natione, que sub coelo est.

[2]) Gesetze und Urkunden der Könige sprechen obige Grundsätze mehrfach aus, z. B. Corpus Juris Decr: S. Stephani I. c. 6: „In hospitibus et adventitiis viris, tanti inest utilitas, ut digne sexto in Regalis dignitatis loco possint haberi." Unter Koloman wurde zwar das Einwandern beschränkt: (Decr. L. I. c. 4) „nullus advena sine fidejussore recipiatur" doch im 12. und 13. Jahrhunderte hob sich die Wichtigkeit der Einwanderer. Andreas II. in der Verleihungsurkunde über Rohtukeuru an Graf Simon von Aragonien v. 1223 (im Cod. dipl. III. I. p. 393) sagt: cum nullus laboris sui premio defraudari debeat, præcipue hospitum et aduenarum fidelia servitia propensiori remuneratione censentur recompensanda, ut ipsi, quos Regie Majestatis fama de longinquo adduxit, regie Serenitati strictius teneantur etc.

[3]) Die meisten ungrischen Worte, welche sich auf Oekonomie und Hauswesen beziehen, haben slavische oder deutsche Wurzeln.

[4]) M. Schwartner de scultetiis per Hung. quondam obviis. Budae 1815.

folgte auch König Geyza II., welcher die Zipser Sachsen und Siebenbürger Flandrer berief. Indess waren auch, besonders unter Andreas II., an der Südgränze des Reiches deutsche und gemischte Colonien entstanden, und mit Privilegien begabt worden. Der Einfall der Mongolen hatte das Land streckenweise auf ganze Tagreisen in eine menschenleere Wüste verwandelt; Wölfe und andere Raubthiere vermehrten sich auf eine so erstaunliche Weise, dass sie selbst Bewaffnete anfielen. Um so mehr suchte König Bela IV. nach dem Abzuge der Mongolen (1242) für die neue Bevölkerung seines Reiches väterliche Sorge zu tragen. Die Kumanen, welche schon unter den vorigen Königen durch mehrere Stämme verstärkt, unter Bela selbst aber durch 40.000 Familien vermehrt worden waren, wurden aus der heutigen Bulgarei zurückberufen, nun in Bezirke geordnet. Ueberdiess wurden zahlreiche deutsche Colonien durch Ertheilung von ansehnlichen Freiheiten herbeigeführt. Die meisten Bergstädte so wie die Zips verdanken ihm die Bestätigung und Erweiterung ihrer Privilegien, dessgleichen Oedenburg, Tyrnau, Agram, Pest u. s. w. Auch die Festung von Pest (Ofen) wurde nebst andern Kastellen unter der damaligen Benennung Neupest (castrum novi montis Pestiensis) zum Schutze des Landes, bei ähnlichen Gefahren, angelegt.

Von den nachfolgenden Königen aus Arpad's Stamme wurde Bela's System beibehalten. Die Rechte der Colonisten (hospites) beruhten im Wesentlichen in dem Fortbestande ihrer nationalen Gewohnheiten und Sprache; in der Anweisung eines, der Komitatsgerichtsbarkeit nicht unterstehenden Bezirkes, in der freien Wahl ihres Pfarrers und Richters (judex, auch comes, major villæ, und scultetus genannt), in der unmittelbaren Berufung bei Beschwerden und Rechtsfällen an den König oder seinen hiezu bestimmten Stellvertreter; in Markt- und Handelsfreiheiten u. dgl.

Als Musterstädte bei Ertheilung der Privilegien wurden vorzüglich Stuhlweissenburg und Pest (= Ofen) aufgestellt.

In der sogenannten gemischten Periode wurde das von den Arpaden befolgte Colonisationssystem fortgesetzt. Durch die Gesetze von 1405 und 1608 erhielten die Abgeordneten der königlichen Freistädte Sitz und Stimme auf den ungrischen Reichstagen, wodurch sich dieselben in der Weise entwickelten, in welchen wir sie bis in die neuesten Zeiten erblickten. — König Karl Robert ertheilte den Zipsern in Folge ihrer Verdienste und ihrer Anhänglichkeit an seine Person einen grossen Freiheitsbrief; überdiess kamen unter ihm viele Italiener in's Land, so wie unter Sigmund: Franzosen, Böhmen, Juden und Zigeuner. — Die erstern vorzüglich aus der Klasse der Handwerker, von den Böhmen viele Hofleute und ganze Schaaren von Hussiten, welche unter den Namen der böhmischen Brüder, vorzüglich nach Albrecht's Tode, in den Komitaten Neutra, Liptau, Trentschin, Sohl, Hont und Gömör sich niederliessen. Die Zigeuner erschienen 1417. und erhielten 1423 das Incolatsprivilegium.

Unter Sigmund langten auch die ersten Serben (Razen) aus Rascien und Macedonien an, von wo sie durch die Türken vertrieben wurden. Sie wurden theils in Syrmien und Slavonien, theils auf der Insel Csepel in Ráczkeve und bei Ofen angesiedelt; 1439 kam eine serbische Colonie nach Janopol in's Arader Komitat.

Auch Paul Kinisy brachte 50.000 serbische Colonisten nach Syrmien und in's Banat, so wie nach der Vertreibung der Türken unter Leopold I. bei 40.000 razische Familien, theils in Syrmien, theils im untern Slavonien, ferner in Komorn, Ofen und St. Andræ Wohnplätze fanden. Auch unter dem Namen Wlachen und Uskoken wurden serbische Flüchtlinge in Kroatien aufgenommen.

Der ungrische Stamm, welcher seit der verheerenden Schlacht von Mohács, durch die fortgesetzten Türkenkriege, die inneren Unruhen und Seuchen sehr geschwächt worden, besonders in jenen Theilen Ungerns, welche türkisches Paschalik waren, erschien nunmehr in den südlichen Theilen des Reiches gleichsam mit einem serbischen Gürtel gegen die Osmanen ethnographisch geschützt. Ferner kamen unter Ferdinand I., Maximilian und Rudolph II. die meisten kroatischen Colonisten in's Land, welche wir inselartig im Eisenburger, Wieselburger, Oedenburger und Pressburger Komitat zwischen Deutschen und Ungern eingetheilt finden.

Diess wäre das historisch-ethnographische Hauptbild des Colonialwesens in Ungern vom Jahr 1000—1700: wir wollen versuchen, dasselbe bei den Hauptvolksstämmen mit Rücksicht auf die Episoden des Mongoleneinfalles und der türkischen Herrschaft etwas näher zu beleuchten, und fassen zur leichtern Uebersicht die eingewanderten Stämme und Colonisten (hospites) unter folgende Hauptgruppen zusammen:

A. Völker asiatischer Abkunft.

I. Einwanderer hunnisch-türkisch-tatarischer Abstammung im weiteren Sinne, also Stamm- und Sittenverwandte der Magyaren, als:

a) Kumanen (Kunok) und Paloczen,

b) Bissenen (oder Petschenegen),

c) Jazyger (Jászok),

d) Székler (Siculi),

e) Chazaren (gentes Kozar),

f) Ismaeliten (Bulgaren),

g) Mongolen (Tataren),

h) Osmanen (Türken).

II. Einwanderer syrisch-chaldäischen Stammes:

a) Armenier.

b) Juden.

III. Indischer Stamm:

Zigeuner.

B. Völker europäischer Abkunft.

I. Romanen (im weiteren Sinne):

a) Italiener,

b) Franzosen und Wallonen,

c) Spanier,

d) Schottländer,

e) **Griechen**,

f) **Romanen** (Rumunen, Wlachen).

II. **Slaven verschiedener Zweige**:

a) **Ruthenen** (Russinen).

b) **Polen**,

c) **Čechen** und **Mährer**,

d) **Serben** (Razen, Uskoken, Wlachen).

e) **Kroaten** u. a.

III. **Deutsche**:

a) **Deutsche Rittergeschlechter**,

b) **Deutsche Ordensritter** in Siebenbürgen.

c) **Deutsche Colonien** (Bayern, Alemannen, Flandrer, Sachsen, Franken etc.) in Ungern und Siebenbürgen.

IV. **Gemischte Colonien**.

A) Völker asiatischer Abkunft.

I. Hunnisch-türkische und tatarische Volksstämme.

§. 28.

a) Kumanen (Chuni, Hunni, Cumani, Kunok, Palóczen, Uzen)[1].

Nachdem die **Magyaren** nach dem ersten Sturme, womit sie die seit **Swatopluk's** Tode (894) vereinzelten Stämme sich unterwarfen, gleich einem verheerenden Vulkane bis über die Alpen, Appeninen und Pyrenäen sich ergossen, mussten ihre Herzoge bedacht sein, sich gegen die überwiegende, aber getrennte Masse slavischer und zurückgedrängter deutscher Volksstämme, durch die Beiziehung und **Aufnahme verwandter Völker** zu stärken, und so sind es zunächst **Kumanen** und andere hunnische Stämme, welche sich mit ihnen verbanden, deren Einwanderungen von jener anderer Colonisten (hospites) unterbrochen wurde, welche aber des Zusammenhanges wegen hier, ethnographisch aneinander gereiht, vorgeführt werden.

1. Die **ersten Kumanen** (Hunnen) waren mit den Magyaren (Hunuguren oder Ungern) zugleich (895) eingewandert; sie bildeten **sieben Stammgeschlechter**, deren Führer Ed, Edumen, Ete, Bunger, Ousad, Boyta und Ketel sammt ihren Söhnen eigene Bezirke erhielten[2]).

Ed und Edumen erhielten die freien Strecken zwischen den Wäldern am Flüsschen Tocota, und nachdem Arpad bis an die Zogywa vorgedrungen, auch einen grossen Bezirk in den Wäldern der Matra[3]).

---

[1]) Vergl. Stephan Horváth: Die Jázen als magyarisch redende Nation und als Pfeilschützen, mit Petri Horváth: Comentatio de initiis et maioribus Jazygum et Cumanorum. Pest 1801.

[2]) Anon. Belæ c. 7 und 10 gebraucht hier vermuthlich den allgemeinen Namen Cumanus (Chun, Kun, Hun) für den besondern Chabar (Abar, Awar).

[3]) A. a. O. c. 17 und 32.

Ete, Oundus Vater, wurde mit Strichen an der Theiss bis zum Sumpfe Botua und von Cuturtea bis zur Heide Alpar (Sabulum Olpar) beschenkt, und in der Folge liess Ete zwischen Olpar und Beuldu (Böldi rév) Surungrad (Csongrad) erbauen. Eudu, sein Sohn, erhielt Land an der Donau, wo er das Schloss Zecuseu baute [1]).

Bunger wurde ein grosser Landstrich (Föld) vom Flüsschen Topulucea bis zum Sajó (um Miskolcz) sammt dem Schlosse Geuru (Dios Györ) eingeräumt.

Bunger's Sohn, Borsu, erhielt die Gegend an der Boldva und baute sich eine Burg, welche sammt dem umliegenden Bezirk (Vármegye) von ihm Borsod genannt [2]), und mit dem Besitze seines Vaters zu einer Gespanschaft wurde.

Ousad, Ursuur's Vater, erhielt eine ansehnliche Landschaft um Casu (Käcs im Borsoder Komitat), wo dessen Sohn das von ihm benannte Schloss Ursuur (Örs) baute [3]).

Dem Boyta gab Arpad für seine treuen Dienste Landschaften an der Theiss und in Pannonien zwischen Donau und Sarviz Namens Torsus und Boyta [4]).

Dem letzten der kumanischen Führer, Ketel, endlich wurde die ganze wohlbewohnte Landschaft von Saturholma (Sátor halom) bis zum Flüsschen Tolsva (Tolcsva), dann der Theil der Insel Csallóköz (Insula Cituorum, jetzt Schütt) an Einflusse der Waag in die Donau eingeräumt, wo dessen Sohn Oluptulma die Feste Cumara (Komorn) erbaute [5]).

Auch andere Kumanen, die sich bei der Eroberung Ungerns auszeichneten, wurden mit Besitzungen beschenkt. So wurde dem Turzol, welcher der erste den von ihm benannten Berg hinanritt, ein grosser Landtheil (Föld) am Fusse dieses Berges bis zur Mündung des Budrug in die Theiss geschenkt. — Suhot bekam ein Stück Land bei Drogma. — Der Ort Keve (Turkéve) in Grosskumanien, die Insel Csepel (Sepel) erinnern noch an die Kumanen Keve und Sepel, von welchen sie ihren Namen erhielten; ebenso mahnen die Prädien Kotsér und Kaba in Grosskumanien an die Identität der chazarischen (Kozari) Kabaren mit den Kumanen (Kunok).

2. Eine andere Abtheilung der Kumanen nämlich hunnische Uzen oder Palowzen kamen unter dem Könige Ladislaus dem Heiligen 1089 in's Reich.

Bei den asiatischen Nomadenreichen ging der Name der jeweilig herrschenden Horde auf die beherrschten stammverwandten und oft auch fremden Horden über; daher das oft plötzliche scheinbare Auftauchen und Verschwinden grosser Völker. So ging es auch mit den Drängern der Magyaren, mit den wilden Petschenegen. Die Macht der Chazaren war durch jene geschwächt, dafür breitete sich der den Chazaren

---

[1]) A. a. O. c. 40 und 47.

[2]) A. a. O. a. 10 und 01.

[3]) C. 32. Nach Peter Horváth Bemerkung a. a. O. p. 52 wurde zu seiner Zeit in Káts ein Stein mit der Inschrift: Eurs Deo suo ausgegraben. Von obigem Kumanen Ursuur stammt vermuthlich das Geschlecht Usur ab, nach Stephan Horváth über die eingewanderten Stammgeschlechter XXX. Von diesem Usuur scheint auch jener Urs zu stammen, welcher unter Taxus als Feldherr gegen die Griechen und Bulgaren sich auszeichnete, und von welchem man die Familie Battyányi ableitet. Hormayer's Taschenbuch 1823 p. 264.

[4]) A. a. O. c. 44 und 47.

[5]) A. a. O. c. 15. Daselbst wären noch zu Zeiten König Ladislaus IV. Kumanen.

nachbarliche und freundschaftlich verbundene hunnische Stamm der Uzen (Kunok, Palowzen) um so mehr westlich von der Wolga zum Don, und endlich im eilften Jahrhundert als herrschendes Volk über ganz Patzinacien aus, als die Russen im Norden, die Griechen im Süden die Macht der Patzinaciten gebrochen hatten.

Diese hunnischen Uzen (Kun-Uzok) wurden von den slavischen Schriftstellern seit Nestor mit dem modificirten Stammnamen Palowzen (Uzen der Ebene), von den Magyaren aber mit dem allgemeinen Volksnamen der Kunen (Kunok) oder Cumani bezeichnet.

Dass auch in Ungern bei den Kumanen der Stammname der Uzen fortlebte, zeigt noch im dreizehnten Jahrhundert der Name des Kumanen-Häuptlings Uzur zu Ladislaus IV. Zeit; dass auch selbst in der heutigen Moldau und Walachei Uzen, unter dem Namen der Kumanen, sich befanden, bezeugt Anna Komnena [1]).

Von dort machten diese Kumanen einen Einfall durch Siebenbürgen nach Ungern unter Kopulch's Anführung, während König Ladislaus I. in Kroatien verweilte, doch schnell zog der tapfere König herbei, und schlug unweit der Temes Kopulch, so wie einen zweiten Haufen Kumanen, die Akus führte; Kopulch und die Muthigsten erlagen dem Schwerte der Magyaren, der Rest gab sich gefangen, und erhielt mit der Bedingung der Annahme des Christenthum's Wohnsitze in Ungern zwischen Donau und Theiss (vermuthlich im nachmaligen Jazygien und Grosskumanien [2]).

3. Zu König Stephan II. kam (um's Jahr 1124) ein Kumanenführer Namens Tatar, welcher wegen Ermordung seines Chanes aus Kumanien (Patzinacien) mit wenigen der Seinen flüchtete, deren Zahl sich jedoch bald (1129) vermehrt zu haben scheint, als die Petschenegen und Kumanen, die Verbündeten Königs Stephan gegen den griechischen Kaiser Kalo Johannes, von dem letztern eine so furchtbare Niederlage erlitten, dass abermals Kumanenschaaren auf ungrischen Boden sich flüchteten. Sie erhielten Sitze an der Donau und Theiss, vermuthlich unterhalb der früher angesiedelten Kumanen (in Kleinkumanien um Ketskemet und Tatár Sz. Miklos [3]).

4. Die Hauptmasse der Kumanen, 40.000 Familien stark, flüchtete jedoch im Jahre 1238 unter ihrem Könige Kuthen vor den Mongolen (Tataren), welche bereits den Rest ihrer Brüder zwischen Don und Dnieper, dann die russischen Fürsten

[1]) Alexiados lib. VII.

[2]) Der nachmalige Name Kleinkumanien setzt ein früheres Kumanien, wo die erstern Kumanen angesiedelt wurden, oder Grosskumanien voraus, da die frühern Sitze meistens mit Gross- oder Weiss-, die spätern mit Klein- oder Schwarz- (černi) bei Slaven und im Orient bezeichnet wurden. Dürfte nicht in dem grosskumanischen Orte Kapolas eine Erinnerung an Kopulch liegen?

[3]) Thurocz Chron. P. II. c. 63 gibt das erstere Faktum an: Katona hist. crit. T. III. p. 394 hält die Einwanderung Tatar's für die Folge der Kumanen Niederlage im Jahre 1129. Es scheinen jedoch vielmehr zwei von einander unabhängige Einwanderungen zu sein. — Vielleicht wurde Tatar um Tatár Sz. Miklos angesiedelt (da dasselbe noch in der Beschreibung der Bezirke Jazygiens und Kumaniens zu letzterem gerechnet wird), oder um Kun Sz. Miklos, das einst Tatár-Sz. Miklos hiess.

unterjocht hatten, zu König Bela IV. Dieser wies ihnen Sitze an der Temes, Maros, am Körös, dann zwischen der Donau und Theiss an [1]). — Kuthen selbst nahm seinen Sitz in Pest und leistete den Eid der Treue. Seitdem nahm Bela den Beisatz „Rex Cumaniae" in seinen Königstitel auf.

Doch bald war die Aufnahme der Kumanen der Anlass zu traurigen innern Kämpfen. Schon unter König Stephan II. war wegen übermässiger Begünstigung der Kumanen Unzufriedenheit entstanden. Die ungrischen Kumanen hatten zwar schon 1228 den Predigermönch Dietrich als Bischof erhalten: aber nur ein kleiner Theil bekannte sich zum Christenthum. Um die neu eingewanderten Kumanen zu dessen Annahme willfähriger zu machen, behandelte sie Bela mit Nachsicht und Gunst. Als aber das falsche Gerücht entstand, die Kumanen seien mit den Mongolen einverstanden, und ernstliche Unruhen zu besorgen waren, hielt Bela eine Reichsversammlung im Kloster zu Kéve an der Theiss, wo die Vertheilung der Kumanen-Familien durch's ganze Reich, und die Aufstellung eigener Gerichte für Streitigkeiten, zwischen Kumanen und Magyaren, beschlossen wurde. Diess half aber nicht; denn, als die Mongolen wirklich über die Karpathen drangen, und in wenigen Tagen bis gegen Pest streiften, wuchs die Klage über das Einverständniss der Kumanen. König Bela selbst liess, zur Beschwichtigung des Volkes, Kuthen festsetzen und vor sein Gericht laden. Als dieser sich zu erscheinen weigerte, entstand durch die ungrischen und deutschen Truppen, an deren Spitze Herzog Friedrich der Streitbare (bellicosus) von Oesterreich, ein Tumult, bei welchem Kuthen's Haus in Pest gestürmt wurde, während dieser Kumanen-Chan sich selbst entleibte, um nicht lebend in seiner Feinde Hände zu fallen [2]).

Auf diese Nachricht strömten von allen Theilen Ungerns die Kumanen herzu, um den Tod ihres Königs zu rächen, und nun geschah wirklich die Verbindung der Kumanen und Mongolen, welche früher nur der Volkswahn erzeugt hatte. Viele der Kumanen verliessen in der Folge (1242) mit den Mongolen Ungern; den Rest sammelte Bela IV. wieder in Bezirke, und unterordnete sie der Gerichtsbarkeit des Palatins [3]).

Unter Ladislaus, der seiner Vorliebe für Kumanen wegen Cumanus oder Kunus genannt wurde, entstanden neue Klagen über die Kumanen, dass sie noch immer unter Zelten lebten, dass sie, selbst noch Heiden, Christen als Sklaven hielten, ja sogar ermordeten, und ihre Besitzungen an sich rissen. — Ein päpstlicher Legat erschien, in dessen Hände sie den Eid leisten mussten, Christen zu werden, alles auf obige Kla-

[1]) Diess ist aus einem Dekrete Ladislaus IV. bekannt, welcher ihnen im Jahre 1279 die vom Bela IV. angewiesenen Sitze nach Stammgeschlechtern neuerdings zuwies. Siehe das Dekret bei Fejér Cod. dipl. V. II. p. 514.

[2]) Einiges Dunkel über diesen Hergang wird immer bleiben; doch dürfte sich nach Vergleichung der Nachrichten Roger's und der auswärtigen, namentlich österreichischen Chroniken mit dem Zusammenhange der Thatsachen damaliger Zeit obige Darstellung an die historische Wahrheit nähern.

[3]) Aus dieser Zeit scheint die jetzige Abtheilung Gross- und Kleinkumanien's im Wesentlichen erfolgt zu sein. Peter Horváth p. 53.

gen bezügliches zu meiden. — Die Anordnungen Bela's wurden bestätigt, und die Kunen, die vorher in Adelige (nobiles) und Bauern (rustici) zerfielen, alle für adelig mit der gleichen Kriegspflicht wie die nobiles regales servientes erklärt. Doch wurde ihnen das Abschneiden von Bart und Haaren und die Veränderung ihrer Tracht, worauf der Legat anfänglich gedrungen, erlassen [1]).

Ueber Alles sollten die Kumanen Geisseln stellen, und der König hatte das Recht und die Pflicht, im Falle der Nichterfüllung von Seite der Kumanen sie durch Gewalt der Waffen dazu zu zwingen.

Die Kumanen wollten jedoch, aller Versprechungen ungeachtet, nicht ihre nomadische Lebensweise aufgeben. Da auch König Ladislaus, statt die Kumanen zur Einhaltung des Vertrages zu zwingen, sie fortan begünstigte, so vereinigten sich mehrere Magnaten, den König selbst gefangen zu setzen. — Die Kumanen nahmen sich des Königs an, erhielten aber eine entscheidende Niederlage, in deren Folge viele zu den Mongolen flohen (1282) und nach drei Jahren mit ihnen wieder einfielen. Bis Pest drangen sie vor, wurden aber grösstentheils durch Hunger und Krankheiten aufgerieben. —

König Ladislaus selbst büsste endlich seine Vorliebe für die Kumanen mit seinem Leben (1290).

So waren die Kumanen, welche Anfangs zur Eroberung Ungerns beigetragen, und meist in den Sitzen der Attila'schen Hunnen Wohnplätze erhalten hatten, im dreizehnten Jahrhundert der Anlass zu vielfachem Unheil in Ungern. Die schnellen Fortschritte der Mongolen bei ihrem Einfalle und die denselben begleitenden Vor- und Nachwehen stehen damit verbunden in trauriger Erinnerung.

Im Jahre 1298 erscheinen die Kumanen zuerst auf dem Landtage, und von dieser Zeit an waren sie, obwohl gleich den Bissenen in der Folge meist unter dem Namen der Jászen oder Jazyger (Sagittarii, Jassones, Balistarii, Philistæi), muthige Vertheidiger des Landes und Vorfechter in den Schlachten. — Die Kumanen hiessen bei den Deutschen auch Falen, Falon, Falwen, Valwen u. s. w. [2]); von dem gothischen Wort Fala = Ebene (als Bewohner der Ebene). Von einigen wurden sie auch Parther genannt [3]).

Auch nach dem Aussterben der Arpaden blieben Kumanen und Jazyger in besondern Bezirken. König Sigmund bestätigte (1407) namentlich ihre Zollfreiheit durch's ganze Land und ihre eigene Gerichtsbarkeit. — In den Urkunden der Könige Ludwig's des Grossen, Sigmund's, Albert's, König Mathias Corvinus und Ludwig's II., worin sie deren früher erwähnte Einrichtungen und Vorrechte

---

[1]) Siehe die Dekrete bei Fejér V. II. p. 507—519.

[2]) Otto Freising VI. 10. Pecenati, et hi qui Falones dicuntur, crudis et immunis carnibus utpote equinis et catiris usque nunc vescuntur. Ottocar's Reimchronik bei Pez III. etc. nennt sie Valwen.

[3]) Heinrich de Lette p. 150. Fuerunt Tartari in terra Valvorum paganorum, qui Parthi a quibusdam dicuntur. —

bestätigten und erweiterten, gab es vier Bezirke oder Stühle, deren Hauptorte: Mizse, Kecskemét, Kolbász und Halász waren. Ausserdem werden noch mehrere Distriktsorte oder Niederlassungen genannt, als: Belén, Szállás (jetzt Jász-Berény) [1], Arok, Szombat, Jakab, Zank und Banta-Szállás u. s. w.

Fassen wir die Rechte der Kumanen und Jazyger zusammen, so bestanden sie in folgenden Hauptpunkten:

1. Sie bildeten besondere, adelige, zur königlichen Krone gehörige Bezirke, welche von der Gerichtsbarkeit des Komitats befreit, nur der Gerichtsbarkeit des Palatins und ihrer Kapitäne unterworfen waren. Der jedesmalige Reichspalatin führte daher nach einem Dekrete des Königs Mathias Corvinus vom Jahre 1485 den Titel: Graf und Richter der Kumanen (Comes et Judex Cumanorum). Derselbe hatte für seine Gerichtsbarkeit jährlich 3000 Goldgulden zu erhalten. Unter Leopold's I. Regierung erhielt der Palatin den Titel eines Grafen und Richters der Jazyger und Kumanen (Comes et Judex Jazygum et Cumanorum).

2. Ihre Pflichten bezogen sich bloss auf die Person des Königs. Sie hatten daher gleich den übrigen Adeligen die Pflicht zu insurgiren, d. i. im Falle des Krieges Felddienste zu leisten; sie mussten den Königszins (censum Regalem) und die Schützensteuer (proventus pharetrales) jährlich zahlen; sie waren jedoch vom Kammergewinn (lucrum Cameræ) und jeder andern Reichsabgabe, von Zoll, Dreissigstgebühr, Zehent u. s. w. befreit.

3. Sie besassen das Patronatsrecht über ihre Kirche, und hatten somit das Recht, ihre Pfarrer selbst zu erwählen.

Diese ihre Rechte waren seit dem sechzehnten Jahrhundert — ungeachtet mehrerer Bestätigungen und Erweiterungen — einige Male mit Beschränkungen bedroht. Zuerst im Jahre 1514, wo landtagsmässig beschlossen wurde, dass Kumanen und Philistäer, gleich den übrigen Colonisten und Bauern, Reichsabgaben und Zehent zu leisten hätten; dann im Jahre 1638, wo bestimmt wurde, dass sie gleich den Privilegirten der Stadt Szathmár-Németi zu allen Komitatsabgaben u. dgl. verpflichtet wären. Doch diese Landtagsartikel kamen nie zum Vollzuge.

Zur Zeit der Türkenherrschaft hatten die Kumanen und Jazyger schwere Lasten zu tragen, indem sie sowohl an die königliche Krone ihre schuldigen Abgaben, als auch Tribut an die Türken zahlten.

Das Wiederaufleben der Freiheiten und der Verfassung der Kumanen und Jazyger fällt in die folgende Periode.

[1]) Jász-Berény entstand als fünfter Bezirk zuerst nach Albrecht's Tode. — Jedem Stuhle war eine Anzahl Herbergen mit ihren Hauptleuten untergeordnet, und in den Octaven versammelten sich die Stuhlkapitäne, bald bei dem ersten, bald bei dem andern Stuhle, um ihrem Volke im Streite Recht zu sprechen.

§. 29.

b) Petschenegen, Patzinaciten oder Bissenen (Bessenyök, Pacinaci. Bisseni, Bessi) [1].

Bald nach den Kumanen kamen auch Bissenen (Bisseni). oder Petschenegen (Bessenyök), als die Macht dieses Volkes zu sinken begann. nach Ungern, und erhielten gastliche Aufnahme.

Die asiatischen Völker (Hunnen, Awaren, Petschenegen u. a.) beobachteten meistens die Vorsicht, bei neu eroberten Ländern sich in der Mitte festzusetzen, und die Gränzen ihres Landes, theils durch wüste Strecken und Verhaue. theils durch fremde (unterjochte oder eingewanderte) Bewohner zu decken: so machten es auch die Magyaren mit den Bissenen.

1. Die ersten Bissenen-Ankömmlinge waren an Deutschlands Gränze. nämlich am Neusiedlersee, angesiedelt, wohin Herzog Zolta eine nicht unbedeutende Zahl Bissenen (c. 944) verpflanzte [2]; unter Toxus kam

2. Thomizoba, von vornehmer bissenischer Abkunft. der Ahnherr des Geschlechtes Tomoy. welchem der Herzog ein Stück Land von Kemey bis zur Theiss anwies [3]. Thomizoba lebte noch zur Zeit der Christianisirung Ungerns unter König Stephan I.. blieb aber Heide: während sein Sohn Urkund Christ wurde.

3. Einige Jahre, nachdem Stephan der Heilige. sich in den Besitz Erdély's gesetzt hatte. machten die benachbarten Petschenegen (Bissenen) einen Einfall. sie wurden aber zurückgeschlagen (1000). Sechzig bemittelte Familien dieses Volkes, vom Ruhme König Stephan's angefeuert. verlangten und erhielten Aufnahme von diesem Könige. Als sie aber an der Gränze geplündert wurden. liess der König die Schuldigen paarweise an den Gränzorten zum warnenden Zeichen für ähnliche Uebelthäter und als Sicherheitspass für fernere Einwanderer, aufhängen [4].

---

[1]) Fejér sucht in aborig. et incunab. Magyarorum VII. p. 97 nachzuweisen, dass die Bissenen (Bisseni, Bessi) von den Petschenegen verschieden, und vielmehr mit den Calybes (Bysseri) der Alten und den Baskiren (Baskurt) der Neuern identisch, und die Wurzel Bas = Vas. d. i. Eisen seie, wornach Bissenen ein Eisenvolk bedeuten würde, da nebst andern Gründen auch die Araber ausdrücklich Baschkurt und Petschenegen unterscheiden. Allerdings scheidet selbst Anon. Belæ Picenatæ et Bisseni; allein später wurde von den Ungern Bisseni mit Pazinatæ identisch gebraucht, daher die Darstellung Fejér's wohl eine nähere Beachtung. als hier geschehen kann, verdient. jedoch auf die vorliegende Frage von geringem Einflusse ist.

[2]) In eodem confinio (ex parte Theutonicorum) usque ad pontem Gunzil, ultra lutum Musun (nachmals Fertö) collocavit etiam Bissenos non paucos habitare pro defensione regni sui etc. c. 57. Der Notar Bela's hat bei dieser Gränzbestimmung zwischen Ungern und Deutschland die Gränzen seiner Zeit im Sinne; daher, wie der ganze Zusammenhang zeigt. er auch die Pons Gunzil (Brücke über die Güns), die einst Gunzia. dann Kensi, jetzt im Deutschen Güns heisst. als Gränze zur Zeit Zolta's angibt, da sie doch damals bis zur Enns reichte.

[3]) Anon. c. 57. Dux vero Toesun genuit filium nomine Geysam, quintum Ducem Hungariæ. Et in eodem tempore de terra Bissenorum venit quidam miles, de ducali progenie, cuius nomen fuit Thomizoba. pater Ureund, a quo descendit genus Thomoy. Dieses Geschlecht erscheint urkundlich 1292: siehe Stephan Horváth über Stammgeschlecht. XXV.

[4]) Fama nominis eius (S. Stephani) in multas gentes divulgata, et judiciis oris eius. cum multa laude utique propalatis, sexaginta Bessi, quorum meminimus. cum universo apparatu suo. auri argentique copia

4. Kaiser Basilius hatte Bulgarien unter die griechische Oberhoheit gebracht (1019); sein Feldherr Diogenes auch die syrmische Provinz damit vereint. Die Petschenegen machten, begünstigt durch Niketas, den Befehlshaber von Belgrad mehrere Einfälle nach Ungern (1073). Jetzt erging das Aufgebot an die Ungern. Graf Iwor (Johann) mit dem Heerbann von Sopron (Oedenburg) setzte über die Save und lagerte vor Belgrad. Mit den Petschenegen, welche zum Entsatze heranzogen, kam es zum heftigen Kampfe, der mit der Niederlage und Flucht der letztern endigte. Der Rest wurde gefangen mitgeführt, und wahrscheinlich unter die bereits im Oedenburger Komitate befindlichen Petschenegen (Bissenen, Bessen) angesiedelt [1]. Dasselbe Chronikon Thurozii weiss auch im Allgemeinen Kunde von der Aufnahme der Bissenen unter Herzog Geisa, dem Könige Stephan den Heiligen und seinen Nachfolgern [2].

5. Zur Zeit des Streites zwischen dem König Salomo und Geisa I. (1074), erscheinen die Bissenen unfrei, aber unter einem eigenen Vorstande (princeps) in der Gegend um Wieselburg (Moson) und Pressburg [3]. Dass dieser Vorstand ein Graf (Comes) war, jedoch dem Palatin unterworfen, und dass die Bissenen, ungeachtet sie in dem Kampfe gegen Salomon besiegt wurden, doch in der Folge die Freiheit erhalten haben, sehen wir aus der Freiheitsurkunde, welche zur Zeit König Andreas II. (1222) der Palatin und Oedenburger Graf Jula in Folge der durch den Grafen Luca und bezüglich durch den Jobbagio Miko verletzten Freiheit, als Bestätigung ihrer alten Rechte den Bissenen zu Arpás ausstellte [4]. Miko, der sich schuldig bekannte, ward für sich und seine Nachkommen des Jobbagionen-Standes verlustig.

6. Auch an der Sitwa gab es Bissenen und zwar Udvornici [5]. Wir haben

---

et multifariis argumentis, curribus onustis e finibus suis egressi, ad regem venerunt. (Hartvicus in vita S. Stephani S. S. R. Hung. I. p. 421, Katona hist. crit. I. p. 272).

[1]) Græci igitur et Bulgari timentes, ex obsidione (Albæ Bulgaricæ) periculum sibi imineri, rogaverunt Byssenos per clandestinos nuncios, ut sine pavore veniant in adjutorium eorum: Bessi — — irruerunt super agmina Soproniensium, quorum rector erat comes Jon nomine. Hic autem insultus Bessorum viriliter et fortiter cum Soproniensibus superavit, plurimis eorum in ore gladii prostratis, residuis autem in captivitatem abductis. Chron. Thur. P. II. c. 150. Hieraus erhellt zugleich, dass Bysseni und Bessi identisch gebraucht wurde.

[2]) Chron. Thurocz P. II. c. 22.

[3]) A. a. O. P. II. c. 53. Eodem tempore Bisseni unanimiter rogavernet regem Geisam I. si eos libertate donaret, ipsi insultus regis Salamonis omnino coërcerent, ita quod nec auderet exire Moson et Poson ad tenendam Hungariam; Rex autem se petitioni eorum condescensurum promisit, si iqsi hoc, puod promiserint, ad implerent: Bisseni itaque cum principe eorum Zultan nomine equitaverunt super regem Salomonem.

[4]) Diese interessante Urkunde ist aus dem im Archive des St. Martinsklosters befindlichen Originale mitgetheilt in Fejér Cod. dipl. III. I. p. 362. Der Inhalt obiger Freiheiten war folgender: Quod revoluto semper tertio anno comiti eorum debent dare pro novitate sex pensas denariorum de mansua et duabus equis. Qui vero in expeditionem ire non potuerint, de quolibet equo sex pensas persolvent. Comes eorum non debet ire inter eos, nisi semel, quando fit de novo. — Curialis Comes debet sæpe per annum circuire, et causas, quæ referuntur, judicare. Cum comite eorum non debet ire, sed unus ex Jobbagionibus debet eum præcedere, et jura eius ostendere, super Jobbagiones eorum, qui per se possunt ire in exercitum. Curialis Comes non potest descendere.

[5]) A. a. O. I. p. 430 (Geisa I. Abbatiæ S. Benedicti 1075) dedi et aliam terram nomine Sikua (Sithua, — dedi etiam villam Byssenorum ad arandum, nomine Tazar super situa cum terra viginti aratorum. — Insuper dedi aliam villam Hudvordiensium Byssenorum ad arandum, super eandem aquam Sitova cum terra sexaginta duorum aratorum.

sogar Spuren, dass Bissenen Hofdienste versahen und nobilitirt wurden. Diess that Bela IV. (1265) mit mehreren Söhnen der Bissenen der Villa Padan, welche sich im Kriege auszeichneten, gegen weitere Kriegspflicht [1]).

Die Bissenen scheinen meist als Pfeilschützen (Jászok. Sagittarii [2]) im Kriege verwendet worden zu sein, und werden auch Proculcatores genannt [3]).

Endlich weisen uns die Namen vieler Orte auf das Dasein von Bissenen in den meisten Komitaten hin [4]), die auch urkundlich nachweisbar sind, nämlich:

Im Arader Komitate: Besenеu (Besenyö); im Bács-Bodroger: Besseny; im Báráнyer (Bela III. 1181): Becen (Bela IV, 1238), Bisseni in terra Narag; im Bárser: Villa Beschene (1209); Bihar: Abbatia de Bessenen. Ecclesia villa Besseneud; im Heveser: (Maria 1386) ad supplicationem Stephani Bisseni de Hord; im Komorner (1075): villam Byssenorum Hudvordiensium: im Neutraer (1075): villa Byssenorum nomine Tazzar super Sitoua; Pest-Pilis (1214): Boleslav Episc. Vaz. prædium contulit, quod est circa Budam Beseneu nomine. (1306): Possessiones in magna Insula existentes, videlicet Besseneö et Eörsziget vocatas (Csepel?); Posony: filii Bissenorum (Bela IV. 1265); Somogyer (Bela III 1193): villa Bissenorum (Ladisl II. 1291); Pincinaticorum villa; (Andreas II. 1221) Byssenos de Nagyhalom (1455) Bessenew Senth gewrgh (György); Szabolch: villa Beseneu; Syrmier (Bela IV. 1253): villicus de Beseneu: Tolna (1211): Besenyeu v. Besenető: Veröcze (1196): Bysseny et Hysmaëlitæ (in foro Ezek tributum solvant) [5]).

Auch in Siebenbürgen waren viele Bissenen: Andreas sagt 1224 im Freiheitsbrief für Hermannstadt: silvam Blacorum et Bissenorum contulimus: dahin deuten Bese im obern Weissenburger, mehrere Besenyö (Heidendorf), Besenyö patak im Kezder Stuhl, auch redet eine Urkunde (1324) von 80 mansiones liberorum Bijcenorum.

§. 30.

c) Jászen oder Jazyger (Sagittarii, Pharetrarii, Balistarii, Philistæi, Proculcatores), d. i. Bissenen, Szekler und Kumanen, auch Tataren (Ismaeliten) als Pfeilschützen und Steinschleuderer.

Der Namen Jász bedeutet im ungrischen so viel, als in der römischen Sprache Sagittarius, Pharetrarius. Arcitenens, d. i. einen Pfeilschützen [6]).

---

[1]) A. a. O. IV. III. p. 262: Tavernici nostri, qui filii Byssenorum dicuntur fideliter nobis servierunt: nos consideratis meritoriis vervitiis eorundem — — inter Regni nostri nobiles computentur et nobiscum et non aliquo exercitare teneantur.

[2]) In einer Urkunde König Andreas II. von 1225, welche das Oedenburger Komitat betrifft, heisst es: Juxta terram Sagittariorum (Diplomatarium Széchén Ms. Biblioth: Széchényano Regnicolaris T. I. p. 293). — In einer Urkunde Stephan V. von 1275: Quod sagittarios nostros, de comitatu Soproniensi. quos in consuetis libertatibus ipsorum conservantes, favore et gratia prosequi intendimus. Nach dem bereits Gesagten können hier wohl nur die Bissenen des Oedenburger Komitates genannt sein.

[3]) Raicsányi Tabul. Exc. Cam. Archivi Præfectus in Schediafmate a. 1757.

[4]) Siehe Fejér de abor. Magyar. p. 105 und Jerney János á Magyar társaság évkönyvei VIII. 1838 — 40 p. 144 — 184.

[5]) Sich den Cod. dipl. zu gedachten Jahren.

[6]) Ueber den ersten Satz sind alle Gelehrten einverstanden: Stephan Kapriani Hungaria Diplomatica temporibus Mathiæ de Hunyad II. p. 313, welcher zuerst nach Sabich obige Erklärung gab. G. Pray

Eben so ist hinlänglich bekannt, dass in den ungrischen Heeren Sagittarii waren, welche meistens die Schlacht eröffneten [1]).

Wollte man also den Ausdruck der Sagittarii in's Ungrische übersetzen, so könnte man füglich Jászok dafür substituiren.

Die weitere Frage jedoch ist: Von welchem Volksstamme waren diese Sagittarii oder Jászen? und sind die nachmals (zuerst in einer Urkunde Karl Robert's vom Jahre 1323) gesetzlich genannten: Jazones, Jazyges, Pharetrarii, Philistæi mit jenen Sagittarii der Urkunden des eilften und zwölften Jahrhunderts identisch, oder bilden sie eine eigene (allenfalls mit den alten sarmatischen Jazygern verwandte) Nation?

Dass unter den Sagittarii im Oedenburger Komitate Bissenen zu verstehen seien, ist bereits §. 29 gesagt. Dass die Sagittarii des Otto von Freisingen Bissenen und Szekler seien, welche im Jahre 1146, auf den Flügeln der ungrischen Schlachtreihen gegen die Oesterreicher standen, aber die Flucht ergriffen lehrt die Wiener Bilder-Chronik [2]). — Dieselbe Chronik [3]) bei der Erzählung des Krieges zwischen König Stephan II. und den Böhmen nennt Bissenen und Szekler als Sagittarios.

Dass die Sagittarii an der Waag (Sagittarii de Wagh), von welchen König Stephan V. (1272) einige adelte, Szekler, d. i. Gränzer waren, wird aus Vergleichung des Inhaltes mehrerer Urkunden wahrscheinlich.

König Bela IV. hatte die unfreien Szekler an der Waag (Siculi de Wagh), welche von ihren Grafen gedrückt wurden, dadurch von diesem Drucke befreit, dass er sie in die Zahl der hundert Bewaffneten, welche in jedem Kriegszuge dem Könige und Reiche dienen mussten, aufnahm, und ihnen hiemit die Freiheit schenkte. Da sie aber bei jeder Gelegenheit sich sehr auszeichneten, so setzte sie Bela den Servientibus regalibus gleich, wornach sie nicht in die Zahl der hundert Bewaffneten

---

Dissert. hist. crit. p. 122. Peter Horváth comentatio de initiis et maioribus Jazygum et Cumanorum p. 121. Stephan Horváth: Die Jászen, als magyarisch redende Nation und als Pfeilschützen §. 84 u. a. stimmen hierin überein.

[1]) Die Wiener Bilder-Chronik (Schwandtneri Script. rer. hung. I. p. 107) sagt von König Peter: Tandem milites eius omnes et Sagittarii sunt interemti, ipse vero vivus captus est et obcæcatus. — Otto von Freisingen (de gestis Frid. I. c. 30 — 32) bei dem Entsatze des von Oesterreichern besetzten Pressburger Schlosses im Jahre 1146 spricht von Sagittariis Oppido circumfusis; bei der nachfolgenden Schlacht zwischen Ungern und Oesterreichern bildeten die Pfeilschützen die Flügel: posito in capite duabus alis, in quibus sagittarii.

Auch im päpstlichen Briefe Innocenz III. vom Jahre 1212 (bei Stephan Baluzius II. 600 LXV. epist. 7) schreibt bezüglich der Gewaltthätigkeiten des Wesprimer Bischofs: Cogent insuper Regis Sagittarios et Bissenos. — Eine Urkunde von 1268 nennt Sagittarios de Hazugt (im Somogyer oder Szalader Comitate) u. s. w., Stephan V. nobilirte (1272) seine Sagittarios von der Waag: nos attendentes fidelitates et servitia Demetrii, Abraam, Mathey, Deme, Galli et Mikus sagittariorum nostrorum de Wagh — — in numerum Servientium regalium et cetum Nobilium Regni nostri, ex libertate regia duximus transferendos (Fejér Cod. dipl V. I. p. 184).

[2]) A. a. O. I. 145. Bisseni vero pessimi, et Siculi vilissimi omnes pariter fugerunt.

[3]) A. a. O. I. 139. Bohemi videntes Sagittarios venire, sine dubio sciverunt, veritatem esse, quod audierant. Qui impetum super Sagittarios fecerunt; Bisseni atque Siculi vilissimi usque ad castrum Regis absque vulnere fugerunt.

ferner gehörten, sondern als selbstständige bewaffnete Adelige (königliche Lehensleute) dem Könige Kriegsdienste leisteten [1]).

Die Sitze dieser Szekler sind näher bezeichnet in der Gränzbestimmung der Villa Baralath [2]), welche Bela 1256 den Nonnen von St. Clara zu Tyrnau bestätigte; zugleich kommt darin ein Magister Demetri vor, vermuthlich identisch mit Demetrius, einem der Sagittarii von der Waag, welche Stephan V. nobilitirte (1272).

Ob diese Siculi de Wagh, eigentliche Siebenbürger Szekler, oder vielmehr Bissenen waren, welche nur als Gränzer gegen Böhmen unter dem Namen Szekler vorkommen, so wie ein anderer Theil derselben zu dem Corps der königlichen Bogenschützen gehörte, und desshalb Sagittarii genannt wurden, ist schwer zu entscheiden; doch hat die letztere Ansicht mehr für sich, denn aus dem Ganzen erhellt, dass im dreizehnten Jahrhundert mit den Worten Sagittarii (nachmals Jassones, Philistæi) und Siculi (Székelek) nicht eine bestimmte Nation, sondern militärische Stände bezeichnet wurden.

Das folgende dient als weiterer Beleg.

Dass die Kumanen in der Führung von Bogen und Pfeilen vorzüglich geübt waren, ist bekannt [3]).

Als in der Folge unter Bela die Kumanen in Bezirke gesammelt, und unter Ladislaus die Kumanen als nobiles den servientibus regalibus gleichgestellt worden waren, scheinen auch mehrere derselben in das königliche Corps der Sagittarii (welche in einer Urkunde Karl I. von 1323 das erstemal mit dem ungrischen Ausdrucke Jassones bezeichnet wurden) getreten zu sein; denn zwischen Donau und Theiss, in den Hauptsitzen der Kumanen erscheinen in der Folge die Jassones, obgleich dort früher keine Erwähnung von Sagittariern urkundlich vorkommt.

Es dürfte sich also folgendes historisches Resultat über die Abkunft und Entstehung des Corps der Jazyger ergeben:

Die Sagittarii (Jászok) scheinen nach den vorhandenen historischen Spuren ursprünglich vorzüglich von den Bissenen genommen, und als Kriegsgefangene unfrei gewesen zu sein. Da sie sich aber theils als Gränzer (Siculi) an der Waag, theils in den Kriegen als Pfeilschützen (Jászok) auszeichneten, so wurden mehrere unter Bela IV. in das adelige königliche Corps der hundert Bewaffneten

---

1) Fejér Cod. dipl. IV. III. p. 547.

2) A. a. O. IV. II. p. 372. Apud Sumkerek sunt tres metæ, quarum una met est villæ Kulchvan; secunda est villæ Baralath, tertia meta est villæ Sumkerek; tendit inde versus villam Solmus et ibi sunt duæ metæ. Inde per rivum tendit ad magnam Sylvam versus Siculos; et ibi sunt tres metæ, versus occidentem: una meta pertinet ad villam Solmus, secunda meta ad villam Baralath, tertia pertinet ad Siculos; deinde tendit ad silvam magnam, et attingit villam Magistri Demetrii (Zbik).

3) Cumani arcu docti et sagitta (Alb. Aquens de Alexio Comneno L. IV. p. 253). Nach Hammer I. 17 Nota a), sind nebst Kumanen und Petschenegen, d.i. Verschwägerten (Bedschnak) auch die Jassyger oder Jaszen den türkischen Stämmen zuzuzählen, indem dieser Name augenscheinlich auf ihren alten Wohnsitz jenseits des Oxus auf die alte Stadt Jasz hinweist.

aufgenommen, und bald auch in die Zahl der für ihre Personn selbst Adeligen (nobiles servientes regales) versetzt.

Es gab unfreie und freie adelige Sagittarii oder Jazyger (ungrisch Jászok, mittelalterlich-lateinisch Jassones).

Die unadeligen Jazyger oder Pfeilschützen vermehrten sich durch Aufnahme von Freisassen, und waren in verschiedenen Orten des Reiches zerstreut. Ohne besondere Vorrechte und Bezirke in den Komitaten lebend, vermischten sie sich, nachdem die Schiesswaffe an die Stelle der Pfeile getreten, mit den übrigen Magyaren, und nur die Ortsnamen Jász, Lövö, Schützen, Pilis erinnern noch in Ungern an die einstigen zerstreuten Sitze der Jazyger (Sagittarii, Jászok, Philistæi). Die adeligen Jazyger lebten dagegen in besondern Bezirken mit besondern Vorrechten, gleich den Kumanen, und standen mit diesen unter dem Palatin (§. 29).

Auch ein Theil der adeligen Kumanen scheint sich dem königlichen adeligen Schützencorps eingereiht zu haben. Die Jazyger oder königliche Pfeilschützen waren also theils Bissenen, theils Szekler und Kumanen, und da eine Note zum Gesetze des heiligen Ladislaus (I. c. 9) die Ismaeliten mit Phislistæi und Saraceni erklärt, so ist wahrscheinlich, dass selbst Bulgaren unter den Pfeilschützen waren, so wie diess auch von Tataren nachweisbar ist (§. 34).

Die ungrischen Jazyger sind also Nachkommen des Corps der königlichen Pfeilschützen (Jászok), welche theils von Bissenen, theils von Szeklern, Kumanen, Bulgaren und selbst von Tataren abstammen [1]).

§. 31.

d) Szekler (Siculi).

Was die eigentlichen Szekler (Siculi) in Siebenbürgen betrifft, so waren dieselben Gränzer an der Südostmark dieses Landes, welche in Stuhlorten (Szekely) lebten, und daher wahrscheinlich Szekhelyek oder Szekler genannt wurden. Sie hatten

---

[1]) Die Jazyger (Sagittarii, Jaszok) werden in altungrischen Gesetzen seit dem eilften Jahrhundert auch Philistæi (alias Ismaëliti vel Saraceni) wahrscheinlich desshalb genannt, weil die heidnischen Bissenen und Kumanen abgeschorene kahle Köpfe (pilic fëj) trugen. Nach einer anderen Auslegung wurden die Heiden im Mittelalter Philister (Philistæi) genannt, und da ein Theil der Saracenen aus dem Philister-Lande kam, so mochte damals die Meinung entstanden sein, dass die Jazyger Nachkommen der Philister seien, welcher Meinung Stephan Horvath in neuerer Zeit literarische Geltung zu verschaffen suchte. Eine dritte Ansicht hält das Wort Philistæi mittelalterlich verderbt aus Balistæi: Armbrustschützen. Allein da der Gebrauch der Arcu-Balista in Ungern erst in's 14. Jahrhundert fällt, der Name Philistæi aber schon im eilften vorkommt, so ist diess unwahrscheinlich. — Der Gebrauch der Arcu-Balista (einer tragbaren mit einem Bogen versehenen Balista zum Pfeil- und Steinschleudern) entstand im zwölften Jahrhundert bei den Genuesern, sie spielte im dritten Kreuzzug eine wichtige Rolle. Die Engländer waren besonders darin geübt; Richard Löwenherz selbst fiel durch einen Pfeil eines Arcu-Balisten. In den Schlachten von Cressy, Poitiers und Azincourt war die Arcu-Balista für die Engländer entscheidend. Erst seit dieser Zeit (vierzehnten Jahrhundert), wurde sie in Frankreich und allmälig im übrigen Europa herrschend. — Sonach wird begreiflich, dass auch in Ungern erst seit dieser Zeit von Armbrustschützen (Balistarii) die Rede sein könnte; die Philistæi, kommen schon in Gesetzen des heiligen

sich gegen Tataren und Kumanen so sehr durch tapfere, treue Dienste, und durch Beistellung von Pferden [1]) Verdienste erworben, dass ihnen von König Stephan V. der Bezirk von Aranyos eingeräumt, von Ladislaus IV. aber 1289 bestätigt wurde [2]).

Es erübrigt hier noch die Hauptzüge der Verfassung der Szekler zu entwerfen. Aus dem angedeuteten Hauptzwecke der Szekler: die wichtige Gränzhut zu bilden, folgt ihre Eintheilung in drei Classen: (Siculi trium generum) primores (fö Népek, Elsök), primipili (Lófök, Lovasok) und pyxidarii v. plebei (gyalogok).

Ursprünglich waren zwar nur zwei Standesabtheilungen: Reiter (Lófök), vermuthlich Ungern, und Fussgänger (gyalogok), wahrscheinlich ein Gemische verschiedener nicht ungrischer Einwohner: Wlachen, Slaven, Petschenegen u. a., die sich allmälig magyarisirten. Als aber das Land als Mark organisirt wurde; so war, wie in den deutschen Marken, auch hier eine strenge militärische Leitung und Abstufung nothwendig; daher noch die primores als dritter Stand, als hoher Adel vermuthlich aus den Nachkommen der Führer der einzelnen Stühle (Szék) sich ausschieden. Aber auch die übrigen Stände mussten bei dem wichtigen Zwecke der Gränzvertheidigung an Ansehen und Freiheit gewinnen; daher alle Szekler als Adelige (Nobiles) betrachtet und steuerfrei waren. Ihr Land war in Stühle eingetheilt, Udvarhely der Hauptort. An der Spitze der Szekler stand ein vom Könige ernannter Graf. Eigene Gesetzgebung und Wahl der Beamten sind die Grundlage ihrer Municipalverfassung [3]).

Die sechs Stammgeschlechter der Szekler heissen: Adorján, Megyes, Jenö, Halom, Zabrán und Orlötz [4]).

Die Szekler Grafen waren häufig zugleich Grafen über Bistritz, manchmal auch über Klausenburg, Mediasch und Kronstadt, dann selbst über Csanád. Daraus erklärt sich auch der Ausdruck: Comes trium generum Siculorum, und comes: Csanadiensium, Bistricziensium et de Megyes [5]). Als später Kronstadt und Bistritz mit Hermannstadt

---

Ladislaus (Decr. I. c. 9) vor. Der Name Jassones für Sagittarii erscheint erst seit dem vierzehnten Jahrhundert. Dass dieselben aber keine Ueberbleibsel der pannonisch-dacischen Jazyger, oder der sarmatischen Jazyges seien, ist offenbar, da die letztern fast tausend Jahre zuvor, als jene das erste Mal wieder urkundlich genannt werden, von Ungern's Boden mit den Sarmaten und Sueven hinweggezogen waren. — Wenn sich aber auch ein Rest erhalten hätte, wie sollte nicht in einem so langen Zeitraume davon irgend eine Erwähnung geschehen sein.

[1]) Nach Stephan von Horváth nannten sich die Szekler selbst Lófejü d. i: Pferdemelker (ἱππημολγοί).

[2]) Fejér Cod. dipl. V. III. p. 452. Eder observationes criticæ. p. 20. Terram castri nostri de Thorda, Aranyos, vel etiam iuxta fluvios Aranyos et Maros existentem, quam primo dominus Rex Stephanus eisdem Siculis contulerat, prædictis Siculis — in recompensationem fidelium servitiorum ipsorum Siculorum, et pro 80 equis, quos ab eisdem Siculis in necessitate nostra recepimus — dedimus et contulimus et etiam tradidimus jure perpetuo irrevocabiliter possidendam.

[3]) Benkö Imago 33. Milkov I. 59. — Kovachich p. 55. Min. II. 387. — Schuller Geschichte von Siebenbürgen Hft. I. §. 43. — Kállay Székely nemzet. 1829.

[4]) Script. rer. Hung. T. I. p. 339.

[5]) Fejér VII. II. p. 72. VIII. IV. p. 222, 400 und 449. — Vergl. Siebenb. Quartalschr. VI. 321. — Eder ad Sches p. 64 und p. 226. — Eder ad Felm p. 35, 210, 234.

13 *

vereinigt wurden [1]), waren gewöhnlich die Wojwoden zugleich auch Grafen der Szekler; daher behielten auch die Nachfolger der Wojwoden, nämlich die nach der Trennung Siebenbürgen's von Ungern unabhängigen Fürsten, die Benennung als Szekler Grafen in ihrem Titel, dadurch aber hat die Grafenwürde der Szekler aufgehört, ein besonderes Amt zu sein.

Bei den siebenbürgischen Landtagen, welche zur Schlichtung der Angelegenheiten Siebenbürgens gehalten wurden, nahmen die Szekler nebst den Ungern und Sachsen ebenfalls Theil. Ausdrücklich wird diess zuerst erwähnt bei dem siebenbürgischen Landtage, welcher unter Karl I. abgehalten wurde [2]). — Unter Sigmund erfolgte eine zahlreiche Auswanderung der Szekler aus den Csiker und Kezdier Stühlen in die Moldau, wo der Wojwode Alexander der Gute zur Vermehrung der Bevölkerung (nebst Sachsen, Armeniern und Zigeunern) mehrere Tausende von Szeklern in den Bezirken Bakow und Szeret, dann an der Moldau und am Pruth, namentlich in den Orten Herlo, Karacönkó, Jaszy, Sucsawa, Takucz, Tatros und Vazlu ansiedelte. Sie trafen daselbst bereits Magyaren, welche wahrscheinlich seit dem neunten Jahrhunderte in Atelkuzu (der nachmaligen Moldau) zurückgeblieben waren, und wurden gleich diesen mit dem Namen Csangó-Magyarok (unechte Magyaren) bezeichnet [3]).

Der durch die Türkengefahr herbeigeführten Union vom Jahre 1437, welche mehrmals erneuert und bekräftigt wurde (vorzüglich 1459, 1545), waren die Szekler, als wackere Mitkämpen, und als eine der drei recipirten Nationen Siebenbürgens, beigetreten [4]).

Sie bewährten dabei den alten Ruhm, welchen sie in den Kämpfen gegen die Petschenegen, Kumanen, Tataren und Walachen erworben, und mit ihrem Blute verdient hatten [5]).

Auch ihre alte Kriegsverfassung und Eintheilung in Stühle wurde im wesentlichen selbst nach der Trennung von Ungern (1526 — 1538) unter ihren siebenbürgischen Landesfürsten beibehalten [6]).

Da die Szekler zugleich in Ungern als Gränzer dienten, so dürften am füglichsten sich hier einige Bemerkungen über die Gränzwächter (Speculatores, Eör, Ör) anreihen. Die Bewachung der Gränze, namentlich gegen Deutschland, wurde eigenen Gränzern anvertraut, welche manchmal adelige Vorrechte besassen. Bereits die Könige Bela IV., Stephan V. und Ladislaus III. ertheilten den Gränzern zu Ober- und

---

[1]) Die Bistritzer wurden erst 1334 von der Wojwodal-Gerichtsbarkeit befreit. Eder ad Sches. p. 226. ad Felm p. 34.

[2]) Cod. dipl. X. III. 288.

[3]) Fessler IV. S. 1011 etc. nach einem handschriftl. Aufsatz von 1693, und nach der Notitia de rebus Hung., qui in Moldavia et ultra degunt, a Petro Zöld Parocho Csik-Delmensi (in Joh. Molnár: Magyar könyvház III. B. p. 114 etc., und Deutsch im Ung. Magazin III. B. S. 90 etc.

[4]) Joseph Bedeus von Scharberg: die Verfassung des Grossfürstenthum's Siebenbürgen. Wien 1844.

[5]) Die ungrische Chronik vom Jahre 1345 und 1346, und vom Jahre 1356 etc., vergl. Chronik Dubnicense. Wiener Jahrbuch der Lit. 1826 Nr. XXXIV. p. 7 — 8.

[6]) Siehe Székely nemzet Constitut. Pesten 1818.

Unter-Warth (F. und A. Eör), zwischen Güssing (Németujvár) und Bernstein (Borostyánkö), im Eisenburger Komitate, welche Karl Robert (1327) bestätigte [1]. Hiernach lebten dieselben unter einem Kapitän, welcher dem Stande der Adeligen (nobilium Servientium regalium) angehörte und den Titel: „Eörnagysägh" führte. Derselbe sollte die durch die Zeitverhältnisse zerstreut gewordenen Gränzwächter in einem eigenen Bezirke sammeln, und das Institut der Gränzwächter in ihren Freiheiten und Besitzungen aufrecht erhalten und schützen. — Rudolph II. bestätigte (1582) ebenfalls ihre Privilegien [2], unter deren Schutz sie auch — während der Türken-Herrschaft und mitten unter Deutschen sich als ungrische Sprachinsel erhielten.

§. 32.

e) Chazaren [3] (Kozar).

Bei Gelegenheit der Einwanderung der Ungern wurden nicht nur von dem grossen chazarischen Reiche (im heutigen Südrussland) Andeutungen gegeben, sondern es ward auch erwähnt, dass nach dem Anonymus, zwischen der Theiss und Maros chazarische Stämme (gentes Kozar) sassen. In dieser Periode finden wir keine weitern Spuren von besondern chazarischen Bewohnern, sie scheinen daher früh sich den Ungern in Sprache und Sitte angeschlossen zu haben. Dass übrigens einzelne chazarische Orte auch in andern Theilen des Reiches bestanden, dafür dürften die noch bestehenden Namen der Dörfer Chazar und Kozar am Nordabhange der Matra, dann der Markt Ráczkozar und das Dorf Kozar im Baranyer Komitat u. a. sprechen.

§. 33.

f) Ismaeliten (Bulgari, Baskiri), Tataren (Chwalissi, Besermeni).

Unter Ismaeliten sind Bekenner des Islams verschiedener Nationen zu verstehen. Die erste Spur von denselben ist aus der Zeit Herzog Toxus. Aus Bulgarien (de terra Bular) kamen zwei vornehme Herren Bila und Bocsu mit einer Menge Ismaeliten, welchen der Herzog verschiedene Orte in Ungern anwies, überdiess ihnen auch die Burg (vár, castrum) Pest übergab. Um eben diese Zeit kam von derselben Gegend ein anderer vornehmer Krieger Namens Heten, welchem der Herzog nicht unbeträchtliche Ländereien schenkte [4].

---

[1]) Cod. dipl. VIII. III. p. 178 — 180.

[2]) Fényes Magyar ország 1. 353 l.) — Auf den alten Ursprung der magyarischen Bewohner von Ober- und Unter-Warth deutet auch der Umstand, dass die meisten Familiennamen Taufnamen sind, z. B. Adám, Adorjan, Albert, Androskó, Balás, Bertha, Bertók, Fábián, Fülöp, Gál, Imre, Kazmér, Miklós, Orbán, Pál, Pongrácz etc., da bis zum dreizehnten Jahrhunderte besondere Familiennamen selten vorkommen, sondern der Vorname des Vaters oder die Generatio (das Stammgeschlecht) als nähere Bezeichnung gegeben wurden.

[3]) Nähere Angaben über das interessante Volk der Chazaren (ausserhalb Ungern), enthalten die bekannten bezüglichen Abhandlungen von Frähn (Petersburg 1822), d' Osson (Paris 1828), und Dorn (Petersburg 1843); dann Doctor Gustaf Wenzels M. S. über die Chazaren.

[4]) Anon. Belæ cap. 57.

Auch unter dem heiligen Stephan und unter andern Königen kamen Ismaeliten oder Bulgaren nach Ungern [1]).

Mit diesen einheimischen Nachrichten stimmt Jakut [2]) überein, welcher im dreizehnten Jahrhundert zu Aleppo mit mehreren Ismaeliten (Baschkuren aus Ungern) mohamedanisches Recht studierte, und aus deren Munde erfuhr, dass einst sieben Mohamedaner aus Bulgarien nach Ungern gekommen, dort die Baschkurden im Islam unterrichteten, so dass dieselben noch im dreizehnten Jahrhundert dreissig Gemeinden daselbst ausmachten.

Dass auch Tataren unter den Ismaeliten waren, sehen wir aus dem Bericht Julians an den päpstlichen Legaten Bischof von Perugia: Relatum est enim a pluribus. quod Tartari prius inhabitabant terram, quam Cumani nunc inhabitari dicuntur, in veritate filii ysmahel, inde ysmahelite, volunt nunc Tartari appellari [3]).

In den ungrischen Gesetzen geschieht der Ismaeliten mehrfach Erwähnung.

Zur Zeit Ladislaus mussten viele von ihnen schon zum Christenthume aber nicht aufrichtigen Herzens übergegangen sein, denn er verordnet: Nur tadellose christliche Ismaeliten dürfen sich ansässig machen; Ismaeliten-Kaufleute, welche nach empfangener Taufe zu ihrem alten Glauben zurückkehren, sollen von ihren Gemeinden getrennt, und in andere (christliche) Orte versetzt werden [4]). Auch König Kolomann erliess verschärfte Anordnungen gegen die ismaelitischen Religionsgebräuche. In jeder ismaelitischen Gemeinde (villa) soll eine Kirche auf deren Kosten erbaut werden, und entweder alle nach christlicher Sitte leben, oder die Hälfte auswandern und sich ausserhalb des Ortes ansiedeln. Die Töchter der Ismaeliten dürfen nur an Christen sich vereheligen. Wenn ein Ismaelit Gäste hat, darf er ihnen nur Schweinfleisch aufsetzen, und selbst nur solches essen. Wenn ein Ismaelit über Ent-

---

[1]) Chron. Thurocz P. II. c. 22. Von russischen Annalen werden die Bulgaren auch Chwalissi und Besermeni genannt.

[2]) Der interessante Bericht (bei Frähn de Baschkiris Exe p. 7 — 8 lautet: „Ego vero offendi in urbe Haleb magno numero genus hominum. qui Baschgurdi audiebant, crinibus et facie valde rubicundis erant, et scientiæ juris sacri iuxta ritum Abn-Hanifæ operam dabant. Eorum aliquis, quem adieram, de ipsorum patria rebusque percontanti mihi respondit: Terra nostra ultra Constantinopolim jacet in regno alicuius nationis franciciæ (Europeæ) cui nomen Hungarorum est. Nos, Muhamedani sacra profitentes, eorum regi subditi in tractu regni eius quodam triginta admodum incolimus pagos, quorum quisque, etiamsi parum absit, quia oppidulum referat, rex tamen Hungarorum metu, ne ipsius detrectemus imperium, nullum eorum muris sæpiri vetat. Sciscitandi mihi causam, cur licet in mediis infidelium terris constituti Islamismum profiterentur, respondit: Multos patrum nostrorum audivi narrantes, diu supra hanc memoriam septem Muhamedanos a Bulgaria (Asiae) in terram nostram (Hungariam) venisse, interque nos sede fixa amice blandeque agendo nos docuisse, nobis errores, quibus tenebamur, demonstrasse, et ad veram Islamismi cognitionem nos duxisse." — Dass unter Bulgaria, woraus die Ismaeliten kamen, das asiatische Bulgarien an der Wolga zu verstehen seie, ist sicher, denn im mösischen Bulgarien war damals (im dreizehnten Jahrhundert) kein Islam. Jene Baskurden scheinen aber Bissenen zu sein, denn von besonderer Einwanderung der Baskurden ist sonst keine Spur bekannt.

[3]) Hormayers Chron. von Hohenschwangau II. Thl. Die Mongolenfluth.

[4]) S. Ladislai Decr. IV. I. c. 9. In der Note d) steht: alias Philitæi aut Saraceni dicti.

haltung des Schweinfleisches, oder über Uebung eines islamischen Gebrauches entdeckt wird, der soll dem Könige angezeigt werden [1]).

Unter Andreas II., der meist geldbedürftig war, waren Ismaeliten und Juden zu Aemtern, und dadurch zum Adel gelangt. In der goldenen Bulle (1222) ward festgesetzt, dass dieselben künftighin weder zur Würde eines Kammergrafen der königlichen Münze, noch zu der eines Salz- oder Steuerpächters, womit der Adel verknüpft war, gelangen sollten [2]). Weil aber diese Bedingungen nicht erfüllt, und Ismaeliten, bereichert durch den ungerechten Besitz geistlicher Güter, sogar von der Zahlung der Summen befreit wurden, welche sie als Unfreie der Königin zu entrichten hatten, da ihnen sogar Vorzüge vor Christen eingeräumt, und hiedurch Christen zum Islam überzutreten bewogen worden sein sollten, so wurden mehrere Räthe des Königs mit dem Banne, Ungern aber mit dem Interdikte belegt [3]). — Die Ismaeliten verbreiteten aber ungeachtet dieser Gesetze ihre Lehren, so dass im Jahre 1290 Papst Nicolaus zu den Kumanen und Ismaeliten einen eigenen Legaten sandte, um die saracenische Irrlehre zu unterdrücken.

§. 34.

g) Tataren oder Mongolen (Tartari) und Nogayer (Neugerii).

Die Tataren und Neugerier reihen sich einerseits hinsichtlich der Einwanderungsgeschichte den Kumanen, andererseits ein Theil derselben hinsichtlich der Religion den Ismaeliten an. Es würde uns zu weit führen, die Geschichte des Mongolen-Einfalls in Ungern zu erzählen, und wir dürfen denselben als bekannt voraussetzen. — Kaum waren die Wunden, welche der erste Einfall dem ungrischen Reiche schlug, durch König Bela's energische Massregeln zum Theile geheilt (1242—1284), als ein neuer Einbruch der Mongolen Ungern mit neuer Gefahr bedrohte.

Die aus diesem Reiche gewichenen Horden nebst demjenigen Theile der Kumanen, welcher denselben sich angeschlossen hatte, wohnten in dem frühern grossen Kumanenlande (Moldau und Walachei), nebst dahin geflüchteten Walachen, unter der Herrschaft Nogay's, einem Enkel Tschingis Chans, und wurden daher auch Nogayer oder Neugerier, gleichsam Nogay's Unterthanen genannt [4]). — Ladislaus, obwohl er gegen diese Kumanen gekämpft, blieb ihnen doch im Herzen zugethan, und gönnte ihnen viel Einfluss, daher der Papst wiederholte Ermahnungen an den König erliess, und sogar einen Legaten sendete, um ihn von der Gesellschaft der heidnischen Tata-

---

[1]) Colomanni Reg. decr. L. I. c. 46 — 49.

[2]) Andreæ II. Decr. 1222 (bulla aurea Art. 24).

[3]) Fejér Cod. dipl. III. II. p. 295 — 299, 311 — 314. — Aus Thurocz (II. c. 45) erfahren wir, dass Bela I. die Preise der nothwendigsten Lebensmittel einer öffentlichen Versteigerung unterworfen und die Märkte auf die Samstage verlegt hatte, um wucherische Juden und Agarener (Ismaeliten) von denselben abzuhalten.

[4]) Siehe Fessler Geschichte von Ungern Bd. II. Seite 669 — 681. Freiherr von Hammer: die goldene Horde in Kiptschak. Seite 263 und 264.

ren, Saracenen und Neugerier abzubringen. Dafür, dass unter Nogay's Leuten (Nogay v. Neugerii) nicht nur Tataren, sondern auch ismaelitische oder heidnische Kumanen verstanden werden, spricht offenbar die Vergleichung einheimischer Chroniken mit urkundlichen Angaben. So sagt Thurocz [1]) von des Königs Unterhaltung: Cumanice et non catholice conversabatur; — ein päpstlicher Brief: Sumpta norma nefaria specialiter vivendi cum Neugeriis; daher werden auch die Kumanen, welche Ladislaus so sehr bevorzugte, und selbst „nostri Cumani" nannte „sui Neugarii" genannt. Dass einige dieser Kumanen oder Nogayer auch Saracenen, d. i. Mohamedaner (Ismaeliten) waren, zeigt das Chronicon Budense in der Erzählung über die Rache, die der Palatin Myze, ein katholischer Kumanen, früher Saracene, wegen Ladislaus Ermordung nahm [2]).

Aus dem geschichtlichen Zusammenhange sieht man, dass Neugerii bald in einem weitern Sinn für Nogay's Leute genommen wurden, worunter man nebst Tataren (Mongolen) auch Kumanen, Ismaeliten und selbst Walachen [3]) verstand; bald in einem engern Sinn, worunter man nur die bei dem letzten Einfalle zurück gebliebenen kumanischen Anhänger Nogay's (Neugerii), welche sich zu den Lieblingen des Königs emporschwangen, bezeichnete [4]). Es erübrigt noch zu zeigen, dass die Tataren, obwohl sie zugleich und in gleichen Bezirken, wie die Kumanen angesiedelt wurden, jedoch von den Kumanen hinsichtlich der Sprache und Abstammung verschieden, erst allmälig mit ihnen verschmolzen [5]).

Die ältere Meinung ging dahin, dass die Kumanen bei ihrer Einwanderung tatarisch sprachen. Allein ein genügender Gegenbeweis liegt in dem Umstande, dass der, an Bela gerichtete, in tatarischer Sprache geschriebene Brief, worin er zur Unterwerfung unter die mongolische Herrschaft aufgefordert wurde, von dem ungrischen König in seinem ganzen Reiche, wo so viele Kumanen lebten, herumgesendet wurde, ohne dass ihn Jemand lesen konnte. Ueberdiess wissen wir durch ausdrückliche Zeugnisse der Zeitgenossen, dass die Kumanen bei ihrer Einwanderung die bissenische Sprache redeten [6]). Auch aus dem Umstande, dass die Kumanen das

---

[1]) Thurocz II. c. 80.

[2]) Chron. Bud. edit. Podhradczkyana p. 210. Myze Palatinus, olim Saracenus.

[3]) Engel in seiner Geschichte der Bulgaren Seite 433, spricht die Ansicht aus, dass die Neugerii der päpstlichen Breven, welche darin auch Heretici genannt werden, insbesondere auf die in Ungern aufgenommenen Walachen sich beziehe.

[4]) In diesem Sinn werden in einer päpstlichen Bulle Honorius an König Ladislaus (1287) die Tataren, Saracenen und Neugerier besonders genannt: „Te cum, Tataris, Saracenis, Neugeriis paganis conversatione damnata confoederare."

[5]) Wir folgen in den erwähnten Punkten der verdienstlichen Abhandlung Herrn von Jerney's im Tudománytar. II. März und April 1842.

[6]) Planus Carpinus in seinem Briefe an Papst Innocenz IV. cap. V. sagt: „hy (Bisermini) erant Saraceni, et Comanicam loquebantur." (Cod. IV. I. 426), eben so dessen Begleiter Frater Ascellinus in seiner Relation c. 24. Porro de terra Kangittarum intravimus terram Biserminorum, qui loquuntur linqua Comanica, sed legem tenent Saracenorum. Ihre Sitze waren südlich von Kumanien bis zu den Arabern in Asien ausgebreitet. — Comania aber reichte von Ungern bis zum Jaik (Ural).

Ungrische ganz rein seit Jahrhunderten sprechen, gibt das Zeugniss, dass sie eine dem Sprachbaue und Wesen des Ungrischen sehr verwandte Mundart geredet haben. Während selbst die jetzige türkische Sprache nicht nur in einzelnen Wörtern, sondern im ganzen Sprachbaue im Wesentlichen mit dem Ungrischen übereinkömmt, so ist dagegen die tatarische in beiderlei Hinsicht von der ungrischen gänzlich verschieden. Man will zwar das in Kumanien (Kunság) aufgefundene, in tatarischer Sprache abgefasste Vaterunser als Gegenbeweis unserer Ansicht aufstellen, allein dasselbe rührt nicht von den Kumanen, sondern in der That von den Tataren her, welche in den Kumanerbezirken angesiedelt wurden. Schon in Urkunden des dreizehnten und fünfzehnten Jahrhunderts kommen Tatari et Cumani häufig miteinander vor. Mehrere Ortschaften trugen bis in's vorige Jahrhundert noch den Beinamen Tatar zur Erinnerung an den tatarischen Ursprung; in manchen Orten waren auch noch zu Ende des sechzehnten Jahrhunderts die Tataren von Kumanen in Sprache und Sitten unterschieden.

Dass die in Ungern angesiedelten Tataren von den Kumanen unterschieden allmählig mit ihnen verschmolzen, beweisen folgende Stellen:

1. Der päpstliche Nuntius, bei Mathias Corvinus befindlich, schreibt (1480):

Es wohnen in einigen Bezirken des Reiches Tataren, welche ihren eigenen Glauben halten und Kumanen genannt werden, und in ihrem Bezirke angesiedelt zahlen sie dem König einen jährlichen Pachtzins [1]).

2. Tatár Szent Miklós, jetzt durch Umschmelzung Kun Szent Miklós in Klein-Kumanien, kommt in Urkunden 1557—1571 vor.

3. Tatár-Vidéke, Tatár-Szállás in Gross-Kumanien wird noch in der Cameral-Conscription von 1572 erwähnt.

4. Scheich Ali schreibt (1588):

Das Volk — bekannt unter dem Namen „Madschar," unter welchem in den der Stadt Budun zugehörigen umliegenden Dörfern sich viele finden, welche der Kleidung und Sitte nach Tataren sind, und ein Theil auch tatarisch spricht [2]).

5. Ein Tatár Telek erscheint in einer Urkunde von 1715 (jetzt Tatár Szallás, am Zusammenflusse der drei Körös, eine Puszte im Békeser Komitat), ein anderes

6. Tatár Szállás wird in einer Donation im Jahre 1736 an Graf Haruker (zwischen Oesad, Szarvas und Baboczka, damals ein Theil von Gross-Kumanien) erwähnt.

7. Tatár Sz. György und Mizse [3]), beide bei Kun Sz. Miklós, erscheinen ebenfalls in Urkunden des sechzehnten Jahrhunderts von Tataren bewohnt.

---

[1]) Kovachich: II. 16. „Habitant in aliqua parte Dominii Regni Tartari, qui propriam fidem servant, et vocantur Comani, et in sua Regione manentes solvunt omni anno quoddam locarium Regi.

[2]) Frähn de Chazaris exc. ex Script. Arab. I. p. 44: Natio-nota sub nomine Madschar, inter quos in pagis dispersis teritorii urbis Budun multi reperiuntur, qui habitu, cultuque tartarorum sunt, et pars linquam eorum loquitur.

[3]) Dieser Ort hatte seinen Namen von dem Palatin Mizse, welcher zur Zeit des Königs Ladislaus Cumanus diese Würde bekleidete.

8. Der Tradition nach bestand auch früher in Örkény eine tatarische Niederlassung [1]).

Schlüsslich ist zu bemerken, dass in Klein-Kumanien manche Orte existiren, welche, obgleich ihre Bewohner, die Kumanen, gleich den übrigen ungrisch sprechen, dennoch keine ungrischen Namen führen, sondern solche, die tatarisch zu lauten scheinen; z. B. Belker, Horkany, Bodoglar, Kedahonka u. s. w.

§. 35.

h) Osmanen (Türken).

Der Ursprung der Türken, so wie jener der meisten Völker, ist in Dunkel gehüllt [2]).

Der Stammvater Türk, von dem sie sich selbst ableiten, ist allem Anscheine nach der Targitaos (Targ = Türk) Herodots und der Togharma der h. Schrift. Tatarische und mongolische Geschichtschreiber glaubten ihr Volk durch die Abstammung von Tatar und Mogol, den angeblichen Brüdern, Nachkommen Türk's, des Sohnes Japhet's, im siebenten Geschlechte, zu adeln, während die Osmanen, wirkliche Türken, sich durch diesen Namen heute entadelt wähnen, weil sie darunter nur herumstreifende Horden oder barbarische Völker verstehen. Uebrigens kannten schon Plinius und Pomponius Mela dem Namen nach die Türken. Die Byzantiner nannten sie bald Perser, bald Ungern; hiezu nicht durch die geringste Verwandtschaft weder der Perser mit den Türken, noch der Ungern mit den Persern berechtiget. Chalchondylas ist unschlüssig zwischen der Abstammung der Türken von Scythen oder Parthern. Paolo Giovanni, der Geschichtschreiber Karl V. zweifelt nicht, dass dieselben Tataren von der Wolga seien und noch vor nicht Langem ist der Ursprung des Namens Turk vom Flusse Terek abgeleitet worden.

Das Vaterland der Türken ist Turkistan (Turan). Die Uiguren, d. i. die östlichen Türken sind nicht zu verwechseln mit den Uguren der Byzantiner. Die Sprache der Uiguren ist das reinste und älteste Türkische.

Die uigurische Sprache, von den Osmanen selbst auch die alttürkische genannt, ist die ältere Schwester der seldschukischen, welche in der Folge sich als osmanische ausbildete und die heutige neutürkische ist.

Zu Anfang des vierzehnten Jahrhunderts unterwarf sich Osman oder Ottman, turkmanischer Beg von Karadschahissar, mehrere türkische Stämme und gründete das osmanische Reich in Vorder-Asien. Sein Sohn Urchan errichtete ein neues Fussvolk, die Janitscharen, deren Name bald gefürchtet wurde. Murad I. setzte bereits über den Hellespont und schlug seine Residenz in Adrianopel auf (1365). Sultan Bajazeth oder Bajesid unterwarf die Bulgarei, die Walachei und Moldau der osmanischen Oberhoheit.

---

[1]) Horvath de initiis ac majoribus Jazygum et Cumanorum p. 85.

[2]) Auszug aus Freiherrn von Hammer's Geschichte des osmanischen Reiches. I. B. S. 1—4. — Vergl. Schlötzer's historisch-kritische Nebenstunden.

Ungern bildete über ein Jahrhundert eine Vormauer gegen den Islam; obwohl die ungrischen Könige Sigismund bei Nicopolis in Bulgarien (1395) und Wladislaw I. bei Warna (1444) unglücklich fochten und der Letztere auch sein Leben einbüsste. — Die Siege des ungrischen Gubernators Johann Hunyad und die Thaten Skanderbeg's (Georg Kastriota), Fürsten von Epirus, hatten zwar diese Länder von der Herrschaft des Halbmondes zunächst gerettet; doch konnten sie den Fall von Konstantinopel (19. Mai 1453) nicht verhindern, wodurch die Osmanen bleibend in Europa festen Fuss fassten.

Auch Mathias Corvinus und seine heldenmüthigen Feldherren, namentlich Paul Kinisi, waren glücklich gegen die Türken und hatten zum Theile auch Bosnien, Serbien, Moldau und Walachei befreit. — Allein bei der Schwäche der Jagellonen auf dem ungrischen Throne, bei der Uneinigkeit der ungrischen Parteien und der Herrschsucht ihrer Führer, konnten — ungeachtet zahlreicher Reichstage — die siegreichen Fortschritte des gewaltigen Sultan Suleiman II. nicht mehr gehemmt werden.

Da die osmanische Herrschaft über den grössten Theil Ungerns durch mehr als 150 Jahre währte, und die allmälige Ausbreitung und Niederlassung derselben einen Bestandtheil des historisch - ethnographischen Bildes ausmacht, so folgt hier eine: Chronologische Uebersicht der allmäligen Vor- und Rückschritte der osmanischen Eroberungen in Ungern, Kroatien, Slavonien, Dalmatien und Siebenbürgen.

1521. I. Zug Suleiman's nach Ungern.
Eroberung von Sabacz (8. Juli) und Belgrad (29. August), in Folge dessen fielen auch die syrmischen Schlösser Kulpenis, Baridsch, Perkas, Slankamen, Mitroviez, Karloviez und Üllok in die Hände der Türken.
Verpflanzung der Bulgaren Belgrad's nach Konstantinopel (Dorf Belgrad).
Niedersäblung der ungrischen Besatzung von Belgrad.
Herstellung Belgrad's durch 20.000 Walachen.
Vorfälle in Syrmien, Slavonien, Kroatien und Dalmatien 1522—1526:

1522. Einnahme von Ostrovizza und Scardona (doch wurden die Türken bei Knin und Krupa von den österreichischen Besatzungen zurückgeschlagen).

1524. Niederlage der 40.000 türkischen Renner durch Paul Tomori in Syrmien.
Niederlage der Bege von Semendria und Monastir vor Jaicza und Vertheidigung desselben durch Peter Keglevich, Blasius Cserey und Graf Christoph Frangepan, Beschützer Dalmatiens und Kroatiens.
Verwüstung von Scusa (durch die Martolosen von Scardona).

1526. II. Zug Suleiman's.
(30. Juli.) Fall von Peterwardein.
(29. August.) Schlacht bei Mohács.
(10.—24. September) Ofen in Suleiman's Gewalt.
Abzug mit friedlicher Uebergabe von Fünfkirchen, Erstürmung der Kirche in Ó-Becse.

14*

1526. (Gemetzel bei Ó-Becse-Maroth etc.)
1528. Eroberung bosnischer, kroatischer und slavonischer Schlösser.
In Bosnien ergab sich Jaicza an die Bege (Statthalter) von Semendria und Bosnien, ferner Banyaluka, so wie die Schlösser Belojesero, Obrowacz, Sokol, Lewacz, Szerepvár, Aparuk, Perga. Bossacz, Greben.
In Kroatien ergaben sich: Udbina, Licca, Corbavia, Modrus.
In Slavonien: Valpo und Posega (Letzteres ward der Sitz eines Sanschakat's).
In Dalmatien: Vrana. (Die Bisthümer Knin, Modrus und Corbavia erloschen.)
1529. III. Zug Suleiman's.
(Ofen's Einnahme (14. September). Belagerung Wien's (27. September bis 24. Oktober).
Ofen bleibt in Zapolya's Besitz ungeachtet der Rückeroberungsversuche.
1532. IV. Zug Suleiman's.
Belagerung von Güns (9.—30. August).
(Weitere Eroberungen in Dalmatien und Kroatien.)
1537. Eroberung dalmatischer Schlösser. — Erbauung zweier neuer türkischer Schlösser bei Selova (um dem Felsenschlosse Klissa die Zufuhr abzuschneiden).
Murad erobert die Schlösser Bozko, Beriszlo, Obrovacz.
Sammlung des Heeres Katzianer's bei Essegg.
1538. (24. April) Vertrag zwischen Ferdinand I. und Johann Zapolya nach dem Status quo für Zapolya's Lebenszeit, und Ueberlassung der Zips an dessen allfälligen Sohn als Herzogthum.
1541. V. Zug Suleiman's.
Besetzung von Ofen und Pest (29. August).
1543. Uebergabe von Valpó. Eroberung von Siklós, Gran (10. August), von Vissegrad, Neograd, dann der Schlösser Hatvan und Dombovár, Döbrököz, Simontornya an der Sarviz, und Ozora, ferner Velikan's in Slavonien.
1545. Wurde Stuhlweissenburg erobert, so wie Monoszlo. — Das Warasdiner Gebiet wurde durchstreift. — Niederlage von Lonska. — Waffenstillstand.
1547. Friede auf fünf Jahre. — Krieg in Siebenbürgen (Tod des Martinuzzi).
1551. Fall von Becse, Becskerek, Csanád, Illadia, Lippa.
Fruchtlose Belagerung von Temesvár und Abzug Ulama's aus Lippa.
Der Entsatz von Szegedin durch Tóth verunglückt.
1552. Einnahme von Veszprim (Weissbrunn) durch den Ofner Pascha und von Temesvár durch den Vezir von Adrianopel.
Einnahme von Fülek, der Felsenburg Dregely, Szécheny, Salgó, Hollokö, Bujak, Ságh, Gyarmath (an der Eipel), so wie von Szolnok.
Vergebliche Belagerung von Erlau.
1555. Belagerung Szigeth's.
Korothna wurde von den kaiserlichen Truppen erstürmt, St. Martin, Losonz, Sellye und Görösgál von den Türken geräumt.

1556. Eroberung von Kostainicza (Einfall in Krain).
Eroberung von Tata (Dotis).
1562. Verbrennung von Szathmar-Némethi.
Rückeroberung des Schlosses Hegyesd am Balaton durch die kaiserlichen Truppen, die es schleifen.
1566. VI. Zug Suleiman's.
Szigeths Fall. Während der Belagerung war Suleiman gestorben.
1567. Fiel Babocsa, so wie die Schlösser im Sümeger und Salader Komitate: Berzencze, Chörgö, Zapanyi, Lák, Vizvár, Belevár, Szekesd.
In Siebenbürgen fiel (1567) Gyula (Weissenburg), in Ungern Jenö und Világos in der Türken Hände.
1594. Komorn vergebens von den Türken belagert.
1595. Gran's Rückeroberung durch die kaiserlichen Truppen.
1596. Erlau's Eroberung durch die Türken.
1598. Raab's Wiedereroberung durch Schwarzenberg und Palffy.
Ofen's vergeblicher Entsatz durch die Kaiserlichen.
1601. Gross-Kanisa, vom Erzherzog Ferdinand belagert, von den Türken entsetzt.
1602. Stuhlweissenburg wird von den Türken erobert, Pest von denselben und gleichzeitig Ofen von den kaiserlichen Truppen belagert (doch behaupteten die Türken beide Städte).
1605. Uebergabe von Vissegrad und Gran, Vesprim, Palota, Steinamanger, Körmend und Neuhäusel an die Türken. (Bocskai, ungrisch-siebenbürgischer Vasall des Sultans).
1606. Der Friede von Sitvatorok schafft den sogenannten Ehrentribut ab und setzt den türkischen Uebergriffen zuerst ein Ziel [1]).
1615. Der Wiener Friede bestätigte und ergänzte jenen von 1606.
1617. Zu Komorn wurden ebenfalls die beiden Friedensbeschlüsse, der zu Gyarmat
1626 erneuert.
1. und 2. Wiener Friede zwischen dem Kaiser und Bethlen Gabor, Fürsten von Siebenbürgen und sieben Komitaten Ungerns.
1626. 3. Friede zwischen dem Kaiser Ferdinand II. und Bethlen Gabor zu Pressburg.
1627. Erneuerung des Sitvatoroker Friedens zu Szöny.
1645. Wiener Friede mit Rákóczy, dem die sieben Komitate Bethlen's auf Lebenszeit (Szathmár und Szabolcs aber auch seinen Söhnen auf ihre Lebensdauer) zugestanden wurden.
Auswechslung der Ratification des zu Szöny zwischen dem Kaiser und der Pforte erneuerten Friedens, und Zusammentretung einer Gränz-Commission.
1651. Erneuerung des Sitvatoroker Friedens zu Konstantinopel.
1660. Der kaiserliche Feldherr Souches besetzt (in Folge des Vertrages mit Rákóczy) Szathmár und Szabolcs. Seid Ali Pascha erobert Grosswardein.

[1]) Die Gränzlinie ist bezeichnet in J. Häufler's Karte über die Entstehung der österr. Monarchie.

1663. Uebergabe von Neuhäusel, Neutra, Lewenz an die Türken. Eroberung von Novigrad.

1664. Erstürmung und Schleifung Serinvárs.
Siege der kaiserlichen Feldherren, des Grafen Souches (19. Juli) bei Lewenz und des Grafen Montecucculi bei St. Gotthard (1. August).
Friede von Vasvár (10. August). Novigrad und Neuhäusel blieben im Besitze des Sultan's; Szekelhid in dem Kaisers Leopold I., welchem hingegen frei stand, Lewenz, Schintau, Guta, Neutra zu befestigen und eine neue Festung an der Waag (Leopoldstadt) zu erbauen. Serinvár bleibt geschleift. Die Einwohner zwischen Gran und March, dann die freien Heiduken sollen dem Sultan zu huldigen nicht gehalten sein. — Apafy sollte vom Kaiser und Sultan als Fürst Siebenbürgen's anerkannt werden.

1682. Tököli (der sogenannte Koruzzen-König) erhielt mit türkischer Hilfe Onod (am Sajo), Kaschau, Eperies und Fülek.

1683. Die vergebliche Belagerung Wien's (14. Juli bis 12. September) und dessen Entsatz durch Herzog Karl von Lothringen und König Johann Sobiesky bezeichnen den Wendepunkt der türkischen Macht.
Niederlage der Türken bei Parkany, und Eroberung Gran's durch die kaiserlichen Truppen.

1684. Uebergabe von Vissegrad und Waizen an den Herzog von Lothringen und dessen Sieg bei Hamsabeg (Érd).

1685. Waizen wird abermals türkisch; dafür gewinnt General Heissler Szolnok und Szarvas, und der Herzog von Lothringen erstürmt: Neuhäusel; Graf Herbenstein: Wuniez in Corbavia; Graf Leslie: Essegg, dann Budak (den Hauptort der Licca); Graf Palffy: Dubicza; Graf Erdödy: Belasena, Ozarin, Motinisa; General Schulz: Ungvár, Krasznahorka und Eperies.

1686. Ofen's Belagerung (18. Juni bis 2. September) und Erstürmung durch Herzog Karl von Lothringen.
Uebergabe von Simontornya, Siklos und Fünfkirchen an Ludwig, Markgrafen von Baden; Eroberung Szegedin's.
Niederlage der Türken bei Mohács (12. August).
Uebergabe von Valpó, Palota; Eroberung von Kastanoviez und Dubicza; Besetzung von Klausenburg durch kaiserliche Truppen.

1687. Uebergabe von Erlau an General Caraffa.

1688. Erstürmung von Lippa durch denselben; Besetzung von Gradisca, Blok, Peterwardein, Semendria und Golumbacz durch Markgraf Ludwig von Baden.
Eroberung von Belgrad und Stuhlweissenburg; während Veterani Karansebes einnahm.

1689. Fall von Nissa.

1690. Bei erneuertem Kriegsglücke gewinnen die Türken wieder Nissa, Widdin, Semendria und Belgrad.

1691. Grosswardein gelangt wieder in den Besitz des Kaisers. Sieg des Markgrafen Ludwig von Baden bei Slankemen (19. August).

1695. Eroberung von Titel, Lippa und Lugos durch die Türken.

1697. Sieg des Prinzen Eugen bei Zenta (11. September).

1699. Im Frieden von Karlowitz (26. Jänner) wurde ganz Ungern (mit Ausnahme des Banates) von den Türken geräumt, und als Gränzlinie die Maros und Theiss bis zur Mündung in die Donau; von dort aber eine gerade Linie bis an die Mündung des Bossut in die Save; weiterhin die letztere, bis zur Mündung der Unna, endlich die Unna selbst, mit Räumung der diesseits derselben im Besitze kaiserlicher Waffen gelegenen Schlösser, bestimmt.

Wo die Osmanen sich festsetzten, brachten sie mit ihrer Herrschaft auch ihren muhamedanischen Glauben und ihre despotischen Einrichtungen im Gefolge.

In allen ungrisch-türkischen Städten und grösseren Orten erhoben sich Moscheen, von welchen der Halbmond ihre Herrschaft verkündigte; in manchen Orten errichteten sie Bäder nach orientalischer Sitte. Uebrigens geriethen die Städte durch Flucht der Bewohner, grosse Steuern und Soldatenstellungen, noch mehr durch mehrmalige Zerstörungen des Krieges, bald in Verfall, den die Sorglosigkeit und Unreinlichkeit der Türken noch beförderte. Einzelne bessere Kanon's (Stadtordnungen) halfen wenig, da sie selten gehörig von den türkischen Vollziehern beobachtet wurden.

Der türkische Theil Ungerns bildete ein Paschalik, das in mehrere Sandschakate zerfiel.

Mit welcher Roheit und mit welchem Uebermuthe die Türken sich benahmen, zeigen viele Blätter der ungrisch-türkischen Geschichte. — Wir erinnern nur an die treulose, hinterlistige Besetzung Ofen's (2. September 1541) und die Behandlung seiner Bewohner [1]); an die hochmüthige, herrische Sprache der Sultane und Paschas, z. B. das Schreiben Sandschakbeg's Husein an den Grafen Adam Károlyi [2]): „Ich des unüberwindlichsten Kaisers Kampfheld, Obergespann von Bihar, Szathmár, Szabolcs und Grosswardein, Husein grüsse dich Adam Károlyi. Ich bemitleide dich, denn Szathmár ist des unüberwindlichsten Padischa's, du hetzest Kálló vergebens auf; wer sich zu des Padischah Gnade flüchtet, dem wird kein Haar gekrümmt. Bedenke, dass Kövár und Backo Siebenbürgen's Gränzen; Munkács, Patak, Tokai sind des Padischah's. — Oberster von Kálló, wie geht's dir? wie schläfst du? wir werden dich bald besuchen. Statthalter von Szathmár, du blinder Hund, was sitzest du kopflos mit dem Befehlshaber von Güsdin; der dein Herr war ist todt, und Güsdin ist auch des Sultan's. So sollt ihr's wissen, und darnach zu handeln seid beflissen. Gegeben zu Wardein. Ich Huseinaga, schon seit dreizehn Jahren mit dem Säbel umgürtet, von welcher Zeit an meine Waffen der Ungern Blut trinken."

---

[1]) Häufler's Buda-Pest §. 45.

[2]) von Hammer Geschichte der Osmanen. VI. S. 76 und 77.

Ein weiteres Beispiel dieses türkischen Curial-Styles gibt eine Aufforderung des Beglerbeg's Hasan an die Bewohner von Freistadt [1]: „Ihr Freistädter, Richter und Bürger, langhalsige und des Spiessens würdige Hunde! Wesshalb seid ihr so ungehorsam, was hilft's, dass ihr Hunde mir Boten herein schicket? Wenn ihr, spiessenswerthe Hunde, die ihr nicht gehuldigt, binnen vier Tagen nicht mit einer Summe Geldes erscheint, schwöre ich euch, alle zu Sklaven zu machen."

Bei solcher Gesinnung und Behandlung mochte es wohl den ungrischen Patrioten ein schwacher Trost sein, dass es Pascha's gab, die auch ungrisch schrieben. Dennoch gab es deren genug, welche nach der Ehre geizten, grössere oder kleinere Vasallen der Türken zu sein; z. B. Johann Zapolya, welcher für das widerrechtliche Geschenk der Vasallen-Krone des Sultans Hände knieend küsste, und der Ex-Palatin Verböczy, der nicht verschmähte, türkischer Kadi von Ofen zu werden; die siebenbürgischen Vasallen-Fürsten Bocskai, Bethlen, Apafy und die Rákóczy's, nebst dem Koruzzen-König Tököli, welcher sich nicht schämte, auf die Fahnen seiner christlichen Streiter die Worte: „Für Gott und Vaterland!" zu setzen, während sie gegen den Christenglauben und ihren apostolischen König unter den Fahnen der Türken fochten.

Dass bei der fast zweihundertjährigen Verheerung des Landes an keinen ethnographischen Fortschritt der Bevölkerung, weder hinsichtlich der Zahl, noch hinsichtlich der Wohlfahrt, der Bildung der in Ungern lebenden Volksstämme zu hoffen war, ist begreiflich, und erst der folgenden friedlicheren Periode blieb die Förderung der humanen Interessen vorbehalten.

II. Syrisch-chaldäische Stämme.

§. 36.

a) Armenier.

In der vorliegenden Periode vom Jahre 1000 bis Anfang des achtzehnten Jahrhunderts finden wir nur wenige Spuren von dem Dasein der Armenier in Ungern. Darüber, dass zu den Gästen (hospites) Ungerns auch Armenier gehörten, und über ihr Dasein bereits zur Arpadenzeit, sprechen nicht nur Keza und Thurocz, sondern es erhellt dieses auch aus Urkunden. Bela IV. bestätigte den zu Gran befindlich gewesenen armenischen Gästen das in der Mongolenzeit vernichtete Privilegium [2], und Ladislaus IV. schenkte das Land der dortigen Armenier (terram Armenorum) den Augustinern des St. Anna Klosters zu Gran [3]) (1281).

Die zahlreichen Einwanderungen der Armenier zu Ende des siebenzehnten und Anfangs des achtzehnten Jahrhunderts werden bei der folgenden Periode vorkommen.

---

[1]) A. a. O. p. 456.
[2]) Fejér cod. dipl. IV. I. p. 307.
[3]) A. a. O. V. III. p. 78.

§. 37.

b) Juden.

Wann die Juden zuerst nach Pannonien kamen, ob zur Römer- oder Karolinger-Zeit[1]), oder mit Magyaren und Chazaren — unter welchen sie einen so wichtigen Einfluss übten, dass selbst der Chazaren-Chan ihren Glauben annahm — ist unbekannt. So viel ist jedoch gewiss, dass zu Ende des eilften Jahrhundert's bereits Juden in Ungern lebten; denn ein Gesetz König Ladislaus des Heiligen vom Jahre 1092 verbietet: die eheliche, ja selbst die dienstliche Verbindung zwischen Juden und Christinnen [2]).

Der erste Kreuzzug hatte im Abendlande mit Verfolgung der Juden begonnen, auch in Prag wurden von einem Schwarme Kreuzfahrer die Juden gezwungen, sich taufen zu lassen; als sie theils wieder abfielen, theils mit ihren Schätzen zu entweichen anfingen, wurde ihnen auf Befehl des Herzogs Braslaw ihre Baarschaft abgenommen (1098), jedoch ein Theil der dortigen Juden entkam mit ihrer Habe nach Polen und Ungern [3]), wo sie in jener Zeit unverfolgt lebten.

Die ungrischen Gesetze enthalten in fortgesetzter Reihe Spuren über den Rechtszustand der Juden in Ungern.

Unter den Königen Ladislaus und Koloman wurde auf Fernhaltung der Juden von den Christen gesehen. Dahin zielte nicht nur obige Verordnung, welche christlich-jüdische Ehen verbietet, sondern auch die Eingehung eines Dienstverhältnisses oder der Ankauf und Besitz christlicher Sklaven war den Juden untersagt. Diejenigen, die Aecker besitzen, sollen sie durch heidnische Sklaven bebauen lassen [4]). Uebrigens war es den Juden auch ferner gestattet, Güter zu kaufen, doch dürfen sie sich nur dort aufhalten, wo bischöfliche Sitze waren. — Borg- und Kaufgeschäfte zwischen Juden und Christen mussten mit Ueberlassung eines Pfandes in Gegenwart christlicher und jüdischer Zeugen unter besonderen Vorsichten geschehen [5]).

Während in anderen Ländern die Juden im zwölften und dreizehnten Jahrhundert blutigen Verfolgungen ausgesetzt waren, gelangten die Juden in Ungern unter dem Schutze der Gesetze zu grossem Reichthume und unter dem schwachen Andreas II. selbst zu Aemtern und Würden. Die Einhebung der Steuern, die Pachtung der

---

[1]) Die Zollordnung Ludwig's für die Donau-Schifffahrt vom Jahre 905 gilt als Satzung auch für jüdische Kaufleute.

[2]) Decret. S. Ladislai I. c. 10. — Derlei Verbote waren durch das zweite und dritte Consilium zu Orleans (§. 36 und 540) und durch verschiedene Synoden ausgesprochen.

[3]) Cosmas lib. III. ad. a. 1098. Anno Dominicæ Incarnationis Mill. XCVIII. relatum est Duci Braczislav, quod quidam ex Judæis lapsi fuga, nonnulli furtim divitias suas subtraherent partim in Poloniam, partim in Panoniam. Unde dux valde iratus, misit Camerarium suum cum aliquibus militibus ut eos a vertice usque ad talos expoliarent. Vergl. Palacky Geschichte von Böhmen I. 363.

[4]) Decret. Coloman. I. c. 74 und 75.

[5]) Decret. Coloman. II. c. 1, 2 und 3.

Zölle, die Führung der Münz- und Salzgeschäfte machte viele dieser jüdischen Beamten geldmächtig, und der Jude Jeha wird urkundlich (1232) sogar mit dem Titel eines Grafen beehrt [1]).

Die Unzufriedenheit, welche über die durch die Juden ausgeübte Bedrückung entstand, hatte zwar schon im Jahre 1222 die gesetzliche Bestimmung [2]) zur Folge, dass Juden und Ismaeliten von königlichen Aemtern, die sie namentlich als Münzkammergrafen, Salzbeamte und Steuereinnehmer verwalteten, ausgeschlossen wurden; allein dieses Gesetz kam nicht zur Ausführung. Schon im Jahre 1229 fand sich der Graner Erzbischof Robert, ein Lütticher, veranlasst, dem Papst die Uebergriffe der Juden und Mahomedaner zu schildern [3]). Nach dessen Berichte lebten damals noch Juden mit christlichen Frauen in ungesetzlich vermischter Ehe, und letztere traten häufig zum jüdischen Glauben über. Christliche Aeltern verkauften ihre Kinder an Juden und Ismaeliten, manche liessen aus Gewinnsucht sich beschneiden, so dass binnen wenigen Jahren viele Tausende vom Christenthume abfielen.

Im Jahre 1231 hatte Andreas II. vom Neuen die Freiheiten der Stände Ungern's in einer mit königlichem Siegel und den Siegeln aller seiner Söhne bekräftigten Urkunde [4]) bestätigt, mit dem Beisatze, dass, wenn Er selbst oder Einer seiner Söhne und Nachfolger die zugestandene Freiheit brechen würde, der Graner Erzbischof nach vorausgegangener gesetzlicher Ermahnung, das Recht habe, den König zu excommuniciren. Schon im December des folgenden Jahres sprach der Graner Erzbischof Robert, Kraft Ermächtigung und im Namen des Papstes Gregor IX., das Interdict über Ungern, und den Bann über den Palatin Dionys und andere Räthe des Königs aus, da Saracenen noch fortwährend unter weit günstigeren Verhältnissen als früher Kameralämter bekleideten, da durch deren Begünstigung verlockt, viele Christen zum Heidenthume übergingen, und dadurch viele Tausende christlicher Seelen verloren waren [5]).

In Folge einer Gesandtschaft des Königs Andreas an den Papst, und der Bitte, um Aufhebung des Interdictes [6]), sendete Gregor IX. den Kardinal Jakob von Präneste als apostolischen Legaten nach Ungern (1233). Nach seiner Ankunft leisteten Andreas II. und sein Sohn Bela auf einer im Walde Bereg gehaltenen Versammlung das eidliche Versprechen [7]): Künftig weder Juden, noch Saracenen oder Ismae-

---

1) Cod. dipl. III. II. 271. Judæus Jeha (Jeba?) Comes etc.

2) Decret. Andreæ II. Art. 24. Comites Camerarii monetarum Salinarii et tributarii, Nobiles Regni nostri sunt. — §. 1: Ismaëlitæ et Judæi fieri non possunt.

3) Roberti Arch. Ep. Lit. ad. a. 1229 etc. in Anal. Regnis Hung. — Vergleiche F. C. Palma not. rer. hung. P. I. p. 234.

4) Cod. dipl. III. II. p. 255—261.

5) A. a. O. p. 295—299. Der Erzbischof spricht zwar hier nur von Saracenen, jedoch der frühere und spätere Gang der Ereignisse, die päpstliche Bulle und das eidliche Versprechen des Königs im Jahre 1233, beziehen sich gleichmässig auf Juden und Ismaeliten.

6) A. a. O. p. 299—202.

7) A. a. O. p. 319—330. Judeos, Sarracenos sive Ismaëlitas, de cetero non preficiemus nostre camere, monete, salibus, collectis, vel aliquibus publicis officiis, nec associabimus eos prefectis, nec in

liten bei der königlichen Kammer, Münze, der Salz- und Steuereinnahme oder einem anderen öffentlichen Amte, irgendwo im Reiche, anzustellen oder sie christlichen Beamten beizugesellen, wodurch sie die Christen zu drücken im Stande wären. — Juden, Saracenen oder Ismaeliten sollen durch eigene Abzeichen von der christlichen Bevölkerung unterschieden sein. Auch soll es Juden, Ismaeliten und Saracenen ferner nicht mehr gestattet sein, christliche Sklaven zu kaufen oder zu halten. Der Palatin oder ein anderer Delegirter wird eidlich verpflichtet. die Juden, Saracenen und Heiden von Christen zu scheiden; findet man aber dennoch Juden, Saracenen, Heiden und Christen auf irgend eine Weise zusammenleben, entweder unter dem Scheine der Ehe oder im Dienstverhältnisse, so sollen die schuldigen Christen und Nicht-Christen mit Verlust ihrer Habe und mit Sklaverei bestraft werden.

Doch auch diese Zusage hatte keine durchgreifende Ausführung der beschwornen Massregeln zur Folge, und Bela IV. (welcher im Jahre 1235 seinem Vater auf dem Throne folgte) verpachtete bereits im Jahre 1239 — nach eingeholter päpstlicher Genehmigung die königliche Münze an Juden [1]). Auch blieben die Juden noch ferner im Besitz von Gütern; so z. B. sprach Bela dem Syrak, Thyvadar, Isak und andern Gliedern der Generation Salomon den Besitz des Gutes Atalutallya-föld zu [2]) (1239). endlich verlieh Bela IV., nach dem Abzuge der Mongolen aus Ungern, bemüht durch Ertheilung von Privilegien die Bevölkerung des verheerten Landes zu vermehren und seinen Zustand zu ordnen, auch den Juden einen grossen Freiheitsbrief (5. December 1251) [3]), welcher fast wörtlich mit der Juden-Ordnung übereinstimmt, welche Herzog Friedrich der Streitbare von Oesterreich seinen Juden im Jahre 1244 gegeben hatte [4]).

---

fraudem aliquid faciemus, propter quod ab ipsis possint opprimi Christiani. Item nec permittemus in toto nostro regno Judeos, Sarracenos vel Ismaëlitas prefici alicui publico officio. Item faciemus, quod Judei, Sarraceni seu Ismaëlite de cetero certis signis distinguantur et discernantur a Christianis. Item non permittemus Judeos, Sarracenos sive Ismaëlitas mancipia christiana emere, vel habere quocunque modo et promittimus per nos et successores nostros constituere singulis annis et dare Palatinum, vel alium de Jobhagionibus, quem voluerimus fidei christiani zelatorem, quem faciemus jurare, quod mandatum nostrum secundum ista fideliter adimplebit, ad petitionem episcopi, in cujus dioecesi sunt vel erunt Judei pagani, vel Ismaëlitæ, ut Christianos extrahant a dominio et cohabitatione Sarracenorum, et siqui inventi fuerint contra hæc Christiani cohabitationes Sarracenorum, vel Sarraceni mancipia Christiana habentes, item Christiani Sarracenorum, vel Sarraceni Christianorum, quomodocunque mulieribus copulati sive sub specie matrimonii sive alio modo, bonorum omnium publicatione tam Christiani quam Judei, vel pagani mulitentur et nihilominus in servitutem Christianorum per regem perpetuo deputentur.

1) A. a. O. p. 174.

2) A. a. O. p. 149—152.

3) A. a. O. IV. II. p. 108—112. Dieses Privilegium wurde noch von Bela IV. (1256), dann später von den Königen Sigismund (1396, 1406, 1431 und 1436), Albert (1438), Ladislaus Posthumus (1453), Mathias Corvinus (1464) und Wladislaw II. (1493) bestätigt.

4) Rauch SS. rerum. Aust. I. 201. Das im österr. Juden-Privilegium fehlende Verbot, Juden am Sabathe gerichtlich zu belangen, ist am Schlusse des Freiheitsbriefes Kaiser Rudolph's vom 4. März 1277 beigefügt, die Bestimmung wegen Absetzung des christlichen Richters fehlt allein unter den sonst gleichlautenden Bestimmungen des Fridericianum's, dafür ist in diesem noch auf Beraubung jüdischer Friedhöfe Vermögens-Konfiscation gesetzt. — Herzog Boleslaus von Polen (1264). Ottokar von Böhmen (1268) und Herzog Heinrich von Schlesien (1269) gaben ähnliche Ordnungen für die Juden, welchen die Bestimmungen des Schwabenspiegels zu Grunde liegen.

15*

Die alten Gesetze des Königs Ladislaus und Koloman bezüglich der Personen- und Sachverhältnisse sind darin wieder enthalten.

Die wesentlichen neuen Bestimmungen dieses Privilegiums sind: Es ist Christen verboten, Juden am Sabathe vor Gericht zu fordern. — Jüdischen Richtern ist es untersagt, ohne förmliche Anklage in Streitsachen zwischen Juden Amt zu handeln oder Rechtshändel zwischen Juden und Christen zu entscheiden. — Christlichen Richtern ist es bei Strafe der Absetzung verboten, die Juden ihres Stadtbezirkes gegen dieses Privilegium zu behandeln. — Bedeutende Streitigkeiten zwischen den Juden über Sachen wurden dem königlichen Gerichtshofe, jene über Personen ausschliesslich dem Könige selbst zugewiesen. — Wenn ein Christ einen Juden ohne Blutvergiessung schlägt, so soll er nach der Landesgewohnheit mit vier Mark an den König, in Mangel des Geldes mit Leibesstrafe zu büssen haben. Wenn ein Christ einen Juden verwundet, so soll er dem Könige landesübliche Strafe, dem Verwundeten zwölf Mark Silber und Ersatz der Heilungskosten schuldig sein. Auf gewaltsamen Angriff stehe eine dem Abhauen der Hand gleichgeltende Strafe. — Wer einen Juden ermordet, soll hingerichtet werden, sein bewegliches und unbewegliches Vermögen kommt an den Fiskus. — Wenn ein Jude heimlich umgebracht wird und seine Verwandten haben einen gegründeten Verdacht auf einen Christen, so soll gerichtlicher Zweikampf entscheiden. — Reisende Juden sollen nirgends gefährdet oder belästigt, und wenn sie Waaren mit sich führen, bei Mauthämtern zu keinem höheren Zolle, als jeder christliche Bürger, angehalten werden. Wenn sie nach ihrer Gewohnheit ihre Verstorbenen von Stadt zu Stadt, oder aus einem Gebiete in das andere bringen, so ist es den Mautheinnehmern strenge untersagt, irgend etwas als Zoll von ihnen zu erpressen. Wer dawider handelt, soll als Räuber des Todten bestraft werden. — Wer sich an Judenschulen (scholæ Judæorum) vergreift, soll seinen Muthwillen mit einer Mark und zwei Ferting an den Judenrichter büssen. — Wenn ein Christ ein Judenkind raubt, so ist er des Verbrechens und der Strafe des Diebstahls schuldig. — Häuser und Besitzungen der Juden sollen von der Last, den König und die Magnaten zu bewirthen, frei sein. — Wenn ein Jude einem Magnaten gegen Handschrift und Gutverpfändung Geld borgt, und er kann es durch Brief und Siegel beweisen, so soll ihm nach verweigerter Schuldzahlung, mit Schutz wider jede Gewalt, das verpfändete Gut eingeräumt, und der Genuss aller Früchte desselben gestattet werden, bis es der Schuldner oder ein anderer Christ auslöset. Nur Herrenrecht und Gerichtsbarkeit über die darauf ansässigen christlichen Leute soll dem Juden vorenthalten sein.

Unter dem Schutze dieser Judenordnung, welche eben so die Juden vor Gewaltthätigkeiten, als die Christen vor Ueberlistung zu schirmen strebte, lebten die Juden in Ungern unter den folgenden Arpaden und während der gemischten Periode bis in das letzte Decennium von Ludwig des Grossen Regierungsperiode [1]). Da jedoch die Bemühungen dieses Königs, die israelitischen Glaubensgenossen zum Chri-

---

[1]) Dass im Jahre 1374 noch Juden in Ungern lebten, ist urkundlich nachweisbar (Cod. dipl. IX. IV. 579 etc.) Eine genauere chronologische Bestimmung ihrer Verbannung aus Ungern ist nicht bekannt.

stenthume zu bekehren von keinem Erfolge gekrönt waren, so liess er alle Juden aus dem ganzen Reiche ausschaffen. Von ihrem Eigenthume wurde ihnen jedoch nichts vorenthalten; sondern sie durften mit ihren durch Wucher aufgehäuften Schätzen frei abziehen. Sie zerstreuten sich in die benachbarten Länder, namentlich nach Oesterreich, Böhmen und Polen [1]).

Die Zeiten der Anarchie und Noth waren grösstentheils für die Juden Erntetage, und schwache oder verschwenderische Könige waren gewöhnlich der Juden bedürftig. — So sehen wir auch unter dem geldbedürftigen König Sigmund I. (1396), also nach kaum zwanzigjähriger Verbannung, die Juden abermals auf Pannonien's gesegnetem Boden. Sigmund liess den rückkehrenden Juden auf ihre Bitte eine authentische Abschrift des Freiheitsbriefes König Bela's IV., nach dem beim Stuhlweissenburger Domkapitel aufbewahrten Originale, ausfertigen [2]). Später bestätigte (1431) und vermehrte (1436) Sigmund, auf Bitten der Juden Jakob aus Pressburg und Nyul aus Ofen, diesen Freiheitsbrief [3]), und ertheilte der Judenschaft auch das Wuchervorrecht, von hundert Denaren wochentlich zwei Denare Zinsen zu nehmen. Ungeachtet die Juden nun reich wurden, blieb Sigmund doch arm, und kam immer tiefer in Schulden. Zu diesen Juden kamen noch zahlreiche Glaubensgenossen, welche aus Frankreich vertrieben, bei Sigmund Aufnahme fanden, und im Tapetenwirken und anderen Industriezweigen geschickt waren [4]).

Der Eidam und Nachfolger Sigmund's, König Albrecht, bestätigte (1438), auf Ansuchen der Judenschaft durch dieselben zwei Israeliten, das Judenprivilegium Bela's und Sigmund's [5]); dasselbe geschah auf Fürsprache der Ofner Juden Farkas und Mayer unter Ladislaus Posthumus, so wie unter König Mathias Corvinus (1464) [6]). Um jedoch den Wucher zu beschränken, verordnete der letztere, dass in Städten nur die Hälfte der verschriebenen Zinsen an die Gläubiger, die andere Hälfte hingegen an die Bürgerschaft gezahlt werden sollte. Zugleich verbot er — bei Strafe der Einziehung des ganzen Darlehens — Häuser und Grundstücke an Juden zu verpfänden [7]).

Unter diesem Könige erhielt Johann Ernst (ein zur Zeit Sigmund's aus Schwaben unter dem Namen Johann Hampo eingewanderter, später getaufter Jude), königlicher Schatzmeister und Oberster Verwalter des Kronzolles, den Adel, und stieg (1470) zur Stelle eines Erb-Obergespan's des Thuroczer Komitates und endlich (1475) zur

---

[1]) Vergleiche Chron. Bud. De expulsione Judeorum, Editio J. Podhraczky p. 332 und 333 mit Thurocz Chron. Hung. P. III. c. 40, und Bonfin Dec. II. lib. X.

[2]) Cod. dipl. X. I. p. 382—385.

[3]) A. a. O. X. VII. p. 787—791.

[4]) Bertrandon de la Brocquiere (der im Jahre 1433 Ungern durchreiste).

[5]) A. a. O. XI. p. 115—118.

[6]) Kaprinai Hung. dipl. P. I. bis III.

[7]) Bel. Not. Hung. Tom. I. p. 648.

Würde des Ban's von Kroatien, Slavonien und Dalmatien empor [1]). Sein ältester Sohn Sigismund Ernst wurde Bischof von Fünfkirchen [2]).

Nach König Mathias Tode begannen auch in Ungern Judenverfolgungen. — Im Jahre 1494 beschuldigte man zwölf jüdische Männer und zwei Weiber zu Tyrnau einen Christenknaben umgebracht zu haben, und da die letzteren aus Angst vor der Folter sich als schuldig bekannten, wurden die Beinzichtigten verbrannt [3]). Das Jahr darauf wurden die Juden in Ofen vom Pöbel geplündert. Die Gassenjungen hatten die Fenster der Juden eingeworfen, die zur Abstellung des Unfuges herbeigekommenen Diener der Edelleute hatten, statt abzuwehren, dem Pöbel vielmehr geholfen, welcher die Häuser der Juden stürmte, und sich durch zwei Tage aller aufgehäuften Schätze und werthvollen Pfänder bemächtigte. Erst das vom Schlosshauptmanne gehandhabte Standrecht stellte die Ruhe her.

König Ludwig II. nahm die Pressburger Juden gegen den dortigen Magistrat in Schutz, welcher dieselben (1520) zwingen wollte, ein eigenes Judenabzeichen zu tragen, indem diess etwas Unerhörtes in Ungern sei [4]). — Auch ernannte dieser König den Juden Isak zum königlichen Münzmeister in Kaschau [5]), welcher die sogenannten Isaciden prägte. Der getaufte Jude (Salomon) Emerich Szerencsés, des Königs Schatzmeister, stand bei den Ständen und bei dem Volke im üblen Rufe. Die Ersteren verlangten sogar, dass er verbrannt werde (13. Mai 1525). Als derselbe drei Tage hierauf ehrenvoll aus seiner Haft im Csonka-Thurme zu Ofen entlassen wurde, und seine Befreiung durch ein Gastmahl feierte, sammelte sich Abends eine Menge Pöbel sammt Dienern des Adels, welche des Schatzmeisters Haus auf dem Georgiplatze die ganze Nacht hindurch plünderten und Szerencsés, sammt seinen Gästen, zur Flucht über die Stadtmauer zwangen [6]).

Als Suleiman II. nach dem Siege bei Mohács gegen Ofen rückte, und die unglückliche Königin Maria das Schloss und der grösste Theil der bestürzten Bürgerschaft die Stadt verlassen hatte, besetzte ein Haufe von zweihundert Juden der ärmsten Klasse das königliche Schloss und vertheidigte sich mit Hilfe des zurückgelassenen Geschützes so tapfer, dass Suleiman mit den Juden wegen der Uebergabe unter-

---

[1]) Bel. Not. nov. Hung. T. II. p. 307. Hampo's jüngerer Sohn besass die Herrschaft Csakathurn; mit Kaspar Ernst erlosch (1542) das christlich-jüdische Magnatengeschlecht. Vergl. Isid. Busch. Kalender und Jahrbuch für Israeliten (J. 1846 S. 77).

[2]) Bonfin. Dec. V. lib. III.

[3]) Bonfin. D. V. L. V. Siehe auch Häufler's Buda-Pest §. 40.

[4]) Windisch: Ungerns Magazin I. B. S. 118 etc. enthält den Text des königlichen Schreibens. Die auf der Versammlung zu Bereg beschworne Bestimmung vom Jahre 1233, dass die ungrischen Juden ein besonderes Abzeichen tragen sollten, scheint also nicht in Vollzug gekommen zu sein. Doch schreibt noch das Ofner Stadtrecht in dem vierzehnten Jahrhundert: das Tragen eines gelben Fleckes auf einem rothen Mantel als jüdisches Kennzeichen vor.

[5]) Diess ist seit dreihundert Jahren die erste Abweichung von dem Gesetze, welches die Juden von Aemtern ausschloss.

[6]) Hanns Thurnschwamb verbreitet sich als Augenzeuge ausführlich über diese und andere Aufstände. Vergl. Häufler's Buda-Pest I. §. 41.

handelte und ihnen Sicherheit ihres Lebens gegen freien Einzug versprach. Er hielt auch sein Wort, und beredete sie, mit ihm in die Türkei zu ziehen [1]).

Als die Königin Maria nach Pressburg kam, fand sie die Bürger in einem verarmten, die Stadt in einem verfallenen Zustande, aus Schuld der zahlreichen Judenschaft, welche durch Wucher die Bürgerschaft ausgesaugt, und von sich abhängig gemacht hatte; die Judenstadt selbst war aber völlig verlassen, da die reichen Juden mit ihrer Baarschaft sich geflüchtet hatten. — Auf Vorstellung des Palatinus Stephan Bathori und anderer Räthe verbannte sie die Juden aus Pressburg und ermächtigte die Bürger die Judenhäuser zu kaufen; der eingegangene Kaufschilling sollte zur Befestigung und Verschönerung der Stadt verwendet werden [2]).

Die Judenordnung Ferdinand's vom Jahre 1528 hatte für Ungern keine Geltung [3]). Der zweite Gesetzartikel Rudolph's II. (in Ungern I.) vom Jahre 1578 bezweckt die Auswanderung der Juden durch die Bestimmung, dass Juden und Anabaptisten, welche Häuser besitzen, alle Steuern und Lasten doppelt bezahlen müssen; und der zehnte Artikel 1595 verordnet überdiess, dass beide monatlich fünfzig Silberpfennige für jeden Kopf zu zahlen haben.

Unter Ferdinand II. wurden sie durch den fünfzehnten Artikel 1630 von der Pachtung der Mauthen und Dreissigst-Gebühren ausgeschlossen, doch dreimal (1647, 1649, 1655) wurde das Gesetz mit verschiedenen Motiven wiederholt, kam jedoch erst in der folgenden Periode unter Karl VI. zur Vollziehung.

War der katholische Eifer der Regierungsperioden Ferdinand I. und Leopold I. den Juden überhaupt schon ungünstig, so wurde die Abneigung des letzteren gegen

---

[1]) Cuspiani Oratio protreptica ad Sacri R. Imperii Principes et proceres, ut bellum suscipiant contra Turcum. (Basiliæ a. 1553 p. 716.) Vergl. Häufler's Buda-Pest §. 42.

[2]) Die Verbannungs-Urkunde der Königin Maria gegen die Juden vom 9. Oktober 1526 befindet sich im städtischen Archiv zu Pressburg. Die bezügliche Stelle lautet: „Nos Maria etc. ex suplicatione fidelium nostrorum Prudentum et Circumspectorum Judicis et Juratorum Civium hujus civitatis nostræ Posoniensis intelligentes et propriis etiam oculis nostris cernentes, magnam esse hujus ejusdem Civitatis nostræ inopiam et paupertatem, Civium jacturam et Domorum ruinam, eamque non alia ex causa evenisse, quam ex Judæorum, quorum magna hic esset frequentia, vita flagitiosa turpique et usurario quæstu, quibus eosdem cives nostros, omnemque populum sibi divinxissent et illaqueassent, tum igitur ex eo, tum vero, quia post eam cladem funestissimam, quam serenissimus et carissimus Dominus et maritus noster Ludovicus Rex, felicis memoriæ exactis diebus pro fide catholica viriliter decertans ab hostibus fidei cum multo suorum sanquine accepit, iidem ipsi Judæi metu perculsi communem cum civibus nostris fortunam exspectare noluerunt, sed præmissis prius suis opibus, rebus et Bonis Domos suas vacuas reliquerunt, et sua sponte alio aufugerunt; ideo ex deliberatione et consilio Domini Stephani de Bathór Palatini etc. ac aliorum Consiliarorum nostrorum annuendum, et concedendum eisdem Civibus nostris Posoniensibus duximus, ut ipsi Judæos illos, qui ad versam et prosperam fortunam cum ipsis Civibus nostris simul pati noluerunt, et quia cum rebus eorum et Bonis aufugerunt, a modo in posterum ad hanc civitatem nostram non admittant, domosque eorum his, qui eas emere voluerint, libere vendant, et illarum pretia ad reformationem et fortificationem hujus ipsius Civitatis fideliter convertant."

[3]) In den damals zu Oesterreich gehörigen Theilen der Oedenburger und Eisenburger Gespanschaft wurde das Wohnrecht der Juden auf Güns und Eisenstadt beschränkt (1544). Siehe: Die Juden in Oesterreich I. Seite 110 und 117.

dieselben noch mehr erhöht, als die Juden bei der heldenmüthigen Eroberung Ofens durch die kaiserlichen Waffen (2. September 1686) den Türken in der Vertheidigung Beistand leisteten. Viele Juden fielen bei der Einnahme Ofens oder wurden gefangen, der Rest flüchtete sich in die Türkei. Der durch seine Wohlthätigkeit berühmte damalige Vorsteher der Wiener Israeliten Abraham Spitz verwendete auf die Auslösung der Ofner Gefangenen bedeutende Summen [1]).

Ueberblicken wir die Hauptereignisse der mittelalterlichen Geschichte der ungrischen Israeliten, so finden wir das Schicksal derselben — weil von blutigen Verfolgungen bis zum sechzehnten Jahrhunderte frei — im Ganzen günstiger als in anderen Ländern damaliger Zeit; im Uebrigen tragen der jüdische Charakter, die darauf berechnete Gesetzgebung und die Folgen beider so ziemlich gleiche Phisiognomie mit den entsprechenden Verhältnissen der übrigen europäischen Länder. — Die Juden wussten die Schwäche der Könige und Grossen, die Verschwendung des Adels und die geringe Bildung der Bürger und des Landmannes eben so gut auszubeuten, als die Gesetze zu umgehen; besonders waren die Zeiten der Noth und der Verwirrung goldene Erndtetage für dieselben. Die Art, wie sie zu Reichthum gelangten und ihn benützten, hatte wie anderwärts Neid und Unwillen erregt, die in Verbindung mit fanatischem Glaubens-Eifer auch hier, doch später als anderswo, zu Verfolgungen führten.

In grösseren Städten wohnten sie gewöhnlich in eigenen Stadttheilen: die Judenstadt, so z. B. in Pressburg, Ofen, Gran u. s. w. Bei festlichen Einzügen waren die Juden gewöhnlich ebenfalls der Bürgerschaft angeschlossen, und fehlten nicht leicht, besonders wo es die Bestätigung ihrer Privilegien galt. Sie liessen sich bei solchen Gelegenheiten auch in Staat und Glanz sehen.

Bei dem ersten Empfange des jungen Königs Mathias I. erschienen die Juden vor dem Stadtthore, die Gesetztafeln tragend, und flehten den König um Bestätigung ihrer Privilegien [2]) an. Noch prächtiger zeigten sie sich bei dem Vermählungseinzuge dieses Königs und seiner Braut Beatrix von Neapel. Die Juden empfingen ihn sammt der Bürgerschaft und der Klerisei von Ofen vor dem Stuhlweissenburger Thore. Der greise Judenvorsteher zu Pferd mit einem Schwerte (woran ein silbernes zehn Pfund schweres Fässchen hing), eben so geschmückt, folgte dem Greise sein Sohn, dann vier und zwanzig jüdische Reiter, kastanienbraun gekleidet, jeder mit drei Straussenfedern auf dem Hute, endlich zweihundert Mann zu Fuss mit einer rothen Fahne, worauf in der Mitte ein Eulenfuss, oben die jüdische Tiara, unten zwei goldene Sterne prangten. Die Gesetztafeln tragend und singend, gingen sie vor der Königin einher.

Bezeichnend ist auch die Eidesformel, welche die Juden, das Angesicht gegen Osten gewendet, mit Defillin und Talis bekleidet, baarfüssig stehend, in der Hand ein Tora haltend, vor Gericht zu leisten hatten [3]):

---

[1]) Diess rühmt seine Grabschrift auf dem Wiener israelitischen Friedhofe. — Siehe Isidor Busch a. a. O. Seite 89.

[2]) Bonfin. Dec. III. lib. IX.

[3]) Corpus Juris Hung. P. III. Titul. 36. §. 2.

Ich N. Jude beschwöre bei Gott dem Lebendigen, bei Gott dem Allmächtigen, der Himmel, Erde und Meer, und Alles was darin ist, geschaffen hat, dass ich in der Rechtssache, in welcher mich dieser Christ beschuldigt, vollkommen rein und unschuldig bin. Wenn ich aber schuldig bin, verschlinge mich die Erde, welche Dathon und Abyron verschlang, und wenn ich schuldig bin, so befalle mich die Gicht und der Aussatz, welcher auf Elisa's Gebet den Syrer Naaman verliess und Jehasi, den Diener Elisa's befiel. Wenn ich schuldig bin, so ergreife mich die Fallsucht, der Blutfuss und der Schlag und ein plötzlicher Tod raffe mich hin, dass ich zu Grunde gehe an Leib und Seele und meinen Sachen und dass ich nie komme in den Schooss Abraham's. Wenn ich schuldig bin, vernichte mich das Gesetz, welches dem Moses auf dem Berge Sinai gegeben wurde, und Alles, was in den fünf Büchern Moses geschrieben ist, verwirre mich. Und wenn dieser mein Eidschwur nicht wahr und recht ist, so vertilge mich Adonai und die Macht seiner Göttlichkeit. Amen!

III. Indischer Stamm.

§. 38.

Einwanderung der Zigeuner und ihre Ausbreitung in Ungern.

Ein Volksstamm der Gingari wird zwar schon unter den Truppen erwähnt, mit welchen Bela IV. den König von Böhmen Ottokar II. bekriegte [1]; allein, ob diese Gingari wirklich identisch mit den Zingaris, d. i. den eigentlichen Zigeunern seien, und ob sie vielleicht mit den Tataren nach Europa und nach Ungern gekommen und dort zurückgeblieben sind [2]), ist sehr zweifelhaft. — Mit Sicherheit wissen wir nur, dass die Zigeunerhorden im Jahre **1417** unter Alexander dem Guten in der Moldau, und in demselben Jahre auch in Siebenbürgen und Ungern und selbst auch schon in Deutschland erschienen, wohin sie aus Ungern eingewandert waren. Von da drangen sie im folgenden Jahre in die Schweiz und Italien, eine andere Horde aus Böhmen nach Frankreich, Spanien und selbst jenseits des Kanals bis Schottland (**1418—1430**).

In Siebenbürgen und Ungern wie auch in der Walachei, Polen und Italien wurden sie unter dem Namen Zingari oder Zingani, auch als Pharaones (Pharao Nemzetség) bekannt; in Deutschland unter dem ähnlichen Namen der Zigeuner; in Frankreich unter dem Namen Bohémiens und Egypticns; in England als Gypsies; in Spanien als Gitanos; in der Türkei als Tschinghené; in Griechenland als Κατςιβελοι; in Russland

---

[1]) Ludwig reliq. mss. T. XI. p. 301. Ottokar meldet dem Papste den Sieg: Quod adversus Belam et natum eiusdem Stephanum reges illustres — — — et innumerabilem multitudinem inhumanorum hominum Comanorum, Ungarorum et diversorum Slavorum, Siculorumque et Vasallorum, Bezzerminorum et Hismaëlitarum, Scismaticorum, ut etiam Græcorum, Gingarorum, Bassierndorum et Bastrensium hæreticorum, auctore Deo gessimus et victoriæ coelitus datæ.

[2]) Ein altes dänisches Gesetz, welches die Aufnahme der Zigeuner verbietet, weil sie das gemeine Volk durch Lügen, Betrügereien und geheime Künste überlisten, nennt dieselben Tataren. Grellmann Geschichte der Zigeuner p. 16.

als Tziganes; in Holland als Heiden; in Dänemark und Schweden als Tataren; in Arabien als Charami (Räuber); in der kleinen Bucharei als Djaii. Sie selbst aber nennen sich Romnitschel (d. i. Sohn des Weibes oder Rome = Männer).

Wir wollen uns nicht in eine Untersuchung über ihre Abkunft einlassen, sondern nur erwähnen, dass die meisten und neuesten Forschungen über diesen Gegenstand die Zigeuner aus Indien ableiten, und zwar aus der Kaste der Sudras (auch Correwas genannt), da sie einigen Stämmen dieser Kaste sowohl in der Lebensweise, als Sprache, am meisten ähnlich sein sollen [1]). Gewöhnlich bringt man die Einwanderung der Zigeuner in Europa mit den Erschütterungen in Verbindung, welche Indien durch Timur zu Anfang des fünfzehnten Jahrhunderts erlitt. Andere suchten eine Aehnlichkeit zwischen den Aegyptern [2]) und Zigeunern, und fanden die Bestätigung darin, dass sich die Zigeuner selbst ihrer ägyptischen Abkunft rühmten.

Die Lebensweise war bei ihrer Einwanderung bereits dieselbe, wie wir sie noch gegenwärtig finden. Sie beschäftigten sich mit Schmiedarbeit, Goldwäscherei, Pferdemäkelei, Wahrsagerei und Quacksalberei, ergötzten durch Musik und Tanz, waren aber wegen Betrug und Dieberei nirgends beliebte Gäste. Sie schlugen ihre Zelte vor den Städten, Märkten und Dörfern auf; es scheint aber, dass sie auch dort nicht überall geduldet wurden.

Daher begab sich der Wojwod der Zigeuner mit mehreren seines Stammes zu König Sigmund, und erwirkte einen eigenen Freiheitsbrief für die Zigeuner seines Stammes, vermög welchen denselben in ganz Ungern nicht nur erlaubt wird, zu den Städten und Märkten mit Sicherheit zu kommen, sondern die Bewohner derselben sogar zum Schutz der Zigeuner aufgefordert werden. Bei Streitigkeiten (cincania) der Zigeuner untereinander soll ihr Wojwode selbst Richter sein [3]).

König Wladislaw II. ertheilte im Jahre 1496 einem gewissen Thomas Polgár, Wojwoden einer in Ungern herumstreifenden Zigeunerhorde von fünfundzwanzig Zelten ein Dekret, damit Niemand ihn und seine Leute beunruhigen, noch beeinträchtigen möchte, die damals zu Diensten Sigismund's, Bischofs zu Fünfkirchen, Musketen- und Kanonenkugeln nebst anderem Kriegsgeräthe verfertigten [4]).

Der jedesmalige Wojwode der Zigeuner in Ungern wurde aus ihrem Stamme vom Palatin gewählt und führte den Titel: Egregius. Unter demselben standen in jedem Komitate, wo sich Zigeuner aufhielten, ihre eigenen Vorstände (agiles), welche zugleich ihre Richter waren. Doch diese Einrichtungen führten keineswegs zu einem

---

[1]) Michael von Kogalnitchan Skizze einer Geschichte der Zigeuner, ihrer Sitten und Sprache. Aus dem Französischen von Casca. Stuttgart 1840.

[2]) Siehe Griselini Geschichte des Temeschwarer Banat's p. 107–219.

[3]) Cod. dipl. XVI. p. 532 und 533 vom Jahre 1428. „Quod quandocunque idem Ladislaus Vajvoda et sua gens ad dicta nostra dominia videlicet civitates et oppida pervenerint, extunc vestris fidelitatibus præsentibus firmiter committimus et mandamus, ut eosdem Vladislaum Vaivodam et Ciganos sibi subjectos omni sine impedimento ac perturbationi aliquali fovere et conservare debeatis, imo ab omnibus impetitionibus seu offensionibus tueri velitis. Si autem inter ipsos (Zingaros) aliqua Zingania seu perturbatio evenerit, ex parte quorumcunque extunc non vos, vel aliquis alter vestrum, sed idem Ladislaus Vajvoda iudicandi et liberandi habeat facultatem etc."

[4]) P. Prag. Part. IV. lib. 4. p. 273.

geordneten Leben der Zigeuner. Schon die gerichtliche Eidesformel, nach welcher die Zigeuner vor den Gerichtsstellen schwuren, zeigt uns in den Eingangsworten den moralischen Zustand dieses Nomadenvolkes.

„Wie Gott den König Pharaon im rothen Meere ersäufte, so soll den Zigeuner der tiefste Abgrund der Erde verschlingen, und er verflucht sein, wenn er nicht die Wahrheit redet, kein Diebstahl, kein Handel und sonst ein Geschäft soll ihm gelingen. Sein Pferd soll sich beim ersten Hufschlag alsogleich in einen Esel verwandeln, und er selbst durch Henkershand am Hochgerichte hängen" u. s. w. [1]).

Besonders beunruhigten die Zigeuner, während die türkische Herrschaft über Ungern ausgebreitet war, die deutschen Insassen an der österreichischen Gränze [2]). Von manchen Herrschaften wurden sie aus ihrem Gebiete gewiesen, z. B. vom Kloster Lilienfeld, aus seinen Besitzungen an der ungrischen Gränze: „Weillen" — wie die betreffende Pantaiding's-Ordnung vom Jahre 1677 sich ausdrückt — „auch die Zigeuner nichts anderes als lauter vngelegenheit procreiren, sich bloss allein mit stehlen vnter den vnterthanen erhalten, ist ihnen also die herrschaft genzlichen verbotten, wer derohalben einem aufenthaltung zu geben sich vnderstehen wierdt, ist der Wandl 24 fr." [3]).

Bei den türkischen Festaufzügen finden wir die Zigeuner als Musikanten in abenteuerlicher Tracht. In dem Schutt eroberter oder zerstörter Städte fanden sie sich ebenfalls ein, z. B. in Pest nach der Einnahme im Jahre 1686, wo sie zuerst in dem langsam aufblühenden Städtchen den Kleinhandel trieben [4]).

Im Jahre 1557 zeigten die Zigeuner auch Proben von Tapferkeit. Franz Perényi hatte ihnen aus Mangel an Kriegsvölkern die Vertheidigung des Schlosses Nagy Ida (unweit Kaschau) anvertraut, wo sie sich wider alles Vermuthen so tapfer hielten, dass sie den Feind nicht nur zu verschiedenen Malen von den Mauern abtrieben, sondern ihn auch nöthigten, die Belagerung des Schlosses aufzugeben. — Im Abziehen schrien sie ihnen sehr muthig nach: dass sie gewiss nicht so leicht weggekommen sein würden, wenn es ihnen nicht an Pulver gemangelt hätte. Sogleich kehrten die Belagerer um, zwangen das Schloss zur Uebergabe, und liessen alle Zigeuner über die Klinge springen [5]).

In Anbetracht des demoralisirten Zustandes der Zigeuner männlichen und weiblichen Geschlechtes erliess selbst der Sultan Mustapha im Jahre 1696 eine strenge Polizeiordnung für die Zigeuner des osmanischen Reiches, wozu damals noch ein guter Theil von Ungern gehörte.

Allein alle diese Einrichtungen blieben in der Ausführung von geringer Wirkung, und erst in den folgenden Perioden wurden von Maria Theresia und Joseph II. wirksamere Versuche zur Civilisirung der Zigeuner unternommen.

---

[1]) Szirmay.

[2]) Scheybs Abhandlung: die österreichische Gränze im V. U. W. W. gegen Ungern. 2 Foliobd. MS. im k. k. Staatsarchiv.

[3]) Pantaiding in Oesterreich unter der Enns. Herausgegeben von J. P. Kaltenbäck. II. Band, Seite 153, §. 108.

[4]) Siehe J. Häufler's Ofen und Pest §§. 49 u. 57.

[5]) Windisch Geographie von Ungern I. p. 75—76.

B) Völkerstämme und Colonien von europäischer Abkunft.

I. Romanen (im weiteren Sinne).

Davon erscheinen in Ungern:

a) Italiener (Latini), b) Franzosen und Wallonen (Galli), c) Spanier (Hispani), d) Schottländer, e) Griechen, f) Romanen (Rumuni, Walachen).

§. 39.

a) Italiener (Latini).

a) Sowohl einzelne Italiener und italienische Familien, als

b) italienische Gemeinden finden wir bereits in der Arpadenzeit in Ungern und Dalmatien, welchen sich gewissermassen

c) die aus Italien stammenden Orden der Benediktiner und Hierosolomytaner (Johanniter) anreihen.

a. Einzelne Italiener und Familien.

Unter den eingewanderten italienischen Grafen ist vor Allen zu erwähnen:

1. Deodat, ein Graf von S. Severino aus Apulien, der Taufpathe und Erzieher des heiligen Stephan, ein Hauptförderer des jungen Christenthums in Ungern, der Stifter des Klosters Tata. Er starb ohne Nachkommen [1]).

2. Oliver und Ratold, Grafen von Caserta, langten unter Kolomann (vermuthlich mit Busilla, der Tochter Roger's von Sicilien und Kolomann's erster Gemahlin) aus Apulien an [2]).

---

[1]) Chron. Thur. II. c. 1. Introivit ergo primo Deodatus de Comitibus S. Severini de Apulia, qui fundator exstitit monasterii de Tata (im Komorner Komitate) et parator. Iste etiam cum S. Adalberto Episcopo Pragensi, S. Regem Stephanum baptisavit. Cujus quidem monasterii nomen pro eo Tata appellatur, quia, cum Beatus Rex Stephanus ipsius nomen ob reverentiam, non exprimeret, sed cum Tata appellaret, abolitum est nomen Deodati, sed Tata est vocitatus, unde etiam ipsius monasterium taliter est vocatum. Hujus quidem generatio in Panonia non habetur, quia quamvis uxorem habuisset, tamen sine heredibus finivit vitam suam. Das Chron. Bud. ist wörtlich gleichlautend. Keza nennt ihn nicht; aber eine Urkunde Bela IV. v. 1263 (Fejér cod. dipl. IV. III. p. 103 — 105) verbreitet sich ausführlich über Deodat: Antecessores nostri piæ memoriæ Geysa Dux, et Stephanus, filius ejus, primus Rex Hungariæ, — ob gratiam et merita Comitis Deodati, qui erat unus ex principalibus tunc regni Hungariæ, qui quidem Comes adjutor convertendi gentes incredulas et rebelles fidei veritatis ac legis divinæ propugnator et propagator una cum Geyza supradicto, et celeris Nobilibus terrigenis et advenis et Episcopis exstitit gloriosus, qui etiam S. regem Stephanum prænominatum, cum S. Adalberto Episcopo de fonte Baptismatis sublevavit, magnam partem regni Hungariæ eidem Comiti Deodato hereditarie tradiderunt, et contulerunt præcipue tamen villam, qua Tata nominatur, — — cum idem Comes Deodatus absque heredibus permaneret et prolem non haberet, prædictam villam Tata cum omnibus juribus — Monasterio Beatorum Petri et Pauli Apostolorum de dicto Tata, quod ipse Comes fundaverat, legavit, donavit et in ævum concessit. Et in signum hujus rei et facti præfatus rex, S. Stephanus, dictam villam ob reverentiam et memoriam dicti Comitis Deodati et testamenti facti per ipsum, Tatam nominavit, quod Pater Spiritualis interpretatur vulgariter. Der Verfasser des Chron. Thurocz scheint die angezogene Urkunde vor Augen gehabt zu haben.

[2]) Keza p. 137. Thurcz II. c. 17. Quellen über die Nachkommen bei St. Horváth a. a. O. XXIV. Siehe auch Tud. Gyujt. Tom. IV. p. 85 — 87. Die Familie Lóránffi de Serke wird von diesem Geschlechte abgeleitet. (Wagner Dec. IV. p. 72).

3. Die Grafen Frangepani waren ein ursprünglich römisches Geschlecht, welches durch die Vermählung eines seiner Glieder mit einer friaulischen Herzogstöchter in Dalmatien und Friaul begütert und von der Insel Veglia benannt wurde. — Nachdem Dalmatien an Ungerns Krone gekommen (1002), zeichneten sich die Grafen Frangepani durch Treue an das Königshaus aus, daher verlieh Bela III. 1193 dem Grafen Bartholomäus das Modruser Gebiet [1]) und Andreas II. dem Grafen Jerindo Vinodol, dann die vier Inseln Curzola, Brazza, Fara und Lagosta (1218), deren Besitz Papst Innozenz III. (1221 und 1251), und auch Bela IV. bestätigte [2]); auch die Stadt Segnia (Zengg) verlieh Bela 1255 dem gedachten Grafengeschlechte, da sich die Grafen Friedrich, Bartholomäus und Guido bei der Flucht des Königs nach Veglia durch Tapferkeit und Treue, durch Beistellung von Schiffen und Mannschaft ausgezeichnet hatten [3]).

4. Mit Karl Robert kamen mehrere Italiener, als seine Begleiter und Anhänger, nach Ungern; insbesondere die Grafen Philipp und Johann Drugeth aus Salerno. Philipp wurde durch königliche Gunst Herr der Burgen Lublyo und Dalawcha, Graf der Zipser und Aba-Ujvárer Komitate und Palatin des Reiches. Als Heerführer gegen Mathias von Trenchin erfocht er (1327) den Sieg bei Rozgony und starb erblos. Sein Bruder Johann stieg auch zur Palatinswürde empor, worin ihm sein ältester Sohn Wilhelm folgte; doch auch dieser starb erblos. Der drittgeborne Sohn Johann pflanzte durch seine fünf Söhne: Johann, Nikolaus, Ladislaus, Philipp und Kascha das Geschlecht Drugeth fort, welches sich, nach der Schenkung Homonná's, von diesem Orte benannte, und erst im siebenzehnten Jahrhundert erlosch [4]).

5. Unter Sigmund wurde Philipp (Pippo) von Ozora, ein geborner Florentiner, Temeser Graf; er erwarb sich den Ruf eines kriegserfahrnen Feldherrn in den ungrisch-venezianischen und polnischen Kriegen, aber auch jenen der Bestechlichkeit und Grausamkeit [5]).

6. Von wichtigem Einflusse auf die kirchlichen und politischen Angelegenheiten Ungern's bewährten sich mehrere Italiener als päpstliche Legaten; dann drei Italie-

---

[1]) Cod. dipl. II. p. 292 etc.

[2]) Cod. dipl. III. I. p. 306; IV. II. p. 98—103. — In der Gränzbestimmungs-Urkunde des Vinodoler Gebietes (bei Kercselich notit. prælim. p. 195), ist ausdrücklich die Richina (Recina), d. i. das Flüsschen Fiumara zwischen Fiume und Tersatto als Gränze angegeben. — Fiume gehörte sonach nicht zum Vinodoler Gebiete, sondern zum Gebiete der Grafen und Herzoge von Andechs und Meran. Nach deren Erlöschen gelangte Fiume unter die Hoheit der Grafen von Görz, und zwar in den Besitz der Vasallen der Görzer Grafen, nämlich der Grafen von Tybein (Duino). Erst von den Letztern wurde Fiume sammt Gebiet an Bartholomäus Grafen von Frangepan verpfändet, von dessen Söhnen Stephan und Johann aber wieder (1365) restituirt. Fiume gehörte fortan bis in die Tage Maria Theresia's (1776) zum deutschen Reichsgebiete und zwar zunächst zur österreichischen Hausmacht.

[3]) A. a. O. p. 308—310.

[4]) Carol. Wagner analect. Sepus. P. III und Geneal. Famil. dec. III. p. 33. etc. Szirmay: Not. Com. Zempl. p. 76, 355; Fessler III. 710 etc. Ungr. chron. zum Jahre 1330 und A. Der zweitgeborne Sohn obigen Johann Drugeth's, Nicolaus, war Ludwig des Grossen Erzieher, welcher jedoch in dessen Vertheidigung bei dem berüchtigten Angriffe Felician Zaach's gegen Karl Robert und seiner Familie zu Vissegrad sein Leben verlor.

[5]) Fessler IV. B. S. 223—226 und 58 nach Dlugoss Lib. XI. p. 361.

ner, welche zum Theil durch ihre religiöse Wirksamkeit in Ungern, den Ruf der Heiligkeit erwarben, als: Johannes Dominici aus dem Predigerorden, Erzbischof von Ragusa, päpstlicher Legat in Ungern und Böhmen wider die Taboriten und Horebiten, welcher in dem St. Laurenz - Kloster der Pauliner bei Ofen sein Leben (1418) beschloss; Jakob Marchia von Monte Brandono, päpstlicher Vikar, in der Fünfkirchner Diöcese wirkend und leidend (1434), und als Sittenverbesserer in Ungern, Bosnien, Böhmen und Polen; endlich Johann Hunyad's begeisterter Mitkämpe, der Franziskaner Johann von Capistrano, sammt seinen Gefährten Johann von Tagliacotto und Nikolaus von Fara (1456) [1].

7. Mathias Corvinus Liebe für Wissenschaft und Kunst und seine Ruhmbegierde berief mehrere ausgezeichnete Italiener an seinen musenfreundlichen Hof.

Peter Ranzanus, Bischof von Lucevia, wurde von dem neapolitanischen Könige Ferdinand an den Hof seines Eidams, des Königs Mathias Corvinus, gesandt, wo er bis zu dessen Tode verweilte und eine kurzgefasste ungrische Geschichte schrieb.

Anton Bonfin, aus Ascoli, wurde als Historiograph nach Ofen berufen, wo er nebst andern literarischen Arbeiten seine umfangreichen Decaden der ungrischen Geschichte, nicht ohne rhetorischen Redeprunk ausarbeitete.

Galeotus Martius, aus Narin, leitete die Erziehung des Johannes Corvinus, für welchen er das Buch: „De egregie sapienter, jocose dictis et factis Mathiæ Regis," verfasste, und einige Zeit auch Vorstand der berühmten Corvin'schen Bibliothek war [2].

Auch Ludovicus Carbo, aus Ferrara, hielt sich längere Zeit in Ungern auf, wo er den Dialog von des Königs Ruhm und Thaten [3]) aufzeichnete.

Der Florentiner Naldus Naldius, der Lobredner der Corvin'schen Bibliothek; Alexander Cortesius, ein Dalmatiner, päpstlicher Sekretär, Philosoph, Geschichtschreiber und Verfasser der „Laudes bellicæ Regis Mathiæ" [4]; Cahinachus Experiens (Philipp Buona Corsi), aus Gemignana, Angelus Politianus (Bassus), der Lehrer des Papstes Leo X., Marsilius Vicinus, Aurelius Brandolinus und der Florentiner Bartolomæus Fontius widmeten dem Könige Mathias Corvinus Werke, und standen in literarischer Verbindung mit den Gelehrten an dessen Hofe. Fontius wurde selbst Vorstand der königlichen Bibliothek in Ofen.

Averulinus (genannt Philaretus), des Königs Architekt, schrieb ein Werk: De Architectura, welches Bonfin aus dem Italienischen in's Lateinische übersetzte [5].

---

1) Bolland. in Actis SS. Mens. Jun. T. II. p. 394 etc. Sigm. Ferari de reb. Prov. Hung. Ord. Præd. p. 79. Breviar. Franciscan. ad 28. Nov. Lect. IV. etc. Aeneas Sylvius Hist. Frid. III. bei Kollár Anal. Vind. II. und Joh. Capistrani Epist. bei Pray Annal. P. III.

2) Schwandtner SS. Rer. Ung. Tom. I.

3) Die Original-Handschrift befindet sich in Wolfenbüttel. Das Epos erschien aber im Drucke 1531, durch Obsopæus.

4) Die Handschrift befindet sich in der Bibliothek der Akademie der Wissenschaften in Pest.

5) Die Uebersetzung Bonfin's MS. mit Prachttitel und vielen Abbildungen erläutert, ist in der St. Markus Bibliothek zu Venedig.

8. Unter der Dynastie der Habsburger erhielten mehrere Italiener das ungrische Indigenat, und zwar:

Unter Ferdinand I. im Jahre 1550 (Art. 73) Friedrich Malatesta, königlicher Sekretär [1]), ferner im Jahre 1560 (Art. 55) Pyrrhus Graf von Arco, Gemahl der Frau Margarethe Széchi von Also-Lindva und (1563) auch dessen Bruder Scipio; unter Ferdinand III. im Jahre 1647 (Art. 155) Franz de Caretto, Marchio de Grana, welcher im Jahre 1649 (Art. 101) den Indignats-Eid ablegte, im Jahre 1655 (Art. 118) Octavianus de Aragonia, Reichsfürst und Herzog von Amalfi und (Art. 119) Raimund Graf Montecuculi, kaiserlicher Hofkriegsrath und General der Cavallerie; unter Leopold I. im Jahre 1659 (Art. 131—133) Johann Ferdinand Graf von Portia und Brugnara, Friedrich Graf Cavriani; Bonoventura Corralanza; Fürst Hanibal von Gonzaga, Markgraf von Mantua; die Gebrüder Claudius und Anton Franz von Collalto und Nikolaus Paravinus de Capellis, dann im Jahre 1662 (Art. 55) Carlo Miglio und Johann Andreas Ivanelli; im Jahre 1681 (Art. 82) General Aeneas Graf von Caprara, Julius Spinola, Karl Maximilian Graf de Turri et Valsassina, Sylvester Freiherr Jonelli; Sylvester Joseph de Rotta und der Bergamasker, Sylvius Brixianus; endlich im Jahre 1687 (Art. 28) Johann Bapt. Markgraf von Doria, Philipp Freiherr von Saponara und Marchio Anton Franz Grilli; (Art. 29) Franz Almerigo, Baron von Aggort, Hieronymus Schalvignoni und Marcus Antonius Mamucha de Thuri, Antonius von Lumago etc.

Die meisten dieser und noch andere Italiener zeichneten sich aus in den Befreiungskriegen Ungern's von türkischer Herrschaft als Anführer der kaiserlichen Truppen, als: Castaldo von Genua, der Retter Siebenbürgen's unter Ferdinand I. aber auch der Mörder Martinuzzi's; Montecucculi von Modena, der Sieger von St. Gotthard; Piccolomini von Siena, der Eroberer von Scopi am Orbelus (welcher durch gutes Einvernehmen mit den serbischen Stämmen, Ungern Vertheidiger und Einwanderer verschaffte); Archinto von Cremona, der vor Belgrad fiel; Rabatta von Görz; Caraffa von Neapel; Benvenutti von Crema; Gonzaga von Mantua und drei Bologneser: Malvezzi, der tapfere Befehlshaber von Sabacz, Caprara, der siebenbürgische Feldherr und der eben so heldenmüthige als gelehrte Marsigli [2]); endlich der als Mensch und Feldherr, als Kenner und Gönner der Kunst und Wissenschaft hochberühmte Prinz Eugen von Savoyen, dessen Glanzepoche jedoch erst in die folgende Periode fällt. .

---

[1]) Ferd. I. Decr. XII. Art. 73. Cum Fridericus Malatesta Secretarius R. Majestatis, ab ineunte ætate in Ungaria fere continuo permanendo, linquam Ungaricam et mores Ungaricas probe didicerit, suampue fidem nec obscura Familia in Italia oriundum, una cum ejus posteris in numerum Nobilium Ungarorum communibus votis recipiendum, cooptandumque duxerunt.

[2]) Freiherr v. Hammer. Geschichte der Osmanen VI. 612.

6. Italienische Städte und Gemeinden in Ungern und Dalmatien.

Es gab aber auch italienische Gemeinden in Ungern.

1. In Stuhlweissenburg und Gran waren Latini (Italiener). In der letztern Stadt waren zur Zeit des Tataren-Einfalles, nebst Ungern und Franken, auch Lombarden, gleichsam als Herren der Stadt behaust [1]).

2. Nach dem Mongolen-Einfalle hatten sich noch unter Bela IV. [2]), dann unter Karl Robert's Regierung wieder Italiener in Gran angesiedelt. Die Häuser: Baldini, Godini, Geleti, Rubini, Negroni u. a. genossen dort vollkommenes Bürgerrecht, und ihre Gesammtheit führte ein Siegel mit der Umschrift: „Sigillum Latinorum civitatis Strigoniensis," „secretum Latinorum civitatis Strigoniensis."

3. Auf den königlichen Gütern im Zempliner Komitate, in der weltberühmten Hegyalla, wurde bereits zu Bela's IV. [3]) Zeiten der Weinbau, besonders zwischen Patak und Olasz [4]) betrieben, und die wälischen Winzer (latini vinitores regii) wurden auch von den folgenden Königen mit grossen Opfern dahin gelockt. Mathias Corvinus hob vom Neuen dort den Weinbau durch Verpflanzung italienischer und burgundischer Reben.

4. Dass Italiener auch in der Zips um Olaszi (Wallendorf), dann

5. zu Tornava (Torna) wohnten, ist aus Zipser Urkunden bekannt. Bela IV. befreite die Gäste (hospites) von Olaszi (1243) von der Gerichtsbarkeit des Komitatsgrafen (a comite parochiali), und gestattete ihnen, dass sie nach Sitte anderer Gäste (juxta consuetudinem hospitum aliorum) von einem selbstgewählten Richter (villicus) gerichtet werden sollen [5]). — Es scheint aber in der Zips auch ausser Olaszi noch Italiener gegeben zu haben, denn der dortige Graf Elias hiess Comes Saxorum et Latinorum [6]).

6. Noch ausgebildeter war das Gemeindeleben in den dalmatischen Städten, in welchen grösstentheils italienische Sprache und Sitte herrschte, während auf dem Lande Dalmatien's und in den Gebirgen die slavischen Wlachen (Morlachen) [7]) wohnten.

Schon zu Plinius Zeit [8]) waren drei Städte, in welchen die illyrisch-dalmatischen Stämme sich versammelten.

---

[1]) Roger carmen miser. c. 39.

[2]) Fejér cod. dipl. IV. II. p. 375 nostris civibus de Strigonio, qui remanserant de invasione Tatarorum et qui de terra latina ex post facto supervenerant.

[3]) Pray Hist. Reg. P. p. 109.

[4]) Nach Szirmay Not. Topogr. schenkt Bela dem Turul: Ob remedium animæ quatuor mansiones vinitorum regiorum inter villam Potoc et Oloz existentium.

[5]) Wagner Analecta Scepusii III. p. 248—249.

[6]) In einer Urkunde Andreas III. vom Jahre 1297 ist eine villa Olasz de Tornaua (Torna) bei Fejér IV. 1. p. 278 erwähnt.

[7]) Wlache (Hirten), Morlache (Meer-Wlache), Uskok (Ueberläufer) bedeutet im Mittelalter verschiedene slavische Abtheilungen von serbisch-kroatischer Abstammung, worüber bei der Erwähnung der Slaven mehrere Andeutungen folgen werden.

[8]) Plinius hist. natural. Lib. III. c. 22.

1. Scardona, Sammelort der Japoden und der vierzehn liburnischen Städte; 2. Salona, wo 372 Decurien der Dalmaten, dann 22 der Devoner, 239 der Ditionen, 69 der Mezeer und 52 der Sardiaten, von den Inseln aber die Issaci, Colentini, Separi und Epetini sich einfanden; 3. Narona, wo 24 Decurien der Cerauner, 103 der Diasiaten, 33 der Diocleaten, 14 der Deretiner, 30 der Deremisten, 33 der Dindaren, 44 der Glinditiones, 24 der Melcomani, 102 der Nareser, 72 der Scirtarser, 24 der Siculoten und 20 der Vardäer zusammen kamen.

Augustus hatte aber auch in der Provinz Dalmatien [1]) römische Colonien errichtet, namentlich: Sicum, Tragurium (Trau), Rhizinium, Aserivium, Butua, Olchinium etc. Mit den römischen Municipal-Institutionen und militärischen Einrichtungen waren auch viele römische Bewohner nach Dalmatien gelangt, wodurch in den Städten römische Sprache und Sitte in Aufnahme kam.

In der Theilung des römischen Reiches blieb Dalmatien beim weströmischen Reiche (395): erst Justinian brachte Dalmatien mit Liburnien unter die oströmische Herrschaft.

Als die Awaren (zwischen den Jahren 610—620) Dalmatien gräulich verwüsteten, flohen die meisten römischen Colonisten theils nach Ragusa, Spalato, Trau, Zara und andern befestigten Städten [2]), theils auf die meergeschützten Inseln. Dort fanden sie auch Schutz, als die Kroaten Dalmatien (c. 630) mit Genehmigung des Kaisers Heraklius besetzten. Da die Kroaten durch römische Priester früh zum Christenthume übergingen und als Glaubensregel zugleich den Grundsatz annahmen: „Nie die Gränzen Dalmatiens zu überschreiten," so fand die römische Städte-Bevölkerung um so mehr Sicherheit.

Die Municipal-Institutionen und damit die Eigenthümlichkeiten der römischen Städte-Bevölkerung erhielten sich auch im Wesentlichen unter dem Wechsel der folgenden Herrschaften.

Karl der Grosse wurde Herr von Liburnien und Dalmatien (805), doch überliess er mehrere Seestädte dem griechischen Kaiser [3]). Diese zahlten mit Bewilligung des Kaisers Basilius Macedo um des Friedens Willen den Slaven (867) die Abgaben, die sie sonst den römischen Prätoren entrichteten [4]).

---

[1]) Der Name Dalmatien wird von dem Fürsten Dalmio und dessen gleichnamiger Stadt (jetzt Duono in Bosnien) abgeleitet. — Livius L. XIX. c. 12, XXX. c. 20, XXXIV. c. 27. Der Titius (die Kerka) bildet die Gränze zwischen dem eigentlichen Dalmatien und Liburnien. (A. a. O. Liburniæ finis et Dalmatiæ initium: Scardona in amne etc.) — Bald wurde aber Liburnien zu Dalmatien gerechnet, und sonach die Gränzen des letztern im weiteren Sinne bis an die Arsia (in Istrien) ausgedehnt.

[2]) Konstantin Porphyr. de Adm. Imp. c. XXIX. und XXX. — Papst Gregor's Brief in Farlati Illyr. Sacra. Tom. IV.

[3]) Einhard bei Pertz II. 451 etc.

[4]) Vergleiche über das Gesagte und Folgende Alex. von Reutz: Verfassung und Rechtszustand der dalmatischen Küstenstädte und Inseln aus ihren Statuten entwickelt. (Dorpat 1841) — Und Dr. Gustav Wenzel: Beiträge zur Quellenkunde der dalmatischen Rechtsgeschichte im Mittelalter, im Archiv der kaiserlichen Akademie. V. Heft. 1849. Diese interessante Abhandlung enthielt nicht nur eine Ergänzung des Reutz'schen Werkes, sondern sie stellt auch ein sehr anschauliches Bild

Die Hilfe, welche Venedig (887) den dalmatischen Städten gegen die seeräuberischen Anfälle der Liburner, Normannen und Saracenen gewährte, knüpfte das erste Band zwischen Dalmatien und Venedig. Das Festland blieb unter kroatischer Herrschaft, über die Inseln und Städte breitete der Löwe des heiligen Marcus seine Flügel. Der Doge Urseolo II. führte (983) wegen des Besitzes der Städte: Zara, Spalato, Trau u. a., unter der Schattenhoheit des byzantinischen Hofes. den Titel: Venetiæ, Dalmatiæ „Croatiæque, Imperialis Protosebastes" [1]).

Unter der venezianischen Herrschaft erhielten die Städte manchen Einfluss von den Satzungen der Inselstadt, und venezianische und andere wälsche Ankömmlinge mehrten die dalmatische Städtebevölkerung, und traten manchmal an die Spitze des Gemeinwesens, so z. B. die Morosini auf Cherso, die Frangepani auf Veglia. die Georgio in Cattaro etc.

Auch nachdem der ungrische König Kolomann ganz Dalmatien unterworfen, und sich in Belgrad (Alt-Zara) als König Dalmatien's besonders hatte krönen lassen (1002), so wie bei dem Kampfe, der zwischen Venedig und Ungern mehrmals um Dalmatien sich erhob, blieben die Städte bei ihren Freiheiten, obgleich die meisten mehr zu Venedig neigten.

Der Stadt Trau (Tragurium) versprach König Kolomann, dass deren Bewohner weder ihm noch seinen Nachfolgern tributär sein; dass sie dem selbst gewählten, von ihm zu bestätigenden Bischofe und Grafen in geistlicher und weltlicher Hinsicht unterstehen; dass von dem Einfuhrzolle dem Könige nur zwei Drittheile, ein Drittheil aber dem Grafen und der Zehent dem Bischofe zustehen solle; dass der König ohne ausdrücklichen Wunsch der Bürger, weder einem Unger, noch einem andern Fremden in der Stadt zu wohnen gestatten werde. — Stephan III. bestätigte diese Vorrechte. Geysa II. leistete eine ähnliche eidliche Zusage der Stadt Spalato und Stephan III. bestätigte dieselbe [2]), Andreas II. ertheilte neuerdings darüber Bestätigungen [3]). Selbst, nachdem Ludwig der Grosse (1358) wieder ganz Dalmatien [4]) — nach dreissigjähriger venezianischer Herrschaft — erhalten hatte, blieb das Land, welches die dalmatischen Städte an die ungrische Krone knüpfte nur locker, und die Municipal-Freiheiten blieben im Ganzen aufrecht [5]), und namentlich datirte Ragusa sein grosses Privilegium aus Ludwig des Grossen Tagen (1358).

über die Entwicklung des dalmatischen Municipal- und bezüglich National-Lebens dar, und bringt das Quellenmaterial „auch seinen Bildungselementen und deren innern Zusammenhange nach zum möglichst klaren Bewusstsein."

[1]) Dandulus bei Muratori XIV. p. 254.

[2]) Cod. dipl. II. p. 45, 80, 119, 179.

[3]) A. a. O. III. II. p. 324. Die Freiheiten von Spalato und Trau erhielten auch die Colonisten von der Insel Arbe (populi Arbensis insulæ), welche der Ban auf dem Berge Jablanich 1251 in einer zu Ehren des ungrischen Königs erbauten gleichnamigen Stadt angesiedelt hatte. Cod dipl. IV. II. 113 etc.

[4]) Cod. dipl. IX. II. p. 634.

[5]) Ein Vertrag Sebenico's mit dem Ban Johann verbot die Anlegung einer Citadelle den Ungern, auch sollte der Ban nur so viel Bewaffnete mit sich bringen, als die Bürgerschaft erlaubte; der König bezog von der Stadt nichts als das Thorgeld. Doch wurde für Zara bestimmt, dass die Ci-

Ein ähnliches Verhältniss blieb, als Sigmund (1420) wieder Dalmatien an Venedig verlor; doch übte die Republik mehrere Modificationen, namentlich durch den Einfluss auf die Wahl des Conte (Grafen und Richters) in den Stadtgebieten und Inseln, bis die drückende Türkenherrschaft im sechzehnten und siebenzehnten Jahrhunderte Manches verwischte, wobei sich nur Ragusa, als Republik, unter osmanischem Schutze zu behaupten wusste.

Ungeachtet die angedeuteten Schicksale der dalmatischen Municipien zeigen, dass römische und venezianische Institutionen eben so deren Grundlage, als Römer und Venezianer den Stamm ihrer Bewohner bildeten, so lässt sich doch auch slavischer (serbisch-kroatischer) Einfluss auf die Entwicklung des dortigen Städtelebens und slavisches Element unter den Städtebewohnern selbst für frühe Zeiten darthun.

Im neunten Jahrhunderte sollen die Italiener in den Städten mit den Slaven bei gemeinsamen Berathungen sich der lateinischen und slavischen Sprache bedient haben [1]).

In Urkunden des neunten bis zwölften Jahrhunderts kommen nicht selten nebst lateinischen auch slavische Personen-, Orts- und andere Local-Namen vor; selbst die Edlen (Patricier) dieser Städte führten solche Namen, z. B. Joannovich, Matkovich, Bogdanich, Stančich, Dobroevich, Gyurgevich, Radonavich etc.

Für Ragusa erscheint die slavische Benennung Dubrawnik sehr früh, obwohl seit dem dreizehnten Jahrhundert die Familie Georgio von Venedig aus über Ragusa das Grafenamt bis 1358 verwaltete und Marsilius Georgio (1254) der Insel Curzola sich bemächtigte, und auch im erblichen Grafenbesitze dieser Insel sammt seinen Nachkommen verblieb.

Häufiger werden diese Spuren mit den folgenden Jahrhunderten.

Die Slaven von Ragusa's Umgebung pactirten sich freien Handel nach der Stadt, und seit 1428 nimmt der von Ragusa bestellte Conte de Čupana, statt des Abtes von Meleda, auch Einfluss auf diese Insel, wie auch dessgleichen bald Lagosta (Lastovo) der Macht des slavischen Ragusa angeschlossen erscheint [2]). In den Statuten der dalmatischen Städte [3]) — welche zwischen dem dreizehnten und sechzehnten Jahrhunderte aufgezeichnet wurden — weiset der Ausdruck „čuda" (čudar), „čudex" für judex (Stadtrichter), so wie manche Rechtsgewohnheiten auf slavischen Einfluss.

Sebenico ward nach einem Privilegium vom Jahre 1066 ein sogenannter kroatischer Ort, und hatte einen Župan an der Spitze; in Belgrad, Nona, Narenta waren ebenfalls kroatische Stadtgemeinden [4]).

---

tadelle bestehen, und die Appellation an den König von Ungern gehen sollte. Engel's Dalmatien 4. S. 520 etc.

[1]) Cincarelli Osserv. sull' isola della Brazza. Venezia 1802, S. 46.

[2]) Vergleiche Reutz a. a. O. S. 9 und G. Wenzel a. a. O. S. 7. etc.

[3]) A. a. O. Reutz gibt die Rechtsstatuten von Zara (Jadra), Sebenico, Trau (Tragurium), Cattaro und den Inseln Lesina, Curzola, Brazza u. a.

[4]) Reutz p. 12.

17*

Diese Beispiele zeigen also ein theilweises Durchdringen der römisch-venezianischen Volks- und Rechts-Elemente mit kroatischen, selbst in Dalmatien's Seestädten.

Manche der slavischen Städtebewohner wurden mit der Zeit italienisirt; diess zeigen auch die Namen mancher berühmten Künstler der venezianischen Schule, welche slavischen Geblütes und aus Dalmatien stammend, sich italienisirten und in der Kunstgeschichte für Venezianer gelten [1]).

c. Italienische Orden in Ungern.

Gewissermassen gehören auch die aus Italien stammenden Orden hieher, da sie sich grösstentheils mit Italienern ergänzten, vor allen der, in die Wiegenzeit des christlichen Ungern hinaufreichende

1. Benediktiner Orden.

Der heilige Adalbert hatte, bei seiner Reise nach Italien aus dem Stammkloster dieses Ordens auf dem Monte-Cassino, mehrere ausgezeichnete Benediktinermönche: Sebastianus, Bonifacius u. a. in das vom Herzoge Boleslaw II. errichtete erste böhmische Männerkloster Brunow (Braunau) mitgenommen, und denselben seinen eigenen Lehrer Radla als Abt gesetzt, der nun den Klosternamen Anastasius annahm.

Als sich der heilige Adalbert nach Ungern zu Herzog Geysa begab, und dessen Sohn Vaik mit dem Namen Stephan taufte, hatten ihn die genannten drei Benediktinermönche begleitet, und Anastasius (auch Astricus genannt) wurde in Ungern Abt des ersten ungrischen Mönchsklosters des heiligen Martin auf dem pannonischen Berge (Martinsberg) bei Raab, in der Folge wurde derselbe auch Erzbischof. Zu des heiligen Stephan's Zeiten erhoben sich noch drei Benediktinerklöster, Pecsvárad, am Fusse des Eisenberges (Montis ferrei) auf der Sala-Insel, auf dem Berge Zobor bei Neutra, und zu Bél im Bakonyerwalde, deren Zahl sich in der Folge bis auf zwei und neunzig vermehrte [2]).

---

[1]) Als Beispiele mögen folgende Andeutungen, die Herr Müller, Custos an der Bibliothek des Herrn Erzherzog Albrecht, mittheilte, dienen:

a) Giulio Clovio da Grisone, der Raphaël der Miniaturmaler, geboren 1498 zu Krišane bei Zengg, welcher Ort von den Italienern in Grisone umgewandelt wurde (gest. 1578)

b) Andrea Meldulla (v. Medola), genannt Schiavone (Sclavus), geboren 1522 zu Sebenico, hiess eigentlich Medullich (gest. 1582);

c) Nicola Dalmata, auch Nicolo Schiavone und Nicola dall' Arca genannt, ein guter Bildhauer und Holzschneider, stammte aus Sebenico (gest. 1494), dessgleichen

d) Natale Bonifazj, auch Natale Dalmatino oder da Sebenico benannt, Bildhauer, und

e) Rota Martino Sebenzanus;

f) Dalmatino Benkovich, auch Dalmatino Fredrichel, dann mehrere Ragusini, z. B. der Maler Felice da Ragusa oder Ragusini (blühte c. 1640); dann Francesco (1618), Giambattista Ragusi (1700), und der Architekt Jacopo Ragusino (v. Rausino) stammen aus kroatischen Familien Dalmatiens. Stoff für mehrere derlei Beispiele enthält Dr. Pietro Zani's Enciclopedia Metodica.

[2]) Fuxhoffer Damiani Monasterologia Regni Hungariæ Lib. I. Die Angaben dieses Werkes bedürfen jedoch einer kritischen Sichtung. Wenn gleich ausser Italienern, Böhmen, Deutsche, Ungern u. a. in jene Orden traten, so ist doch der Ursprung Italienern zu verdanken.

2. Das ungrische Gross-Priorat der Johanniter bildete einen Theil der deutschen Provinz [1]).

Unter Geysa II. erhielt dieser Orden seinen ersten Convent zu Stuhlweissenburg (Alba regalis), welcher von dem Könige und seiner Gemahlin Euphrosina (Sophie) im Jahre 1061 dotirt wurde. Ueberdiess bestanden in Ungern noch ein und zwanzig und in Slavonien, Kroatien und Dalmatien eben so viele Convente [2]).

Andreas II. hatte auf seinem Kreuzzuge (1217) die Johanniter so lieb gewonnen, dass er ihnen jährlich fünfhundert Marken anwies. Schnell wuchs die Macht des Ordens in Ungern, so dass (1233) Rembrand schon als magister hospitalis per Ungariam et Slavoniam erscheint. — Da dieser Orden, besonders bei der Flucht des Königs Bela nach Dalmatien, sich Verdienste erworben, und ihn nebst dem Grafen Frangepani nach Ungern geleitet hatte, so verlich Bela IV. dem gedachten Orden das Gebirgsland Zewrin (vom eisernen Thor-Pass an der Donau bis zur Aluta (Olt), dann jenseits dieses Flusses ganz Kumanien (Walachei), mit Ausnahme des dem walachischen Wojwoden unterstehenden Landes Szeneslai, mit der Hälfte des Ertrages dieser Länder (denn die zweite Hälfte blieb dem König), dann den Bezirk Woyle bei Semlin; endlich bestätigte er diesem Orden auch den vom König Kolomann verliehenen Besitz von Scardona. — Der Orden übernahm dafür die Pflicht, bei einem Einfalle des Feindes in Ungern, den fünften Theil seiner waffenfähigen Mannschaft, bei einem Kriege gegen Bulgarien, Griechenland oder Kumanien aber den dritten Theil derselben zu stellen, dafür aber auch nach der Zahl der gestellten Truppen Antheil an dem Eroberten zu erhalten. — In Dalmatien ist das reich dotirte Kloster von Aurana zu bemerken [3]). In der Schlacht von Rozgon, bei Kaschau, trugen die Johanniter wesentlich mit den Zipser Deutschen zur Besiegung des Mathäus, Grafen von Trenchin, und zur Befestigung Karl's I. bei. Als Gyrke, der königl. Fahnenträger, fiel, kämpfte König Karl I. unter dem Panier der Johanniter [4]).

§. 40.

b) Franzosen und Wallonen (Galli).

Dass unter den von den Ungern gemachten Kriegsgefangenen auch Franzosen waren, dürfte aus den Streifzügen der Ungern durch Frankreich gefolgert werden können. Später geschahen:

α. Einzelne Einwanderungen.

1. Unter Bela III., welcher Margaretha, eine Schwester König Philipp's von Frankreich zur Gemahlin hatte, kamen die Brüder Beche (Beese) und Gregor von der

---

[1]) Man unterschied acht Provinzen (Zungen oder Nationen) des Johanniterordens, nämlich: 1. die Provence, 2. Auvergne oder Burgund, 3. Paris oder Frankreich, 4. Italien, 5. Aragonien — Catonien — Navarra, 6. Castilien — Portugal, 7. Deutschland und 8. England. Die deutsche Provinz zerfiel in vier Gross-Priorate: 1. Deutschland, 2. Ungern, 3. Böhmen und 4. Dänemark, nebst der Balley Brandenburg.

[2]) Fuxhoffer a. a. O.

[3]) Pray de Prioratu Auranæ.

[4]) Chron. Bud.

französischen Familie „Guillermus de Corves," die Gründer des Geschlechtes Beche, nach Ungern [1]).

2. Die Familie Sambuk scheint unter Kolomann aus der Champagne eingewandert zu sein [2]), und dem Orte Zsambék (urkundlich Samboch und Sambok [3]), den Namen gegeben zu haben.

3. Durch die Kreuzzüge, wobei sich die französischen Ritter vor Allen an Bildung auszeichneten, mögen noch manche uns bisher unbekannte französische Kreuzfahrer in Ungern geblieben sein. Wenigstens war es im dreizehnten Jahrhunderte schon in Ungern wie im nordwestlichen Deutschland Sitte, französische Erzieher und Erzieherinnen in hohen Häusern zu halten [4]), wodurch die französische Sprache zur vornehmen Conversationssprache wurde.

4. Mit Sigmund, welcher sich in Paris (1415) aufgehalten hatte, kamen viele Franzosen, besonders Handwerker, namentlich Maurer, welche bei dem neuen Schlossbaue in Ofen u. dgl. beschäftigt wurden, dann Tapezierer und andere Industrielle (darunter auch französische Juden) nach Ungern [5]).

5. Auch in späterer Zeit wurden einige Franzosen durch Ertheilung des ungrischen Indigenates eingebürgert, als: Ludwig Freiherr von Souches, unter Ferdinand III. im J. 1647 (Art. 155); unter Leopold I. Graf Johann Ernst de Montersier, und Georg Jacob Paip de Ardechius (Art. 133 v. 1659), dann 1687 (Art. 29) Paul Anton Baron v. Houchin; Karl Ambros Majgnin, Wolfgang Wilhelm von Valkerin, Johann Friedrich Leopold de Huppelin; Martin Anton de Drohin, Johann Stephan de Varlair, und Freiherr von Canon, Rath und Präsident bei dem Herzoge Karl von Lothringen etc.

---

[1]) Keza (p. 126, 137). Betse vero et Gregorii de Francia generatio oritur. — Thurocz (II. c. 15) Mersæ autem et gregorii generatio de Francia est, ex consanquinitate Guillermi, dicti Comes. Das Chron. Bud. hat statt Mersæ: Gersæ. Ueber die Nachkommen sieh die Quellen bei St. Horváth a. a. o. H.

[2]) Thurocz II. c. 17. — Keza p. 137.

[3]) Nach einer Urkunde König Bela IV. vom Jahre 1258 im Cod. dipl. IV. II. p. 482 bestand ein Kloster des heiligen Johann des Täufers zu Sambok. — Laut Urkunde des Papstes Bonifacius VIII. v. 1295 bestand zu Sambok eine Propstei der Prämonstratenser, deren auch die Visitations-Urkunde des Graner Erzbisthums vom Jahre 1397 erwähnt (Cod. dipl. VI. I. p. 350 und X. XI. 517). Im Jahre 1476 wurde die Propstei auf Ansuchen König Mathias Corvinus den Eremiten des heiligen Paul vom Papste Sixtus IV. überlassen (Acta Synod. Strigon. a. 1629), und Istvánfi Nicolaus nennt an mehreren Stellen seines Werkes. (p. 27, 339, 390 etc.) den Ort Sambucus. — Während der Türkenherrschaft verfiel die Kirche, welche jetzt eine pittoreske Ruine bildet (Siehe J. Vahot Magyar föld es népi IV. füzet). Der Grundriss der Kirchenruine stimmt mit dem ursprünglichen Plane der Notre-Dame zu Paris überein; womit auch die Zeit (Ende des zwölften oder Anfang des dreizehnten Jahrhunderts) und der Baustyl (romanisch-deutsche Uebergangs-Periode) übereinstimmen.

[4]) Eine Stelle in Adenes bei Wolf: Ueber die neuesten Leistungen der Franzosen für die Herausgabe ihrer Heldengedichte 1833 p. 45.

Tout droit à celui temps que je ci vous devis,
avoit une costume ens el Tyois païs (in Flandern und Brabant)
que tout li gran seignor li conte et li marchis
avoient entour aus gent francoise tous-dis
pour aprendre francois leur filles et leur fils.

[5]) Bertrandon de la Brocquière.

b. Wallonische Gemeinden (Galli).

Aus Lüttich soll im Jahre 1052, bei einer dort entstandenen Hungersnoth, eine zahlreiche Schaar wallonischer Lütticher nach Ungern gewandert und in der Diöcese des Erlauer Bischofs angesiedelt worden sein [1]). Anlass für die Lütticher, gerade das entfernte Ungern als neues Vaterland zu suchen, mögen die in einem benachbarten Dorfe von Lüttich angesiedelten Ungern gewesen sein [2]). Die wallonischen Colonien erhielten sich bis in's sechzehnte Jahrhundert mit ihrer Sprachweise [3]).

c. Französiche Orden in Ungern.

Unter die französichen Einwanderer in Ungern können auch gewissermassen die Geistlichen und Brüder französischer Mönchsorden gezählt werden.

1. Der Prämonstratenser Orden kam noch bei Lebzeiten seines Stifters, des heiligen Norbert (1130), unter Stephan II., in Folge eines von letzerem während einer Krankheit ablegten Gelübdes, nach Ungern und erhielt sein erstes Kloster bei Grosswardein. Doch vermehrte sich der Orden so bedeutend, dass er in Ungern vierzig Ordenshäuser zählte [4]).

2. Besonders zahlreich war der unter Geysa II. nach Ungern gelangte Orden der Cistercienser (Cistercienses), welchem der Papst Alexander III. bereits (1173) ein eigenes Privilegium für Ungern ertheilte, König Bela III. aber zehn Jahre später

---

1) Schlötzer, Geschichte der Deutschen in Siebenbürgen p. 281, gibt aus Lütticher Chroniken die Nachrichten, die jedoch hinsichtlich der Zeit der Einwanderung (1052 — 1317) abweichen. — a) Rerum Leodiens. sub. Joh. Heinsbergio et Ludovico Borborio Episcopis, opus Adriani de veteri Busco monachi S. Laurencii in Martene Ss. vett. Tom. IV. Col. 1216: a° domini 1052, tempore Wazonis Episcopi Leodiensis, illos propter inediam et famem de Leodosio exivisse et a rege Ungariæ gratiose receptos fuisse: quibus rex præcepit, ne linquam suam dediscerent aut mutarent. Ubi in magnam multitudinem excreverunt, et villas multas ibi impleverunt, quæ vulgariter ibidem gallica loca vocantur. — Die Ortsnamen Andornak (Andernach) und Kaal (Gal) bei Erlau scheinen an jene Colonien Erinnerungen zu bewahren. — b) Chron. Zarfeliet Cornelii, S. Jacobi Leodiensis monachi l. c. Tom. V. col. 455 gibt das Jahr 1317 an. Vielleicht geschahen beide Einwanderungen (1052 und 1317) unter ähnlichen Umständen.

2) Wie Ungern in die Gegend von Lüttich gekommen, sucht der erwähnte erstere Codex zu erklären: Reginardus Episcopus Leodiensis (+ 1036) — Ungris ad eum transfugientibus ob inopiam et famem, in civitate Leodiensi vicum dedit et assignavit, qui usque hodie vicus Ungrorum appellatur. Noch weiter zurück wird der Ursprung der Ungern im Lüttichischen, im dortigen Cod. Ms. Laubiensis Folcuini (Hist. leod. studio R. P. Foullon. Leodii 1735 Tom I. P. I. p. 178) auf das Jahr 954 zurückgeführt, wo die Ungern von Konrad, Otto des Grossen Eidam, gerufen, aber nach der Niederlage in der Gegend von Lüttich dort verlassen wurden. „Cono seu Conradus Hungaros deseruit". Per eam cladem (fügt Foullon bei) putatur Leodiensi urbi ad Mosam, qua Trajectum defluit, Hungariæ nomen adhæsisse.

3) Dass im vierzehnten und selbst im sechzehnten Jahrhunderte noch Spuren dieser Lütticher in und um Erlau vorhanden waren, zeigen folgende Stellen: „Comes vallis agriensis cum omnibus ad se pertinentibus specialiter, quæ universis hospitibus et Gallicis de eadem villa" (Erlau), (M. G. Kovachich formulæ solennes Styli p. 20) und „in valle Agriensi aliquot pagi incoluntur, habiti pro coloniis Eburorum, qui nunc Leodienses dicuntur olim eo traductis. Horum incolæ in hodiernum diem gallicam sonant linquam. (Nicolai Oláh. Hung., L. I. p. 91.) Unter linqua gallica scheint hier nicht die französische, sondern die wallonische Sprache, welche noch in jener Gegend herrscht, verstanden zu sein.

4) Siehe über diese vierzig Klöster: Damiani Fuxhover Monasterologia Regni Hungariæ L. II. p. 3—81.

die in Frankreich zukommende Freiheit im Lande (also in ganz Ungern) ein- und auszutreten, zugestand [1]). Unter dem Schutze hoher Privilegien, und bei dem strengen frommen Wandel der Ordensglieder stieg durch Freigebigkeit der Könige und Magnaten die Zahl der Cistercienser Klöster auf drei und dreissig in Ungern [2]).

3. Den Orden der Tempelherren (Equestris Ordo Templariorum) nahm (1198) König Emerich, auf Ansuchen des ungrischen Ordensmeisters Cone und Bruders Francon, seinen Personen und Gütern nach, in besondern Schutz. Sie waren hiernach von jeder Abgabe oder andern Leistung an die Krone und an Privatpersonen, sowie von fremder Gerichtsbarkeit befreit [3]): Papst Gregor IX. bestätigte ihnen dieses Privilegium, und Kolomann, Herzog von ganz Slavonien, dehnte nach vorübergegangener Irrung (1231) das von Andreas ertheilte Privilegium über das ganze seiner Verwaltung anvertraute Herzogthum (sammt Kroatien und Dalmatien) mit dem Zusatze aus, dass der Fünfkirchner Bischof mit geistlichen Strafen bei Verletzung der den Templern zukommenden Freiheiten einschreiten könne [4]).

König Andreas fügte endlich (1235) dem früheren Privilegium noch die Befugniss bei, dass der Templerorden von jedem freien Menschen Güter, Prädien und Mansionen u. s. w. erben könne [5]). So gelangte der Orden zu ansehnlichen Besitzungen, wovon eilf Manserien noch bekannt sind [6]). Die Aufhebung des Ordens geschah erst unter Karl I., und ging in Ungern ohne Blutvergiessen vor sich. Nicht nur die Besitzungen der Templer gingen meist an die Johanniter über, sondern auch viele Templer selbst wurden Johanniter.

4. In der Benediktiner Abtei des heiligen Egidius zu Sümeg, Szalader Komitat, welche der Abtei von Saint Giles in der Diöcese von Nismes in langue d'oc untergeordnet war, wurden nur geborne Franzosen aufgenommen.

§. 41.

c) Spanier (Hispani.)

α. Einzelne spanische Einwanderer.

1. Unter Andreas II. kam Graf Simon mit seinem Bruder, Bertrand Michaël, und erbaute in dem ihm verliehenen Bezirke (im Graner Komitate) ein Schloss, welches er nach der vorzüglichsten seiner Burgen in Aragonien: Bogoth, nannte [7]). — König

---

1) Fejér Cod. dipl. und II. p. 202.

2) Ueber die drei und dreissig Klöster siehe Fuxhoffer a. a. O. p. 97—188.

3) Fejér Cod. dipl. II. p. 329—331.

4) A. a. O. III. II. p. 231—236.

5) A. a. O. p. 420. Concessimus, at quicunque liber homo domui templi aliquam elemosynam, sive terram, sive prædia, sive mansiones servorum vel libertinorum, aut aliquid aliud erogare voluerit, libere de cetero. licentia Dei et nostra, condonare valeat et legare; et ipsi fratres omnem elemosynam libere suscipiant.

6) Fuxhoffer a. a. O. p. 232—242.

7) Keza sagt zwar: Comitum vero Simonis et fratris ejus Michaëlis generatio qui Martinsdorfaria (Nagy Marton) nominantur, diebus Regis Emerici filii Belæ tertii cum Regina Constantia filia

Andreas verlieh ihm für seine ausgezeichneten Dienste, namentlich im Auslande (1223), das Gut Ruthukeur (im Oedenburger Komitate [1]) und bestätigte demselben (1228) diesen Besitz als freies Eigen gegen die Anmassungen des Juden, Grafen Thehan [2]). Auch das Gut Chenke, welches dem Grafen Simon von Andreas verliehen, aber von Bela zu Gunsten des Juden Theha genommen worden war, wurde ihm (1243) wegen seiner ausgezeichneten Dienste im In- und Auslande vorzüglich bei Vertheidigung Gran's gegen die Mongolen zurückgestellt und noch andere Güter verliehen [3]).

Das Geschlecht Miska scheint von Simon's Bruder Michael zu stammen [4]).

2. Das spanische Geschlecht Kyquino und Renoldo soll mit der Königin Margaretha, Bela's III. zweiter Gemahlin, nach Ungern gewandert sein [5]).

b. Spanische Colonisten.

1. Die spanischen und portugiesischen Juden, welche bei den dortigen Verfolgungen im fünfzehnten und sechzehnten Jahrhunderte Aufnahme in Dalmatien

---

Regis Aragoniæ, quæ uxor fierat Regis Emerici, honestis secum militibus et familia decentissima introductis per Hungariam pompossissime intravit. — Quia vero generatio supradicta in regno Ispaniæ plura castra possidet unum tamen ex illis exstitis capitale, quod Boiot nominatur. Unde præfati Comites et eorum præcessores primum descensum circa Nergedsceg (Nyerges Ujfalu) Boiot vocaverunt. — Thurocz II. c. 21 lässt ihn unter Andreas II. ankommen, womit eben die Urkunde dieses Andreas übereinstimmt.

1) Cum dilectus et fidelis noster Symon Comes, ab extrema gente profectus non necessitate aut alicujus inedie causa, sed solius nostre benignitatis fama ab remotis, regionibus scilicet de Aragonia, ubi et omnis parentela sua cunctis evidenter longe lateque testatur, de ingenua et spectabili ortum duxisse ipsum progenie, nos visitaturus accessit, et non minime nobis probitas et commendata nobilitas placuisset, petitionibus et donariis nostris ipsum ad hoc duximus, ut in regno nostro commoraretur, et se nostro manciparet servicio. — Nos — — habito communi consilio pricipum nostrorum contulimus quamdam terram, quæ Ruthukeuri vocatur, cum omnibus pertinentiis suis in locum descensionis eorumdem, et heredum sucessoribus, perpetuo possidendam (Fejér Cod. dipl. III. I. p. 393—95).

2) Militi de Aragonia, nomine Symoni, regi et regno inter alios nostros Barones cum tota sucessione sua perpetuo famulari volenti habito communi consilio Episcoporum et Jobbagionum nostrorum quamdam terram, nomine Ruthukeuri, sitam supra castrum Supruniense ad idem prius in confinio Teutonie ad locum defensionis — privilegio regio conformatam, pacifice et quiete possidendam contulissemus, postmodum accedens ad presentiam nostram miles memoratus suam nobis coram regni Baronibus querimoniam deposuit, quod Thebanus Judeus maximam partem terre illius versus Teutoniam occasione privilegii, ex parte nostra sibi concessi, ad usum proprium violenter et injuste defineret — — statuentes firmiter ut quandocunque præfatus Thebanus privilegium suum contra presens privilegium nouum — penitus irritum et falsum reputetur, et nullius roboris sit et auctoritatis (a. a. O. III. II. p. 140—142).

3) A. a. O. IV. I. 272—275. Die Güter, die Graf Simon und sein Bruder Bertrand in Folge ihrer Verdienste um Andreas VI. und Bela IV. von Letztern (1243 Nona. Kal. Febr.) erhielten, waren terræ Gradundorf (bei Musum), Zolonta (bei Poson), Pucyn (bei Oedenburg), Kessew in Wagakuz (Wagaköz) bei Komorn frei von der Jurisdiction der bezüglichen Castra.

4) Siehe Stephan Horváth a. a. O. XXII.

5) Thurocz II. c. 15. Kyquini quidem et Renoldi (Chron. Bud. Rynali.) origo est de Hispania cum Regina Margaretha, conjuge Bele regis Zaar Ladislai Pannoniam adeuntum, hic enim Bela primo uxorem de Polonia habuit (Richsa, Mincislaw's Tochter). Thurocz verwechselt Bela I. mit Bela III. — Margaretha, Schwester Königs Philipp von Frankreich war 1158 an Heinrich II. von England, nach seinem Tode 1183 und dem fast gleichzeitigen Ableben von Bela's III. erster Gemahlin, der griechischen Anna, aber mit gedachtem Bela III. vermählt.

und Ungern suchten, liessen sich in Semlin und Pancsova nieder, und bewahrten bis in die neuere Zeit die Erinnerung ihrer Abstammung [1]).

2. Unter den Truppen, welche Ofen (1686) befreiten, waren auch 60 Katalonier, und andere Spanier, der grösste Theil derselben fiel, ein Rest wurde in Ofen (Neustift) angesiedelt (1686) [2]).

§. 42.

d) Schottländer und Engländer.

Endlich erwähnen wir noch jener Schottländer, welche sich, als von keltischer Abstammung den Romanen im weitesten Sinne des Wortes anreihen, nämlich;

Franz Gordon de Park, Wilhelm Kouts de Aucht-Erfoul und Johann Dauson de Dalkeith, welche unter Leopold I. (1662) in die Zahl der ungrischen Indigenen aufgenommen wurden [3]).

Zur Zeit König Stephan I. sollen die englischen Prinzen Eduard und Edmund vor Kanut von Dänemark nach Dalmatien geflüchtet, und in ihrem Gefolge ein Ritter, Ospedin (Britanicus) gewesen sein, welcher einer der kühnsten Seefahrer und Schwimmer war, und daher Butiko (die Ente) genannt wurde, welche seine Nachkommen auch im Wappen führten. Er blieb —, auch nachdem Eduard und Edmund nach England zurückgekehrt waren, — im kroatischen Küstenlande, und wurde angeblich Stammvater des Geschlechtes Prodarich von Nádasdy, welches später bloss den letzteren Namen führte [4]).

§. 43.

e) Griechen (Graeci).

Die Griechen — auch Byzantiner, Oströmer und Romäer genannt — nahmen in den ersten Jahrhunderten nach der magyarischen Einwanderung mannichfachen Einfluss auf die Angelegenheiten Ungern's.

Von Byzanz gingen die ersten Bekehrungsversuche der Ungern aus. Nach dem (943) geschlossenen Waffenstillstande zwischen den Magyaren und Griechenland, sollen die ungrischen Heerführer Gyula und Vérbulcs, welche als Geiseln fünf Jahre in Konstantinopel verweilten, die Taufe genommen haben. Mit denselben kam der griechische Mönch Hierotheus nach Ungern und Siebenbürgen (948). Syrmien war zu Konstantin Porphyrogenitus Zeit (c. 950) noch ein griechisches Thema (Provinz) und bildete gleichsam die Pforte für den byzantinischen Einfluss in Ungern.

Auch Sarolta, Gyula's Tochter und Mutter des heiligen Stephan, hatte von griechischen Geistlichen die christlichen Lehren empfangen. Da es damals nur Eine christ-

---

[1]) Csaplovics Gemälde von Ungern I. S. 208.
[2]) Podhraczky Coll. M. S.
[3]) Art. 133 von 1662, §. 20, 21 und 23 (Nobiles ex Scotia oriundos).
[4]) Hormayr's Taschenbuch Jahr 1825 S. 250 etc.

kche Kirche gab, so erklären sich die Stiftungen des heiligen Stephan für griechische Geistliche.

Zu Konstantinopel und Jerusalem gründete er Mönchsklöster, und zu Veszprim ein Kloster für griechische Nonnen. Auch in Csanád waren zur Zeit des heiligen Gerhard griechische Priester; und griechische Baumeister (Magistri lapidici de græcia) wurden zum Bau der Peter- und Paulskirche nach Ofen berufen.

Obgleich die Bekehrungsversuche der abendländischen Geistlichkeit bald weit grössere Fortschritte in Ungern machten, und die Erhebung Stephan des Heiligen zum apostolischen Könige von Ungern Rom's Ansehen daselbst sicherte, so war doch das bald (1054) erfolgte Schisma der christlichen Kirche dadurch von wichtigen Folgen, weil Bulgaren, Serben, Russen, Walachen etc. der griechischen Kirche anhingen.

In den nachfolgenden Gesetzen und Verordnungen der ungrischen Könige und siebenbürgischen Fürsten sind in den Satzungen für die Nichtunirten die Griechen theils ausdrücklich neben Walachen und Rasciern genannt, theils unter dem allgemeinen Ausdrucke der Schismatiker begriffen. Die ungrischen Chroniken erwähnen ausdrücklich unter den Einwanderern (hospitibus) auch Griechen.

Wenn auch die einzelnen griechischen Colonien nicht aufgezählt werden können, da die Griechen meist als Handelsleute unter anderen Nationen, namentlich in den südöstlichen Theilen des Reiches und in Siebenbürgen unter den glaubensverwandten Serben, Rasciern und Walachen wohnten, so sind doch auch Spuren von einzelnen älteren griechischen Gemeinden, z. B. zu Pest, in Semlin, Kronstadt und anderen Orten vorhanden.

Auch in politischer Hinsicht versuchten die griechischen Kaiser vom eilften bis zum dreizehnten Jahrhunderte wiederholt ihren Einfluss auf die ungrischen Verhältnisse geltend zu machen; ja der griechische Kaiser Dukas übersendete an den Herzog (nachmals König) Geysa I. (1072) ein Diadem (mit seinem und Geysa's Bildnisse [1]), um unter dem Scheine der Freundschaft gleichsam eine Art Oberhoheit einzuleiten.

Der Mangel eines bestimmten Erbfolge-Gesetzes in Ungern, wo die Königswahl nur an den Arpadenstamm, aber nicht an eine bestimmte Person gebunden war, hatte die byzantinische Einmischung mehrmals erleichtert. Unter König Koloman und Stephan II. entwich Herzog Almus nach Konstantinopel (1109 und 1128), wo er den Namen Konstantin empfing: unter Geysa II. fand der flüchtige Borich (Boris) daselbst gute Aufnahme, und der griechische Kaiser verhalf ihm zum Besitze von Bosnien und Dalmatien; auch der ehrgeizige Herzog Stephan der II. übertrug seine Ansprüche auf Ungern an den griechischen Kaiser Manuel, welcher denselben mit seiner Nichte Maria Komnena vermählte; endlich floh auch des ungrischen Königs Bruder Ladislaus aus Ungern, und wurde mit einer griechischen Prinzessin vermählt. Bei den hierüber entstandenen Kämpfen waren grossentheils die Griechen im Besitze

---

[1]) Dieses Diadem bildet den äusseren Zinkenreif der Krone. Siehe Häufler's Abhandlung über die ungrische Reichskrone in Ungern's Vergangenheit und Gegenwart III. Heft.

18 *

Syrmien's. Da aber Waffengewalt den Kaiser Manuel gegen Stephan III. nicht zum Ziele führte, so stellte er dem Könige Stephan III. den Antrag, des Königs jüngeren Bruder Bela (III.), welcher von Seite des Königs Dalmatien erhalten sollte, seinerseits an Sohnes Statt anzunehmen und ihm die Anwartschaft auf den griechischen Thron zu sichern. Bela wurde am griechischen Hofe als Adoptiv-Sohn des Kaisers mit dem Namen Alexius aufgenommen; doch die Geburt des Prinzen Alexius, womit Manuel von seiner zweiten Gemahlin Maria beschenkt wurde, hinderte die Vereinigung der griechischen und ungrischen Krone auf Bela's Haupte.

Wenn auch die griechischen Kaiser den Gedanken einer Vereinigung Ungern's und Griechenland's aufgaben, und die griechischen Truppen Syrmien, Slavonien und Dalmatien verliessen, so kam doch ein sporadischer Zuwachs von Griechen mit den griechischen Gemahlinnen, welche die ungrischen Könige heimführten. König Andreas II., durch seine Vermählung mit Yoles, der Tochter Peter's von Courtenay, Schwager des zu Konstantinopel regierenden lateinischen Kaisers Robert, vermählte auf der Rückkehr von seinem Kreuzzuge (1218), seinen Sohn Bela IV. mit Maria, Tochter des griechischen Kaisers Laskaris zu Nicäa.

Der griechische Kaiser Johann Paläologus, von Sultan Amurath bedrängt, schickte eine feierliche Gesandtschaft nach Ofen (1366) an König Ludwig des Grossen Hof und kam bald selbst dahin, um ein Bündniss gegen die Osmanen zu schliessen. Auch Manuel Paläologus reiste zu diesem Zweck (1423) nach Ofen zu König Sigmund. Doch konnten Ungern's Könige, mit anderen Kämpfen beschäftigt, den Fall Konstantinopel's (1453) nicht hintanhalten. Wenn auch die Mehrzahl der griechischen Gelehrten nach Italien die Reste griechischer Kunst und Wissenschaft retteten, so fand wohl auch mancher Flüchtling des zertrümmerten byzantinischen Reiches in Ungern schützende Aufnahme [1]).

§. 44.

f) Romanen (Walachen, Rumunyi).

(Geschichtliche Bemerkungen über die Walachen, ihre Ein- und Auswanderungen in Ungern und Siebenbürgen vom J. 1000—1700.)

Wir haben bei der vorigen Periode erwähnt, dass die römisch-dacischen Colonisten bereits von Aurelian grossentheils über die Donau in's aurelianische Dacien (das nachmalige Bulgarien) gezogen worden waren, dass aber ein anderer Theil der romanisirten Daker in den gebirgigen Theilen des nördlichen Dacien's zurückgeblieben, und der Herrschaft der Bulgaren bei Ankunft der Ungern unterworfen waren. Sie wurden von den Slaven, Deutschen und Byzantinern wegen ihrer nomadischen Lebensweise Walachen (Vlachi, Vlassi), d. i. Hirten, genannt, und kommen gewöhnlich mit

---

[1]) Mehr über die griechisch-ungrischen Verhältnisse siehe in Hormayr's vaterländischem Taschenbuch. Jahr 1825 S. 150—211.

den Bulgaren, mit welchen sie sogar manchmal verwechselt werden, zugleich erwähnt vor.

Wir dürfen uns nicht wundern, wenn wir in den ersten drei Jahrhunderten nur selten einer Erwähnung der Walachen hören, da dieselben bis zum Jahre 1290 keinen selbstständigen Staat bildeten, sondern theils unter ungrischer, theils unter petschenegischer (900—1083), kumanischer (1083—1200), bulgarischer und byzantinischer Herrschaft in dieser Periode lebten; dennoch finden wir mehrere Spuren nicht nur von dem Dasein, sondern auch von neuen Einwanderungen der Walachen nach Ungern und Siebenbürgen.

Wir sehen ab von den Ereignissen in den Jahren 1088, 1096 und 1145, in welchen Anna Komnena und Kinnamos die Walachen als Hilfsvölker in den polnischen Kriegzzügen erwähnen; nach Letzterem soll im J. 1164 Kaiser Emanuel Komnenus die an dem nördlichen Ufer der Donau wohnenden Walachen durch seinen Eidam Alexius zu einem Einfall in Ungern angereizt haben. —

Einflussreicher waren die Ereignisse des Jahres 1186, bezüglich der nachmaligen walachischen Niederlassungen in Ungern.

Da die Walachen unter König Isak Angelus mit Steuern und andern Abgaben schwer gedrückt wurden, fielen die thrakischen Walachen (Cuzzo-Walachen), die auf dem Hämus wohnten, unter Anführung zweier Brüder, Asan und Peter, von den Griechen öffentlich ab, beredeten die Bulgaren zu gleichem Abfalle, schlossen mit den Kumanen in Kumanien (Walachei und Moldau) Bündnisse, und blieben ihre Gefährten bei ihren Kriegszügen. Dass im dreizehnten Jahrhunderte in Siebenbürgen und an der Donau in der That Walachen wohnten, zeigt der Verleihungs-Brief [1]) des Königs Andreas vom Jahre 1223 für die Abtei Kerz in Siebenbürgen, welcher dort Blachi nennt; ferner der Freiheitsbrief [2]) desselben Königs für die Siebenbürger Sachsen vom Jahre 1224, wodurch diesen, abgesondert ein Wald der Bissenen und Walachen (silva bissenorum et blacorum) verliehen wird, dessen die Sachsen mit den Walachen sich bedienen sollten. —

In der Urkunde, womit Bela IV. dem Johanniter Orden das Severiner Gebiet, (terram de Zeuerino) von der Donau bis zur Aluta (1247), d. i. die kleine Walachei, Krajova etc. schenkte, gedenkt er zweier walachischer Wojwoden: Lirtioy und Szeneslay [3]). Im Jahre 1249 erscheint Laurentius zuerst als walachischer Ban von Severin [4]). Im Jahre 1285 waren die Walachen als Verbündete mit den tatarischen Schaaren Nogay-Chans unter Oldamur's Anführung durch Siebenbürgen nach Ungern eingebrochen und bis gegen Pest gestreift. Auf dem Rückzuge wurden die zer-

[1]) Cod. dipl. III. I.

[2]) Cod. dipl. III. 1.

[3]) Cod. dipl. IV. 1. p. 446 und 450. Excepta terra Kenazatus Lirthioy (Linnioy?) Vaivodæ — — excepta terra Szeneslay Vainodæ Valachorum, quam eisdem relinquimus, sicut hactenus tenuerunt.

[4]) Siehe das Verzeichniss dieser Wojwoden in Pray Dissert. VII. §. 3 Note L. p. 138.

streuten Schaaren bei Szász-Régen (Rékach) von Meister Georg, am Berge Turkö (bei dem Ursprunge der Maros) von Hypolith's Söhnen und bei Toroczko von Szecklern besiegt. — Auf Fürbitte der vornehmen Kumanen in seinem Heere nahm König Ladislaus (1285) den Rest der, dem Schwert und den Regengüssen entkommenen Tataren und Walachen [1]) in der Biharer, Szathmarer und Pester Gespanschaft, die Walachen aber insbesondere in der Marmaros [2]) auf.

Sämmtliche bisherige Thatsachen scheint die walachische Chronik [3]) ohne Unterscheidung der Chronologie zusammenfassend anzudeuten, welche wir durch die Einschaltungen folgender Art interpretiren: „Im Anfange, als die Walachen sich von den Römern (Byzantinern) sonderten (1186), zogen sie sich (vom Balkan) hinunter gegen Norden. Von dannen reisten sie über die Donau, und liessen sich bei dem sogenannten Severiner Thurm nieder. Dieser befindet sich zwei Tagreisen weit von Krajowa in der kaiserlichen Walachei, der kleinen Walachei [4]), und steht mitten in einem Bezirke, welcher eben diesen Namen führet. Andere hingegen begaben sich nach Siebenbürgen, welches sie im weitern Verstande auch Ungern nennen, und setzten sich an dem Orte Maruseh und Thetz (Theiss), so dass sie sich bis an den Fluss (?) Marmaros ausdehnten (1285). Diejenigen aber, welche sich beim Thurm Severin niedergelassen hatten, erstreckten sich unter dem Gebirge bis an den Altfluss, dabei sich andere die Donau hinunter lagerten, dass also das ganze walachische Land bis an die Gränzen von Nikopol von ihnen angefüllt ward [5])."

Radul, welcher als Herr (Knás) von Fogaras und Omlás genannt wird, erscheint als Gründer des Staates der heutigen Walachei (Zara Muntaneska), welche bei den Byzantinern Ungro-Blachia hiess, um dadurch dieselbe als ungrisches Vasallenland zu bezeichnen. Die Thronstreitigkeiten, welche in Ungern herrschten, waren dem jungen walachischen Staate günstig, einige Zeit sich unabhängig zu gestalten. Radul's Nachfolger, der Wojwode Michael Bassaraba (der Bazarath der ungrischen Chronik), wollte die ungrische Herrschaft nicht anerkennen. Die Gefahren, in welche König Karl Robert durch die gebirgige Lage und Hinterlist der Walachen gerieth, brachte den Kriegszug Karl's um die beabsichtigte Wirkung, doch blieb das Banat von Severin mit seinem gleichnamigen Schlosse im Besitze von Ungern (1331). — Die Empörung Vlajko's (1360 — 72) hatte einen ähnlichen Erfolg, und Ludwig des Grossen Waffen hatten Severin gleichsam den Schlüssel zur Walachei den Empörern entrissen.

In diese Zeit (1360) fällt die Auswanderung eines grossen Theiles der Walachen unter Dragos Führung in die entvölkerte Moldau und die Gründung dieses ungrischen Vasallen-Staates. Die Vertreibung der Kumanen aus jenen Gegenden durch Ludwig

[1]) Vergl. das bei den Tataren (Nogayern) Gesagte.

[2]) Ueber diesen Einfall der mit Walachen vereinigten Tataren handelt ausführlich Fessler II. S. 669—681.

[3]) Gretschen der Verfasser der walachischen Chronik zur Zeit als die Oesterreicher das Krajower Banat wegnahmen, nämlich zu Anfang des achtzehnten Jahrhunderts.

[4]) Zur Zeit der Abfassung obiger Chronik war bekannter Weise die kleine Walachei im kais. österr. Besitze.

[5]) Sulzer a. a. O. S. 28 und 29.

des Grossen Waffen war wohl der erste Anlass zu jener Einwanderung, obwohl die Tradition als Grund derselben eine Jagd anführt, auf welcher Dragos die fruchtbare Gegend an dem Flüsschen Moldava kennen lernte und den Entschluss gefasst haben soll, den minder fruchtbaren Salzboden der gebirgigen Marmaros zu verlassen. Doch blieb Dragos selbst in der Marmaros begütert [1]).

An die Stelle der Walachen wanderte der lithauische Fürst Koriatovich, welcher als Dux de Marmaros erscheint, mit Ruthenen ein, wie bei diesem Volksstamme näher erwähnt ist. —

Unter Mirxe (1383 — 1419), der sich Myrchia Vajváda Transalpinus, Dux de Fogaras et Dux de Zewrin schrieb, begannen die Türken ihren Einfluss auf die Walachei zu äussern. Die Wojwoden der Walachei nahmen eine zweideutige Stellung ein, indem sie einerseits freiwillig oder gezwungen die ungrische Oberherrschaft anerkannten, andererseits, wie insbesondere Wlad Drakul, dem türkischen Schutze sich hingaben, und Tribut an die Türken zahlten. — Indess hatte erst die Schlacht bei Mohács das Uebergewicht der Türken in der Walachei entschieden [2]).

Bei dem Wechsel der Herrschaft in der Walachei und dem Anschluss seiner Fürsten und Partheien bald an Ungern, bald an die Türkei sind einzelne Einwanderungen von Walachen nach Siebenbürgen und Ungern um so mehr vorauszusetzen, als die bezüglichen Gränzgegenden vielfach durch die Einfälle der Türkei, welche gewöhnlich mehrere Tausende von Gefangenen in die Sclaverei führten, bedeutend entvölkert waren. Doch haben wir kein ausdrückliches historisches Zeugniss über walachische Colonisationen im grösseren Masstabe.

Unter Mathias Corvinus, welcher die Moldau und Walachei wiederholt (1467 u. 1476) zum Gehorsam gebracht, wurden Fogaras, Omlas und Radna als unveräusserliche Kronfiscalitäten erklärt; und die unter ungrischer Herrschaft lebenden zahlreichen Walachen und nicht unirten Ruthenen und Slaven, welche früher keine Beiträge zum Kammergewinn leisteten, wurden nun auch eine Kriegssteuer und Kriegsdienste zu leisten verpflichtet [3]).

Es existiren auch im siebenbürgischen Gesetzbuche Spuren davon, dass die ursprüngliche walachische Bevölkerung Siebenbürgen's durch Ankömmlinge dieses Volkes aus der Walachei und Moldau zu verschiedenen Zeiten

---

[1]) Nos (Ludowicus R. U.) præclaris meritis Dragus, filii Gyulæ, fidelis nostri de Maramarusio — — specialiter autem in restauratione terræ nostræ Moldavianæ plures Olachos rebellantes— — ad constantem fidelitatem regiæ coronæ observandam — reducendo — — — quasdam villas nostras Olachales, Zalatina, Harpatokfalva, Deszefalva, Hernersháza et Sugatugfalva vocatas, in Marmarusio existentes, cum omnibus earum fructuositatibus, proventibus nostris quinquagesimalibus, collectis etc. novæ donationis nostræ titulo dedimus etc. Cod. dipl. IX. III. p. 159.

[2]) Ueber die Verhältnisse der Walachei, deren weitere Erzählung den Zweck dieser Erörterung überschreiten würde, siehe Engel's Geschichte der Moldau und Walachei.

[3]) Kaprinai Hung. Diplom. P. II. p. 231. „Quia quam plurimi Walachi, Rutheni et Sclavi, fidem Walachorum tenentes rustici, qui alias ad lucrum Cameræ regie numerari assueti non fuissent, tales tam Regales, quam aliorum ad præsentem exercitum connumerari debeant, et insuper prout et quemadmodum alii exercituare consueti sunt, exercituare teneantur."

vermehrt worden sei [1]. ja dass manchmal eigenmächtig, ja mit offenbarer Gewalt von Seite der Walachen derlei Niederlassungen erfolgten [2]. Auch sollen alte herrschaftliche Briefe vorhanden sein, nach welchen die Anlegung mehrerer walachischer Dörfer mit dem ausdrücklichen Vorbehalte erfolgte, dass im Falle der Vermehrung der anderen Bevölkerung oder der anderweitigen Verwendung des Platzes durch die Grundherrschaft, die gedachten Walachen-Orte wieder geräumt werden müssten [3].

Einen vorzüglich starken Zuwachs an walachischen Einwanderern aus der Walachei erhielt Siebenbürgen unter dem Wojwoden Michael [4].

§. 45.

Innere Zustände der Walachen.

Zum Schlusse dieser Andeutungen über die walachischen Ein- und Auswanderungen folgt hier die kurze Schilderung des Chalko-Kondylas über die Walachen seiner Zeit:

„Das Volk spricht eine Sprache, fast wie die Italiener, aber doch schon verdorben und den Italienern unkenntlich. Seine Lebensart ist hirtenmässig, doch wohnt es beisammen in Dörfern. Zum Kriege wäre es geschickt, aber es hat eine schlechte Verfassung: mit seinen Fürsten (in der Walachei und Moldau) wechselt es oft."

Noch scheinen einige Bemerkungen über innere Zustände der Walachen, namentlich über ihre Knesiate, so weit bei dem mangelhaften Materiale eine Skizze derselben gegeben werden kann, nicht überflüssig zu sein [5].

Das Wort Knes (Kenezius) hatte in den ältesten Zeiten nicht nur bei den ausländischen Nationen [6], sondern selbst in den Provinzen des ungrischen Reiches verschiedene Bedeutungen. So erscheint urkundlich ein Caenez Petrus im Jahre **1157** unter den Proceres im Salader Komitate [7]. Nach Roger hatten die Mongolen in Ungern Knesen (Cenesios) bestellt, welche als Landvögte (Balivi) das Richteramt übten, für Approvisionirung des Mongolen-Heeres sorgten, und viele Ortschaften unter sich hatten [8].

---

[1]) Compil. Constitut. P. III. Tit. XI. Art. 10, erwähnt einer solchen Ansiedlung in Jovis.

[2]) Approb. Constit. P. III. Tit. V. Art. 2. — Unter König Mathias Corvin wurde 1487, ein auf obige Art gegründeter walachischer Ort Ujfalu sogar niedergebrannt. Eder Erdélyi Orszag Jomértelésének zengéjé p. XXXV.

[3]) Eder a. a. O. p. XXXIV.

[4]) Wolfgang Bethlen T. IV. p. 436 und 597 etc.

[5]) Obigen Bemerkungen liegt die kritische Abhandlung Gf. Jos. Kemény's im Magazin II. Bd. über die Knesen und Knesiate der Walachen in Siebenbürgen zu Grunde, welche zugleich eine Berichtigung mehrerer Behauptungen der anonym erschienenen Vizsgálodások az érdelyi kenézségekröl (Forschungen über die siebenbürgischen Knesiate) enthält.

[6]) Siehe „Caganus" bei Du Cange.

[7]) Cod. dipl. II. 90.

[8]) Carmen miserab. cap. 35.

In Bosnien bezeichnete das Wort Knez (Knesius) einen Fürsten (Principem), wie aus einem Schreiben Papst Gregor's an denselben, vom Jahre 1230, erhellt [1]). In Kroatien war Knez so viel als Graf, der 100 Bewaffnete stellen konnte [2]). In Servien wurde der Fürst Servien's noch im fünfzehnten Jahrhundert vom Patriarchen von Konstantinopel mit dem Titel: „Celsissime magne Knesius totius Serviae" beehrt [3]), dagegen bedeutete in Rascien das Wort Knez einen Offizialen [4]). Das Knesiat am Altflusse, welches Bela IV. den Walachen beliess, hatte einen Wojwoden (Lyrtioy) an der Spitze [5]), während andere Knesiate sammt dem Lande Zewrin dem Hospitaliter Orden überlassen wurden. In den übrigen Theilen Siebenbürgen's unterlagen die Knesiate nicht nur der k. Schenkung, sondern die Knesen waren Dorfrichter, mussten auch Abgaben und Dienste leisten, hatten folglich nicht die Vorrechte von ungrischen Edelleuten; auch waren sie keine Grundherren ihrer Besitzungen, da solche entweder zum Bezirke einer k. Burg oder dem Adel gehörten. Solche Knesiate entstanden auch dadurch, dass einzelne Walachen an der Spitze Anderer unwirthbare Gegenden, z. B. in der Marmaros, ausrodeten, und dann als Knesen (Richter) der walachischen Colonie vorstanden. Die in den Bezirken einer k. Burg gewesenen Knesen wurden nach und nach durch k. Freigebigkeit in den Adelstand erhoben, wodurch ihre Knesial-Besitzungen in ihr Privateigenthum verwandelt, und die untergebenen Walachen ihre Unterthanen wurden. Die übrigen Knesen auf den Gründen von Adeligen blieben aber sammt den untergebenen Walachen, wie zuvor, Unterthanen des Adels, auf dessen Besitzung sie waren, und nur der Name „Kenez" erlosch in Bezug auf diese Walachen erst zu Anfang des siebzehnten Jahrhunderts, und verwandelte sich in den Namen eines „Dominalrichters" [6]).

II. Slaven (Slavi, Slavini).

a) Ruthenen (Russinen), b) Polen, c) Čechen (Böhmen, Mährer etc.) und d) Serben (Razen, Wlachen, Morlachen, Uskoken etc.)

Zu der grossen Menge Slaven, welche die Magyaren bei ihrer Einwanderung trafen, kamen noch slavische Einwanderungen im Norden und Süden des Reiches.

---

[1]) Cod. dipl. IV. I. 36.
[2]) Lucius de regno Dalm. Lib. VI. bei Schwandtner S. S. III. 439.
[3]) Stritter II. 382.
[4]) Wolfgang Bethlen's Gesch. Bd. III. 234 (Hochmeisterische Ausgabe).
[5]) Cod. dipl. IV. I. 448.
[6]) Siehe die Belege und Ausführung in der gedachten Abhandlung Gf. Kemény's, worin bemerkt ist, dass zwar auch in den walachischen Besitzungen der Sachsen Knesen waren, dass jedoch über alle derlei Besitzungen der Sachsen königliche Schenkungen bestehen, und dass die königlichen Knesiate nicht durch die Sachsen, sondern durch die Adelserhebung der Knesen erloschen.

§. 46.

a) Ruthenen (Russinen).

1. Unter die ersten Einwanderer (hospites) Ungern's gehören die Ruthenen (Rutheni, Oroszok), welche sich nach dem Anonymus Belæ bei Kiew den Magyaren freiwillig anschlossen [1]). Ein Theil derselben soll nach derselben Quelle schon unter Arpad an die Westgränze Ungern's versetzt, eine Burg Oroszvár, jetzt Karlburg, erbaut haben [2]).

2. Unter Herzog Toxus scheint eine neue Colonie der Russen (Rutheni) angelangt zu sein. Vermuthlich waren sie mit dem Bissenen-Führer Homor unter Oleg von Russland ausgewandert, und wurden ebenfalls an der Westgränze mit einem Theile der Bissenen zur Gränzhut angesiedelt [3]).

3. Mit Předslawa, Tochter des galizischen Herzoges Swatopluk, Gemahlin König Koloman's, kamen zu Anfang des zwölften Jahrhunderts Russen nach Ungern, welche adeliche Freiheiten genossen, und den Ort Nemes-Orosz im Honther Komitate anlegten [4]).

---

[1]) Cap. 10 multi de Ruthenis, Almo duci adhærentes secum in Pannoniam venerunt, quorum posteritas usque in hodiernum diem per diversa loca in Hungaria habitant. — Auch jetzt sind noch — selbst ausserhalb der nordöstlichen Komitate — viele Orte in Ungern, die durch ihren Namen Orosz an den russischen Ursprung mahnen.

[2]) C. 57. Es frägt sich nur, ob diese Ruthenen oder Russen (Oroszok) in der That Slaven oder Deutsche waren? — Der Name Ros (A'rosz=Orosz) tritt mit der Erklärung, dass sie Schweden sind, in die Geschichte als einheimischer Name der Russen mit dem Jahre 839 ein: misit etiam (Imperator Theophilus) cum eis quosdam, qui se, id est gentem suam Rhos vocari dicebant. — quorum adventus causam Imperator diligentius investigans, comperit eos gentis esse Sueonum (Annal. Bertiniani). Luitprand hält sie für Normannen; Græci vocant Russos, nos vero apositione loci vocamus Nordmannos. — Der Name Ros (griech. Ρως, arab. Rus, bei Nestor Rus, bei Abendländern Russi, Ruzzi, Ruthi, Rutheni) scheint von dem Norddeutschen: Ræsar=Läufer (cursor, vagus) zu stammen. Siehe: mehrere Gründe für den norddeutschen Ursprung des Namens Russ in Zeus: die Deutschen und ihre Nachbarstämme: S. 457—566. Dessen ungeachtet scheinen die vom Anonymus genannten Ruthenen oder Oroszok zu den Slaven zu gehören, vermuthlich zu den in Russland von Konstantin Porphyr. angegebenen Allinen, Derblinen und Leneinen, da:

1. Zur Zeit der Einwanderung der Magyaren zwar Rurik bereits sein Reich gegründet hatte, die Hauptmasse der Bevölkerung aber aus Slaven bestand.
2. Da der Name Ruthen oder Orosz in Ungern in der Folge nicht Deutsche, sondern Russen als slavisches Volk bedeutet und da:
3. Die Orte, die den Namen Orosz tragen in der That Spuren ruthenischer Bevölkerung bewahrten.

Da zu des Anonymu's Zeit bereits das germanische Volk der Russen slavisirt oder ihr Namen auf die dortigen Slaven übergegangen war, so scheinen die aus Russland eingewanderten Slaven von ihm mit dem Namen Ruthenen (nach dem Sprachgebrauche seiner Zeit) belegt worden zu sein, ohne deren ältere und specielle slavische Stammesbenennungen anzugeben. — Das Wort Orosz oder Oros bedeutet später zwar auch einen königlichen Thürhüter, vermuthlich aber nur desshalb, weil zu jenem Dienste die dem königlichen Schlosse Vissegrad gegenüber wohnenden Russen (Orosz) verwendet wurden.

[3]) Fessler Geschichte von Ungern. I. S. 326. Die von Fessler nach Nestor angegebenen Verhältnisse Russland's machen eine solche Einwanderung wohl wahrscheinlich, ohne dass eine frühere vom Anonymus c. 10 und 57 berührte Ruthenen-Einwanderung dadurch aufgehoben würde.

[4]) Istvanffi Lib. XVI., Korabinsky geograf. historisch. Lexikon p. 503. Vergl. auch Lenk v. Treuenfeld's Stammbaum S. 134.

4. Unter Ludwig dem Grossen kam der litthauische Fürst Theodor Koriatovich mit zahlreichen Ruthenen in die nordöstlichen Komitate.—Koriat, Gedimin's Sohn, durch die Theilungen der väterlichen Eroberungen Fürst von Novo-Gorodek und Wolkovisk, hatte drei Söhne hinterlassen, welche von ihren Oheimen hart bedrückt wurden. Die drei verwaisten Koriatovichen, Alexander, Georg und Konstantin hatten sich zu dem Polen-Könige Kasimir geflüchtet. Theodor Koriatovich war mit einem Haufen Novogorodeker Ruthenen über die Karpathen gezogen und hatte bei König Ludwig von Ungern gastfreundschaftliche Aufnahme gefunden. Seinen Leuten waren in der Zempliner Gespanschaft die Beskéder Berge (Montes Lupi) zu Wohnsitzen, dem Fürsten selbst die Besitzungen des altungrischen Feldherrn Kétel: Satur Halma (jetzt Sátor-Allya Ujhély), dann das Homonnaer Gebiet angewiesen. Nach dem Abzuge der Walachen aus der Marmaros in die Moldau (1359), wurde Theodor Koriatovich (1360) zum Herzog von Munkách (Munkács) eingesetzt.

Er liess den Ort mit einer Mauer und die Felsenburg mit einem in Stein gehauenen Graben umgeben, verpflanzte seine Ruthenen in die Marmaros und bewährte sich thätig für des Königs Wünsche, für seiner Landsleute Wohlfahrt und für den Flor der griechischen Kirche [1]).

§. 47.

b) Polen.

1. Polen scheinen zuerst zum Bergbau nach Ungern gekommen zu sein, indem der mährische Herzog Braslaw nach seinem Siege über Polen Gefangene dieses Volkes zu dieser Arbeit dem heiligen Stephan verkauft haben soll.

2. Zu König Stephan III. kam Stephan Nyary, ein tapferer polnischer Edelmann, der Stammvater der gleichnamigen Familie. Nach dem Mongolen-Abzuge kommen unter den zahlreichen Einwanderern, welche das verheerte Ungern wieder bebauten und bevölkerten, auch Polen an. Urkundlich bewährt ist die Ankunft der polnischen Brüder Hermann und Bogomir Chykurcy [2]), welche von Bela IV. die Besitzung Só-Patak sammt einem Salzbrunnen unter der Bedingung erhielten, daselbst Colonisten (hospites) mit den Freiheiten der Saróser Gäste anzusiedeln, welche zugleich die Pflicht hatten, in den königlichen Heeren zu dienen.

3. Auch der geistliche Stand erhielt Zufluss aus Polen, besonders in die vom heil. Gerhard zu Csanád errichtete bischöfliche Cathedral-Schule. Ein Pole

---

[1]) Basilovits Ivan: Brevis Notitia Fundationis Theodori Koriatovits etc. Partes IV. Ausser diesem Hauptwerke — vergl. Fessler Nr. 367 — 369. — Szirmay Not. topograph. Comit. Zemplin p. 52, 251 und 355. — Fejér's Codex dipl. IX. V. p. 196—198. Es stiftete Th. Koriátovich das Kloster St. Nikolaus bei Munkach für ruthenische Mönche (ad ritum et morem Græcorum et Ruthenorum et ad eundem monachos Ruthenos constituimus, qui in perpetuum ibi Deo serviant). — Unter den Orten ihrer Dotirung kommt auch der Ort Orozyg vor: die Orts-Richter, welchen zugleich Gränzbewachung oblag, hiessen „Krajnik" ihre zinsfreien Besitzungen aber „Sculteciales".

[2]) Cod. dipl. V. III. p. 332. — Polonis et de Polonia in regnum Hungariæ — — confluentibus etc.

Zorrand kam in die Benedictiner-Abtei auf den Berg Zobor, erhielt von dem Abte Philipp den Namen Andreas und wurde in der Folge seines ascetisch frommen Wandels wegen, wie auch sein Schüler Benedict, heilig gesprochen [1]).

4. Die Verbindung von Polen's und Ungern's Krone auf Ludwig des Grossen Haupte (1370) war von vorübergehendem Einflusse auf die ethnographische Gestaltung, da nach dessen Tode (1382) seine Töchter Maria auf Ungern's, Hedwig auf Polen's Throne folgten, womit die politische Trennung zugleich eintrat; doch blieb der ungrisch-polnische Handel lebhaft, den Sigmund (1407) regulirte, in Folge dessen so wie auch in den folgenden Kriegszeiten viele Polen nach Ungern kamen [2]).

5. Unter Sigmund wurde der Pole Stibor durch seine Anhänglichkeit als Stütze dieses Königs gegen dessen Widersacher berühmt. Er zeigte sich dadurch dankbar für die ansehnlichen Güter, welche er grossentheils der Freigebigkeit Ludwig's und Sigmund's verdankte [3]).

6. Zu Mathias Corvin's Zeit standen viele Polen in geheimer Verbindung mit den einheimischen Missvergnügten, daher die Polen durch ein eigenes Gesetz aller Besitzungen, Aemter und Würden in Ungern für unfähig erklärt wurden. Wer Güter oder Besitz-Rechte an Polen verpfänden oder verkaufen würde, sollte des Hochverrathes für schuldig erkannt werden [4]).

7. Unter Ferdinand I. wurde das gedachte Gesetz zu Gunsten einiger verdienstvoller Männer von polnischer Abstammung aufgehoben und denselben das ungrische Indigenat verliehen. — Im Jahre 1663 (Art. 77) wurde Georg Pruskowsky von Pruskow, und 1575 (Art. 18) Albert Laski, Palatin von Siradien dieser Ehre theilhaftig, weil er die polnische Krone an Kaiser Maximilian II. überbracht hatte [5]). Unter Ferdinand III. wurden im Jahre 1655 (Art. 119) die Grafen Peter Paul und Johann Stanislaus Tarnowsky von Tarnow, unter Leopold I. im Jahre 1659 (Art. 133) Johann Bobuchowsky (Lengyel), dann im Jahre 1687 (Art. 28) Georg Hausperský und (Art. 29) Georg Ignaz Kussinsky von Kussin nationalisirt.

§. 48.

c) Čechen (Böhmen, Mährer, Slovaken) und Slaven überhaupt.

1. Unter den ersten Gästen, die nach dem Anonymus Belæ noch zu Arpad kamen, scheinen Mährer gewesen zu sein. Für diesen Umstand sprechen nicht nur die Partheiungen der Grossmährer nach Swatopluk's Tode, sondern auch die Klagen der bay-

[1]) Fessler I. S. 558. Bel not. Hung. T. IV. p. 569.

[2]) Art. 17 u. 99 v. 1500.

[3]) Die Besitzungen Stibor's siehe in Grafen Mailáth's Geschichte der Magyaren. II. Anmerkungen. S. 17 nach Freiherrn Mednyanski's diplomatarium Stiborianum.

[4]) Mathiæ I. Decretum VI. vom Jahre 1485 Art. 32. Venetis et Polonis nemo audeat bona seu arces vendere, aut quocunque titulo inscribere vel donare, sub poena infidelitatis, quia — omni arte, omnique via et technis conati sunt et semper conantur ad terras et dominia ad S. coronam pertinentia pedem inferre prout etiam aliquam partem de facto usurparunt.

[5]) Da Maximilian II. mit der Annahme der polnischen Krone zögerte, wählten die Polen den siebenbürgischen Fürsten Stephan Báthori zum polnischen Könige.

rischen Bischöfe bei dem Papste, dass Mährer mit den Ungern leben und sich die Köpfe abscheeren und andere heidnische Sitten annehmen [1]).

2. Slavischer freier Gäste erwähnt König Koloman: „Liberi hospites Slavi in aliorum terris laborantes" sollen gleich den übrigen Fremden, die das Grundeigenthum Anderer bebauen, nur für ihre Freiheit, nicht für ihren Verdienst Steuer zahlen [2]).

3. Auch in Churnok waren Gäste (hospites), deren Namen: Jank, Paulik (Sudrun), Krupuk, Rubyna, Myloszt, Mladen, Tyrian, Chulad, Zmaar und Porluk slavische Abstammung bezeugen, und welchen Andreas III. (1291) die bereits von Bela III. ertheilten Freiheiten bestättigte [3]).

4. Böhmische Colonisten, die unter Stephan III. nach Ungern kamen, erhielten die Landschaft Obon, und Bela IV. ertheilte ihren Nachkommen (1236) Chyba, Ibur, Heym, Sid, Pocus, Karachun, Illerus, Sath, Hugel, Nolch, Ivanus, Clemen, Stegun und Omodias die Rechte von Udvorniken [4]).

Mehrere böhmische und andere slavische hospites scheinen auch in den gemischten Colonien gewohnt zu haben, ohne dass ihre besondere Ermittlung überall möglich wäre. Wo es bekannt ist, wird bei den gemischten Colonien die Andeutung folgen. —

5. Die böhmischen Brüder im nördlichen Ungern [5]). Im fünfzehnten Jahrhunderte waren die hussitischen Unruhen nicht ohne Einfluss auf Ungern. Bereits in den Jahren 1425—1430 hatten die Hussiten Streifzüge, namentlich unter Blasko, bis an die Waag unternommen; im folgenden Jahre nahmen sie Kremnitz ein, verwüsteten die Felder von Schemnitz; im Jahre 1433 drangen sie sogar bis in die Zips vor. Die Bewohner zwischen Gran und Eipel flüchteten sich nach Torna und Fülek. Diese Streifzüge ruhten mit der Anerkennung Sigmund's als König von Böhmen im Jahre 1434.

Wichtiger, weil von bleibenden Folgen für Ungern's Bevölkerung, waren die Zuzüge der Böhmen nach König Albrecht's Tode (1439). In dem Streite, der sich zwischen Wladislaw von Polen und Elisabeth wegen der ungrischen Krone erhob, trat Johann Giskra, als Verfechter der Ansprüche Elisabeth's, und bezüglich ihres Sohnes Ladislaus Posthumus, auf. — Er zog zahlreiche Schaaren seiner böhmisch-hussitischen Landsleute herbei (1440), und behauptete mit ihnen den ganzen Strich von der Gran bis nach Kaschau. — Die eingewanderten Böhmen betrugen sich aber nicht nur als Krieger, sondern machten sich durch einen acht und zwanzig jährigen Aufent-

[1]) Ipsi multitudinem Ungarorum non modicam ad se sumserunt. Cod. dipl. I. p. 233. — Der Zusammenhang der Quellen namentlich mit Anonymus zeigt wohl, dass hier nicht nur von der Besetzung Gross-Mähren's durch die Ungern, sondern von einem theilweisen gastlichen Zusammenleben die Rede ist.

[2]) Colomanni Decr. I. c. 80.

[3]) Fessler a. a. O. p. 722 nach Fuxhofer Anal. Eccles. Hung. I. III. p. 369.

[4]) Fejér Cod. dipl. IV. I. p. 58—60.

[5]) Siehe Ladisl. Bartolomæides de Bohemis Kis Hontensibus. Comentatio historica Posonii und dessen: Comit. Gömöriensis notitia hist. geogr. statistica. Leutschoviæ 1805—1808.

halt (1440—1458) völlig heimisch. Sie schlossen Ehebündnisse mit den dortigen slavischen Bewohnern, erbauten Häuser und Dörfer, als ob sie niemahls abziehen wollten, sie kündigten Krieg an und wiesen die Gegner zurück, sie eroberten, zerstörten und bauten Burgen und Befestigungen [1]).

Vergebens machte der Gubernator Johann Hunyad einen Zug gegen die dortigen Böhmen (1451). Vergebens sandte Mathias Corvinus den Simon Rozgon gegen dieselben. Erst des Königs eigene Ueberlegenheit in der Kriegskunst brachte Johann Giskra zur Unterwerfung, und sicherte ersterem dessen künftige Treue.

Aber nicht nur der böhmische Anführer, sondern auch die mit ihm hereingekommenen Böhmen blieben sofort im Lande, vorzüglich hatten sie den untern Theil des Kis-Honther und einen Theil des Balogher (Serkeer) Bezirkes, im Gömörer Komitate, dann den untern Bezirk des Sohler, so wie den Losontzer Bezirk (früher einen Theil des Honter jetzt) im Neograder Komitate besetzt [2]).

Die Benennung der Orte [3]), die Sprache [4]), die Kleidung [5]), so wie die Körper- und Gesichtsbildung [6]) der Bewohner, besonders des weiblichen Geschlechtes, weisen vorzüglich auf die nordöstliche Gegend Böhmen's und der Lausitz hin, von welcher die gedachten hussitisch-böhmischen Colonisten ursprünglich gekommen sein mochten. Zur Zeit der Reformation gingen die böhmischen Colonien zur evangelischen Glaubenslehre über.

6. Aus Böhmen und Mähren wanderten mehrere Geistliche und Mönche, namentlich in die Benedictiner-Klöster Ungern's, seit der heilige Adalbert mit mehreren

---

[1]) Thurocz Chron. p. 264. — Bartholomæides hält dafür, dass diese Befestigungen Kirchen gewesen seien, welche die Hussiten auf hohen Punkten anzulegen und wie Castelle zu befestigen pflegten, wie zu seiner Zeit noch derlei Kirchen in Ratko, Taxo, Dobschau u. s. w. zeigen, welche auch mit dem Kelche bezeichnet waren. Vergl. Art. 17 u. 22 vom Jahre 1500.

[2]) Bartolom. a. a. O. p. 17. Hiemit stimmt überein die noch ausführlichere schriftliche Angabe des evangelischen Hr. Predigers Samuel Reisz zu Nagy Röcze (Rauschenbach). — Nach demselben sind sie noch namentlich im Neograder Komitat in Czinobánya, Lowinobánya, Rowno, Uhorszka, Cseh, Brezó, Tomassowce, Zeleno, Poltár, Ozdin u. s. w., und weiter hinauf im Bezirke Kis-Honth in Szkalnjk Rimabánya, Kraphó, Luhovisditje, Ratko, Kamenani, Süvetice, Murány-Lehota, Sterka u. s. w. bis gegen Kaschau.

[3]) Bartholom. a. a. O. p. 18. führt als Beispiele an: Czech Brezo vel Czeskno-Brezowo, Klenow (Klenowsky), Lehota, Sobolka, Wrbicz, Vhorskuo etc.

[4]) Sowohl die Aussprache als auch einzelne Worte und grammatikalische Formen kommen mit dem Čechischen überein, a. a. O. p. 19—22.

[5]) Bartholom. hebt besonders die turbanartige Kopfbedeckung der Weiber in Kis-Honth hervor, welche mit alten Trachten in Böhmen und der Lausitz Aehnlichkeit haben soll. p. 22. a. a. O. — Prediger Reisz sagt: die Weiber und Mädchen putzen sich gewöhnlich in ganz weissen leinenen Kleidern, rosenrother Leibbinde, auf dem Kopfe eine hohe Haube, die man Kika nennt, die Stiefel gelb oder roth. Das Mädchen hat einen Kopfputz aus seidenen Bändern und einer Flitterkrone.

[6]) Reisz M. S.: „Dieser čechische Stamm hat schönere Männer und Weiber, höher und gestalteter, als die uralten Stämme, ihr Körper ist runder, die Gesichtszüge sind regelmässiger und milder, der Gang ist schwerfälliger, der Charakter besonnener, übrigens unverdorben, ihr Gemüth ist religiös, doch heiter, zufrieden, genügsam; im Umgang sind sie freundlich, bei der Arbeit unermüdet, in der Ehe treu und schonend. Gesänge sind seltener, Volkssagen in Menge, die aber schon viele Spuren der neuern Zeit enthalten.

ausgezeichneten Priestern aus dem böhmischen Kloster Braunau dahin gezogen. Ueberhaupt zeigen die Namen der ungrischen Prälaten, dass unter ihnen manche ausgezeichnete Mitglieder von slavischer Abkunft waren.

7. Einzelne slavische Einwanderer stifteten Stammgeschlechter in Ungern, ohne dass über ihre Einwanderung nähere Daten bekannt wären.

Aus Böhmen kamen: Radvan, Bogath und Lodan.

Unter Bela IV. theilten Lucas und Ponsa von Bogath-Radvan ihre Güter. Von Rajnol, Lucas und Oswald, Söhnen des Ersteren, sollen die Familien Rákóczi, Morvay, Kortvélyesy und Hoszumezey abstammen; von Ponsa leitet man die Possay, Isépi, Bekessy und Monaky ab. Die Letztern erhielten von Ludwig dem Grossen die grosse Besitzung Szada. Durch Anna Monaky kamen die Güter beim Erlöschen dieser Familie an Mathias Freiherrn von Andrássy (1643 [1]).

Aus Mähren kam Mijurk von Chakan mit seinen Brüdern Wenzel und Jakob, sie stifteten das Geschlecht Chakan [2]).

Die Geschlechter Drusna, Borych, Brochnya, Brokun und Katych dürften vielleicht, ihres Klanges nach, slavischen Ursprunges sein [3]).

8. In der Regierungsperiode des Hauses Habsburg erhielten mehrere verdienstvolle Männer von slavischer, namentlich von böhmischer Abstammung das ungrische Indigenat, als:

Unter Ferdinand I. Ladislaus Poppel von Lobkowitz, in Rücksicht der Verdienste, welche diese Familie seit alten Zeiten um Ungern's Könige hatte. Unter Rudolf II. (1598, art. 41) die Grafen Seyfried, Karl und Ernst Kollonich. Unter Ferdinand III. (1647, art. 155) Rudolf Graf von Kaunitz und Wenzel Graf von Hoditz; dann (1655, art. 119) Graf Ferdinand von Nachot, David Heinrich Zobok de Kornitz, und die Freiherren Adam und Gottlieb Windischgrätz. Unter Leopold I. (1659, art. 131) Johann Hartwig Graf von Nostitz; (art. 133) Georg von Sidnaich; Zdenko, Freiherr von Ruppa, und sein Sohn Wilhelm; Heinrich Slawihowec von Slawikowa; im Jahre 1681 (art. 82) Karl Max Graf Laschansky und (1687, art. 27) Ulrich Graf von Kinsky; dann Wratislaw von Stremberg, Oberstburggraf von Böhmen, den die ungrischen Stände aus eigenem Antriebe aufnahmen; (art. 28) Norbert Leopold Liebsteinsky von Kolowrat, und Ferdinand Markgraf von Obitz.

§. 49.

d) Serben (Rascier etc.). Die frühen Spuren von Serben in Ungern.

Es wurde bereits in der ersten Periode bemerkt, dass die Hauptbevölkerung zwischen Drave und Save aus Kroaten bestand, die mit den Serben stammverwandt sind, und dass auch zwischen der Donau und Theiss, dann im Banate Bulgaren und andere

---

[1]) Fesler III. S. 711.

[2]) Keza 140 et 141. Mijurk etiam de Chakun cum Venceslao et Jacobo fratribus suis, de ducibus Moraviæ habentes originem, Regni Hungariæ novæ sunt incolæ, affinitate Belæ Regi quarto junguntur.

[3]) Stephan Horváth a. a. O. V., VII., XI., XII. et XVIII.

slavische Stämme neben Walachen und andern Völkern wohnten. Es sind Spuren vorhanden, dass bereits vor dem fünfzehnten Jahrhunderte auch **Serben** in Ungern lebten; dahin deuten die Zeugnisse, dass in den Kämpfen mit den Griechen auch Serben als Truppen des ungrischen Heeres Antheil nahmen; dass Serben selbst die Palatinwürde bekleideten, ist aus den Namen der Palatine Rado (1056), dem Gründer der Abtei St. Demeter an der Save, Johann Uros (1120) und Belus (1156) [1]) wahrscheinlich. — Bestimmter folgt deren Dasein in Ungern aus den Massregeln, welche (1360, 1366 und 1379) Ludwig der Grosse bezüglich der im Gebiete Basarat (d. i. im jetzigen Krassóer Komitate) befindlichen Serben von orientalisch-griechischem Ritus traf [2]), wodurch ein grosser Theil sammt den Schismatikern in Bosnien, Rascien und Bulgarien zur katholischen Lehre zurücktrat [3]).

Bedeutend wurde jedoch die Anzahl des serbischen Volksstammes vermehrt durch die **Einwanderungen der Serben und Rascier** (Razen), der sogenannten (serbischen) **Wlachen** und der flüchtigen Bosnier oder **Uskoken**.

§. 50.

Einwanderung der Serben und Rascier-(Razen) nach Ungern vom fünfzehnten bis zum achtzehnten Jahrhunderte.

Bei den Angriffen Sultan Murad's auf Servien flüchteten nach der unglücklichen Schlacht auf dem Amselfelde (1389) viele serbische Unterthanen nach Ungern (1404 und 1412). Schon in den hussitischen Kriegen (1420 und 1421) werden uns unter den Truppen König Sigmund's Servier und Rascier genannt [4]).

Die erste serbische Colonie finden wir aber unter demselben König auf der Insel **Csepel**, bei Ofen, wo derselben der Ort St. **Abraham** eingeräumt wurde, welchen sie zum Andenken an das verlassene **Kövin**, Kis-Kevi und in der Folge **Rácz-Kévi** nannten [5]).

---

[1]) Jongellini Catalog. Palatinorum bei Schwandtner S. S. R. U. I. p. 839. etc.

[2]) Urban's Bulle im Cod. dipl. IX. V. p. 325. etc.

[3]) Chron. Bud. (edit. Podhradzky p. 331.

[4]) Christ. v. Engel Geschichte von Servien und Bosnien §. 79.

[5]) Thurocz u. a. leiten den Namen vom ungrischen Heerführer Keve ab, allein schon Mathias Bel in seiner notifia R. Hung. P. III. p. 520 führt die mit dem historischen Gange übereinstimmende Stelle eines alten ungrischen Dichters an:

Itt kapitány Kevétül nincs nevem
Mint némellyek itélnek felölem
Sem Görög szó kevi az én nevem
Noha vizzel mind környül véttettem
Eleiül fogva egy Jámbortúl
Neveztetem az Szent Abráhámtúl
Abrábámnak megygyes egy házátúl
És környülem való sok szépfáktúl
Kövin vegre, az után **Kiskevi**
Lett nevem az Ráczoktúl **Ráczkevi**.

Non ut habent alii nomen mihi dux Keve nec vox
Græca Kevi peperit, quamvis inunder aquis
Abrahamea prius vocitabar ab æde parentis
Isaac, quam merasi cinceral umbra crebro
Deinde **Kövin** cœpi dici, mox **Kiskevi** tandem
Ráczkevi, Rascianis gentibus aucta fui.

König Sigmund ertheilte den Bewohnern von Ráczkeve sogar ein eigenes Privilegium, vermög welchem kein fremder Kaufmann auf den dortigen Märkten Tücher anders als in ganzen Stücken, und Weinhändler nur in grossen Gebinden (per vasa integra) verkaufen dürfen. Ueberhaupt genossen sie mit andern freien Städten gleiche Marktfreiheiten. Sigmund schenkte den Serben von Keve die Dörfer Balvani und Skorenove (1435) sammt der Befreiung von Mauthen. König Ladislaus I. dehnte diese Vorrechte auf ihre Ansiedlungen am jenseitigen Donauufer (gegenüber von Ráczkeve) aus. Mathias Corvinus räumte ihnen das Holzungsrecht auf der ganzen Insel Csepel ein [1]. Von Ráczkeve verbreiteten sich die Serben nach Tekely, St. Martin und Csepel [2]; sowie nach Ofen, wo sie ebenfalls bereits unter Sigmund angesiedelt erscheinen.

Als zweite serbische Einwanderung kann man jene betrachten, welche mit Georg Brankovich nach Ungern erfolgte, und grossentheils aus den Anhängern dieses serbischen Despoten bestand. Bei den fortwährend schwankenden Verhältnissen, in welchen Servien zur Pforte stand, die unter Murad einen Strich nach dem andern zu umschliessen drohte, knüpfte Brankovich im Jahre 1433 Unterhandlungen mit Sigmund an, vermählte sich mit einer Anverwandten desselben, mit Ulrich's von Cilly Tochter Katharina, und trat Belgrad an Ungern unter der Bedingung ab, dass ihm ansehnliche Güter in diesem Reiche verliehen würden. In der That wurden ihm die Burgen: Salankemen, Kewlpen (Lippa), Bechey (Törökbecse), Világosvár, Tokay, Munkách, Thalya, Regétz und die Marktflecken (oppida) Szathmar, Beszermen, Debreczen, Thur, Varsan, ferner ein Haus zu Ofen (pro descensu et hospitio) eingeräumt [3]. Ferner besass Georg Brankovich auch einige Zeit hindurch Szolnok, Theoczág, Beche (auf einer Theissinsel) als Herrschaften mit zahlreichen Dörfern [4].

Wenn auch in alle jene Orte keine Rascier einwanderten, so ist doch anzunehmen, dass in Ofen, Salankemen u. a. O., wo Brankovich sich aufzuhalten pflegte, seine Landsleute in seinem Gefolge sich einfanden. —

Eine dritte serbische Einwanderung geschah unter Albrecht II. (1439), welche für unsern Zweck von mehr Bedeutung ist, weil sie die Nation der Rascier (Serben) in Ungern's Osten verpflanzte.

Obwohl Brankovich dem Sultan Murad seine Tochter Maria als Gattin übergeben hatte, so überzog dieser (1439) doch Servien mit feindlichen Schaaren. Bei der Annäherung des Sultans verliess der Despot seine Hauptstadt Semendria, und begab sich mit seinen Schätzen nach Ungern, um König Albert zum Kampf gegen die Türken zu

---

[1]) Cod. dipl. X. VI. 928 und Kercselich: de Regnis Dalm. Croatiæ, Slavoniæ Notitiæ p. 434. etc.

[2]) Nicol. Olah in seiner Geographie (bei Math. Bel. Apparatus p. 7) vom Jahre 1536 nennt obige Orte von Rasciern bewohnt. — „Alterius paulo infra Budam est insula Chepel cum oppidis Chepel, Thekel, S. Martin, Keny, quod Rasciani incolunt".

[3]) Engel (nach Thuróczi) §. 84. Csaplovics Slavonien II. S. 17. — Das Haus in Ofen glich einer Burg. (Siehe J. V. Haeufler's Buda-Pest. I. Th. S. 26.)

[4]) Engel a. a. O. §. 84. S. 379.

bewegen, wobei er auf seinen eigenen Gütern Truppen aufbot[1]). Der traurige Ausgang dieses Kampfes ist bekannt. — Nach der Eroberung von Semendria und Novoberdo durch Murad kamen zahlreiche Flüchtlinge nach Ungern, welche Janopol (Boros-Jenö [2]) im Arader Komitate anlegten und von Wladislaw I. ein eigenes Privilegium erhielten.

Die vierte Einwanderung erfolgte unter Mathias Corvinus im Jahre 1459. Mit dem Sohne des Georg Brankovich, Stephan, waren um diese Zeit nach der zweiten Einnahme Semendria's durch die Türken, viele Serben nach Syrmien gekommen, wo sie auch angesiedelt wurden. Um's Jahr 1465, als Stephan Georgievich aus Ungern abgegangen war, folgten diesen serbischen Colonisten noch mehrere nach, wie es scheint, unter Wuk Gregorievich, der nun sah, dass er von den Türken nichts für die Wiedererlangung von Servien zu hoffen hatte. Hier zeichnete er sich bald so sehr durch Kühnheit und Tapferkeit aus, dass er bei seinen Landsleuten gewöhnlich Zmai, Despot Wuk (der Drache Despot Wuk) genannt, und bei Mathias Corvinus sehr beliebt ward. Seine ihm vom König angewiesene Residenz war Salankemen, von wo aus er den Türken auf alle Art und Weise Abbruch that [3]). Endlich gehörte noch zu der Brankovich'schen Familie der Bojar Demeter Jaksich [4]).

Während die Ráczkever und Janopoler Colonisten mit Ackerbau, Viehzucht, und die erstern auch zum Theil mit Handel sich beschäftigten, mussten die Syrmier der beständigen Streifereien der Türken halber, meistens bewaffnet sein. Bei Waffenstillstand mit den Türken zogen viele als Söldner ungrischer Grossen in den böhmischen Krieg [5]), und die Syrmier Serben bildeten auch den Kern der berühmten schwarzen Legion; diese hatte ihren Namen von ihrer schwarzen Rüstung, und bestand aus beiläufig 6000 Mann Fussvolk. König Mathias selbst war ihr Anführer, und errang mit dieser Legion manchen Sieg. In der Folge wurde sie aber von Paul Kinisy (Knes Pawo) wegen Widerspänstigkeit aufgelöst.

Eine grosse und bedeutende serbische Einwanderung war die fünfte, indem Paul Kinisy über 50.000 Familien aus Servien nach Ungern brachte, wo sie theils in Syrmien, theils im Banate angesiedelt wurden. — Zwei Briefe [6])

---

[1]) Das Decretum Alberti Art. XXV. verordnet, dass der Despot keine Ausländer zu Kastellanen oder Güterverwaltern bestellen, auch an Ausländer nichts verschenken könne.

[2]) Engel a. a. O. §. 86. Dasselbe wurde zu Ehren des Johann Hunyad Joannopolis oder Janopolis (später auch Jenopolis) genannt.

[3]) Engel a. a. O. §. 106.

[4]) Ueber die Thaten Wuk's und Jaksich's siehe Engel a. a. O. §. 107 und 108, eben daselbst nennt Engel auch Paul Kinisy als serbischen Bojar oder Knâs, welcher mit Wuk nach Ungern kam, und von dem serbischen Geschichtschreiber Brankovich unter dem Namen Pabel Knâs Brankovich angeführt wird. Bonfin. Dec. IV. lib. VI. nennt den berühmten Paul Kinisius, den Ajax der ungrischen Helden, einen Müllerssohn, welcher von seinem Geburtsorte dem Dorfe Kinis seinen Namen erhalten habe.

[5]) Der päpstliche Legat schreibt hierüber an den Papst: „Quum ipsa Regina bellum hoc permolestum habeat, ut nullus sit naturalis Hungarus, qui in Christianos id bellum suscipere velit soli tantum Bohemi et transfugi Turci ac aliæ gentes et Serviani". — Engel a. a. O. §. 107. S. 448.

[6]) Epistolæ R. Mathiæ Corv. Caschoviæ 1743. p. 28 u. 80. a. a. O. p. 28. ut dignetur Sua Sanctitas, cum talibus, qui consortibus orbati diligentia adhibita vel mariti uxores, vel uxores maritos repe-

des Königs Mathias geben über den Anlass und Hergang nähern Aufschluss. Der erste Brief, an den Cardinal von Arragonien, stellt den entvölkerten Zustand durch die Türkenkriege dar, und spricht dessen Mitwirkung beim Papste an: Se. Heiligkeit möge, wegen Bevölkerung des verheerten Landes, die Ehen mit solchen Männern oder Frauen gestatten, welche ihre Gattin oder ihren Gatten nicht mehr bei den Ungläubigen ausfindig zu machen, und somit den Beweis deren Lebens oder Todes nicht herzustellen im Stande seien. Da manche Gegenden und Provinzen der ungrischen Krone durch die fortwährenden Einfälle der Türken so sehr verwüstet sind, dass man nur selten Bewohner antrifft, so möge Se. Heiligkeit das Gewissen der Soldaten beschwichtigen und erlauben, dass sie es so wie die Türken machen, aus dem feindlichen Lande Gefangene auf den ungrischen Boden führen, und in den öden Gegenden ansiedeln dürfen.

Im zweiten Briefe schreibt Mathias Corvinus an den Bischof zu Erlau, dass zu Paul Kinisy auf seinem Streifzuge in Servien bei **50.000** dortige Familien, nebst **1000** Türken, freiwillig gekommen und mit ihm nach Ungern gezogen seien [1]. — Dieser Streifzug wurde im Jahre **1481** in Gemeinschaft mit Wuk unternommen. Kinisy übersetzte bei Haram die Donau auf Schiffen, welche Wuk herbeigeschafft; der Vortrab der übergesetzten Armee unter Jaksich schlug die Besatzung von Golumbaez, die sich widersetzen wollte; Jaksich verfolgte den türkischen Beg bis an das Thor dieser Festung und hieb ihm daselbst den Kopf ab; **24** türkische Schiffe wurden in Grund gebohrt; Kinisy gelangte bis Krussolez, aus dessen Umgegend die gedachten **50.000** Serben zusammenströmten, und zugleich den Rückzug von Kinisy's Armee deckten. Auf diesem Rückzuge wurde eine Insel gegenüber von Semendria, welche die Türken zur Hinderung der ungrischen

rire apud infideles nequeunt, dum de vita vel morte talium eis incertum est, dispensare, ut tales personæ cum altro vel altra matrimonium contrahere possint, per quod Sanctitas Sua non modo scandalo viam concludet, sed etiam vastitati regni nostri ac detrimento opportune de remedio providebit. Sunt præterea nonnullæ regiones et provinciæ sub corona nostra adeo per continuas Turcarum invasiones et rapinas desolatæ, ut pene in solitudinem versæ sint, in quibus rarissima vel tuguria et inhabitatores perpauci visuntur, quas provincias inhabitatoribus destitutas cum nos omnibus viribus reformare, atque per adductionem hominum de terris hostilibus populosas efficere volumus. Nonnulli militum nostrorum conscientiam offendere veriti, prædas hominum iussu nostro ab exteris terris et Regionibus in hoc regnum nostrum adducere recusarunt. Ut igitur talium personarum scrupulosis cogitationibus succuratur, ut eo facilius hoc regnum, quod tamquam christianitatis antemurale omnes majores Turcarum ingressus, antequam alias penetrent, continuo excipit, in sua vastitate et desolatione reformetur, rogamus velit obsecrare vestra Dominatio Reverendissima sanctissimum Dominum nostrum, ut Sua Sanctitas de benignitate et Clementia apostolica nobis et nostris indulgere eo modo, quo hostes nostri faciunt, homines quascunque e terra hostili arripere, absque alicuius conscientia et scrupulo aportare et in regnum nostrum, regionesque vastas collocare et aliter prout licuerit, in servitutem personas quascunque in terra hostili captas redigere.

[1]) a. a. O. p. 80: Omnis noster exercitus usque ad Kraszolcz penetravit, ibique castris locatis Paulus Kinisy duodecim dies moratus est, omnique illa patria ferro et igne vastata, adductis secum plus quam 50.000 indigenarum et 1000 naturalibus Turcis, viris strenuis et equitibus, qui cum filiis et filiabus et uxoribus ultro ad ipsum Paulum confluxerunt et secum regressi sunt ad servitia nostra, atque cum multis hostium spoliis ac optima favente Deo prosperitate reversus est.

Schiffahrt hatten befestigen lassen, überwältigt. Die Truppen hatten nebst ihrer Tapferkeit die grösste Ausdauer in Ertragung aller Strapatzen an den Tag gelegt, sie schliefen nicht in Zelten, sondern auf der Erde unter beständigen Regengüssen [1]).

Die Serben (Rascier) und andere Schismatiker in Ungern wurden in dem zu Ofen gehaltenen Landtage desselben Jahres (1481) von Bezahlung der Zehenten an die katholische Geistlichkeit befreit, damit durch das Beispiel und die Vortheile solcher Flüchtlinge auch andere, unter türkischer Botmässigkeit befindlichen derlei Unterthanen zur Einwanderung geneigt würden [2]).

Einzelne Einwanderungen von Serben und Rasciern mit kleinen Colonistenschaaren geschahen noch mehrere. So kam der serbische Bischof Maximin im Jahre 1509 als Gesandter des walachischen Wojwoden Michna nach Ungern, blieb aber in Syrmien, und legte daselbst auf den Gütern seines Verwandten Jaksich ein Kloster zu Krusedol auf dem Berge Almus an, wo er auch starb (18. Jänner 1516). Um's Jahr 1525 wanderte ein gewisser Monasterly aus Monaster in's ungrische Reich ein.

Eine siebente bedeutendere serbische Ansiedlung erfolgte auf Vorschlag des berühmten Vertheidigers von Güns, Nicolaus Jurichich (1538 [3]). König Ferdinand ertheilte (am 9. Sept.) den serbischen Kapitänen und Wojwoden, welche sich mit ihren Untergebenen anzusiedeln und Kriegsdienste zu leisten antrugen, durch zwanzig Jahre Freiheit von Steuern und Pachtzins, für jede Familie, die in einem Hause lebte, sammt der freien Nutzniessung der dazu gehörigen Grundstücke; den Kapitänen, oder Wojwoden, welche 200 Personen unter ihrer Führung oder Leitung haben, wurden überdiess jährlich 50 fl. Rh. zugesichert, sammt einem Drittheil dessen, was sie den Türken entreissen würden, mit Ausnahme von Städten, Marktflecken, Vesten und Burgen u. s. w., welche sich der König vorbehielt. In den Kriegen wider die Türken leisteten die Serben auf ihren Tschaiken nützliche Dienste. Im Jahre 1659 kamen viele Razen von Keve nach Ofen [4]).

---

[1]) Engel a. a. O. p. 448.

[2]) Landtags-Art. 3 u. 4 vom Jahre 1481. Art. 3 nennt Rasciani et ceteri huiusmodi Schismatici ad solutionem decimæ non adstringantur, und Art. 4 gibt als Grund an: ut talium Transfugarum exemplo, etiam alii Turcarum ditioni subjecti ad veniendum tanto promtiores efficiantur, quando tales, qui jam venerunt, tanta prærogativa conspexerint esse donatos. Der Landtagsartikel 45 vom Jahre 1495 sagt: Sunt plurima Loca in confiniis Regni sita, in quibus Rasciani, Rutheni, Valachi et alii Schismatici in terris Christianorum habitant — — — ab ipsis — nullæ penitus decimæ exigantur; und der 4. Art. vom J. 1474 führt als weiteren Grund der Zehentfreiheit der Nichtunirten an: „Postquam eas (decimas) ipsis Episcopis et Sacerdotibus cum Religionis dare valeant." Ueber die Thaten der ungrischen Serben im sechzehnten und siebzehnten Jahrhunderte siehe Engel a. a. O. p. 475.

[3]) Das Privilegium vom 9. September 1538 für die razischen Kapitäne, Wojwoden, und die ihnen untergebenen Ansiedler: siehe Kriegs-Minist. Arch. VII. Nr. 3 litt f.

[4]) Die diessfällige Bemerkung enthält das Pfarrprotokoll der griechisch nicht unirten Gemeinde zu Ofen. Diese Razen waren es auch, welche gleich nach der Befreiung Ofens (2. September 1686) bei der Wegräumung des Schuttes und dem Wiederaufbau von Ofen, durch Wassertragen in die Festung und Cultivirung der umliegenden Weingärten, Kleinhandel u. a. thätig zum Wiederaufleben von Ofen mitwirkten. Tollius Epistolæ itinerariæ. Amsterd. 1687.

§ 51

Aufnahme der Serben (Rascier) als Nation in Ungern im siebzehnten Jahrhunderte.

Die achte und bedeutendste Einwanderung geschah zu Ende des siebzehnten Jahrhunderts. Sie war nicht nur der Zahl nach, sondern vorzüglich dadurch bedeutend, dass die Serben und Rascier nicht als Colonisten, sondern damals als Nation (mit kirchlichen und weltlichen Rechten) bei Leopold I., als Ungern's König, Aufnahme fanden. Im Jahre 1689 gingen einige tausend Serben, unter Anführung des Georg Brankovich (der bereits am 28. September 1663 vom Erzbischof von Ipek, Maximin, in der Kirche von Adrianopel zum Despoten, im Jahre 1683 vom Kaiser Leopold I. in den Freiherrn-, und am 20. September 1688 in den Grafenstand erhoben worden war), zur k. k. Armee über [1]). General Piccolomini, der bei seinen Soldaten strenge Mannszucht hielt, gewann den Erzbischof von Ipek [2]), Arsenius Chernovich [3]), und dadurch die Serben.

Leopold I. erliess bei der so vorbereiteten Lage am 6. April 1690 an die gesammten Völker Albanien's, Servien's, Bulgarien's, Silistrien's, Illyrien's, Macedonien's und Rascien's etc. den Aufruf [4]), den günstigen Augenblick zu benützen, das türkische Joch abzuschütteln, und zur Beförderung ihres Heiles, ihrer Freiheit und der christlichen Religion auf seine Seite herüberzutreten, gegen die Türken die Waffen zu ergreifen, und sich den kaiserlichen Feldherren anzuschliessen. Dagegen wurde den gedachten Völkern und Provinzen, welche dem Rechte nach der Krone Ungern's unterworfen sein sollen, die ungestörte Ausübung ihrer Religion, die freie Wahl der Wojwoden, die Beibehaltung ihrer Privilegien und Rechte und die Befreiung von allen öffentlichen Lasten und Steuern, welche sie nicht schon vor dem Einbruche der Türken zu tragen hatten, mit Ausnahme von Kriegszeiten, wo sie zu ihrer eigenen Vertheidigung die nöthigen Subsidien zu leisten hätten, sammt freiem Besitze ihrer früheren Güter versprochen.

Der Erlass dieses Patentes erfolgte vorzüglich auf Anregung der österreichischen und böhmischen Hofkanzler, nämlich der Grafen Strattmann und Kinsky.

In Folge dieses Aufrufes ging der Ipeker Patriarch, Arsenius Chernovich, dessen Kopf in der Türkei nicht mehr sicher war, mit vierzig tausend, grösstentheils serbischen und rascischen Familien [5]), zu Leopold über, welche aus Servien, Rascien, Bosnien, Albanien und der Walachei zusammen-

---

[1]) Er wurde in der Folge verdächtig und starb 1711 auf der Festung Eger in Böhmen. Csaplovics Slavonien II. 26.

[2]) Ipek liegt in Epirus am Flusse Bisztrica, zwischen Scodra und Antivari. A. a O. 27.

[3]) Wir behalten die Schreibart Chernovich bei, da sich der Patriarch eigenhändig also schrieb; in den Privilegien und Akten erscheint auch der Name mit Cs und Cz.

[4]) Authent. Copie im Kriegs- und Finanz-Ministerial-Archiv — und gedruckt bei Raič a. a. O.

[5]) A. Chernovich sagt diess ausdrücklich in einem Hofgesuche vom Jahre 1706. — Die gewöhnliche Angabe lautet auf 36.000 Familien.

geströmt waren. Diese Einwanderer wurden theils zwischen der Save und Drave, namentlich im Poseganer Komitat (in der kleinen Walachei) und in Syrmien, dann in der Bácska, theils im Janopoler Bezirk der Theis und Maros, theils in Komorn, Ofen und St. Andrä angesiedelt [1]). In letzterem Orte langten sie in sieben Schaaren an, wo sie eben so viele Kirchen bauten, und besondere razische Gemeinden bildeten [2]).

Der Patriarch Arsenius erwirkte durch Absendung des Janopoler Bischofs, Isaias Diakovich, nach Wien am 21. August 1690 ein kaiserliches Privilegium [3]), womit den mit ihm eingewanderten Serben und Rasciern, nicht nur die früher bestandene Zehentfreiheit bestätigt, sondern auch denselben ein aus ihrer Nation zu wählender Erzbischof bewilliget wurde. Demselben sollten alle nicht unirten griechischen Bischöfe in ganz Griechenland, Rascien, Bulgarien, Dalmatien, Bosnien und der Herzegowina, in Ungern, Mysien und Illyrien, so wie auch die bezügliche Klostergeistlichkeit untergeben sein; er soll alle nicht unirten Kirchen, Klöster und Güter, welche die früheren ungrischen Könige den Nichtunirten verliehen, erhalten, und neue Kirchen und Klöster erbauen dürfen. Im Falle des erblosen Absterbens von Nichtunirten soll der Nachlass an den Erzbischof und die Kirche fallen. Der Erzbischof soll sowohl von geistlichen als weltlichen Abgeordneten der serbisch-razischen Nation gewählt werden. Der Gebrauch des griechischen Kalenders wurde in diesem Privilegium den Nichtunirten gestattet.

Der Bischof von Janopolis, Isaias Diakovich, hatte sich im März 1691 abermals persönlich, im Namen des Erzbischofs und der Nation zum Kaiser begeben, die Einwanderung berichtet, die Treue der Nation, womit sie unter kaiserlichem Schutze leben und sterben wollte, betheuert und (am 20. August 1691) die Erneuerung und Erweiterung [4]) des obigen Privilegiums erwirkt, welches durch ein weiteres Privilegium vom 4. März 1695 ergänzt wurde.

Derselbe Diakovich und Adám Foldvári von Komorn, erwirkten als Abgesandte der serbisch-rascischen Nation bereits am 24. März 1691 die Erlaubniss, sich einen Vice-Wojwoden (Vice Ductorem) für die dem Kaiser dienenden serbischen Soldaten zu wählen, und am 11. April 1691 wurde Johann Monásterly aus Komorn zum Vice-Wojwoden der serbischen Truppen vom k. k. Hofkriegsrathe

---

[1]) Die a. h. Resolution vom 3. April 1691 für das serbische Volk (universitati gentis Rascianæ) in Ungern, namentlich für jenes zu Esseg, Komorn und Ofen, welches sich dem Kriegsdienste gegen die Türken gewidmet. — Die übrigen genannten Ansiedlungsbezirke ersieht man aus den zahlreichen diesen Gegenstand betreffenden Actenstücken.

[2]) Pfarrprotokolle der nicht unirten Gemeinden zu St. Andrä.

[3]) Finanz- und Kriegs-Ministerial-Archiv.

[4]) Die wesentliche Erweiterung besteht in dem kaiserlichen Versprechen: a) dass mit Gottes Hilfe das rascische Volk durch die siegreichen Waffen sobald als möglich in ihre früher bewohnten Länder und Sitze zurückgeführt werden soll; — b) dass das rascische Volk unter der Leitung ihrer eigenen Magistrate der alten Privilegien geniessen möge, und c) dass alle Rascier vom Erzbischof als ihrem Oberhaupte in geistlichen und weltlichen Angelegenheiten abhängen sollen. — Der Punkt a) wurde in der Folge öfters erneuert ausgedrückt in Privilegien und Rescripten; — Punkt c) wurde durch das Patent vom Jahre 1777 förmlich aufgehoben.

bestätigt, derselbe zeichnete sich auch in den nachfolgenden Feldzügen wider die Türken, namentlich bei der entscheidenden Schlacht von Salankemen (19. August 1691) aus.

§. 52.

Ansprüche auf eine Wojwodina und Sitze der Serben.

Hier dürfte der geeignetste Ort sein, die ältern Rechts-Ansprüche der Serben auf eine Wojwodschaft zu erörtern. Die wesentlichen Punkte, worauf sich dieselben stützen, sind folgende:

In dem allerhöchsten Patente vom 7. Juni 1683, womit der serbische Wojwode, Georg Brankovich, in den Freiherrenstand erhoben wurde, wird derselbe als Nachkomme des alten gleichnamigen serbischen Despoten, welcher Belgrad für den Besitz ansehnlicher Güter in Ungern an König Sigmund abgetreten hatte, als Herr in Janopolis und Syrmien bestätigt. In dem allerhöchsten Patente vom 20. September 1688, womit derselbe Brankovich in den Grafenstand erhoben wurde, bestätigte Kaiser Leopold I. denselben im Besitze der gedachten Herrschaft mit dem Beisatze, dass unter Janopol [1]) Vlaska und Bácska enthalten seien [2]).

Auch nachdem der gedachte Georg Brankovich straffällig geworden, wurden die Besitzungen desselben der Gesammtheit der rascischen Nation (communitati nationis rascianae) überantwortet, welcher bereits mit dem Patente vom 6. April 1690 alles von ihr zu erobernde Terrain zugesagt worden war, so ferne nicht andere begründete Ansprüche vorhanden wären [3]).

Der k. k. Hofkriegsrath gab, ddo. Wien den 11. Mai 1694 [4]), im Namen des Kaisers Leopold I. dem Erzbischofe Arsenius Chernovich und dem Vice-Wojwoden der rascischen Miliz (rasciae militiae viceductori) Johann Monasterly bekannt, dass die unabänderliche allerhöchste Entschliessung bekanntermassen die Versetzung des rascischen Volkes, sowohl aus Rücksichten des Königreiches Ungern, als auch zum Frommen der Rascier selbst, in die zwischen der Donau und Theiss gelegenen Landstriche (in partes inter Danubium et Tibiscum sitas) bestimme, und somit Arsenius Chernovich und Monasterly nur zur Berathung über die Modalitäten der Translocirung und Ansiedlung der gedachten Nation berufen worden seien. Am 31. Mai desselben Jahres [5]) eröffnete aber der k. k. Hofkriegsrath, im Na-

---

[1]) Janopolis (auch Joannopolis und Jenopolis genannt) bezeichnet den Bezirk um Boros-Jenö und Gyula zwischen Körös und Maros, wie Arsenius Chernovich in einem Hofgesuche selbst erklärt. „Districtum Jenopolitanum aut Campum Gyulensem nominatum inter fluvios Crisiensem et Marusiensem."

[2]) Siehe die Patente in libro regio: „Janopolis, in qua continentur Vlasca et Bácska." Da Leopold I. nicht im Besitze des Banates war, so scheint hier unter Vlasca die sogenannte kleine Walachei (ein Theil Slavonien's), verstanden zu sein; für welche Erklärung das später erwähnte Rescript vom Jahre 1694 sprechen dürfte. — Gedruckt sind die Patente in Raič serb. Gesch. IV. B.

[3]) Eine authent. Copie ist im Finanz-Ministerial-Archive; — gedruckt bei Raič. a. a. O.

[4]) Eine Copie ist im Finanz-Ministerial-Archive aufbewahrt.

[5]) A. a. O.

men des Kaisers, den gedachten beiden Abgeordneten der rascischen Nation Arsenius Chernovich und Johann Monasterly, dass Se. Majestät deren Bitte wegen Versetzung in das Kumaner Feld und in Theile Slavoniens, vorzüglich in die sogenannte kleine Walachei (in puncto fiendae translocationis in Campum Cumanum et partes Sclavoniae, signanter in parvam Valachiam [1]) sic dictam), welche dieselben in der unter dem Präsidium des Generals Häusler abgehaltenen Commission vorgebracht hatten, berücksichtige. Da der allerhöchste Dienst die gedachte Ansiedlung je eher desto besser erheische, so sollen sie eine bestimmte Zahl ihrer Abgeordneten sogleich erwählen, welche den Ansiedlern ihre Orte und Gebiete anzuweisen, dieselben sogleich für den Besitzstand aufzunehmen, Gebäude und Wohnungen herzustellen hätten, damit nach eingebrachter Ernte im kommenden October (1694), die Gesammtheit des ganzen rascischen Volkes unfehlbar dahin folge — (ut totius gentis rascianae communitas infallibiliter subsequatur). — Ueberdiess habe Se. k. k. Majestät bewilligt, dass die auf diese Weise übersetzte und in Treue, wie bisher, verharrende rascische Nation nur Ihrer k. k. Majestät allein unterworfen, von jeder anderen Abhängigkeit aber, sowohl der Komitate, als der Grundherren befreit bleiben sollen (ut gens Rasciana hunc in modum translata et in fidelitate sua hucusque exhibita perseverans, solummodo S. C. R. Majestati subjecta, ab omni vero alia dependentia tam Comitatuum, quam Dominorum terrestrium exemta maneat). — Auch sei Se. Majestät geneigt, ihrem Wunsche zu willfahren, die serbische Nation, wo möglich, in ihre alten Sitze zurückzuführen, so fern durch fortgesetzte siegreiche Waffen die betreffenden Länder erobert sein würden.

Nach erfolgter Ansiedlung wurde am 4. März 1695 ein erneuertes Privilegium der rascischen Nation ausgestellt [2]).

Der Friede von Karlovitz setzte der Hoffnung ein Ende, zunächst zum Besitze von Servien zu gelangen, wodurch die Serben und Rascier innerhalb der Gränzen des ungrischen Reiches mit allen ihren Rechten und Privilegien angesiedelt verblieben. Aus den späteren Verhandlungen und Gesuchen des Arsenius Chernovich um wirkliche Translocirung und Ausdehnung der Privilegien, ersieht man die weitverbreiteten Sitze der Serben von Siebenbürgen bis an das adriatische Meer [3]).

---

[1]) Die sogenannte kleine Walachei kann nicht in der Walachei gesucht werden, da letztere nicht in Leopold's I. Besitze war, sondern in Slavonien, wo ein Theil des Poseganer Komitates auch die kleine oder schwarze Walachei hiess, weil daselbst sogenannte Walachen (d. i. eingewanderte nicht unirte Serben und Bosnier wohnten, wovon in der Folge mehr). Auch in einem spätern Gesuche des Arsenius Chernovich bittet er um Vollzug der kaiserlichen Privilegien, überall, wo Serben sind und darunter auch in Slavoniam et in hac parvam Valachiam.

[2]) Finanz-Ministerial-Archiv.

[3]) Ad subsequentia Regna et provincias, utpote Hungariam ac in ea denominanter Districtum Sakmariensem, Varadiensem et Bellenosiensem et Croatiam et huic adjacentes portus Maritimos, Districtus Lyca, et Corbaviensem confinium Carlostadiense et Campum Zrinopoliensem. Item Slavoniam et in hac parvam Valachiam praeterea Transylvaniam et reliquas quaslibet provincias haereditarias. — Ferner urgirt derselbe die noch nicht vollzogene Uebersetzung der serbischen Nation nämlich, in Campum Cumanum et partem Slavo-

Am dichtesten war die serbische Bevölkerung im Janopoler Bezirke an der Maros, dann in der Bácska[1]), so wie zwischen der Save und Drave in Syrmien und der kleinen Walachei, obwohl auch fortwährend im Innern des ungrischen Reiches, z. B. auf der Insel Csepel, zu Ofen, St. Andrä etc. noch Serben wohnten.

Von diesen rascischen Einwanderern wurden die drei Komitate Posega, Valkó und Syrmien, wie auch das Torontaler Komitat, seit Ende des sechzehnten Jahrhunderts und noch in der ersten Hälfte des vorigen Jahrhunderts im gemeinen Sprachgebrauche Rascien (Rascia) genannt[2]).

So sehen wir am Schlusse des achtzehnten Jahrhunderts in jenen südlichen Gegenden des ungrischen Reiches, wo früher grösstentheils Slovenen, Kroaten, Bulgaren, Ungern und Walachen wohnten, gleichsam einen Gürtel rascischer und serbischer Bewohner.

Auch in das alte Slavonien (namentlich in's Kreuzer Komitat) waren bereits unter Mathias Corvinus (1463), Max II. (1570) und Rudolph II. (1582), so wie unter Leopold (1687) Flüchtlinge unter dem Namen der Wlachen aus Rascien, Bosnien und Servien eingewandert, wo ihnen nebst den dortigen Kroaten und Slovenen die Vertheidigung der slovenischen Gränzbezirke anvertraut wurde[3]).

---

niæ signanter autem parvam Valachiam (Theil von Posega) et Syrmium et siquidem ex jam fato Syrmio Magna pars Vigore tractatus pacis (1699) Turcis cessa, et jam per hoc, pro gentis hujus habitatione insufficiens foret, idcirco in locum hujus Districtum Jenopolitanum aut campum Gyulensem nominatum inter fluvios Criesiensem et Marusiensem.

[1]) Die älteste Spur von Serben in der Bácska dürfte in der urkundlichen Erwähnung jener slavischen Orte der Koloczaer Diöcese zu finden sein, welche den Zehent (1198) verweigerten. Cod. dipl. II. 528.

[2]) Schon die „Vetustissimi Potentissimique Hungariæ Regni Transylvaniæque Principatus post varias editiones delineatio, ut compendiosa, sicut vera ac perspectiva æri exarata anno 1596 setzt zwischen Drave und Save (von West nach Ost) a) Valeria vel Pannonia interamnis, b) Regni Sclavoniæ Pars (darin Vlasca), c) Pannonia Bubalia (bis zum Busseth Fluss), d) dann Rascia und Ratza. — Auch die Karte von Martin Stier: Das Königreich Ungern etc. Nürnberg 1664 (verbessert 1684) schreibt zwischen Save und Drave: Slavonia, Syrmien, dann zwischen Kraszna und Donau (im jetzigen Deutsch-Banater Regimente) Rascia. — Die Karte Ungern im Theatrum Europeum (vom Jahre 1701) setzt zwischen Drave und Save und vor Syrmien: Rascia und Ratzen. — Tserning: das Königreich Ungern nach zwölf akuratesten Karten. Nürnberg 1687. Tab. XII. benennt die Gegend des Torontaler Komitates Rascia. — Mart. Szent. Iványi. S. J. Miscellan 1691 Dec. II. P. I. pag. 148: „Slavonia habet a Sept. Hungariam et Dravum amnem interjectum, ab occasu Styriam, a meridie Croatiam, a qua Savo fluvio secernitur, ab ortu Rasciam. In longitudine sua habet 20 milliaria, in latitudine 10, Dravum inter et Savum. Dividitur in tres Comitatus Crisiensem, Zagrabiensem et Varasdinensem. Rascia prout Croatia distincta a Slavonia ab occasu habet, Slavoniam, a sept. Hungariam et Dravum fluvium, ab ortu Confluentiam Savi in Danubium, a meridie Bosniam et Serviam, a quibus Savo amne separatur. Hac in longitudine habet 20 mill. germ. et juxta defluentiam Savi 25, in latitudine 12, Savum inter et Dravum. Continet similiter 3 Comitatus Posegiens. Valponien. et Sirmien." — Auch die Karte von Georg Krekvitz setzt im Valkoer Komitate längs der Save: Ratzen und Ladislaus Szörény in seiner Beschreibung Syrmien's 1746 p. 15 fasst den Gegenstand mit den Worten zusammen: „Rascia proprie est pars Orientalis Regni Serviae sic dicta a Rasca fluvio per eam labente: quia tamen Natio Rasciana præsertim post occupatas suas ditiones a Turcis transfugit, se partim ad confluentiam Savi et Danubii, partim etiam ultra Danubium ad partes Temesienses, sæpius nuncupantur et hæ partes nomine Rasciæ."

[3]) Finanz-Ministerial-Archiv. — Wir schreiben Wlachen, um die sogenannten Wlachen von serbischem Sprachstamme von den romanischen oder eigentlichen Walachen zu unterscheiden.

Auch nach Ungern hatten sich unter Max II. und Rudolph II. Bosnier und Kroaten geflüchtet und in den Komitaten von Eisenburg, Oedenburg, Wieselburg, Schümegh und Pressburg angesiedelt, wo sie unter dem Namen der Bosnier-Kroaten, oder auch Wasser-Kroaten vorkommen.

Endlich waren es auch Rascier, Bosnier, Serben, u. a. Flüchtlinge, welche unter dem Namen der Uskoken als Seeräuber berüchtigt wurden; die aber in Verbindung mit den Morlachen zur Vertreibung der Türken beitrugen.

Selbst nach Siebenbürgen waren Rascier eingezogen zu Bongard und Reissdörfel, Szász Pian, Nagy und Kis Csergöd.

Um jedoch über diese Gegenstände grössere Klarheit zu gewinnen, wollen wir in kurzen aber besondern Uebersichten: 1. die Einfälle der Türken und die hiedurch bedingte Einwanderung der Kroaten und Bosnier nach Slavonien; 2. die Bildung des kroatisch-bosnischen Archipels in Ungern; 3. das Erscheinen der Uskoken; 4. der sogenannten (serbischen) Wlachen; 5. das Dasein der Morlachen in Dalmatien; endlich 6. die Errichtung der kroatischen (Karlstädter) und slovenischen (windischen oder Warasdiner Banal-) Gränze, hier berühren, und 7. Andeutungen über die Privilegien der Turopolyer Kroaten beifügen.

§. 53.

c) Kroaten (Serbo- und Sloveno-Kroaten, Uskoken, Wlachen, Morlachen).

1. Einfälle der Türken und die hiedurch bedingte Einwanderung der Kroaten und Bosnier nach Slavonien.

Zur Vermeidung von Missverständnissen schicken wir die geographische Bemerkung voraus, dass unter dem damaligen Slavonien keineswegs das heutige Königreich Slavonien, sondern vielmehr das heutige Königreich Kroatien verstanden wurde, welches genauer bezeichnet: die Komitate Agram, Kreuz, Warasdin, den heutigen Kreuzer, St. Georger, 1. und 2. Banal-Gränzbezirk, und zur Zeit seiner grössten Blüthe auch die Hälfte des jetzigen türkischen Kroatien, also einen Flächenraum von ungefähr 380 Quadrat-Meilen umfasste. Das damalige Kroatien begriff hingegen die heutige kroatische Militärgränze, den grössten Theil des (kroatischen) Litorale, und den übrigen Theil von Türkisch-Kroatien[1]).

Es wird uns daher nicht befremden, wenn die Acten damaliger Zeit z. B. die Instruction Ferdinand's für die zur Bereisung der Gränzen bestimmten Commissäre (vom Jahre 1563), das Brucker Libell (von 1578) die Orte Warasdin, Kreuz, Agram, St. Georgen, Ivanich, Kopreinitz, Cir-Quemo, Stanisniak-Thopulska, zur windischen (slovenischen); Zengg, Ogulin, Sluin, Ottochac, Modrus, Sissek, Glina, Cettin etc. zur kroatischen Gränze rechnen[2]).

Die zu berührenden Einfälle[3]), welche die Kroaten über die Kulpa und Save nach Slavonien trieben, wurden eben der Anlass, dass das alte Slavonien — (wo be-

[1]) G. Gyurikovich. Illustratio critica situs et ambitus Slavoniae et Croatiæ P. III. Pest 1847.
[2]) Memoire und Brucker Libell in Kriegs-Ministerial-Acten, und bei Hitzinger p. 18 et 19.
[3]) Wir erwähnen nur jener Einfälle, welche auf ethnographische Umgestaltung von Einfluss waren.

reits seit dem siebenten Jahrhundert Sloveno-Kroaten lebten)[1]) — den Namen Kroatien erhielt. —

Die Einfälle der Türken begannen im Jahre 1463, in welchem das benachbarte Bosnien überschwemmt, der Bezirk zwischen Drina und Verbas verheert, die Hauptstadt Jaica nebst 70 Schlössern erobert wurden. Zwar befreite Mathias Corvinus noch in demselben Jahre Jaica sammt 16.000 Christensclaven, welche den schönsten Schmuck seines Einzuges in Ofen bildeten, aus der Türkengewalt; doch schon im Jahre 1467 fielen die Türken in die kroatische Grafschaft Corbavia[2]), welche nebst Licca dem Grafen Carlovich gehörte, ein.

1469 streiften die Türken bis Möttling in Krain;

1478 beunruhigten sie Friaul:

1484 fielen sie abermals in Krain ein;

1493 plünderten sie das Gebiet zwischen der Unna und der Culpa;

1512 besetzten sie das Schloss Blagaj (im Sluiner Bezirke), und

1514 verwüsteten sie die Grafschaften Licca u. Corbavia (seither desertum primum genannt).

Obwohl Peter Keglevich heldenmüthig Jaica hielt (1521) und wegen eines neuen Sieges über die Türken (1525) mit dem Ehrennamen eines „Defensor Slavoniae" ausgezeichnet wurde, so gelang es den Türken doch, im Jahre 1527 die kroatischen Grafschaften Licca und Corbavia ferner zu behaupten, und bis zum Jahre 1689 zu behalten. Im Jahre 1528 unterjochten die Türken auch den ganzen Strich zwischen Verbas und Unna. Da diese Streifzüge mit Raub, Brand, Mord und Führung in die Sclaverei begleitet waren, und das eigentliche Bosnien und Kroatien betrafen, so wird es uns nicht befremden, wenn wir zwischen den Jahren 1463 und 1528 in dem alten Slavonien, wo früher nur Slovenen oder Wenden den Hauptstamm bildeten[3]) nun auch Bosnier und Kroaten sich einfinden sehen. Als nun im Jahre 1538 Dubica fiel, und 1540 die Einfälle in Slavonien[4]) selbst begannen, da flüchteten die dort Schutz suchenden Bosnier und Kroaten, vermischt mit Haufen von Slovenen, auch nördlich der Drave nach Ungern.

§. 54.

2. Entstehung des Archipels kroatischer Sprachinseln durch die Einwanderung kroatischer Flüchtlinge in Ungern im sechzehnten Jahrhunderte.

Diese Einwanderungen begannen, so weit die unvollständigen Spuren der Geschichte uns leiten, um die Mitte des sechzehnten Jahrhunderts.

Als nämlich General Kaspar Seredy, Graf von St. Georgen und Pösing, die aus Kostanica vor den Türken fliehenden Bewohner sammelte, nahm er einen

[1]) Siehe §. 15.
[2]) Fras Topogr. der Karlstädter Gränze p. 124.
[3]) Wir erinnern an die deutsche Bevölkerung in Agram, Samobor u. dgl.
[4]) Die Zusammenstellung der Einfälle in Slavonien siehe Gyurikovich a. a. O. p. 74 et 75. Vergl. Sanudo's Stelle bei §. 58.

21*

Theil derselben auf seine Güter im Pressburger Komitate, und siedelte sie namentlich zu Gross-Schenkwitz und Razersdorf an [1]).

Sie erhielten 12 abgabenfreie Jahre, rodeten Wälder aus, und gründeten Weingärten [2]).

Auch in Csánok, Tarnok u. a. Orten verbreiteten sich diese Colonisten [3]).

Der Graf von Pösing, Stefan Illyesházy, besetzte Kis-Sissek mit Kroaten, die aus Csánok übersiedelten. Auch in Klein-Schenkwitz, Kroatisch-Gurab, Naliács (bei Tyrnau), Vistuk, Poroba, Sarfö, Zeila, Grünau, Prácsa, Récse (Razersdorf) wurden Kroaten zerstreut angesiedelt, wie (c. 1576—1580) die urkundlichen Spuren und Familiennamen zeigen, obgleich sie die kroatische Sprache nunmehr mit der slovakischen vertauschten.

Lamács (Blumenau), Dubrawka (Kaltenbrunn) und Neudorf, dann Bistritz wurden in dieser Zeit mit Erlaubniss des Grafen Báthory ebenfalls von Kroaten gegründet; in Marienthal bei Stampfen (in der Platea Germalitza) wanderten ebenfalls einige kroatische Familien ein. In Kaltenbrunn zählte man im J. 1648 nur sechs Familiennamen, gegenwärtig 24, in Neudorf 57, in Blumenau 87 [4]).

Eine andere Abtheilung von Kroaten war es, welche nach dem Falle der festen Plätze Burin, Chazin, Zrahica und Zrín in's Eisenburger Komitat, namentlich in die Murinsel (Muraköz) und in den kroatisch slovenischen Bezirk Totság dieses Komitats, dann in's Wieselburger und in's Oedenburger Komitat einwanderten (1575—1584) [5]).

Auch die Grafen Batthyani hatten, besonders in der Zeit, als sie die Banusstelle verwalteten, mehrere Colonien, hauptsächlich aus der Gegend von Kopreinitz nach Szalónak und Rechnitz (Rohonez) berufen [6]).

---

[1]) Joh. Szegedy in Rubricis juris Hungariæ p. II. pag. 93, 94, Perfugium etiam in Comitatu Posoniensi reperere nonnulli Sclavi, maxime apud Casparum Serédi Comitem de S. Georgio et Bazyn, Partiumque superiorum Regni Ungariæ Capitaneum. Is enim evastata per Turcas Costanicza, incertis sedibus aliquamdiu errantes, in Senkvics et duos alios pagos arcis Baziniensis, induxit. Senkviczienses, indulta ipsis per annos 12 immunitate, excisis sylvis vineas plantarunt, quæ pene Raczersdorffensibus seu Recsensibus (quibus nomen a Rascis seu Rascianis olim locum incolentibus), aliisque huius plagæ nobilissimis promontoriis concertant. Mortuus est Casparus Serédi anno 1550, et tumulatus in Oppido S. Georgii.

[2]) Szegedy a. a. O. u. Gabr. Kolinovich in Kovachich Comentar de eadem p. 18—39.

[3]) Das folgende bezüglich der Pressburger Kroaten beruht grösstentheils auf G. Gyurikovich illustratio crit. situs et ambitus Slav. et Croat. P. III. p. 12 et 13., sammt den bezüglichen Noten.

[4]) Gyurikovich a. a. O. p. 109—112. — Weitere Spuren siehe im städtischen Archiv von Pressburg und in Gyurikovich M. S. Nachlass.

[5]) Carl Dufresne Illyrici vet. et nov. C. IV. p. 187. Szegedy a. a. O. p. 91: Emigrarunt per hos annos complures Rustici ex Sclavonia in Ungariam, alii propter famem, ob metum Turcarum alii. Hinc praesenti articulo statuitur, ut per eos, in quorum bonis sunt, si sponte redire velint, remittantur, nec retinere eos audeant, sub poena in articulis migrationis colonorum expressa. Atque ut non nullos remeasse post conditam hanc legem admittam, certum est, complures alios novas Sedes, Slavonicis præoptasse: Cum adhuc hodie Insulam Muraköz, Regionemque Canisæ circumsitam, Districtum item Comitatus Castriferrei submontanum vulgo Totságh dictum, nec non partes Comitatus Soproniensis et Mosoniensis Austriæ vicinas; imo in ipsa Austria forte quinquagenis plures pagos, ferme illi obtineant.

[6]) Szegedy a. a. O. p. 93. Diximus praeterea supra Decret. IV. Mathiæ Reg. Art. I. ab Ali Begho anno

Diese ausgewanderten Kroaten wurden, weil sie aus Bosnien, oder von der bosnischen Gränze, oder mit Bosniern vermischt kamen: Bosnier-Kroaten; die am Neusiedler See und an der Donau wohnenden aber nach dem gemeinen Sprachgebrauche auch Wasser-Kroaten genannt [1]).

Nach dem 12. Decret Ferdinand I. ddo. Pressburg 1550 konnten die eingewanderten Slaven (Coloni Sclavi) in ihren Heimatsort, wenn sie wollten, wieder zurückkehren [2]).

Hieraus erhellet, dass man damals die Kroaten nur als Flüchtlinge, denen man Schutz gewährte, betrachtete, ohne dass sie an den Orten ihrer einstweiligen Ansiedlung zurück gehalten werden konnten. —

§. 55.

3. Uskoken.

a. Ursprung der Uskoken (bosnisch-serbischer Ueberläufer)

Clissa, Crupa, Licca, Jaica u. a. Plätze wurden 1522 von König Ludwig II. unter Kaiser Ferdinand's Schutz gestellt. Der gute Erfolg der österr. deutschen Besatzungen begünstigte die Neigung der Kroaten für die österreichische Regierung. Krusich, Dynast von Clissa, zog viele griechisch gläubige, bosnische und serbische Flüchtlinge an sich, welche den Namen Uskoken, das ist Ueberläufer, erhielten. Erzherzog Karl bediente sich der Uskoken als Türkenfeinde. Sie dienten auch den Venezianern, von denen sie sich (im J. 1540) Kaperbriefe ausstellen liessen, wodurch sie den türkischen Schiffen viel Schaden zufügten; doch kaperten sie auch oft christliche Fahrzeuge, und sogar das Jachtschiff der Signori von Venedig mit Briefschaften etc. Darüber erfolgte Klage beim Kaiser, und weil von diesem keine Abhilfe erfolgte, so erschien eine venezianische Flotte vor Zengg, als dem Hauptsitze der Uskoken; nun wurde die venezianische Beute ausgeliefert, und der schuldige Statthalter vom Kaiser abgesetzt [3]).

An der dalmatischen und venezianischen Gränze waren die gegenseitigen Beschwerden über die Räubereien der Martolosen und Uskoken eben so häufig, als an der polnischen und russischen über die Einfälle der Tataren und Kosaken, so wie an der ungrischen

---

1478 triginta hominum millia fuisse in servitutem ex Comitatu Castriferrei abrepta, præter complura scilicet alia, ferro ignique consumpta: Ut proinde novæ ex vicinis Provinciis Coloniæ in eum immigrare potuerint. Non sumus tamen nescii, etiam a Comitibus Bottyáni, dum præsertim Banatu Regnorum Trans-Dravanorum fungerentur, nonnullas ex partibus potissimum Kapronczensibus Colonias evocatas, ac per agrum Szalónakensem et Rohonczensem esse dispersas. Germani porro Sclavis immixti sunt, potissimum temporibus Ferdinandi II. dum Austria, Styria, Carinthia et Carniolia ab Lutherana hæresi repurgaretur. Nonnulli enim miserorum mortalium tenebras suas adamarunt adeo; ut solum vertere quam errores ponere maluerint.

1) Szegedy a. a. O. p. 92. Dicti a multis ad Distinctionem Trans-Dravanorum Croatae Aquatici, quod vulgus Sclavos a Croatis passim non discernat quodque magnam lacus Peisonis (Fertö) et nonnullam Danubii partem ipsi accolant: Aut ut quibusdam placet, quod Sclavis mixti Bosnenses, una emigrarint, primum Bosner-Krobat hodie Wasser-Krobat passim a Germanis vocitati.

2) Szegedy a. a. O. p. 91: Ferd. Decr. Art. 72: Coloni Sclavi ad loca redire permittantur.

3) Engel's Geschichte Dalmatien's, 4. p. 565 etc.

über die der Akindschi und Haiduken[1]). Die Inseln Veglia, Arbe, Pago, und die Felsenriffe um Zara waren der Schauplatz unaufhörlicher See-Räubereien der Uskoken, welche endlich mittelbar Anlass zum Ausbruche des ungrischen Krieges gaben, weil die Beschwerden, welche der Sultan und der Grossvesir sowol beim Kaiser, als bei dem Dogen führten, ohne Erfolg blieben[2]).

Im J. 1596 hatten die Uskoken Clissa erobert, und alle türkischen Einwohner umgebracht. Der Sultan liess es wieder erstürmen, und die ganze Besatzung niedermachen. Da man der Theilnahmlosigkeit der Venezianer dieses Unglück zuschrieb, und die Uskoken sich grausam gegen dieselben betrugen, so erschien Rabatta als Ruhestifter von Seite des Erzherzogs Ferdinand abgesandt, mit dem Befehle, dass die Uskoken bloss im Canale della Morlacca zwischen Zengg und Carlopago schiffen sollen; die Uskoken brachten ihn aber um. Die Venezianer bekamen jedoch 1603 den Grafen von Zettina und andere Uskoken-Anführer gefangen, und liessen sie als Seeräuber aufhängen. Diess machte vom Neuen die Rache der Uskoken aufflammen. Endlich sah sich (1612) der Erzherzog durch Verwüstung seiner deutschen Erblande von Seite Venedig's gezwungen, die Uskoken aus Zengg zu verweisen. In Folge eines eigenen Vertrages zwischen Venedig und dem Erzherzog Ferdinand vom 24. Juli 1617 liess der letztere die Schiffe der Uskoken verbrennen, und dieselben nach Karlstadt und Krain, in den Uskoken-Bezirk der kroatischen Gränze, zu ihren Stammbrüdern schaffen[3]).

Das Verdienst der österreichischen Regierung war jedoch, aus diesen Räubern tapfere und treue Gränzer zu bilden. Sie benützte den Nationalhass gegen die Türken, suchte sie aber allmälig einer militärischen Disciplin zu unterwerfen. Diess gelang zwar mehr und früher im Binnenlande, und zwar im Sichelburger District, wo sie zuerst militärisch organisirt wurden, als am Meere. Nicht minder, als militärische Disciplin und Strenge, wurden auch Mittel der Milde versucht, und ihnen Privilegien eingeräumt, welche ihnen ihre neue Heimath theuer machen mussten.

---

[1]) Minuccio: Istoria degli Uscocchi §. 10. Freiherr von Hammer Geschichte des osmanischen Reiches. S. 211: „Alle diese Räubernamen sind türkischen Ursprungs, Haiduk (Haidudi), Kasak, sowohl der Wurzel als Bedeutung nach dasselbe mit Uskok, Akindschi, d. i. Renner und Brenner, und Martolos, welches Pouqueville von Armatoli herleiten will, scheint ungrischen Ursprungs zu sein, als Seelenverkäufer." Lit. Ferdinandi I. ed. Miller. Wir fügen bei, dass auch der Name Wlachen in den Acten damaliger Zeit gleichbedeutend mit Uskoken vorkommt.

[2]) In den Scritture Turchesche des k. k. Staats-Archives vom 29. Nov. 1590: Beschwerdeschreiben des Sultans und Grossvesirs an Kaiser Rudolph und an den Dogen über die Uskoken vom Septemb. 1589; an den Dogen über die Zurückstellung eines von den Uskoken weggenommenen Schiffes; weiter ein Ferman, die Gränzberichtigung von Sebenico betreffend; ein anderer die Zurückstellung der zu Tripolis in Syrien von Sandschak Kasim weggenommenen Effekten befehlend; Schreiben des Sultans durch den Statthalter von Bosnien übersandt in Betreff der Räubereien der Uskoken (Mai 1591); ein Ferman an Derwisch, Statthalter in Bosnien in gleicher Angelegenheit (Juni 1595); ferner die Unterhandlungen mit den zwei Brüdern Alberti, welche dem Kaiser Clissa zu unterwerfen wünschten (1569 —1599). Die Uskoken wurden angewiesen, ihnen zu gehorchen, der Befehl lautet: „Ai nostri fideli Vojvodi Harambassi e Uscochi della nostra Segnana milizia."

[3]) Engel's Geschichte von Dalmatien, 4. S. 566 etc.

Die Uskoken wurden, nachdem ihnen schon die Erzherzoge Ernst und (1524) Maximilian II. verschiedene Freiheiten eingeräumt [1]) und bestätigt hatten, jenseits der Kulpa, im obbenannten Sichelburger Districte (nächst Krain) [2]) angesiedelt, wo ihnen sodann die österreichischen Fürsten einen Theil des im J. 1547 eingelösten Gebietes von Landstrass, Pleteriach und Preisek mit dem festen Schlosse Xumberg angewiesen haben, und so die erste windische Militärgränze auf dem österreichischen Boden entstand.

Als sie noch eine Art ungeregelter Miliz bildeten, waren Bartholomäus von Raunach (1540), Hanns Lenkowich (1547) und Franz Ungnad (1557) ihre Hauptleute. Später, wie sie schon mehr geordnet waren, war Johann Denkovich [3]) ihr erster Hauptanführer oder Kommandant, welcher in den Acten unterm 1. Juli 1559 auch als erster Oberster der windischen Kopreinitzer und der kroatischen (jenseits der Kulpa ansässigen) Gränzer erscheint. Auch zwischen Drave und Save kamen Uskoken oder sogenannte Wlachen in's Poseganer Komitat, das von ihnen kleine Walachei hiess [4]). Diese Ansiedler, um ihrer im Kriege gegen Zápolya erworbenen Verdienste willen, von Ferdinand I. mit einem eigenen Privilegium belohnt (1564), waren abgabenfrei, zur Vertheidigung ihres Bodens und zu immerwährenden Kriegsdiensten verbunden [5]). Einige von ihnen erhielten aus österreichischen Hilfsgeldern Sold, andere dienten ohne Bezahlung in Geld, und so bildeten sie zum Theil eine besoldete, zum Theil eine unbesoldete Nationalmiliz [6]).

Die Uskoken hatten nicht nur nützliche Dienste gegen die Türken, sondern auch bei dem Bauernaufstande geleistet, der sich in Untersteiermark, Krain und Kroatien der Roboten wegen erhoben hatte, in dem sie den grössten Theil der, bis auf 20.000 angewachsenen Aufrührer bei Gurkfeld schlugen [7]). Da die Uskoken von Zengg jedoch selbst durch ihre Räubereien fortwährend der Sicherheit gefähr-

---

[1]) Privilegien der Uskoken, oder sogenannten Wlachen im Sichelburger Distrikte vom J. 1524, dann die landesfürstliche Verleihung der Grundstücke als Erblehen für dieselben vom Jahre 1535, und andere Privilegien für dieselben befinden sich im Kriegs-Ministerial-Archiv.

[2]) Dieser District bildete das von den Türken verwüstete Gebiet des alten Xumberger Schlosses, welcher nach Fras Topographie der Karlstädter Gränze v. J. 1835, p. 379, 6965 Einwohner, worunter sich 4440 Uskoken (unirte Griechen) befinden, zählte. Er ist gegen Norden, Westen und Südwesten von dem Herzogthume Krain, gegen Osten und Südwesten vom Provinzial-Kroatien umschlossen; und dem Sluiner Regimente einverleibt. — Die Kommandanten des Sichelburger Schlosses sieh a. a. O. S. 395 und 396. — Auch das im Herzogthume Krain gelegene Felsenschloss Meichau, sammt der dazu gehörigen Herrschaft, wurde den Uskoken eingeräumt. Die Instruktion für den Landesverweser von Krain, Pangratius Saner u. a. Commissarien, wegen Einlösung dieser verpfändeten Herrschaft 1547, führt als Grund die wiederholten Bitten der krainerischen Landstände an „damit gedachte Uskoken allen u. ö. Lanndten zu Hilf vnd Gueten vntergebracht werden muegen." Kriegs-Ministerial-Acten VII. IV. Lit. D.

[3]) Das Verzeickniss aller Kommandanten kommt im §. 83 vor in Fras Topographie der Karlstädter Militärgränze, p. 379, dem wir in diesem Absatze grösstentheils folgten.

[4]) Kriegs. Minist. Archiv und §. 50 u. 56.

[5]) Hitzinger Statistik der Militärgränze I. p. 18 nach Hauer Uebersicht der Syst. Verord. I. Th. M. S. und Barthenstein Cap. V.

[6]) Hitzinger a. a. O. p. 18, nach Hauer a. a. O. und Herzog von Hildburghausen Beitrag.

[7]) Wartinger's kurzgefasste Geschichte Steiermark's, S. 104.

lich blieben, so wurden sie grösstentheils in das rückwärts von Zengg liegende Gebiet, und zum Theil nach dem Sichelburger District (1617) geschafft [1]. Zugleich war man bedacht, die Bevölkerung der fast öden Gränzländer zu vermehren.

§. 56.

4. Die sogenannten Wlachen.

α) zwischen Unna und Kulpa.

Schon im J. 1580 nahm der Erzherzog Karl mehrere Morlachen-Familien gegen einige Begünstigungen und einen jährlichen Tribut in die Gränze auf [2]. Wichtiger noch war die Ansiedlung zahlreicher Flüchtlinge, vermuthlich aus der sogenannten kleinen Walachei [3], welche Karl's Sohn und Nachfolger in den inner-österreichischen Landen, wie in der Administration der Gränzen, Erzherzog Ferdinand (II. als nachmaliger Kaiser) in dem wüsten Landstriche zwischen der Kulpa und Unna (wo über 70 verlassene Schlösser gezählt wurden) 1597 bewerkstelligte. Ein Privilegium Kaiser Rudolph's II. vom J. 1598 verlieh ihnen Religions- und Abgabenfreiheit, und machte ihnen die Bebauung ihrer Grundstücke, dann die Vertheidigung der Gränzen gegen den Erbfeind zur Pflicht [4].

In diesen Bezirk zwischen Unna und Kulpa, welcher damals unter dem Namen Petrinianer Gränze vorkommt, und einen Theil der windischen Gränze bildete, wanderten in dem Jahre (1597) abermals 1.700 Uskoken oder Wlachen ein [5].

Im Sprachgebrauche damaliger Zeit wird Uskok und Wlach manchmal gleichbedeutend genommen, doch scheint darin der Unterschied beachtet, dass man mit dem Namen Uskok räuberische und kriegerische Flüchtlinge, mit dem Namen Wlach aber Flüchtlinge aus der kleinen Walachei bezeichnete; obwohl man mit beiden vorzüglich Bosnier, Serben und Rascier, mit letzterem aber insbesondere Nicht-unirte im Gegensatze der Unirten (Kroaten, Šokzen und Dalmatiner) begriff [6].

---

[1]) Hitzinger a. a. O. nach chron. Actenverzeichnisse des sechzehnten Jahrhunderts.

[2]) Hitzinger a. a. O. nach chron. Actenverzeichnisse. Memoire v. 1805.

[3]) Die kleine Walachei bildete im sechzehnten Jahrhunderte den westlichen Theil des Poseganer Komitates, und zog sich, bei Posega beginnend, nordwestlich über Pakrac, von da westlich durch das heutige Sanct Georger Regiment, bis in's Kreuzer Komitat, sodann südwärts über die Save bis nach Bosnien (dem westlichen Theil des heutigen Gradiskaner Regiments-Bezirks). Kralieva velika war der Hauptort dieser kleinen Walachei, wie mehrere gleichzeitige Karten zeigen.

[4]) Hitzinger a. a. O. nach Hildebrand §. IX. Das Privilegium Rudolphs vom Jahre 1598 wurde bestätigt durch Ferdinand II. am 15. November 1627.

[5]) Fras a. a. O. S. 392 u. 396.

[6]) Die Namen Uskok und Wlach haben also in jenen Zeiten eigentlich keine ethnographische Bedeutung, indem darunter zwar lauter Völker serbischen Stammes Bosnier, Serben, Rascier u. s. w., jedoch griechischer Religion, darunter verstanden wurden. — Nach L. Gaj's Ansicht hat der Name Wlach (Wlass) eine historisch-politische Bedeutung, indem die Slaven damit überhaupt Bewohner des (west- und ost-) römischen Reiches, also auch die Illyrier im Süden der Save bezeichneten.

β) Die sogenannten Wlachen im Warasdiner Generalat [1]).

Nach der Schlacht bei Mohács war Slavonien, besonders jener Theil, wo nachmals das Generalat von Warasdin eingerichtet wurde, zu einer fast menschenleeren Einöde (desertum secundum) geworden, bis unter Maximilian II. (1572) einige Mönche aus dem Kloster Hermel aus Bosnien mit wenigen Serben über die Save kamen, und sich mit allerhöchster Erlaubniss neben dem Gebirge Kalinck niederliessen. Sie vertrieben die Türken und Tataren aus der dortigen Gegend, so wie aus jener von Ceniz, und besetzten das eiserne Thor, einen Pass an der Strasse von Kreuz nach Warasdin. Der Kaiser und sein Nachfolger Rudolph II. (1582) ertheilten ihnen ansehnliche Privilegien, worunter der letztere auch das Recht, diejenigen Strecken, welche sie zwischen Save und Drave occupiren würden, wenn sie auch dem Fiscus gehörten, ihnen als eigenthümlich geschenkt seyn sollen. In Folge dieses Privilegiums kamen im Jahre 1600 unter den Heerführern Vukovich und Piassonich viele Tausend serbische Familien aus Bosnien und Macedonien, und mit denselben auch der Metropolit Gabriel sammt verschiedenen Mönchen aus dem Kloster Hermel in das verwüstete Slavonien (das nachmalige Warasdiner Generalat). Einige dieser Familien liessen sich diess- und jenseits des grossen Morastes, welchen der Fluss Glogonica bildet, in der Nähe des Klosters Marcha, so wie zwischen den Herrschaften Ivanich, Dobrova und Grodich des Bischofs von Agram und der damals Zriny'schen Herrschaft Verbovec nieder, um daselbst bei erneuertem Einfalle der Türken den alten Erbfeind gemeinschaftlich zurücktreiben zu können. Der Metropolit Gabriel liess mit kaiserlicher Genehmigung aus den Trümmern von Marcha Kirche und Kloster herstellen. Unter seinem Nachfolger Bischof Simeon Vratania trug diese Colonie zur Vertreibung der Türken aus Chasma und dem Gebirge Garic wesentlich bei [2]).

Seit Anfang des siebzehnten Jahrhunderts geschieht im ungrischen Gesetzbuche häufige Erwähnung von diesen Wlachen. Rudolph's II. fünfzehntes Dekret vom J. 1604, Art. XIV. befiehlt, dass die Wlachen, welche erst vor Kurzem nach Slavonien und Kroatien auf die Güter des Bisthums Agram, des Grafen Zriny, der Grundherren Dersffy, Pogan u. a. eingewandert seien, sowohl zur Entrichtung des Zehents, als des Grundzinses (terragium sive nonae) gehalten werden sollen [3]).

---

[1]) Auszug aus der Species facti über das Kloster Marcha und die serbische Nation, die man in Kroatien Wlachen nennt. Fin. Minist. Act. 13. Juni 1746.

[2]) Vergl. Kriegs-Ministerial-Acten Nr. 121, nämlich die Informatio de Valachorum in Confiniis Regni Sclavoniae degentium Episcopatus origine, progressa et effectibus v. 21. April 1662. Darin heissen die „certi Valachi" (die im Jahre 1600, 1608 und 1609 in der slavonischen Gränze in Confiniis slavonicis angekommen waren), ausdrücklich: „Rasciani sive, ut verius dicam, Serviani, nam ex Regno Serviae prodierunt." Die Streitigkeiten der walachischen (nichtunirten) Bischöfe und Basilianer Mönche mit dem Bischofe von Agram gehören nicht hierher.

[3]) Decret XV. art. 14. Anni 1604: Conqueruntur hoc loco Domini Prælati ac tam Ecclesiasticus quam Sæcularis ordo universus, signanter vero Capitula Strigoniense et Jaurinense cum reliquis, quod tam milites stipendiarii, Confiniorum Capitanei, vel eorum Vice-Capitanei, praedia, terras arabiles, capturas piscium et usorum, ac fœnilia et sylvas, sine ulla Dominii recognitione occupant, et quorumcunque colonos recipiunt; nihilominus in prioribus bonis ipsos tuentur:

Seit 1604 kommen die fraglichen bosnisch-serbischen Ansiedler in den Reichsgesetzen als *Wlachen* (Valachi) vor, z. B. 1608 art. 9 wird dem Ban von Slavovien und Kroatien ihre Regulirung auferlegt; — 1618 art. 32; 1613 art. 39; 1630 art. 24; 1635 art. 33; 1638 art. 51; 1647 art. 46; 1649 art. 31; 1659 art. 89 wurden Commissionen angeordnet, um diese Ansiedler (Wlachen) den Grundherren, auf deren Gütern sie wohnten, zu unterwerfen.

Im J. 1638 art. 53; 1647 art. 47 wurde deren Einwanderung aus türkischem Gebiete in die slavonischen und kroatischen Gränzbezirke ohne Wissen des Banus streng verboten. Im J. 1627 verlieh ihnen Ferdinand II. neue Privilegien, und 1630 eine eigene Landesverfassung, welche Ferdinand III. (1642), Leopold I. (1659) und Karl VI. (1717) bestätigten. Die so oft vorkommenden Reichsgesetze, z. B. 1635 art. 40; 1659 art. 90; 1681 art. 64: „Valachorum privilegia cassentur" waren wider diese Wlachen gerichtet. Da sie bloss unter Aufsicht der Warasdiner und Karlstädter Generale standen, so hat man (1659 art. 89; 1681 art. 63, 65) angeordnet, „dass die in den kroatischen und slavonischen Gränzen unter dem Befehl der Kapitäne stehenden Wlachen dem Reiche einverleibt würden" (ut Valachi in confiniis croaticis et slavonicis sub potestate Capitaneorum comorantes Regno incorporentur). Vermög Art. 85. vom Jahre 1659 waren diese Wlachen verpflichtet, zur Vertheidigung des Landes persönlich zu insurgiren. Aus §. 91 und 92 vom Jahre 1659 erhellet, dass sie in Ludbregh, Rasin, Ó Szék, Czunovic im Kreuzer Komitat wohnten, allda Räubereien, Plünderungen, Mordthaten an den benachbarten Edelleuten und Bewohnern verübten, die Ruhe des Landes störten, und katholische Knaben verkauften, weshalb beschlossen und auf dem Reichstage 1681 Art. 65 angeordnet wurde, sie von dort (namentlich von Ó Szék) in der türkischen Gränze näher liegende Orte zu verlegen.

Da diese Wlachen der orientalischen (nicht unirten) Kirche zugethan waren, so dürfte es weniger befremden, dass sie häufig katholische Knaben stahlen und verkauften [1]).

Es erübrigt noch die Hauptgrundzüge der gedachten Privilegien dieser Wlachen anzudeuten; so fern sie auf das historisch ethnographische Bild dieses Stammes vorzügliche Beziehung haben [2]).

---

§. 1. Idem fieri dicitur etiam in Sclavonia et Croatia per Valachos qui *nuper* ex ditione Turcica eo se contulerunt, in Episcopatus Zagrabiensis et nonnullorum Dominorum et Nobilium bonis; utpote Dominorum Comitis a Zrinio, Dersffy, familiae Pogan ac aliorum.

§. 2. Statuitur itaque; ub ab his omnibus Decimæ exigantur, et dominis terrestribus terragium sive nonum praestetur.

§. 3. Inter alia autem, a dictis Valachis in Sclavonia et Croatia (qui et jurisdictioni Dominorum terrestrum ratione fundi et sessionis quam incolunt et inhabitant, subjecti sunt), item praestetur.

[1]) Hier bestätigt sich obige Ansicht, dass man mit dem Namen Wlachen die Nichtunirten bezeichnete. Nach Taube sind diese Leute, welche die Kroaten stets nur Wlachen nannten, und auch jetzt noch so nennen, von wlachischer romanischer Abkunft; Engel, und hiernach Sprunner u. a. glauben statt dessen an bulgarische Herkunft; aus obigen Darstellungen geht jedoch hervor, dass diese Ansiedler Rascier, Bosnier und Serben waren.

[2]) Kriegs-Ministerial-Act. Nr. 59: Statuta Valachorum.

Jedes wlachische Dorf soll seinen eigenen Knes oder Richter haben, welcher jährlich von der Gemeinde gewählt, und vom General bestätigt wird. In jeder der drei wlachischen Hauptmannschaften Kreuz, Kopreinitz und Ivanich soll ein gesetzkundiger oberster Richter sammt acht Assessoren von der Gemeinde gewählt und vom General ebenfalls bestätigt werden. In Criminalfällen hat der oberste Richter dem obersten Kapitän den Verbrecher zur Bestrafung zu übergeben, in übrigen Fällen entscheiden und strafen die Civilrichter; die Dorfrichter haben auch eine Beschreibung aller männlichen Individuen über 17 Jahre zu verfassen. Neue Einwanderungen von der Türkei oder anderswoher können nur mit Vorwissen des obersten Kapitäns geschehen; Umsiedlungen der Wlachen in ihrer Hauptmannschaft können mit blossem Vorwissen des obersten Richters, der Assessoren und der Knesen Statt haben. Die Wahl der gedachten Richter, Assessoren und Knese geschieht im April jedes Jahres vor Georgi, wobei sie die Aufrechthaltung der christlichen Religion, Treue und Gehorsam gegen den Kaiser, als König von Ungern, so wie den Generalen und obersten Kapitänen schwören müssen. — Jeder Marktflecken oder jeder Ort soll seine besimmten Gränzen haben. — Zur Bewachung sind nicht nur die besoldeten Soldaten, sondern nöthigenfalls die sämmtlichen Wlachen verpflichtet; — bei Kriegszügen ausser der Gränze in die Türkei haben sie noch 14 Tage unentgeldlich Kriegsdienste zu leisten, in andern Provinzen aber nur 8 Tage, Munition erhalten sie jedoch vom General. — Zur Erbauung der Castelle in der Gränze haben sie hilfreiche Hand zu leisten.

§. 57.

5. Morlachen in Dalmatien.

Es sind verschiedene Meinungen über die Abstammung und Benennung der Morlachen (Mor-Vlachen, Morlaken) aufgestellt worden. Die Morlachen sind Slaven, und zwar dem Dialecte nach von kroatisch-serbischem Sprachstamme, gleich den übrigen slavischen Bewohnern Dalmatien's; allein die Eigenthümlichkeiten, welche man bei diesen kräftigen Bewohnern des dalmatischen Gebirgs-Küstenstriches in Sitte so wie physischer Beschaffenheit und sprachlichem Ausdrucke zu finden glaubte, veranlasste zur Meinung, dass die Morlachen (Morlaken) Ueberreste der Tataren seien, welche beim Mongoleneinfalle in den Gebirgen (1242) zurückgeblieben waren [1]).

Da zu Kaiser Konstantin's, des im Purpur gebornen, Zeit (949) in Dalmatien noch Awaren, in Sprache und Sitten von den Kroaten verschieden, sich vorfanden, so hält der gelehrte Verfasser der slavischen Alterthümer [2]) es nicht für unwahrscheinlich, dass dasjenige, was von den neuesten Schriftstellern über Charakter und Gebräuche der Morlaken aus Unkenntniss für tatarisch oder kirgisisch gehalten worden ist, eigentlich von den Awaren herrühre.

---

[1]) Engel's Geschichte von Dalmatien, S. 231—234.

[2]) Schaffarik's slav. Alterth. II. 278: „Diess der Grund, warum der awarische Titel Ban (Bajan) in Chorwatien zuerst üblich ward, indem er von da zu andern Slaven überging."

22 *

Bei den Byzantinern und Slaven bedeutete der Ausdruck Wlach (Vlach, Blach) nicht nur einen eigentlichen Wlachen von romanischer Abstammung, sondern vielmehr einen Hirten und herumstreifenden Nomaden überhaupt [1]. — Die dalmatischen alten Rechtsordnungen nannten daher den dortigen slavischen (serbischen) Land- und Küstenbewohner im Gegensatze der vorzugsweise italienischen Städtebevölkerung Wlachen (Vlachi, Vlassi), gerade, wie sich der dalmatische Landmann im Gegensatze der Städter noch so zu nennen pflegt [2]. — Der Ausdruck Wlache, auch von Bosniern, Serben u. a. serbisch-kroatischen Stämmen gebraucht, ward bei den Dalmatinern wahrscheinlich desshalb noch näher als Morlache (Mor-Vlache) bezeichnet, um dadurch den Bewohnern des dalmatischen Gebirgs-Küstenlandes, gleichsam als Meer-Wlachen von den übrigen kroatisch-serbischen Wlachen, in den östlichen Binnenländern von Bosnien, Rama, Servien u. s. w. zu unterscheiden. Nach einer andern Ansicht bedeutet Morlachen soviel als schwarze oder kleine Wlachen (Moro-Vlachi) im Gegensatze der übrigen slavischen Wlachen in den grossen bosnisch-serbischen Landstrichen.

Jedenfalls sind die Morlachen kroatisch-serbischen Stammes, und die einstigen darunter befindlichen Awaren haben sich vollkommen slavisirt [3]. Der Einfluss, den die Morlachen (slavischen Bewohner Dalmatien's) auf das Städtewesen nahmen, ist oben angedeutet.

§. 58.

6. Errichtung der kroatischen (Karlstädter), slovenischen (windischen oder Warasdiner) und Banal-Gränze.

Da wir die ethnographischen Elemente bereits darstellten, aus welchen die Gränzer gebildet wurden, so wird es genügen, in kurzen Umrissen über die Bildung der Gränzbezirke zu sprechen, welches jedoch zur Vervollständigung unseres ethnographischen Bildes nothwendig ist [4].

Bereits Mathias Corvinus hatte den durch die Türken gefährdeten Grafschaften Licca und Corbavia eine Art Gränzverfassung gegeben, da die dortigen Ansiedler für Religions- und Zehentfreiheit zur Vertheigung gegen den Erbfeind sich verpflichten mussten, und desshalb dem Kapitän zu Zengg untergeordnet wurden.

Diese Einrichtung erlosch jedoch, als beide blühende Grafschaften (1514) von den Türken zur Wüste (Desertum primum) gemacht, in türkischen Besitz übergingen [5].

---

[1] Vergl. das in der I. Periode §. 24 von der Abkunft der romanischen Wlachen, und das über die sogenannten (slavischen) Wlachen Gesagte.

[2] Vergl. Reutz a. a. O. u. den §. 39 über die italien. Stadtgemeinden in Dalmatien.

[3] „ „ „

[4] Wir folgen hier dem bereits früher erwähnten ausgezeichneten Werke. Karl Bernhard Edl. v. Hitzinger's Statistik der Militärgränze des österreichischen Kaiserstaates, Bd. I. S. 15—28. Vergl. Isthvánffy Kib. XXV., Kerchelich Nat. prælim. de Regno Dalm. Croat. et Slavoniæ S. 510 etc., und dessen Hist. Eccl. Zagrab. p. 250. — Fessler's Geschichte der Ungern. VII. B. 183—193.

[5] Sanudo erzählt die Verwüstung in seinem Diarium, XIX. B., zum 9. Oct. 1514 (Original M. S. im k. k. Staatsarchiv): „Di Zara fó lettere die ser zoanna Minoto conte di ser fó foscari capo di trenta,

König Ludwig II. hatte bei erschöpftem Staatsschatze die Vertheidigung Kroatien's und Dalmatien's seinem Schwager, dem nachmaligen römischen Kaiser, König von Ungern und Böhmen, Ferdinand von Oesterreich übertragen, und zu diesem Zwecke die festen Plätze Zengg, Clissa, Krupa, Licca, Jaica und andere eingeräumt. Ferdinand sorgte für deutsche Besatzung wie für Geld, und die Türken erlitten häufige Niederlagen. — Auch nach der unglücklichen Schlacht von Mohács hielten die Truppen Ferdinand's die festen Plätze um Kopreinitz besetzt, und die kroatischen Stände selbst baten nach dem Waizner Frieden um deren Belassung zum Schutze wider die Türken. Die Oberkapitäne nahmen ihren Sitz zu Warasdin, und hatten unter ihrem Befehle die Kapitäne von Kopreinitz, Kreuz und Ivanich. Das umliegende Land, im verheerenden Kriege entvölkert, wurde razischen Flüchtlingen, nebstbei auch katholischen Kroaten (Beisassen Predawci) unter der Bedingung verliehen, den Boden, der sie nährte, gegen feindliche Einfälle zu schützen. In diese Zeit fällt auch die Regulirung der Uskoken im Sichelburger Districte (1559). Als unter Maximilian II. Regierung die innerösterreichischen Länder den türkischen Einfällen vom Neuen ausgesetzt waren, übertrug auf dringendes Ansuchen der dortigen Stände Kaiser Max dem Erzherzoge Karl die Vertheidigung der Gränzen unter dem Titel „des ewigen und immerwährenden Generalates" der windischen und kroatischen Gränzen (1575).

Die ungrischen Stände aber baten den Erzherzog, mit dem Ban von Kroatien und Slavonien im Einvernehmen zu bleiben, da ein solch' nachbarliches Einvernehmen nur dem Besten des Dienstes zu Statten komme[1]). Auf dem Landtage zu Bruck an der Mur wurde nach dreijähriger Verhandlung (1578) das „Brucker Libell" als Grundgesetz für die kroatische und windische Gränzeinrichtung gegeben, und zur Erhaltung der Gränzen ein jährlicher Beitrag von 548.205 fl. bewilligt; die Hälfte dieser Summe für die windische Gränze, übernahm Steiermark, die andere Hälfte für die kroatische Gränze Kärnthen, Krain und Görz; der dem Erzherzog beigegebene k. k. innerösterreichische Hofkriegsrath führte die Verwaltung der Gränzländer. Vom Brucker Landtage rührt eigentlich die Trennung dieser Provinzen her, von denen die windische, später die Warasdiner Gränze (nach der gleichnamigen Stadt) benannt wurde; die kroatische aber, der von dem Erzherzoge (1579) an der Kulpa angelegten Festung Karlstadt wegen den Namen der Karlstädter erhielt.

Im Jahre 1598 wurde der Strich zwischen Unna und Kulpa der Petrinianer Gränze einverleibt, dadurch kam das Generalat sehr in Aufnahme, so dass die windische Gränze, welche im Jahre 1580 nicht mehr als 2.282 Mann betrug, im Jahre 1652 8.866 Köpfe zählte. Diese Gränze wurde im Jahre 1683 durch ein Corps von 5.800 Kroaten, und 1687 durch die Ansiedlung von beiläufig 4.000 Razen vermehrt.

---

come havendo martelossi e turchi corssi su quel di Conte Zoanne di Corbavia e depreda il locho de licha tutto, menato via anime 3000 animali grossi et in 12^{m} menuti cai (capita) 80^{n} adeo quel conta E ruinato ita che dito Conte e in ultima disperation E nostro Soldato a scrito a Zara se li provedi. Etiam quel bassa di — a fato una fortezza apresso Segna si che tien bavera tenina et perche pur Esta corsso su quel dil aurana che di la fria nostra."

[1]) Rudolphi II. Decret. I. art. 15 de a. 1578.

Im Jahre 1689 wurde endlich auch Licca, Corbavia und Zwonigrad den Türken zum letztenmale und auf beständig entrissen. Die Gränzer unter den Befehlen des Grafen Johann Joseph von Herberstein hatten dieses vollführt, und auch bei der Zurückeroberung des Landstriches zwischen Unna und Kulpa kräftig mitgewirkt. Die bisher von den kroatischen Ständen jenseits der Kulpa unterhaltenen Wachen (Haramine) rückten nun unter den Kapitänen von Kostanica, Glina, Dubica, Jessenowac und Zrin an die Unna vor, und im Jahre 1696 erklärten die Stände den Ban von Kroatien, Slavonien und Dalmatien zum Oberkapitän dieser Wachen [1]).

So bestanden denn nach dem Karlowitzer Frieden (1699) drei Gränzgeneralate, das Karlstädter und das Warasdiner von Innerösterreich abhängig, dann die Banalgränze unter dem Ban und dem k. k. Hofkriegsrathe zu Wien.

Die Befreiung von Licca und Corbavia ist mit einigen ethnographischen Zügen und Anlegung von Colonien noch vor der Einrichtung als österreichische Gränze verbunden, welche wir hier erwähnen, weil sie nicht nur zur Charakteristik der dortigen Stämme dienen, sondern auch von bleibenden Folgen waren [2]).

Als im Jahre 1683 und 1684 die Dalmatiner mit den Türken Krieg führten, und die türkischen Unterthanen von Obrovac und übrigen Gegenden von Cattaro das türkische Joch allgemein abgeworfen, auch von mehreren türkischen Schlössern und Kulla (fester Thurm) Besitzer geworden sind; zu dieser Zeit, wo die ganze Licca noch türkisch war, waren auch die dem Zengger Gebiete zugehörigen Küstenbewohner in beständigen Kämpfen mit den Türken.

Dieses veranlasste, dass einige Familien aus dem Küstenstriche bei Zengg, nämlich aus Jablanac, St. Georgen und Kermpote, sich mit einigen der Republik Venedig angehörigen Dalmatinern vereinigten, und unter Anführung ihres zum Oberhaupte selbst erwählten Knes Jerko Rukavina aus dem dalmatischen Orte Racanac und Dujan Kovachevich aus Podgorje ohne alle sonstige Hilfe an Besoldung oder Munition, sondern bloss mit eigenen Mitteln die an das Gebirge Wellebit angränzenden Ortschaften und die Gegend um Carlopago; dann im folgenden Jahre Ostaria, Brussane und Risvanussa und im dritten Jahre Ternovac, Buxim und Smilian (meistens Landgüter der Türken) eroberten, und nach Mass des vorhandenen Seelenstandes in der Art unter sich vertheilten, dass bloss jene theilhaftig wurden, die um den Besitz gefochten hatten, nämlich 67 Familien mit 407 Köpfen.

Diese Ansiedler bebauten die von ihnen eroberten und unter sich vertheilten Gründe nun fort, standen jedoch stets unter den Waffen, und besetzten auch den wüst gelegenen Ort Carlopago (früher Pago). Die zwei Knesen machten sie zu Vorstehern des Ortes und der ganzen Zheta (Rotte, Schaar, Regiment).

---

[1]) Hitzinger a. a. O. p. 27: Doch waren die, im letzten Türkenkriege herübergetretenen zwischen der Kulpa und Unna angesiedelten Einwanderer noch 1701 mittelst kaiserlichen Patents dem General-Obersten der windischen und Petrinianer Gränzen untergeordnet worden, und erst im Jahre 1704 wurde über einen Vortrag des Wiener Hofkriegsrathes dem Ban von Kroatien das Kapitaneat über das Land zwischen der Kulpa und Unna übertragen.

[2]) Das folgende über die Licca beruht auf Fras a. a. O. p. 130—131, 134—137, 144—145.

Auch die Zengger oder eigentlich die Morlachen mit den Bründler Insassen unter Anführung ihrer berühmten Oberhäupter, welche schon im J. 1621 von Ferdinand II. zur Belohnung ihrer Treue, Kriegslist, Klugheit und Tapferkeit im Türkenkriege sich gesammelten Verdienste in den ungrischen Adelstand erhoben worden waren, machten viele glücklichen Einfälle in das türkische Kroatien und in die Licca. Im J. 1685 waren sie unter Anführung des Generals v. Herberstein mit noch andern Karlstädter Gränztruppen vereinigt in die Licca eingedrungen, hatten bei 3.000 Türken erlegt, über 300 gefangen, viel Vieh abgenommen, Perussich erobert, mehr als 25 türkische Schlösser und Häuser mit allen Vorräthen eingeäschert, und endlich über 100 türkische Familien mit sich genommen. Als aber Graf Herberstein wegen anderer Kriegsvorbereitungen sammt seinem kroatischen Corps mit dem Banus von Kroatien gegen Dubicza die Bestimmung erhielt, haben die in Brussane, Ternovacz, Buxim und Smilian sich ansässig gemachten Familien, wie auch die Zengger, Bründler und Ottochaner unter kluger Anführung ihrer Wojwoden das standhaft vertheidigte Schloss Novi (bei Gospich) eingenommen, die Türken in allen Gegenden aufgesucht, sie verfolgt, und in solche Furcht versetzt, dass sie überall mit Verlust wichen, wodurch die Operationen der k. k. Armee erleichtert wurden, ohne dem Aerar einen Kostenaufwand zu verursachen; da jedoch die Türken in dem durch Natur und Kunst befestigten Schlosse Bilaj und Udbinia sehr grossen Widerstand leisteten, wurden diese Helden in ihren weiteren Unternehmungen gehemmt.

In Dalmatien machten die Serdars (Vorsteher) Jankovich und Smilianich auch glückliche Fortschritte, und drangen (1689) bis in die Licca, zu welcher Zeit eben General von Herberstein nach seinen siegreichen Unternehmungen wieder (mit den Wojwoden: Knexovich und Dossen, Knes Jerko Rukawina, und Dujam Kovachevich, dann den in der Zengger Gränze wohnenden Uskoken von Kompolie, Kermpote, Ledenicza, Stainicza, Berlog und Ottochacz, unter Mitwirkung des Erzpriesters Marcus Messich; dann der Zdunich, Holievac, Oreskovich, Pesell und Novachich) in die Licca drang, sich hier mit den Serdars Jankovich und Smilianich, dann vielen zum Christenthume bekehrten türkischen Unterthanen, vereinigte und die Türken angriff. Die festen Schlösser Bilaj, Bunich und Udbinia fielen nun in wenigen Tagen in seine Hände, das Schloss Perussich ergab sich selbst, und die beiden Grafschaften Licca und Corbavia wurden ganz zurück erobert.

Die verbündeten Zengger und Liccaner siedelten nun die von den Türken eroberten Gegenden mit ihren nachgekommenen Familien an, und zwar die Bründler und Ptanicaner unter Anführung des Nicolaus Holievac und Stephan Pezell das Dorf Udbinia und Podlapac, die Ottochaner mit ihrem Vorsteher Mudrovesich, die Orte Ribnik, Budak und einen Theil von Skiroka-Kula; einige unter Anführung des berühmten und in der Schlacht bei Udbinia gebliebenen Marian Knexevich, das Dorf Mutelich, noch andere mit dem Erzpriester Messich Mussaluk; und der zum Oberhaupte erwählte Jerko Rukavina mit seinen Jablaner, St. Georger und Kermpotaner Gefährten noch die Dörfer: Novi, Canixa und Bilaj. Der Rest der noch eroberten Gründe wurde unter die zum Christenthume übergetretenen türkischen Unterthanen vertheilt, nämlich: zu Buxim, Smilian, Verbac, Mogorich und Plocha.

Die oben erwähnten 67 Familien hatten ihrem selbsterwählten Befehlshaber Jerko Rukavina († zu Carlopago 29. Mai 1699), rücksichtlich dessen guten Verwendung gegen die Türken, und dessen Sohne Nicolaus (welcher in der Würde seines Vaters folgte), ausser dem ihm nach dem Seelenstande zugefallenen Grundantheile, auch ein von dieser Familie noch jetzt besessenes Erbgut zu Buxim und die Gegend Brushane zur Belohnung geschenkt, auf welch' letzterem Orte derselbe (1696) zehn Familien von Moravica aus Krain als Unterthanen ansiedelte, welche er und seine Nachkommen 50 Jahre zu Unterthanen hatten, d. i. bis zum Jahre 1746, in welchem Jahre die Reformirung vor sich ging.

Auch die Bunievische Familie (welche aus der Herzegovina stammte) nahm im Jahre 1691 mehrere Ortschaften, als: St. Michael, St. Roch, Vratnik, Ricsicze, Kossin u. s. w. in Besitz, wo sie sich noch befindet. —

Die Wojwoden: Rukavina, Messich, Knexevich, Mudrovcsich, Holievacz u. a. wurden mit Adelsbriefen beschenkt. —

Die wiederbefreiten Grafschaften Licca und Corbavia sollten anfangs eine Civil-Verwaltung erhalten, aber die Civil-Commissäre Graf Coronini und Baron Ramschüssel wurden von dem gereizten Volke in der Kirche ermordet, Baron Obernburg sammt allen Cameral-Beamten aus dem Lande verjagt. Ebenso wenig waren die Liccaner geneigt, den Grafen Adolph von Sinzendorf, dem die neue Provinz für 80.000 fl. verkauft werden sollte, als ihren Herrn anzuerkennen. Der Widerstand der Bewohner machte den Kauf rückgängig.

Als endlich die Abgesandten jener Gebirgsbewohner vor einer gemischten Commission zu Laibach geradezu erklärten, das sie lieber, insgesammt mit Weib und Kind, mit Hab und Gut unter türkische Herrschaft zurückkehren wollten, als einer Cameral- oder sonstigen Civil-Gerichtsbarkeit sich unterwerfen, da beschloss man, die zwei Grafschaften der Militärverwaltung zu übergeben, und es kam darüber zu einem Concordate zwischen dem Hofkriegsrathe und der Wiener Hofkammer (1711), wodurch die Karlstädter Gränze ihren Schlusstein gewann. —

§. 59.

7. Die Turopolyer Kroaten und ihre Vorrechte.

Das alte Herzogthum Slavonien (zwischen Drau, Save und Kulpa gelegen), hatte zwar bereits im siebenten Jahrhunderte seine slovenische oder windische, eigentlich kroatisch-slovenische Bevölkerung erhalten [1]) und dieselbe bei den Einfällen der Türken mit neuen kroatischen Colonisten vermehrt. Auch die Turopolyer zwischen Save und Kulpa im Agramer Komitate gehörten dem alteinheimischen kroatisch-slovenischen Stamme dieser Gegenden an. Wir erwähnen jedoch hier die Bildung der 24 adeligen Gemeinden der Turopolya (des Thurfeldes), da sie durch ihre Vorrechte nicht nur als eigene Körperschaft, sondern auch mit besonderen Eigenthümlichkeiten in Vergleichung zu den übrigen Sloveno-Kroaten sich ausbildeten.

[1]) §. 15.

Bela IV. als jüngerer König, befreite die Jobbagyonen der Agramer Burg (Castri Zagrabiensis) von deren Dienstbarkeit, nahm sie in Anbetracht ihrer Verdienste unter das königliche Banner auf, und ertheilte ihnen den Adel für sie und ihre Nachkommen[1]).

Bei dem Mongoleneinfalle hatten diese neuen königlichen Edelleute abermals Gelegenheit, dem Könige Bela nützliche Dienste zu leisten; um so weniger nahm Bela Anstand den Ausspruch des Banus Stephan wegen Rückstellung eines grossen, denselben gebührenden Waldes zu bestätigen[2]) (1255).

Die folgenden Könige: Stephan V. (1271), Ladislaus Cumanus (1278), Sigmund (1436), Mathias Corvinus (1483) und Wladislaw II. (1514) bestätigten und erweiterten die Privilegien dieser Edelleute[3]).

Zur Zeit der Türkeneinfälle hielten sich die gedachten Edelleute in ihrer bergumschlossenen Ebene tapfer, und mancher siegreiche Kampf mit den Türken hatte daselbst Statt. Seit dieser Zeit heissen die Edelleute Turopolyer, und ihr Bezirk erscheint als Turopolya (in neuerer Zeit Túrmező), wie man glaubt als Türkenfeld (Campus Turcicus).

Rudolph II. ertheilte den Turopolyer Edelleuten (ddo. 8. März 1582) ein Privilegium, welches die Bestätigung ihrer früheren Vorrechte enthielt, die abermals von seinen Nachfolgern Ferdinand II. (1620), Ferdinand III. (1649), Leopold (1703) und durch die Gesetzartikel 92 vom Jahre 1723, und 60 vom Jahre 1741 bestätigt wurden. Karl III. ertheilte ihnen auch den Gebrauch eines eigenen Siegels (mit Privilegium vom 7. Januar 1737)[4]).

III. Deutsche.

§. 60.

Einleitung.

Von den Deutschen, welche die Magyaren bei ihrer Einwanderung in Pannonien trafen, fiel zwar ein Theil in den Kämpfen, ein anderer wich zurück bis über die Mur und Enns, allein die bedeutende Zahl der Kriegsgefangenen, welche die

[1]) Cod. dipl. III. II. p. 481 ad annum 1225: „Bela Rex, primogenitus Regis Andreæ, Considerantes igitur multitudinem servitiorum Budune et fratrum suorum Jovan sc. et Leweha: nec non et cognatorum eorum, filii Ladislai Birbizlai, Nicolai Dobche, Miloceni Rudus, Tole Roscue et aliorum juxta ejusdem generationem descendentium, ab obligatoria servitute castri Zagrabiensis eximentes, liberati inferioris officii vinculo gaudeant et honesta societate servientium regis et concessæ libertatis nobilitas in totam successionis ejus prosperitatem transfundatur, introducti in participium regalis domus glorientur de libertatis munere, quod adepti sunt fidelitatis devotione.

[2]) Cod. dipl. IV. II. 288.

[3]) A. a. O. V. I. 196. — V. II. 498. — VII. V. 233.

[4]) Mehr über die Verhältnisse der Turopolyer siehe in Georgii Jozipovich Synoptica Deductio exhibens primævum ac modernum Universitatis nobilium Campi Turopolia statum etc. 1833. — Botka Turmező ismertetése in Oresz'scher Zeitschr. Századunk 1844, Nr. 35, 40, 41; — besonders gedruckt in einer Broschüre, 1843/4, 8º: országgülési időszakbol nehány ismeretlen közjogi tárgy. — Palugyay: Turmező oklevelekkel kísért jogtörténeti ismertetése, 8º: 1848. — Erst in dem Privilegium Karl III. (VI.) kommt der Name: Campus nobilium Turopoliensium vor; in früheren heisst es: Campus Nobilium Zagrabiensis etc.

Magyaren aus den meisten Gegenden Deutschland's nach Ungern schleppten, überwog diesen Verlust. Dieser grossen Menge Christen in Ungern ist zum Theil der gute Fortschritt der christlichen Lehre zuzuschreiben, so dass nach dem Berichte Bischof Pilgrin's von Passau (974) an Papst Benedict VII. bei 5.000 Ungern selbst hierdurch dem christlichen Glauben gewonnen wurden [1]).

Als Herzog Geysa, und mit reinerem Sinne sein Sohn, der heil. Stephan die Taufe genommen, und den Grund zu einem christlich gebildeten magyarischen Staate gelegt, wanderten auch reichere und angesehenere Deutsche, welche ungrische Adels-Geschlechter bildeten, so wie auch ganze Colonien nach Ungern.

a) Deutsche nationalisirte Ritter-Geschlechter, Indigenae und andere einflussreiche Deutsche in Ungern.

§. 61.

Deutsch-ungrische Ritter-Geschlechter in der Arpádenzeit [2]).

1. Tibold von Fanberg (Tanberg) auch Grau (Grav oder Graf) genannt, zog wahrscheinlich aus der benachbarten Kärnthner- (Steier-) Mark zu Herzog Geysa. Die Familien Grau und Babocha (Babocsai) bildeten die Hauptzweige seines Stammes [3]).

2. Unter König Geysa II. [4]) scheinen die Brüder Wolfger und Hederich (Heinrich) aus Wilten bei Innsbruck mit wohlgerüsteter Mannschaft nach Ungern gelangt, und die Ahnherren der berühmten Grafen von Güssing zu seyn. Graf Wolfger errichtete 1157 ein Kloster zu Kiseen (Güssing, Német Ujvár). — Unter deren Nachkommen wurde Heinrich, Graf von Güssing, als Uebergänger zu Ottokar von Böhmen und als Mörder des Prinzen Bela auf der Magaretheninsel bei Ofen berüchtigt, so wie Graf Ivan als Kämpe gegen Herzog Albrecht I. von Oesterreich bekannt.

3. Altmann von Friedburg, ein Ritter aus Thüringen, unter Geysa einwandernd, ward Ahnherr des Geschlechtes Bolugh [5]).

---

[1]) Tantum divina gratia fructum statim ministravit, ut ex eisdem nobilioribus Ungaris utriusque sexus catholica fide imbutos, atque sacro lavacro ablutos circiter quinque millia Christo lucrarentur. Christiani autem, quorum major pars populi est, qui ex omni parte mundi illuc tracti sunt captivi, quibus nunquam soboles licuit nisi furtive domino consecrare, modo certatim nullo obstante timore offerunt eos baptisare (Cod. dipl. I. p. 261).

[2]) Ausser Thurócz und Kéza, dann den in Fejér's Cod. dipl. enthaltenen Daten und einigen ungedruckten urkundlichen Notizen wurden B. Mednyansky's Genealogien in Hormayer's vaterl. Taschenbüchern, dann Steph. Horváth's Aufsatz: Magyar Ország gyökeres régi Nemzetségeiről (Pest 1820) etc. benützt.

[3]) Kéza p. 135 u. Thurócz II. c. 20. Soll mit Kéza's Fannberg, vielleicht Pfannberg in Steiermark, Tannberg in Schwaben, oder Schaumburg gemeint seyn, da Thurócz Samberg schreibt?

[4]) Thurócz Chron. C. II gibt zwar an: dass Volphger und Hedric de comitibus Houmburg cum 300 dextrariis phaleratis unter Herzog Geysa eingewandert sei. Nach Kéza, p. 136, kam das Brüderpaar de Viltonia (Wilten bei Innsbruck); allein Thurócz scheint den König Geysa II. mit dem Herzog Geysa zu verwechseln, da Wolfger erst 1157 laut der Stiftungsurkunde (in Fejér Cod. dipl. II. p. 145) ein Kloster zu Kiseen (Güssing) stiftete. Von diesem Geschlechte soll die Familie Pálffy abstammen (Palma bei Katona hist. I. p. 669, und Hormayer Taschenb. 1828 p. 45).

[5]) Nach Kéza p. 137. Die Familie Széchy soll davon stammen.

4. Die Grafen Hunt und Páznán (Pazman) kamen ebenfalls noch unter Geysa aus Bayern. Sie machten dessen Sohn Vaik am Granflusse nach deutscher Sitte durch Umgürtung des Schwertes zum Ritter, und bildeten auch eben dieses Königs Leibwächter und Beschützer. Sie erhielten weitläufiges Eigen (latas et amplas hæreditates) und waren die Gründer des Geschlechtes Hunt - Páznán [1]). Mehrere ausgezeichnete Familien stammen von denselben ab, vor allen die Grafen Forgách.

Andreas vom Geschlechte Hunt-Páznán bot dem Könige Bela IV. auf der Flucht nach der Mongolenschlacht am Sajo (1241), das Heil des Königs seinem eigenen vorziehend, seinen schnellen Renner, als des Königs Pferd bereits ermüdet war.

König Bela machte diesen Andreas zum Grafen des Baranyaer Komitates (1247) und zum Kron-Schatzmeister (tavernicus), und beschenkte ihn (1256) mit dem Bezirke um Ghymes, das Andreas (1250) erbaut hatte. Derselbe Andreas nahm auch den Titel Forgách an, und wurde der Ahnherr des gleichnamigen berühmten gräflichen Geschlechtes, welches von dem Stammschlosse das Prädicat Ghymes führt [2]).

Ausser dem Grafen Forgách sollen auch die Grafen Bozin (Pösing), die Edelleute Kovár, Tsalom, Szaloky von dem Geschlechte Hunt-Páznán stammen [3]).

5. Wenzel von Wasserburg (Wenczelin de Vazzunburg), König Stephan des Heiligen Feldherr gegen Kupan, kam ebenfalls aus Bayern, und gründete das Geschlecht Ják [4]).

6) Mit König Peter, welcher bei Kaiser Heinrich III. Schutz suchte, kamen aus Schwaben drei Brüder Guth - Keled [5]), arm an Habe, aber rechtschaffen und angesehen in ihrer Heimath. Zu Zeiten Salomon's zeichnete sich aus diesem Geschlechte Wid als dessen eifriger Anhänger aus.

---

[1]) Kéza p. 136 und die Wiener Bilderchronik bei Schwandtner. Script. rer. Hung. I. p. 87 und 140. Von Hunt soll das Komitat Hont, von Páznán (Posun) das Komitat Posony seinen Namen haben. Aus Páznán's Stamme ist der berühmte Erzbischof von Gran und Kardinal: Pázmán Peter.

[2]) Hormayer Taschenbuch. J. 1822, p. 130: Die Forgáche.

[3]) Nach Steph. Horváth a. a. O. XVI. — Sieh auch Cod. dipl. IV., III., p. 45—47.

[4]) Thurócz Chron. II. c. 12. — Das Chron. Bud. (edit. Jos. Podhraczky) hat Veyzenburch. Soll er der Gründer von Váz sein? Das alte Geschlecht Ják, so wie nachmals der Zweig Nitzky und die gräfliche Familie Sztarai sollen von Wenczelin abstammen, nach Palma bei Katona duc. p. 670. Horváth Istv. de Vencellino in 1834. Tudom. Gyüjt. Tom. IV. p. 77—80. — Urkundliche Spuren des Geschlechtes Ják siehe auch im Cod. dipl. an vielen Orten. Der Marktflecken Ják im Eisenburger Komitate bewahrt die Erinnerung hieran. Die wohlerhaltene romanische Kirche daselbst, ein Bau aus dem Ende des zwölften Jahrhundert's, enthält am Portale und den drei halbrunden Vorlagen des Presbyteriums, dann an der Rotunde (Taufkapelle) zahlreiche christliche symbolische Darstellungen, welche man irrig als gnostische Templer - Symbole auszulegen suchte (Vergl. österr. Blätter für Lit. und Kunst. J. 1846, Nr. 80).

[5]) Thurócz Chron. II., p. 16, nennt das Geschlecht Guthkeled und sagt: De generatione Guth Keled plura ennarantur, sed pro certe per Petrum Regem, dum ille fugit ad Henricum Caesarem, in adjutorium ei sunt adducti de castro Stoph sunt exorti de Suevia, unde Imperator Fridericus ortum habet; Kéza, p. 137, gibt drei Brüder an, nennt aber nur zwei, als Guth und Keled. Der erstere nennt ihr Stammschloss Stoph (Staufen? das war zwar zu Peter's Zeit noch nicht erbaut: indess scheint Thurócz auf die Gegend von Hohenstaufen hinzudeuten); Kéza nennt Stot und lässt sie schon zu des heil. Stephan Zeiten einwandern. Mehrere Quellen über die Nachkommen dieses Geschlechtes bei Steph. Horváth a. a. O. XIII. Auch die Báthory sollen von diesem Geschlechte stammen (Wagner Coll. Geneal. Dec. I. p. 27); ferner Kis Warda (Dec. II. p. 71) und die Buthkai (Dec. III. p. 8.).

7. In jene Zeit scheint auch die Einwanderung eines gewissen Ernst zu fallen, welcher auch Pot angeblich daher genannt wurde, weil er als Bote zwischen dem Könige Peter und dem Kaiser Heinrich III. verwendet worden war; von seiner Besitzung hatte er das Prädikat Lebyn (Lébeny). Ein Nachkomme desselben scheint Óvár vom Könige Salomon erhalten zu haben, und daher Konrad von Altenburg genannt worden zu seyn [1]).

8. Mit der Königin Gisela (Keyzla), Gemahlin des heiligen Stephan's, wanderte Hermann, ein freier Mann aus Nürnberg, obwohl arm, ein [2]).

9. Mit eben dieser Königin (Keyzla) kam aus Alemannien ein gewisser Kaal, der, obwohl in den Diensten der Königin, doch als freier Mann im Oedenburger Komitate ein Gut erhielt, das nach ihm Kaal genannt, und, als seine Nachkommen in der Folge, wie Jobbagyonen vor den, das Oedenburger und Eisenburger Komitat zugleich verwaltenden Grafen Laurentius als freie Leute ungerecht berufen worden waren, — von König Andreas II. (1212) als freies Eigen bestätigt wurde [3]).

10. Unter Geysa II. erhielten die Deutschen Gottfried und Albert, Besitzungen im Oedenburger Komitate. Sie scheinen Ahnherren des aus Meissen gekommenen Geschlechtes Keled zu seyn [4]).

11. Zu König Stephan II. kam aus Meissen Hadolth (magyarisirt Hoholt), ein Graf von Orlamünde, von welchem das Geschlecht Buzad-Bani stammte [5]).

12. Die deutschen Grafen Lentek und Hermann, die sich beim Mongoleneinfall in Siebenbürgen ausgezeichnet hatten, erhielten 1243 von Bela Besitzungen des königlichen Schlosses Doboka [6]).

---

[1]) Auf diese Weise glaube ich die widersprechenden Angaben des Kéza und Thuróez verstehen und vereinigen zu sollen. Kéza p. 137 scheint hier der Wahrheit näher als Thuróez II. c. 14, der vermuthlich den Ernst und Konrad verwechselte und idenficirte. Potsneusiedel scheint von jener Familie seinen Namen zu tragen. Zu Lebyn wurde 1209 eine Benedictinerabtei errichtet. Urkundlich erscheint diess Geschlecht noch unter Bela IV. (1263).

[2]) Kéza p. 138 u. Thuróez II. c. 18. Obiger Hermann wird von Tröster, Felmer u. a. für den Gründer Hermannstadt's (dessen ältester Name villa Hermanni ist) gehalten; allein urkundliche Beweise fehlen, und da die Bestätigungsurkunde Andreas II. für die Hermannstädter Colonie, deren Ankunft unter König Geysa II. setzt, so verliert obige Vermuthung selbst an Wahrscheinlichkeit.

[3]) Die bezügl. Bestät. Urkunde in einem Transumt vom Jahre 1370 befindet sich in des Herrn Hofkammerrathes Johann Czech Diplomatar.

[4]) Quidam nobiles Godefridus et Albertus, Hospites Teutonici, relicta terra natalis Patriæ, regnante glorioso rege Geysa, Regnum Hungariæ, ad vocationem suam honorabiliter sunt ingressi, quos Dominus Rex jam dictus Geysa, quia milites fuerunt strenui, benigne eos recepit, — dans eis villam Luchmann cum omni tributo fori, et terram villae Udvarnicorum nomine Gerolth et terram Soproniensem sitam iuxta Rabczam sursum nomine Saarad. Cod. dipl. II. p. 184. Thuróez, das Chron. Bud. und Kéza weichen in den näheren Umständen ab; Thuróez (II. c. 20): Stephani, Ladislai et Gregorii filiorum Keled prosapia de provincia Meisnensi ortum habet. Stephanus enim filius fuit sororis (letzteres Wort fehlt im Chron. Bud.) Meisnensis Marchionis, filii comitis de Herford, qui occiso Turingiæ Lantgravio in Frankfordia in solenni curia — — diebus Geyche Regis, filii secundæ Belæ, descendit in Pannoniam etc.; dagegen Kéza p. 140: Temporibus Stephani Regis III. intravit in Hungariam quidam miles Gottfridus de Mesnensi regione, a quo egreditur generatio Philippi, Ladislai et Gregorii filiorum Kelad. —

[5]) Thuróez II. c. 19. Kéza p. 137. Buzad autem generatio de Mesne originem trahit, nobiles de districtu Warburg (Wartburg?). Der Name dieses Geschlechtes lebt in der Abtei Hohot, im Szalader Komitate, fort (Tud. Gyüjt. 1818, Tom. VII. p. 3). Auch die Familie Bánffy de Alsó Lendva wird auf Buzad's Geschlecht zurückgeführt (Wagner coll. geneal. Dec. I. p. 9, 16).

[6]) Fejér Cod. dipl. IV. 1. p. 276.

Nach der Verheerung durch die Mongolen wurden durch königliches Edict viele Krieger und Ackerbauer herbeigerufen, darunter erhalten einige deutsche Ritter (milites) ganze Orte sammt Ländereien, z. B. Resseul die früher von Udvornikern bewohnte, aber durch die Mongolen verheerte Ortschaft und Besitzung Uduord; ein anderer deutscher miles, Namens Sebret erhielt die dortige Mauth (tributum a transeuntibus)[1].

§. 62.

Einflussreiche Deutsche in der gemischten Periode.

Von den Deutschen, welche in der sogenannten gemischten Periode in Ungern mächtig oder einflussreich wurden, erwähnen wir:

Georg von Hohenlohe, zu König Sigmund's Zeit (1422), Erzbischof von Gran. Eberhard und sein Bruder Johann von Alben wurden Bischöfe von Agram und letzterer half dem Könige aus mancher Geldverlegenheit. Suffragane des letzteren waren Konrad Frank (Karmeliter-Mönch) und Vitus Händler, ein geborner Wiener (Karmeliter-Prior)[2]. Johann Beckenschlager, ein geborner Breslauer, schwang sich als Günstling des Königs Mathias I. zum Erzbischof von Gran empor; entwich aber (13. Feb. 1476) mit beträchtlichen Geldsummen zu Kaiser Friedrich IV. nach Oesterreich, und bestieg den erzbischöflichen Stuhl von Salzburg.

Von weltlichen Personen erinnern wir vor Allen an Ulrich Grafen von Cilly, den gewaltigen und listigen Statthalter Ungern's zur Zeit des jugendlichen Königs Ladislaus Posthumus, der zuletzt im eigenen Netze gefangen wurde.

Unter Kaiser Sigmund sollen auch die Turso's (Thurzonen?), Bartholomäus und Johann, Herren auf Raucheneck, Lichtenfels und Dürnstein aus Oesterreich nach Ungern gewandert seyn[3]), so viel ist aber sicher: Ein Bartholomäus und Johann Thurzo wurden in der Zips zu Bethlehemsdorf zu Sigmund's Zeit ansässig; unter Kaiser Mathias stiegen sie zu Reichthümern, unter den Jagellonen zu Reichswürden empor. Georg, Sohn des Einwanderers Johann Thurzo, wurde Stammvater des ungrischen gewerbthätigen Geschlechtes Thurzo. Ein Sohn desselben, Johann, wandte die technischen und chemischen Kenntnisse, die er sich in Venedig und auf Reisen erworben, zur Verbesserung des ungrischen Bergbaues und Hüttenwesens an, dessen besserer

---

1) De cunctis mundi partibus homines tam agricolas, quam milites, ad repopulandum terras depopulatas, habitatoribus vacuatas edicto regio studuimus convocare — inter quos terram, villam seu possessionem Vduord quondam Vduornicorum, desolatam, cuidam militi Tentonico Resseul nomine cum quibusdam terris ad eam pertinentibus dedimus, contulimus et assignamus sibi et hæredibus suis, hæredumque successoribus jure dominii perpetuo possidendam. Tributum vero, quod in eadem Villa Vduord a transeuntibus exigi consuevit, alteri militi nomine Sebret cum quibusdam aliis terris dedimus. Cod. dipl. IV. III. p. 438—443. Vergl. Spener Hist. insig. part. spec. L. I. C. XCIV. p. 370 etc.

2) Fessler IV. S. 1087—1096 u. V. S. 342.

3) Ueber die Abkunft der Thurzonen Mathias Bel: Arvaer Com. II. Th. 1. Abth. §. VIII. Hormayer's Taschenbuch S. 1—38; Fr. v. Leber: die Burgen Rauheneck, Scharfeneck und Rauhenstein S. 3 etc. p. 168 etc. — Die zahlreichen Urkunden über die österr. Tursós geben aber keinen Anhaltspunkt über eine Einwanderung der österreichischen Turso's oder über die Identität mit der in Ungern unter Sigmund erscheinenden Familie der Turso's. — Vielleicht stammen dieselben von den schlesischen Tursonen ab? — Nähere Aufschlüsse soll ein angeblich (2 Bände starkes) M. S. Diplomatar des verstorbenen Hofkammer-Präsidenten Freiherrn v. Mednyansky geben. (Leber a. a. O. S. 169.)

Betrieb eine Quelle des Reichthumes für die Krone und für die Familie Thurzo wurde. Er übernahm zuerst unter Mathias I. den Kupferbau in Neusohl mit gutem Erfolge; Wladislaw I. übergab ihm die Verwaltung der Kremnitzer und Nagy-Bányaer Münzkammern. Darin folgte ihm sein dritter Sohn, Georg Thurzo, und nachdem dieser mit des reichen Augsburger's, Jacob Fugger's Tochter, Anna, sich vermählt hatte, sein vierter Sohn, Alexius. — Seit dieser Vermählung waren auch die berühmten Fugger mit den Thurzonen in Geschäftsverbindung gekommen, was die reichliche Ausbeute der ungrischen Bergwerke wesentlich beförderte[1]).

Der Reichthum der Fugger erregte aber bald Missgunst und führte mehrere beschränkende Bestimmungen, endlich (1525) sogar den Beschluss der Stände auf dem Felde Rákos herbei[2]), die Fugger und alle Ausländer, welche des Reiches Schätze erschöpfen und ausführen, sollen sogleich aus Ungern ausgewiesen werden[3]).

Nachdem Ferdinand I. in Folge vorausgegangener, landtäglich bestätigten[4]), Verträge und durch doppelte Wahl der ungrischen Stände den ungrischen Thron bestiegen hatte, machten dieselben die Vorstellung, der König möge künftig ohne ihre Einwilligung keine Ausländer zu Ungern machen. Ferdinand berief sich zwar auf die Machtvollkommenheit der ungrischen Könige, welche nach blossem Einvernehmen ihrer Räthe derlei Nationalisirungen vornahmen; dennoch kam das Gesetz zu Stande, dass nur ausser der Zeit der Landtage der König mit Zustimmung seiner geistlichen und weltlichen Räthe das Indigenat verleihen könne, dass jedoch der Nationalisirte den Eid zu leisten habe, den Gesetzen des ungrischen Reiches in Allem Folge zu leisten, die Freiheiten desselben zu vertheidigen und keine Burg oder einen anderen Theil des Landes zu veräussern, sondern das Veräusserte möglichst wieder zurückzubringen[5]). —

Ungeachtet dieses gesetzlichen Vorrechtes des Königs fand doch in der Folge keine Indigenatsverleihung ohne Einvernehmen der ungrischen Stände Statt. Folgendes sind die in der zweiten Periode vorkommenden Nationalisirungen deutscher Familien:

§. 63.

Deutsche, welche während der Regierung des Hauses Habsburg (1526—1700), das Indigenat erhielten.

Unter Ferdinand I. erhielten im Jahre 1563 (Art. 77) Graf Eck von Salm und Neuburg, sammt seinen Brüdern Julius und Nicolaus; dann Leonhard von

[1]) Fessler a. a. O. V. 516. etc. Unter Mathias II. wurde Georg Thurzo nach dem Tode Stephan Illyesházy's Palatin.

[2]) Art. 13 von 1514: Aurum et argentum de Regno non educantur; Art. 7 von 1519: Camerariis non sit licitum, pro se fodinas excoli. Art. 17 von 1523: Officia Ungaris conferantur, non [illegible].

[3]) Constitut. in Campo Rákos 1525 edit. Art. 4. Externæ Nationis officiales amoventur, et Ungari illis substituantur. Lutherani comburantur. Cæterum Fukkari et omnes nationes externæ, qui thesauros Regni palam exhauriunt, et educunt de hoc Regno statim ablegentur, et exmittantur, in eorum locum Ungari constituantur §. 1. Nationes tamen externæ, cuiuscunque linguagii existant, si Majestatibus Suis, et huic Regno servire voluerint; ad stipendia consueta libere veniant et conducantur; §. 2. attamen in confiniis Regni, Ungarorum more, servire militareque teneantur.

[4]) Siehe Fried. Firnhaber's Beiträge zur Gesch Ungern's etc., im III. u. IV. Heft des II. Bd. J. 1849 des von der kais. Akademie der Wissenschaften herausgegebenen Archives.

[5]) Art. 77. v. J. 1552.

Harrach, Freiherr in Rohrau, k. Obersthofmeister mit seinen Söhnen Bernhard und Theobald; Adam Ungnad, Freiherr von Sonnegg, das ungrische Indigenat. — Unter Kaiser Maximilian II. wurde damit betheilt im Jahre 1572 (Art. 10) Johann Rueber von Püxendorff; — unter Rudolph II. im Jahre 1583 (Art. 3) Adam von Dietrichstein, k. Hofpräfekt, welcher dem Kaiser von zarter Kindheit an stets treu gedient, mit Inbegriff seines Sohnes Maximilian v. Dietrichstein; dann im Jahre 1593 (Art. 23) David von Ungnad, Hofkriegsrath, Präfekt und k. Orator zu Konstantinopel, und im Jahre 1596 (Art. 61) Bartholomäus Pezzen, k. Hofrath, welcher sich in der ungrischen Geschäftsleitung Verdienste erworben hatte. Unter demselben Kaiser erhielt auch im Jahre 1600 (Art. 29) Wolfgang Unverzagt, Herr von Ebenfurt, Petronell und Regelsbrunn, k. Hofrath, mit seinem Sohne Christoph, dann 1604 (Art. 19) Freiherr Ernest von Molard, Herr von Reinegg und Drosendorf, österr. Statthalter und geheimer Rath des Erzh. Mathias, sammt seinen Brüdern Johann und Ludwig das Indigenat. Dasselbe verlieh Mathias II. im Jahre 1608 (Art. 27) dem regierenden Fürsten Karl von Liechtenstein[1]) und seinem Bruder Maximilian; dann im Jahre 1609 (Art. 76) dem Paul Sixtus Grafen von Trautson, Statthalter von Niederösterreich, sammt seinem Sohne Johann Franz, auf eigenen Antrag der ungrischen Stände. Auf kaiserliche Anempfehlung aber wurden (Art. 77) die Freiherren Weichard, Adam und Johann Sigmund von Herberstein; — unter Ferdinand II. im Jahre 1622 (Art. 78) Johann Ulrich Freiherr von Eggenberg und (Art. 79) die Freiherren Rudolph von Tieffenbach, Ludwig von Königsberg, dann Johann von Rottal, und im Jahre 1625 (Art. 66) Graf Maximilian von Trautmansdorf, Freiherr Rudolph von Paar und Johann Christoph Löbl in die Zahl eingeborner Ungern aufgenommen.

Unter Ferdinand III. erhielten das Indigenat 1638 (Art. 73) auf eigenen Antrag (motu proprio) der ungrischen Stände: Franz Graf Kevenhiller von Aichelburg, dann Johann Rudolph, Otto Friedrich und Joseph Christoph von Puchhaim[2]). Auf kaiserliche Anempfehlung widerfuhr diese Ehre (Art. 155 vom Jahre 1647) dem Heinrich Wilhelm Grafen von Starhemberg, kaiserlichen Hofmarschall, dem Grafen Wilhelm Leopold von Trattenbach, kaiserlichen Oberst-Hofmeister, dem Freiherrn Ernest von Traun und Georg Adam von Kuefstein, dann dem Grafen Adolph von Puchhaim und Mathias Grafen von Kuen; ferner im Jahre 1649 (Art. 102) dem Grafen Herbard von Auersperg, erblichen Marschall und Kämmerer von Kärnthen und der windischen Mark, und dem Rudolph Freiherrn von Stotzing. Im Jahre 1655 (Art 118 et 119) erhielt es Johann Waichard, Herzog von Münsterberg, dann Fürst von Auersperg, Johann Richard Graf von Starhemberg, Johann Georg

[1]) Vergleiche 1687 (Art. 27) wo auch Johann Adam von Liechtenstein, Fürst zu Nikolsburg, dann Max, Anton Philipp und Hartmann aus der fürstlichen Familie, und 1715 (Art. 129), wo Gundagger's von Liechtenstein 1602 erhaltenes Indigenat dem Art. 27 von 1687 eingeschaltet und das Indigenat des Anton Florian Fürsten von Liechtenstein und seiner Söhne Joseph, Hartmann, Joseph Wenzel, Laurenz, Emanuel und Johann Anton anerkannt wird.

[2]) Franz Graf Kevenhiller von Aichelburg und Johann Christoph von Puchhaim legten den Indigenats-Eid erst ab im Jahre 1649 (Art. 100).

Pucher, Franz Ernst Graf von Paar, Georg Andreas von Souau, Sigmund Friedrich von Spaidl, Paul Hartmann von Eiweszwaldt, Christoph von Sinzendorff, Wolfgang und Johann Wilhelm von Stubenberg und Wenzel von Schlossperg.

Unter Leopold I. waren die Indigenatsfälle noch häufiger; damit wurden betheilt im Jahre 1659 (Art. 131 et 133) Johann Joachim, Georg Ludwig, Albert, Rudolph Grafen von Sinzendorf, Sigmund Friedrich Graf von Sinzendorf und Pottendorf, Johann Adolph Graf von Schwarzenberg, Christoph Leopold Graf von Schaffgots, Wolfgang Honorius von Presing, Johann Balthasar und Hubert von Walderode, Ferdinand von Neudegg, Johann Gottfried Stubeck und sein Bruder Johann Christian von Königstein, dann Georg, Sebastian, Philipp, Karl, Mathias, Andreas Stubeck von Königstein, Georg Christoph Tonrald. Im Jahre 1662 (Art. 54 et 55) der Graf Johann Karl von Sinzendorf, dann Johann Wilhelm von Hagen, Johann Konrad von Richthausen. Im Jahre 1681 (Art. 81) die Markgrafen Hermann und Ludwig von Baden[1]; ferner Freiherr Johann Hocher von Hochengrain, Oberster Hofkanzler, und Christoph Freiherr von Abele, Hofkammer-Präsident, dann (Art. 82) Franz Max Graf von Mansfeld, Johann Sebastian Graf von Pötting, Graf Friedrich von Scherffenberg, Mauriz Balthasar Graf von Bönninghausen, Johann Andreas Wichter, Kammergraf im Bergwesen, Gervasius von Gollen, Franz Alexander von Weymes, Albert (Wolfgang, Christoph, Otto, Ludwig) von Rindsmaul, Johann Heinrich von Wurmbrand, Johann Gregor von Hoffman, Reichsritter, und Johann Georg Hoffmann, Johann Jacob Freiherr von Batzendorff, Nicolaus Wilhelm Bekers, Freiherr von Wallhorn, Johann Paul Freiherr von Gar, Friedrich Ferdinand Illmer von Wartemberg und Ludwig Küssinger; endlich im Jahre 1687 (Art. 27 bis 29) Karl Otto Fürst von Salm, k. Feldmarschall, Johann Adam Fürst von Liechtenstein und Nikolsburg, Herzog von Troppau und Jägerndorf in Schlesien etc. sammt Maximilian, Anton Philipp und Hartmann von Liechtenstein, Wolfgang Andreas Graf von Ursin und Rosenberg, Hof-Kammerpräsident, Theodor Heinrich von Stratmann, Oberster Hofkanzler, Ferdinand Ernest Graf von Herberstein, Siegfried Christoph Breyner, Wilhelm Anton-Graf von Thaun, Heinrich Johann Dinewald, Johann Christoph Ferdinand Graf von Herberstein, Otto Felix Graf von Heissenstein, Gottfried Heinrich Graf von Salaburg, Ferdinand Ludwig Freiherr von Wopping, Jacob Theobald von Mayer, Franz Joseph Schlick, Leopold Graf von Schlick, Johann Friedrich Maximilian Graf von Herberstein, Johann Christoph Ferdinand Graf von Heinzenstein; Donatus Heisler, Leopold von Bolt, Otto Heinrich und Otto Ferdinand Grafen

[1]) Die Verdienste des Ersteren als Hofkriegsraths-Präsidenten, k. Feldmarschall und als General des Raaber Gränzbezirkes, so wie die Verdienste des damaligen Obersten Ludwig bei der Einnahme Ofen's im Jahre 1686 und in den folgenden Feldzügen sind hinlänglich bekannt. — Siehe des Markgrafen Ludwig Wilhelm von Baden Feldzüge wider die Türken, grösstentheils aus bis jetzt unbenützten Handschriften bearbeitet von Freiherrn Philipp Röder von Diernburg, grossherzoglich baden'schen Major im Generalstabe. 1. Bd. Karlsruhe 1839.

von Hohenfeld, Dietmar Graf von Schallemberg, Johann Gottfried Graf von Salaburg, Christoph Theodomar Graf von Schallemberg, Karl Ernest Graf von Rappach, Franz Joachim Strasser, Georg Freiherr von Wallis, Johann Adrian Freiherr von Plenken, Arnold von Boekhorst, Franz von Bertram, Fried. Rortessan, Peter Hitter, und Stephan Andreas von Werdenberg. Ferner: Ernest Konstantin Grundemann v. Falkenberg, Karl Theophil Freiherr von Aichpichl, Sebastian Freiherr von Blumberg; Johann Richard Scheffer, Johann Christoph Rechberger von Rechron, Johann Konrad und Johann Ignaz Albrecht von Albrechtsburg, Johann Benedict von Weissenegg, Johann von Hohen, Johann Isaias von Bischoffshausen, Albert Freiherr von Blumberg, David Pallm. August Hierneiss und Kapitän von Helburg, Johann Eillers, Coloman Guger, Wolfgang Ferdinand Hentaller, Johann. Jacob Philipp und Wolfgang Karl von Batzendorff, Georg Christoph von Ferl, Johann Heinrich und Victor von Bockhorst, Johann Ludwig Premer, Kaspar Joachim Wernelling, Bernhard Felix Weiner, Christoph Forster, und Johann Jacob May.

Anfänglich erfolgten die Indigenats- und die damit verbundenen Güter-Verleihungen als blosse Ehrenacte ohne irgend eine Zahlung. — Laut Art. 51 vom Jahre 1609 mussten aber die Indigenen jährlich eine bestimmte Summe (quot annis certam summam) zahlen, da diese Maxime auch in andern österreichischen Ländern eingeführt war, und laut Art. 26 vom Jahre 1687 mussten tausend Dukaten Indigenats-Taxe entrichtet werden.

§. 64.

b) Die deutschen Ritter im Burzenlande (terra Borza)[1].

Im Jahre 1211 verlieh König Andreas II. dem deutschen Ritter-Orden, welcher zwar von Jerusalem nach Akkon (Ptolomais) verdrängt worden war, aber durch den Ruhm seiner Tapferkeit und die Persönlichkeit seines Grossmeisters Hermann von Salza im allgemeinen Ansehen stand, eine wüste Strecke Namens Borza in Siebenbürgen an der Gränze Kumanien's, mit der Erlaubniss zum Schutze des ungrischen Reiches gegen die Kumanen hölzerne [2]) Burgen und Städte zu errichten. Sollte Gold oder Silber in ihrem Gebiete aufgefunden werden, so sollte die Hälfte dem Fiscus, die Hälfte den Rittern gehören.

Sie durften ihren eigenen Richter für sich erwählen und bei Rechtsstreitigkeiten keiner Gerichtsbarkeit, als jener des Königs unterliegen. Sie sind frei von der Bewirthung des Wojwoden, so wie von allen Abgaben an die königliche Kammer; sie geniessen vielmehr die Befugniss Märkte einzurichten und Marktzölle zu erheben. Und im folgenden Jahre wurde der Orden auch von dem lästigen Besuche der königlichen Wechsler

---

[1]) Das hier Gesagte beruht grösstentheils auf J. K. Schuller's gleichnamiger Abhandlung im Archiv für die Kenntniss von Siebenbürgen's „Vorzeit und Gegenwart." Hermannstadt 1841. I. Bd. 2. Heft. p. 161—262.

[2]) Erst im Jahre 1221 erhielten sie das Recht, Burgen und Städte aus Stein zu erbauen.

befreit, indem der Landmeister des Burzenlandes (1212) das Recht erhielt, die nöthige Geldsumme zu übernehmen und deren Umtausch zu besorgen[1]).

Bald erhoben sich vier Burgen im Burzenlande. Der Orden schritt aber rasch selbst über die Gränzen des verliehenen Gebietes, indem er schon 1212 jenseits des Tartlauerbaches eine fünfte Veste, die Kreuzburg (Crucepure) erbaute[2]).

Der Bischof Wilhelm von Siebenbürgen schenkte (1213) den Rittern auf ihr Ansuchen die Zehenten von allen Einwohnern des Burzenlandes (mit Ausnahme der Ungern und Szekler, die sich dort ansiedeln würden); er gestattete ihnen ferner die Einsetzung von Priestern, behielt sich aber das Repräsentationsrecht, die geistliche Criminal-Gerichtsbarkeit und das Recht der Bewirthung vor, wenn er das Ordensgebiet besuchen werde[3]).

Papst Honorius III. bestätigte nicht nur diese Anordnung[4]), sondern unterstützte auch die deutschen Ritter bei dem bald entstandenen Zerwürfnisse des ungrischen Königs und des Ordens. Bela IV. an der Spitze des kleinen Adels hatte auf die Rückgabe mancher königlichen Schenkungen an die Geistlichkeit gedrungen, und Andreas II. hatte bereits 1221 die Schenkung des Burzenlandes widerrufen. Obwohl den Rittern (1222) wieder ihr Besitz bestätiget, und das Recht, jährlich 12 Schiffsladungen Salz aus den Gruben des Landes zu beziehen, und auf dem Maros- und Altflusse zum Verkaufe auszuführen, ausserdem auch Mauthfreiheit im Lande der Szekler und Walachen und die Befugniss Vermächtnisse anzunehmen, endlich der Ertrag des Geldumsatzes, zugestanden worden war: so trat bald eine neue Spannung zwischen dem Könige und den Rittern ein, die mit dem Sturze der letzteren und dem bleibenden Verluste des Burzenlandes für den Orden endete.

Papst Honorius hatte dem Erlauer Bischofe befohlen, in seinem Namen der Geistlichkeit in Siebenbürgen einen Dechant zu setzen, bis die Vermehrung der Bevölkerung die Ernennung eines Bischofes nöthig machte. Bischof Raynold von Siebenbürgen achtete aber nicht auf jene Exemtion des Ordens, und behandelte dessen Priester als Untergebene seiner Diöcese. Der Grossmeister

---

[1]) Das Original der Verleihungsurkunde fehlt, siehe den nach dem im Königsberger Archive befindlichen Transumt genommenen Abdruck der Urkunde bei Schuller a. a. O. — Urkundenbuch Nr. 1 und 2 (sammt Noten), Fejér Cod. dipl. III. I. p. 106 u. 117. Der Name Borza scheint von dem gleichnamigen Flusse zu kommen; der fragliche Bezirk scheint über den heutigen Kronstädter Bezirk ungefähr bis an die Aluta und den Höhenzug, welcher das Burzenland vom Repserstuhl und Fogarascher Bezirk trennt, gereicht zu haben.

[2]) Die Kreuzburg (crucepurc), vermuthlich an der Stelle des im Ober Albenser Komitate gelegenen Dorfes Nyér, welches nach deutsch: Kreuzburg genannt wird. Die übrigen vier Burgen glaubt Schuller a. a. O. p. 170 in den Ruinen des Kapellenberges bei Tartlau, des Rosenauer Schlosses, der Schwarzburg bei Zeiden und der Marienburg; Alexis Graf Bethlen: (Geschicht. Darstellung des deutschen Ordens in Siebenbürgen p. 44) in der Heldenburg bei Krizba der Törzburg (lapis Theodorici) an der Gränze der Walachei, dann auch in der Schwarzburg und Marienburg zu finden. — Die Törzburg wurde jedoch erst im J. 1377 von den Kronstädtern angelegt und diese dafür mit Vorrechten begabt (Cod. dipl. IX. V. 158).

[3]) Schuller a. a. O. Nr. 4.

[4]) Schuller a. a. Nr. 5.

Hermann von Salza, um sich den Neckereien zu entziehen, erkannte den Papst als Oberlehensherrn über das Burzenland, und dieser nahm es als Eigenthum des heil. Petrus auf (1224)[1]. Da aber hierdurch von Seite des Papstes und des deutschen Ordens das unbestreitbare Eigenthumsrecht der ungrischen Krone offenbar verletzt war, und die Vermittlungsversuche des Papstes fruchtlos blieben, so rückte König Andreas II. in das Burzenland ein, und vertrieb die deutschen Ritter aus ihren Burgen.

König Bela IV. söhnte sich jedoch mit dem deutschen Ritterorden, welcher unter demselben Grossmeister Hermann von Salza für den Verlust des Burzenlandes durch den Besitz der den Preussen entrissenen Länder Kolm und Lobau sich entschädiget hatte, wieder aus, indem er (1244) deutschen Rittern, die zum Schloss Zulgageur gehörigen Güter Kezteley (Keszthely am Plattensee), Suk und Zela sammt dem Schlosse Hitens ihrer treuen Dienste wegen schenkte, sie mit gleichen Rechten wie die Templer- und Johanniter-Ritter begabte, wornach sie keiner Gerichtsbarkeit, als der des Königs und ihres Richters (villicus) unterlagen; kein Magnat durfte Bewirthung verlangen, auch durften sie nach der Sitte anderer Sachsen ihren Zehent zur Erntezeit auf den Feldern lassen[2]. Wenn auch die deutschen Ordensritter das Burzenland verlassen hatten, so blieben doch deutsche Bewohner zurück, welche ebenso zur Vertheidigung des Landes, als zum Aufblühen desselben durch Bodencultur, Industrie und Handelsthätigkeit beitrugen[3].

c. Deutsche Colonien.

§. 65.

Allgemeine Bemerkungen.

Aber nicht nur einzelne Deutsche, die Gründer angesehener ungrischen Stammgeschlechter kamen aus Deutschland, sondern auch ganze Colonien, angelockt durch die humanen Gesinnungen, womit der heilige Stephan und seine Nachfolger die Deutschen als Gäste (hospites) ehrenwerth behandelten[4].

Bevor wir die deutschen Colonien im Einzelnen erwähnen, ist es nothwendig einige Bemerkungen über die Ausdrücke Hoch- oder Ober-Deutsche (Teutones) und Nieder-Deutsche (Saxones) beizufügen.

Seit der Festsetzung deutscher Volksstämme am Schlusse der Völkerwanderung findet man einen in der Lautverschiebung begründeten wesentlichen Dialect-Unterschied zwischen den süddeutschen Volksstämmen im oberen Hochlande und zwischen den Norddeutschen in den Niederungen Deutschlands[5].

---

1) A. a. O. Nr. 13, 14, 17, 25, 26.

2) Cod. dipl. IV. I. p. 313 u. 314.

3) Alt und Maros waren damals schiffbar. Vergl. Fr. Hann. Zur Gesch. des siebenb. Handels (Vereins Archiv III. 13. 2. H. S. 150 etc.). Das Nähere hierüber folgt bei den sächsischen Colonien in Siebenbürgen.

4) Corpus Jur. Hung. Decr. S. Stephani I. c. 6.

5) Der grosse Meister deutscher historischer Sprachforschung, Jacob Grimm, sagt in seiner Geschichte der deutschen Sprache S. 482: „Ich bedarf aber eines allgemeinen alle völker der zweiten lautverschie-

24 *

Zu dem ersten gehören die Alemannen und Sueven (Schwaben), die Bajoarier, d. i. Bayern, die mit ihnen sprachverwandten Oesterreicher in Ober-, Nieder- und Inner-Oesterreich (Tirol, Oesterreich, Steiermark und Kärnthen); auch die Franken, im Umfange des alten grossen Herzogthums Ostfranken (Austrasien), sammt den Thüringern bilden gewissermassen noch einen Bestandtheil der oberdeutschen sprachlichen Abtheilung, doch vermitteln sie durch die Aufnahme mehrerer niederdeutschen Eigenthümlichkeiten gleichsam den Uebergang zur niederdeutschen Sprachgruppe. Die Flandrer und Holländer dagegen, die West- und Ostfalen, die Angeln und Sachsen (Sassen, Szászok), so wie die daraus grossentheils hervorgegangenen Brandenburger, Pommerer in den alten sächsischen Ostmarken, im jetzigen Preussen u. s. w., gehören dem niederdeutschen Sprachstamme an.

Es gab und gibt noch in Deutschland nur zwei Hauptdialecte: den hochdeutschen mit den Zweigen des alemannisch-bajoarischen, welchem sich das fränkische vermittelnd anschliesst; dann den niederdeutschen mit den Zweigen des flandrisch-niederländischen und niedersächsischen im weiteren Sinne. Diesen Dialect-Zweigen oder deutschen Haupt-Mundarten entsprechen ungefähr dem Umfange nach die alten grossen Volksherzogthümer: Alemannien, Bajoarien, Franken und Sachsen.

Alle anderen deutschen vielnamigen Untermundarten bilden nur Schattirungen der gedachten zwei Hauptdialecte [1]).

Es wurden auch hier bei der Darstellung der deutschen Colonien in Ungern mit Rücksicht auf die mundartlichen besonderen Eigenthümlichkeiten die gedachten deutschen Colonien aufgefasst, zu deren leichterer Uebersicht wir folgendes Schema beifügen.

a) Hoch- oder Ober-Deutsche (Teutones).

Bayrische Colonien (Bajoarii) in Ungern.
Oesterreicher (Austriaci) in Siebenbürgen.
Fränkische Colonien (Franci) in Pannonien und Slavonien.
Hienzen (Henzen) an der österreichisch-steirischen Gränze.
Alemannisch-schwäbische Colonien (Alemanni, Suevi), namentlich die Heidebauern.
Thüringisch-schlesische Colonien, dazu gehören:
die Gründner, Metzenseifer, Topschauer;
die Deutsch-Pilsner, Krikehayer und Deutsch-Bronner etc.
Deutsche (Teutones) zwischen der Theiss, Maros und Körös.
Habaner, oder mährische Brüder.

---

bung umfassenden namens, welcher kein anderer als der gewählte sein kann. denn die benennung Süddeutscher, seitdem sie sich auch in den westen verbreiten, reicht nicht mehr hin, und durch den gegensatz des Hochdeutschen zum Niederdeutschen wird das gebirgsland des Südens und die niederung des Nordens, zugleich die, man sage was man wolle, zur höheren schriftsprache gediehene veredlung unseres herschenden dialects und der niedere stand einer blossen volksmundart ausgedrückt. nur in bezug auf den niederländischen dialect kann ein solcher sprachgebrauch seiner zweiten anwendung nach ungerecht scheinen."

[1]) Siehe J. V. Haeufler's Sprachenkarte von Mittel-Europa.

b) Nieder-Deutsche (Saxones).

Sachsen in den Bergstädten (aus verschiedenen Gegenden Norddeutschland's).
Sachsen in der Zips (vermuthlich aus Westphalen stammend).
Sachsen im Aba-Ujvárer Komitate.
Sachsen im Saroser Komitate.
Sachsen im Pester Komitate (in Ofen aus Magdeburg).
Sachsen im Graner Komitate (zu Visegrad) und anderen unteren Komitaten, in Slavonien.
Sachsen in Siebenbürgen, und zwar:
Flandrer und Sachsen im Hermannstädter Stuhle (vermuthlich aus Flandern, den Niederrhein-Gegenden und dem Siebengebirge).
Kronstädter oder Burzenländer (aus Nieder-Sachsen).
Bistritzer oder Nösner (vermuthlich vom Harze und aus der Zips).

a) Hoch- oder Ober-Deutsche.

§. 66.

Bayrische Colonien.

1. Die älteste dieser Colonien kam auf Veranlassung der Königinn Gisela (Keysla) nach Ungern, und wurde an der Gränze Siebenbürgen's am Szamos angesiedelt zu Szathmár, welches noch durch den Beisatz Némethi an deutschen Ursprung erinnert [1]). Durch Stephan V. wurden ihnen 1264 die Freiheiten der Bürger von Stuhlweissenburg ertheilt.

2. Mit Gisela sollen auch bayrische Colonisten eingewandert seyn, welche die Wälder des Piliser Bezirkes zu lichten begannen, und sich unweit der Strasse von Ofen nach Gran zu Solymar in der Nähe eines königlichen Jagdschlosses des Königs Stephan (Solyomvár), d. i. Falkenburg niedergelassen haben [2]).

§. 67.

Oesterreicher in Siebenbürgen.

Die natürliche Verbindung von Oesterreich und Ungern durch den Donaustrom, die besonderen Vorrechte der Wiener Handelsleute beim Handel nach Raab, Pressburg, Pest, machen einzelne Einwanderungen von Oesterreichern wahrscheinlich; doch von

---

[1]) Eine Urkunde aus König Stephan I. Zeiten fehlt, und war vielleicht nie vorhanden. Die Bestätigungsurkunde Andreas II. von 1230 (bei Fejér Cod. dipl. III. II. p. 211) sagt: dilectis et fidelibus hospitibus nostris teutonicis de Zattmar-Némethi, juxta fluvium Zamos residentibus, qui se dicebant in fide dominae reginae Keyslae in Ungariam convenisse talem dedimus, donavimus et concessimus libertatem, ut more Saxonum, villicus ipsorum armatus cum quatuor personis sagittariis nobiscum exercitare teneatur.

[2]) Collect. M. S. Podhradzky mit Beziehung auf eine angeblich im königlich-ungrischen Hofkammer-Archive befindliche Urkunde. Die jetzigen deutschen Bewohner Solymar's kamen aber, wie alle Schwaben der Ofner Umgebung, erst Anfangs des achtzehnten Jahrhunderts dahin. — Auch nach Siebenbürgen sollen damals schon bayrische Colonisten gekommen seyn. Bayerdorf bei Bistritz, die Bayergasse in Schässburg, bayrische alte Familien-Namen etc. sollen daran die Erinnerung bewahren. Schlözer Staats-Anzeigen XVI. Bd. 61. Heft. S. 471 etc.

eigentlichen ganzen österreichischen Colonien in jener Periode, ist nur die Gewerkschafts-Colonie der **Oesterreicher aus der Eisenwurz** (hospites Austriaci e loco Eisenwurzel) zu Toroczkó (Eisenmarkt) am Aranyos in Siebenbürgen bekannt.

Diese Colonisten waren schon vor dem Tatareneinfalle berufen worden; da aber ihr Freiheitsbrief dabei verbrannt war, so stellte ihnen Andreas III. (1291) eine neue Urkunde aus, wornach den dortigen Meistern und Arbeitern dieselben Rechte bestätiget wurden, die den Eisengewerksleuten in Oesterreich damals zustanden. Sie waren unter einem eigenen Magistrate, der aus einem Richter und den Aelteren ihres Gremiums gebildet war, von welchem eine Appellation nur in zweifelhaften Rechtsfällen an den König oder Tavernicus gestattet war. Alle Samstage durfte Markt gehalten werden. Der Gebrauch der Wässer, Wälder und Weiden für ihre Saumrosse (Packpferde) wurde ihnen auf eine Meile (ad distantiam unius Rastae) gestattet [1]).

§. 68.

Fränkische Colonien.

Die Colonisten von Frankenland und Frankenstadt (Φραγγοχώριον, franca villa).

Der Ausdruck **Franken** (Franci) kommt vorzüglich in den älteren Zeiten vor, und bezieht sich theils auf die aus der Zeit der fränkischen Herrschaft übrigen fränkisch-bajoarischen Colonien in Pannonien, theils bei den Byzantinern als allgemeiner Name für Abendländer überhaupt, theils insbesondere auf das untere Pannonien.

Frankenland wurde nämlich im zwölften Jahrhunderte von den Byzantinern ein Theil des Landes zwischen Save und Donau genannt, wie wir aus der Erzählung der Kriegs-Ereignisse der Jahre 1123 und 1154 bei Kinamus und Niketas sehen.

Almus war zu dem byzantinischen Kaiser Johann Komnen geflohen, und dort gastlich aufgenommen. Darüber entstand Spannung zwischen dem griechischen Hofe und dem Könige Stephan II., welche zum Kriege führte, als die Einwohner Branissova's (Ó-Banowcze) ungrische Kaufleute misshandelten. Die Ungern eroberten Belgrad, und sollen aus den weggebrachten Steinen Zeugminum (Zimony, Semlin) erbaut haben. Der Kaiser aber nahm Chram (Horom) ein, seine Reiterei rückte indess über die Save, vertrieb die Ungern sammt 700 fränkischen Kriegern über die Donau; der Kaiser besetzte **Frankenland**, d. i. die überaus fruchtbare Flussinsel zwischen Donau und Save, und legte Besatzung nach Branissova [2]).

Während Geysa II. (1154) den Fürsten von Halitsch, einen Freund des griechischen Hofes bekriegte, setzte der griechische Kaiser über die Save, eroberte Zeugmin und verwüstete das wohlbevölkerte dortige Frankenland [3]).

---

[1]) Hospitibus Austriacis pro ferri fabricis, e loco Eisen-Varezel cum affidatione in has terras ultrasilvanas vocatis, et huc illocatis, eorumque successoribus, eandem libertatem et eadem jura, ad quae abinitio vocati fuerunt, renovantes et augentes nos quoque concedimus etc. Cod. dipl. VI. I. 38 u. 119.

[2]) Kinamus (kaiserl. Notar † nach 1183) (bei Stritter III. p. 636): Francochorium (Φραγγοχώριον) fertilissimam terrae Hunnicae partem, quae declivis in patentes campos inter Saum et Istrum extenditur.

[3]) Niketas (kaiserl. Grosslogethet † nach 1206) Ea (Φραγγοχώριον) non minima Ungariæ pars, sed habitatoribus frequens, inter Istrum et Saum fluvios patens, in qua castellum Zeugminum, quod nunc

Dieses Land heisst bei Roger (1241) als Gränzbezirk gegen Griechenland Marchia. Hier zerstörten die wegen Ermordung ihres Chanes Kuthen empörten Kumanen die Frankenstadt (francam villam senatoriam S. Martini) [1]).

§. 69.

Die Hienzen.

Unter dem Namen der Hienzen (Henzen oder Heinzen) [2]) sind die Deutschen im Eisenburger und Oedenburger Komitate bekannt. Die geschichtlichen Spuren, viele deutsche alte Ortsnamen (namentlich im Günser und Güssinger Bezirke), und zum Theil auch die alte Mundart in manchen Orten zeigen, dass in den Gebirgsstrecken Pannonien's, an Deutschland's Gränze, auch nach der Einwanderung der Magyaren sich fortwährend eine bajoarisch-fränkische Bevölkerung erhalten habe.

Es wurde bereits in der I. Periode bemerkt, dass Karl der Grosse Pannonien seinem Reiche einverleibte, und dass unter den nachfolgenden Karolingern viele deut-

---

Sirmium vocatur, situm. Das alte Sirmium lag zwar an der Stelle des heutigen Mitrovitz, es scheint aber hier unter Zeugminum = Zimoni = Semlinum verstanden zu seyn, welches oft irrig für das alte Sirmium gehalten und daher auch von Niketas also benannt worden seyn dürfte. Niketas nennt zwar Branissova, wo Kinamus von Belgrad spricht, allein nach dem ersteren scheinen es zwei verschiedene Orte zu seyn; vermuthlich ist Branissova = Ó-Banoveze, vergl. §. 18, Note 8.

1) Ob die franca villa noch von der fränkischen Zeit herrühre, oder erst von rückgebliebenen Kreuzfahrern erbaut wurde, ist nicht mit Bestimmtheit zu ermitteln; doch wahrscheinlich ist, dass aus der Zeit der fränkischen Herrschaft ein alter Frankenort bestand, welcher von den Kreuzfahrern wieder befestigt wurde.

Auf die römische und fränkische Herrschaft über Pannonien scheint sich auch die fabelhafte Tradition von der Einwanderung zweier trojanischer Prinzen Priamus und Antenor mit zwölf tausend Trojanern (den angeblichen Stammvätern der Römer und Franken) so wie auf die angebliche Gründung der Stadt Sicambia (Aquineum oder Altofen) zu beziehen, welche die alten fränkischen und ungrischen Chroniken erzählen: — Fredegar Epit. c. 2: (Francos) „Priamum primum habuisse regem cum Troja fraude Ulissis caperetur" etc. — dann gesta Francorum: „Fugit Aeneas rex cum ceteris viris suis in Italiam, alii autem de principibus eius, Priamus et Antenor cum aliis viris de exercitu Trojanorum duodecim milia fugerunt cum navibus, qui introeuntes ripas Tanais fluminis per Maeotidas paludes, navigaverunt et pervenerunt ad finitimos terminos Pannoniarum, tenentesque finitima spatia secus Maeotidas paludes, cœperuntque aedificare civitatem ob memoriale eorum, appellaveruntque Sicambriam, ibique habitaverunt annis multis, creveruntque in gentem magnam."

2) Woher der Name Hienzen stammt ist unbekannt. Vielleicht bedeutete er die letzten oder äussersten Deutschen (hinz, d. i. bis, zuletzt), oder er deutet auf den Namen Heinz oder Henz (Heinrich) und bezeichnet vielleicht die dortigen Deutschen, als Heinrich's Leute, d. i. als Anhänger Kaiser Heinrich's III., welcher Ungern zum deutschen Vasallenreiche machte, aber nach wiederholten Kriegszügen 1042, 1043, 1045 das Land (1052) räumen musste (siehe über diese Züge Johann Czech's trefflichen Aufsatz in Hormayer's Taschenbuch Jahr 1830. S. 291—384), wofür der Umstand spräche, dass Hienz von den Ungern als Stichwort und Spottname der Deutschen daselbst gebraucht wird. — Die Tradition sagt: es habe einst ein mächtiger Mann, Henzo, die Burgen Szalonak und Borostyánkö, im Eisenburger Komitate besessen, und die ganze Gegend habe nach ihm Henczonia geheissen. Unter Ladislaus IV. (1272—1290) erscheint in der That ein Hencz als Comes camerae regiae (Vgl. Tud. Gyüjtem. 1819 I. 97. und Johann von Csaplovics England und Ungern S. 120.). Endlich könnte sich die Tradition auch auf Heinrich Grafen von Güssing, der mächtig in jener Gegend waltete, beziehen, und die dortigen Deutschen als Heinrich's Leute (Henzen) bezeichnen. —

sche Orte von bayrisch-fränkischen Einwanderern unter Awaren und Slaven daselbst, namentlich unter dem Einflusse der Bischöfe von Passau und Salzburg angelegt wurden. Wenn auch die Magyaren (907—955) Herren des Landes bis zur Enns geworden waren, so wurde doch bei dem zweiten Heereszuge Kaiser Heinrich's III. durch die Tapferkeit des Markgrafen Adalbert (1043) die March und Leitha wieder als deutsche Ostgränze gewonnen.

Beim Neusiedler See (Fertő) wurden zwar Bissenen zum Schutze der Gränze gesetzt (§. 29); allein die wahrscheinlich nicht ganz verdrängte deutsche Bevölkerung erhielt nicht nur im Allgemeinen einen Stützpunkt durch die angränzenden täglich sich mehrenden deutschen Ansiedler in den Ostmarken (Oesterreich, Pitten, Steiermark), sondern viele aufgenommene deutsche Ritter, als: die mächtigen Grafen von Güssing, das von Wenzel von Wasserburg abstammende Geschlecht Ják, die mit den Hohenstaufen verwandten Grafen von Guth-Keled; Ernst Lebyn (Lebény oder Leiden), der freie Alemanne Kaal, die Meissner Gottfried und Albrecht Keled u. a. (§. 61), wurden in den Oedenburger, Wieselburger und Eisenburger Komitaten an Deutschland's Gränze reich begütert, und brachten wohl deutsche Vasallen und Ansiedler aus der deutschen Heimat mit.

Da diese bayrisch-alemannisch-fränkischen Einwanderer und älteren Insassen im ununterbrochenen geographischen Zusammenhange mit den Oesterreichern und Steiermärkern von gleicher Abstammung standen, so erklärt sich die dem bajoarisch-österreichischen Dialecte verwandte Mundart der Hienzen, obwohl die Bewohner einzelner Orte, z. B. in Frankenau, Kukmir, Bernstein (Borostyankő), altfränkische oder mittelhochdeutsche Anklänge bewahren.

Die Günser Gäste oder Bürger (fideles hospites seu cives de Keöszegh) erhielten von Karl I. (1328) auf ihr Ansuchen nicht nur die Bestätigung der alten Vorrechte, mit welchen sie einstens der Ban Heinrich und dessen Sohn der Palatin Johann bei Erbauung der Stadt Güns begabt hatten, sondern er gewährte ihnen auch alle Freiheiten der Oedenburger und überdiess die Befreiung von der Ruga (Geschenk oder Zins für den König). Von jedem Getreideschober (capetia frugum)[1]) entrichten sie nur 10 Denare, vom Moste den Weinzehent. Der Richter hat in allen Fällen, sogar über Leben und Tod Recht zu sprechen. Jeder Adelige des Komitates (quicunque nobilis de Provincia circumquaque), der sich in der Stadt niederlässt, nimmt an allen Vorrechten der Bürger Antheil. Jedermann kann auch (nach Entrichtung des Grundzinses) ohne Abfahrtsgeld die Stadt verlassen[2]). — Von Ludwig wurden die Günser von der Forderung des Kammergewinnes bei Münzen[3]) befreit und im Jahre 1414 wurden sie von Sigmund auch hinsichtlich der Dreissigst-Abgabe den Oedenburger Kaufleuten gleichgesetzt[4]). Auch Ferdinand I. und die nachfolgenden Habsburger ertheilten der Stadt

[1]) Capetiae, Hungaris, dicuntur quindenae, alias acervuli manipulorum frumentorum. Du Cange T. II. p. 134.

[2]) Cod. dipl. VIII. III. p. 279—283 und 288. und VIII. IV. 219.

[3]) a. a. O. III. p. 569.

[4]) a. a. O. V. p. 520.

Güns Bestätigungen und einige Zusätze ihrer Vorrechte[1]); 1532 leistete Güns durch die Vertheidigung des tapferen Jurichich gegen die Uebermacht der Osmanen glücklichen Widerstand: unter Ferdinand III. (1649) wurde Güns zur k. Freistadt erklärt[2]).

Die Stadt Oedenburg (Sopron) erhielt bereits 1260 von Bela IV. ein Privilegium[3]), welches Ladislaus III. (1277) in Folge der im Kampfe gegen den böhmischen König Ottokar erworbenen Verdienste der deutschen Bürger und Gäste dieser Stadt bestätigte. Denselben waren die Rechte der Bürger von Stuhlweissenburg, und der halbe Ueberfuhrzoll vom Neusiedler See (Fertö), nebst anderen Vorrechten eingeräumt[4]). — Anfangs scheint diese Bevölkerung bloss aus Deutschen bestanden zu haben; erst durch gedachten König Ladislaus wurden zu deren Verstärkung auch die königlichen Pfeilschützen (Jászok) aus Lövö (Schützen) dahin versetzt[5]).

Eisenstadt (Kis-Márton), welches bereits Bela III. der Ofner Kirche abgekauft und dessen Sohn Emerich im Jahre 1202 dem Wojwoden Benedict von Korláth geschenkt haben soll[6]), erhielt im Jahre 1373 von dem Agramer Bischofe Stephan von Kanisa einen Freiheitsbrief in deutscher Sprache[7]), wodurch die deutsche Nationalität dieser Stadtbewohner wohl ausser Zweifel gesetzt ist. Königliche Freistadt wurde Eisenstadt 1648[8]); das deutsche Städtchen Rust aber erst 1681. — Eisenburg (Vasvár) wurde durch Ladislaus Cumanus bereits 1279 zur königlichen Freistadt erhoben[9]), durch die verheerenden Züge der Türken ging aber die Stadt zu Grunde und lebte nicht wieder als solche auf. Auch die Städte Pressburg, Raab (Györ), Agram (Zágráb), Kreuz und andere Orte scheinen ursprünglich rein deutsche Bevölkerung gehabt zu haben. Da sich jedoch auch bald andere nationale Elemente beimischten, so werden sie im folgenden Abschnitte aufgeführt.

---

[1]) Die weiteren Privilegien sind von den Jahren 1527, 1532, 1533, 1535, 1546, 1598, 1600, 1609, 1628, 1647, 1648, 1692, 1735, 1785. Fényes Mágyar. Országnak leirása I. 344.

[2]) a. a. O.

[3]) Relationes Comitatum et districtuum separatas Portas habentium, ad Excelsum Consilium Reg. Locumten. Hung. in collect. de Jancovich (Musei) p. I. „Intuitu Tributi a currubus et Navibus cum Mercibus advenientibus" und Cod. dipl. IV. III. 513.

[4]) Cod. dipl. V. II. p. 397—401. Die Einwohner waren grösstentheils Deutsche, vielleicht auch darunter Wiener, da nach Wiener Denaren gerechnet wurde. Idem cives de qualibet capetia frugum, duodecim denarios Viennenses juxta antiquam consuetudinem eorum soluere teneantur.

[5]) Cod. dip. V. II. p. 375 und 376. — Bestätigungen und Erweiterungen von Vorrechten, k. Schenkungen von Ländereien, wegen der Treue der Oedenburger erfolgten unter Andreas III. im Jahre 1291 (Cod. dipl. VI. I. 38, 122, VI. II. 97), unter Karl I. 1313 (a. a. O. VIII. I. 495), unter Sigmund 1402 (X. VI. 135), von Mathias I. 1464, von Wladislaus II. 1498, von Ludwig II. 1524, von Ferdinand I. 1533, von Maximilian II. 1576, und von Leopold I. 1701.

[6]) Die „Villa Martini, vulgo Martun" dürfte nach den übrigen in der Urkunde Bela's III. angegebenen Orten und Gränzbestimmungen nicht sowohl Eisenstadt (Kis-Márton), als vielmehr Öri-Szent-Márton im Szalader Komitate seyn. Vgl. Cod. dipl. II. 295, dann III. I. 316.

[7]) Fényes M. Országnok leirása I. 255 etc.

[8]) Bestätigung der Freiheiten empfing Eisenstadt 1447 von Herzog Albrecht VI. von Oesterreich, an den es von Elisabeth verpfändet war.

[9]) Cod. dipl. V. I. 147. — Karl I. bestätigte die Freiheiten. a. a. O. VIII. IV. 173.

Das deutsche Element erhielt noch in den Komitaten Oedenburg und Eisenburg eine Stütze, da bereits 1440 Elisabeth Eisenstadt an den Herzog Albrecht verpfändete, 1463 König Mathias nebst Eisenstadt auch Forchtenstein, Güns, Kobersdorf, Rechnitz, Pernstein und Hornstein sammt den dazu gehörigen Gebieten an Kaiser Friedrich IV. mit Genehmigung der Stände von Ungern abtrat, und Wladislaus II. 1490 hierüber dem Kaiser Maximilian mit abermaliger Zustimmung der Stände eine Bestätigung ertheilte [1]) — wodurch die Deutschen in Ungern mit Oesterreich in näheren Verband gelangten. — Nach oftmaligen Urgirungen der ungrischen Stände wurde von Ferdinand II. im Jahre 1622 Eisenstadt und Forchtenstein dem nachmaligen Palatin Nicolaus von Eszterházy um 500.000 rhein. Gulden verpfändet (reservatis omnibus juribus regalibus et contributionali austriaco); und die gedachten Orte blieben seither wieder Ungern einverleibt [2]). Um diese Zeit wanderten viele Akatholiken aus Oesterreich und den Reichsländern in die von Türken verheerten Ortschaften jener Komitate [3]).

§. 70.

Deutsche in Nieder-Ungern (Al-Föld).

Auch zwischen der Theiss, der Maros und dem Körös wohnten schon im dreizehnten Jahrhunderte Deutsche. Der Berichterstatter über den Mongolen-Einfall in jenen Gegenden, der Domherr Roger nennt als deutsche Orte: Thomasbruck (Békes) am Körös, Perg (Nagy-Lak) an der Maros, und Chanád (Csanád); — selbst in Szegedin, Grosswardein und Debreczin gab es (wahrscheinlich deutsche) hospites [4]).

§. 71.

Alemannisch-schwäbische Colonien (Heidebauern).

Der sogenannte Heideboden im Wieselburger Komitate sammt dem Seewinkel hat seit alten Zeiten deutsche Bewohner. Wenn auch von den Zügen der Markomannen, Heruler, Sueven, Langobarden, u. dgl. keine Spuren durch die nachfolgende Awarenherrschaft zurückgeblieben sind, so dürften sich doch aus der Karolinger Zeit noch in einigen Orten Ueberreste der fränkisch-bajoarischen und alemannischen Bevölkerung erhalten haben. Die Namen Wieselburg und Altenburg deuten wohl auf die gleichnamigen Orte in Oesterreich hin, von welchen vermuthlich deren einstige Bevölkerung nach Ungern ausging. Wenn sich auch nicht die Zeit der Ansiedlung der jetzigen Bewohner und ihre schwäbische Abkunft urkundlich darthun lässt [5]), so deuten doch Sprache (Mundart), Religion, Sitten, Gebräuche und physische Beschaffenheit der Bewohner auf die Zeit der Reformation, und auf die Gegend um den Bodensee als ihre Heimath.

---

[1]) C. U. Velius de Bello Pannon. (Auctar. Diplom. p. 204—266.) Fridericus . . . . et haeredes sui, ab eo recta linea descendentes . . . . dicta castra et oppida . . . . omni Imperio et jurisdictione possideant et teneant.

[2]) Scheib historische Abhandlung über die österreichischen Gränzen im V. U. W. W. gegen Ungern. MS. im k. k. Staatsarchive.

[3]) Szegedy a. a. O. II. S. 94.

[4]) Cod. dipl. IV. I. 154 und IV. II. 490.

[5]) Im erzherzoglichen Archive zu Ungrisch-Altenburg befinden sich nach Angabe des Herrn von Szala keine auf die Einwanderung der dortigen Deutschen bezüglichen Actenstücke, sondern nur über Verkäufe und Uebergaben der Colonialcessionen u. dgl., welche aber einige Jahrhunderte zurückreichen.

Die meisten deutschen Bewohner des Heidebodens waren früher der evangelisch-lutherischen Confession zugethan, wie die Kirchenprotokolle darthun. Die Evangelischen und Katholischen bekämpften sich gegenseitig, besonders um den Besitz der Kirchen; nach den verheerenden Türkenzügen nahmen die evangelischen Colonisten die katholischen Kirchen in St. Peter, St. Johann, St. Andrä u. s. w. in Beschlag, richteten sie zu Bethhäusern ein und erbauten durch Zuzüge aus Schwaben verstärkt, die Orte: Andau, Kaltenstein[1]), Walla, Baumhagen (Pomagen), Podersdorf u. s. w. im Seewinkel, oder stellten wenigstens diese Orte her. Nach einer Kirchenvisitation, welche im Jahre **1659** unter dem Raaber Bischofe Georg Széchenyi Statt fand, waren fast alle Deutschen des Heidebodens Protestanten, erst in der Folge nach Beendigung der Kuruzzenunruhen gelang den katholischen Priestern die Bekehrung der meisten dortigen Bewohner zum Katholicismus. Die Bewohner des Seewinkels, d. i. in den Orten Apetlon, Ilnitz, Baumhagen und Walla scheinen aus den Gegenden Lindau, Alt-Ravensburg, Wangen und Isni in Ober-Schwaben eingewandert zu seyn.

Obige Reichsstädte, deren unmittelbarer Schutzherr der römische Kaiser war, sind — Wangen ausgenommen — paritätisch; fanden sich aber in der Umgebung auf dem flachen Lande Lutheraner, so wurden sie nicht geduldet, weil sie dem grössten Theile nach Unterthanen der österreichischen Reichsritterschaft waren, und unter dem Kreis- und Oberamt des katholischen Tettnang standen. Diese wanderten nun nach Ungern, wo sie durch die dem Protestantismus nicht abholde Königinn Marie, Ludwig's II. Gemahlin, und durch die Fortschritte des Protestantismus in Ungern überhaupt Schutz fanden.

Die Mundart der Heidebauern, vorzüglich aber der Seewinkler stimmt noch völlig überein mit der ober-schwäbischen des gedachten Bezirkes, was die Tradition über ihre Einwanderung und ihre Heimath bekräftigt[2]).

Die Bewohner der übrigen Theile des Heidebodens haben eine etwas verschiedene Mundart und sind auch der physischen Beschaffenheit nach stärker und grösser. Weder ihre Sprache, noch ihre Familiennamen deuten jedoch auf ein höheres Alter als höchstens auf die Zeit der Reformation hin. — Bezeichnend ist die Verwandlung des rch in ri, z. B. duri statt durch[3]). Obgleich die Einwanderungsjahre der schwäbischen Heidebauern nicht

---

[1]) In den Orten Kaltenstein, Strassommerein, Nikolsdorf, Deutsch-Jahrendorf, Raggendorf und Zorndorf sind noch Protestanten, auch finden sich aus jener Zeit noch manche protestantische Bibeln, Liederbücher u. dgl. selbst bei den katholischen Bewohnern; nach Angabe des Herrn Pfarrers J. Gall in St. Andrä, dessen Güte wir auch noch einige der folgenden Angaben über die dortigen Bewohner verdanken.

[2]) Laut Mittheilung des Herrn Pfarrers Joseph Schlachter in Apetlon, eines gebornen Vorarlbergers. — Bezeichnend ist die Verwandlung des *en* in *a* im Infinitiv des Zeitwortes beim Schwaben und Seewinkler, z. B. geba, laufa, reda. Beide sagen füfe statt fünf, füfe zaungst statt fünf und zwanzig, dann iser statt unser u. s. w. Das Buch, aus welchem sie ihre biblischen Lieder: „Von der grossen Weintraube, vom Samson und Delila, vom Tobias, David und Salomon" hauptsächlich absingen, ist der „geistliche Glückshafen," eine Liedersammlung von der Erschaffung der Welt bis auf Christus. — Die ausführlichen Sprachformen werden in einer besonderen Abhandlung über die Deutschen mitgetheilt werden.

[3]) Unter den Familiennamen finden wir: Hautzinger, Frofnauer, Waldherr, Umathum, Kögl, Meidlinger, Thailler, Bohnenstingel, Wurtzinger, Eglsäer, Wieger, Heidvogel, Weiss, Wolf u. s. w. Namen, die man in anderen deutschen Colonien weniger findet. Auch hat jeder Familienname einen Spitznamen, durch welchen die Nebenlinien einer Hauptfamilie unterschieden werden, oder wenn diess nicht der Fall ist, so wird der Name der Hausfrau mit dem des Mannes oder des Hauses, in welches

genau angegeben werden können, so ist doch so viel gewiss, dass sie zu den ältesten schwäbischen Colonisten in Ungern gehören, und ihre Ankunft jedenfalls noch in diese Periode fällt.

Der ganze Heideboden vom See bis zur Poststrasse ist jetzt von Deutschen bewohnt, mit Ausnahme des magyarischen Ortes Wüst-Sumrein[1]).

Der Neusiedler See verschlang zur Zeit des Königs Andreas II. mehrere Orte, als: Fertö, Kolinthal, Hanfthal, Schwarzlacken, St. Jacob, zu deren Ersatze 1240 Frauenkirchen gegründet worden ist. Auch lag unter dem Orte Weiden, Zittmansdorf; also lauter Ortsnamen, welche auf frühere deutsche Bevölkerung am Neusiedler See hindeuten[2]).

§. 72.

Thüringisch-schlesische Colonisten.

Thurocz nennt unter den Einwanderern auch Thüringer neben Sachsen. In Urkunden werden Deutsche (Teutones) neben den Sachsen in der Zips und anderen oberen Komitaten genannt, wir glauben unter diesen Thüringern und Teutones die sogenannten Gründner, d. i. die Bewohner der sechs Zipser Bergstädte: Schmölnitz, Stoss, Schwedler, Remete (Einsiedel), Gölnitz und Wagendrüssel, die Topschauer u. a. Deutsche im Gömörer Komitate, die Metzenseifer, Krikehayer, Deutsch-Bronner, Stubner und Deutsch-Pilsner u. dgl. zählen zu müssen, da die dortigen Bewohner einen, vom Zipser sächsischen und Niederdeutschen überhaupt verschiedenen, oberdeutschen Dialect sprechen, welcher — bei einigen Schattirungen — doch einerseits mit der Mundart in den sette und tredici comuni in Oberitalien, anderseits mit der Sprechweise der Thüringer und der Sudeten-Bewohner viel Aehnlichkeit hat; wozu noch der Umstand kommt, dass diese Zipser Bergstädtler, Metzenseifer, Krikehayer etc. viele Volkslieder, nach Art der Oberdeutschen singen, und auch solche Gesänge vortragen, welche zugleich in Schlesien als alte Volkslieder gelten, während die Zipser Sachsen fast gar keine deutschen Volksgesänge haben. — Auf die nächste Abkunft aus Schlesien dürfte auch der urkundlich nachweisbare Bestand der (nun slavisirten) Colonien in dem Árvaer, Liptauer,

---

geheirathet wurde, verbunden; z. B. hat ein Hautzinger in das Haus Kraigl geheirathet, so heisst er nun Kraigl-Hautzinger.

[1]) Wüst-Sumrein (Puszta Somorga) hiess ursprünglich Gefernitz und wurde laut Angabe des Kirchenprotokolls zu St. Johann durch die Türken ganz verwüstet; später wurde der Ort durch Magyaren aus dem Marktflecken Sommerein in der Schütt wieder bevölkert, daher der Name Wüst-Sumrein. Im Jahre 1579 führte der Ort bereits diesen Namen (in einem Mauthtariff von Neusiedl).

[2]) Nach den Agahen und nach den Aufzeichnungen im Protokolle zu Neusiedl. Vom Orte Zittmannsdorf existirt noch im Gemeindearchive zu Neusiedl das Gemeindesiegel. Die Marktflecken Neusiedl, Goyss und Rust erhielten in den Jahren 1529 und 1558, dann 1609, 1623 und 1625 Privilegien bezüglich der Einfuhrverbote fremder Weine in die drei Marktflecken. Auch die Trümmer der altdeutschen Kirchen, die Thürme und Tabors, die Feldschanze vom Neusiedler See bis zur Donau, welche bereits 1642 bestand, erinnern an die vielfachen Gefahren und Feindseligkeiten, welche die dortigen Bewohner zur Zeit der Türkeneinfälle und Kuruzzenkriege zu bestehen hatten.

Trenchiner und Thuroczer Komitate, welche gleichsam den Einwanderungsweg andeuten, so wie der Umstand sprechen, dass z. B. in Silein im Waagthale das Teschner Recht galt.

§. 73.

Gründner.

Von den sechs Zipser Bergstädten erwähnen wir zuerst:

Schmölnitz (Szomolnok, Smulnuch-Banya), welche Stadt Karl Robert auf dem erzreichen Boden der Prämonstratenser Propstei zu Jaszó (1332) erbaute [1]), wofür er die Propstei mit Versprechungen und sein Sohn Ludwig der Grosse mit dem Rechte entschädigte, auf den übrigen Besitzungen der Propstei Gold-, Silber-, Kupfer-, Blei- und Eisen-Minen zu eröffnen, und die Ausbeute ohne Abgabe an die königliche Kammer zu verwenden [2]).

Das bei der Erbauung der Bergstadt sämmtlichen Gästen daselbst ertheilte Privilegium [3]): der eignen Wahl eines Richters u. s. w., wurde später noch von Karl (1338), Ludwig (1353) und Sigmund (1399) vermehrt, und das ursprünglich auf zwei Meilen im Umkreise bestimmte Gebiet ansehnlich erweitert [4]).

Einsiedel (Remete), früher der einsame Ort frommer Eremiten, schenkte Karl Robert (1338) den Gästen von Schmölnitz, und versprach die adeligen Besitzer Nicolaus, Konrad und Lorenz dafür zu entschädigen [5]).

Stellbach gab Ludwig der Grosse (1353) den Schmölnitzern [6]).

Die Gäste von Wagendrüssel und Mühlbach hatten von Ladislaus dem Kumanen die üblichen Zipser Freiheiten, bezüglich ihrer Niederlassung in dem von ihnen ausgerodeten dichten Walde erhalten. Bei der allgemeinen Prüfung der Urkunden und Besitztitel des Adels unter Karl I. war auch ihre Handveste gültig befunden und vom Könige bestätigt worden; allein Handveste und Bestätigung waren in die Hände der Herrn Stephan und Georg von Bebek gelangt, in deren Folge sie die Wagendrüssler und Mühlbacher wie Unterthanen behandelten. Darüber klagten Paul und Daniel Vichler im Namen ihrer Gemeinden bei König Ludwig I., welcher dem Palatin Nicolaus Konth auftrug, in der nächsten Versammlung des Zipser, Gömörer und Liptauer Adels, den Bebekern alle weiteren Anforderungen an die Wagendrüssler und Mühlbacher zu verbieten, da diese deutschen freien Gäste für immer in ihren Rechten zu verbleiben haben [7]).

Die Bergstadt Gölnitz [8]) genoss alter, eigenthümlicher Vorrechte, für sich und die sieben umliegenden Orte Zachar, Wolkonor, Prackon (Prackendorf), Hench-

[1]) Cod. dipl. VIII. V. p. 206—209.
[2]) A. a. O.
[3]) Cod. dipl. VIII. III. p. 577.
[4]) A. a. O. VIII. IV. p. 299, IX. II. 233, X. II. p. 632.
[5]) Wagner a. a. O. p. 203.
[6]) A. a. O.
[7]) Cod. dipl. IX. II. p. 678 etc. Wagner a. a. O. p. 209. Fessler III. p. 765 etc.
[8]) Cod. dipl. IX. IV. p. 564. Der König Ludwig der Grosse geht von dem Grundsatze aus, dass in der

mann, Eremit, Svedler und Habaguk, welche laut Bestätigung König Ludwig's vom Jahre 1379 sowohl hinsichtlich der Gewerbe und des Handels, als auch hinsichtlich der Gerichtsbarkeit ganz von Gölnitz abhängig waren.

§. 74.

Die Metzenseifer (im Abaujvárer Komitate).

An die Gründner reihen sich dem örtlichen und ethnographischen Zusammenhange nach die Deutschen in Ober- und Unter-Metzenseif. Unter Bela IV. scheinen sie noch nicht angesiedelt gewesen zu seyn; wenigstens erwähnt dieser König in der Bestätigungs-Urkunde (1255) der Güter der Prämonstratenser Propstei Jaszó des Ortes Metzenseif nicht. Die älteste urkundliche Spur ist die Erlaubniss des Propstes Paul von Jaszó für die Metzenseifer (1376) drei Hämmer zu errichten[1]). König Sigmund verordnete (1399), dass die Metzenseifer und Jaszóer eben so, wie die Gölnitzer und Schmölnitzer den Schwarzwald benützen könnten[2]).

§. 75.

Deutsche im Gömörer Komitate.

Auch die Deutschen in dem hämmerreichen, gewerkthätigen Gömörer Komitate scheinen dem oberdeutschen Sprachstamme angehört zu haben, da die Bewohner von Topschau und die übrigen deutschen Sprachreste noch auf einen mittel-hochdeutschen, der Mundart der Krikehayer verwandten Dialect hinweisen.

1. Rosenau (Rosna-Bánya) mit seinen Silbergruben hatte bereits Andreas III. dem Erzbisthume Gran verliehen[3]); Karl I. sprach es von Neuem (1320) dem vielfach um ihn verdienten Erzbischofe Thomas zu, und verlieh ihm zugleich, gegen

---

Menge und Treue des Volkes die Macht des Königs liege, und ertheilt zur Vermehrung der Gölnitzer Bevölkerung das Privilegium: „Nos Ludovicus — volentes et ex animo cupientes civitatem seu montanam nostram cupream de Gölnicz populosam efficere et multitudine habitantium decorare, ad humilem et devotam supplicationem fidelium nostrorum civium et montanorum de eadem ipsis de benignitate regia annuimus gratiose, ut nullus omnino hominum in septem villis, videlicet in Zacha.i, Wolkonovy, Praeonis, Henchmanny, Heremitae, Zuadlery et Abacuk vocatis, ad eandem civitatem nostram pertinentibus, commorantium tabernas vini, praeter cerevisiam, macellas servare, pannos vendere vel pannos incidere et venditioni exponere valeat, atque possit, nec aliqua causa in medio populorum dictarum septem villarum super quacunque materia mota vel movenda, excepto judicio unius fertonis, judicari possit praeter eos et determinari, sed omnia, quae praemisimus, in dicta civitate seu montana nostra debitae mandentur executioni, et exerceantur more solito inter ipsos. Volumus insuper et firmiter committimus, ut eadem civitas seu montana nostra Gölnicz in aliis casibus omnibus eisdem libertatibus, immunitatibus, legibus et consuetudinibus utatur et fruatur, quibus ab antiquis temporibus gavisa exstitit atque freta. In casu autem, quo populi dictarum septem villarum contumacia et rebellione ducti praemissa observare nollent cum effectu, tunc judex et jurati dictae montanae nostrae Gölnicz ad observationem praemissorum articulorum limitatorum eosdem cum ipsorum gravaminibus compellendi habeant facultatem."

[1]) Die erwähnte Urkunde befindet sich im Propstei-Archive zu Jaszó, laut gütiger Mittheilung des dortigen Herrn Propstes Alois Richter.

[2]) Cod. dipl. X. II. p. 652 etc.

[3]) Cod. dipl. VI. I. p. 100 etc.

freiwillige Uebergabe von Komorn, und zur Entschädigung für die wegen seiner Treue erlittenen Verluste, die Stadt und das Komitat Bars, mit allen Rechten, Abgaben, Orten und Burghörigen (hominibus castrensibus seu conditionariis), nebst der Stadt Bach im Honter Komitate [1]).

2. Um die waldige Gegend an der Gränze des Zipser Komitates durch deutsche Ansiedler in urbares Land zu verwandeln, verliehen die Edelleute Ladislaus, Johann und Peter Bebek, ihrem Vetter Nicolaus, genannt Kun (1326), laut eines vor dem Erlauer Capitel abgeschlossenen Vertrages den ganzen Wald, wo derselbe Topschau (Dobsina) anlegte [2]), und den Colonisten die Freiheiten der Deutschen von Karpfen einräumte (in libertate Theutonicorum de Corpona). Zugleich ward Nicolaus berechtigt, auf dem ihm abgetretenen Grunde so viele Dörfer als er wolle, zu gründen, wozu ihm seine Vettern zu jedem zwei Hufen (mansus) Land, und freies Mühl- und Braurecht bewilligten, und sich sogar verpflichteten, ihn gegen alle Angriffe auf ihre Kosten im Besitze zu schirmen.

3. Auch andere deutsche Orte in der Gömörer Gespanschaft blühten um diese Zeit [3]), als Corono-Bánya am Fusse des Szinecer Berges; Berzétche bei Rosenau, Bettler, an der Labequelle auf einem Hügel des Ochsenberges, Csetnek und Ochtina mit ihrem vortrefflichen Eisenerze von dem Hradeker Berge; Jolsva und Pelsöc, umgeben von Marmorbrüchen, deren deutsche Bewohner sich mit Bergbau auf Eisen und edle Metalle beschäftigten. Sie erhielten von Karl I. (1326) ebenfalls die Freiheiten von Karpfen. Die Richter von Csetnek und Pelsöc verhängten auch die Todesstrafe über Verbrecher ihres Gebietes.

Bis in das siebzehnte Jahrhundert erhielten diese Orte ihre Nationalität. Jolsva und Csetnek führten damals noch deutsche Protokolle. Auch Rauschenbach [4]) (Nagy Röcze,

---

1) Cod. dipl. VIII. II. p. 248 u. 251 etc. Es gibt zwar ein Dorf Bacsujfalu im Honter Komitate; da jedoch hier von einer civitas Bach die Rede ist, so dürfte wohl Báth darunter zu verstehen seyn.

2) Wagner a. a. O. p. 447. Cod. dipl. VIII. III. p. 130—134.

3) A. a. O. IX. II. p. 68, IX. V. p. 391 und X. VI. 210. Vergl. Fessler III. 769 etc. und Bartholomaeides Prov. Csetnek.

4) Nach schriftlichen Mittheilungen des Herrn Pastors Samuel Reisz in N. Röcze. — Obwohl jetzt die deutsche Sprache daselbst verklungen ist, so gibt es doch noch deutsche Familien-Namen: Hanzo, Sturmann, Schudstag, Hobhag u. dgl.; dann deutsche Feldnamen: Stängerausch, Kessel, Hembrüber, Michlowa, Hanslowa etc. Nach der Versicherung dieses eben so gelehrten, als praktischen Ethnographen gewahrt der aufmerksame Beobachter bei den nun slavisirten Deutschen der dortigen Gegend noch viele deutsche Nachklänge in der Sprechweise, so wie in physischer und psychischer Beschaffenheit. Manche deutsche Worte mengen sie in die slovakische Rede, z. B.: Czenkäs (ein Pathenschmauss), Hitzjar (Hitzer), Hus (ein eiserner Guss), Stubrdjar (Stubenräder) etc. — In der slavischen Sprache versetzen sie oft den Accent, indem sie die kurze Silbe lang aussprechen, was die Slaven von altem Herkommen unleidlich finden. Ihr Gesicht ist rund, die Backenknochen sind hervorragend, die Gesichtszüge roh, der Bau ist knochigt, die Taille breit, die Grösse mittelmässig, der Körper fleischiger als bei den Slaven. Wenn der Urslave genau zwei Schritte macht, um stehen zu bleiben, so macht der Deutsch-Slave noch eine dritte Bewegung mit dem Körper oder dem Fusse. Wenn der Urslave nur so viel sagt als höchst nöthig ist, so spricht der Deutsch-Slave nicht ohne irgend einen Beisatz, z. B. der Erstere sagt: „Wie viel Uhr ist's"— der Deutsch-Slave: „Wie viel Uhr ist's, die ihr gehört habt?" Der Urslave ist in jeder Hinsicht abgemessener, ernster, Achtung fordernder, der Deutsch-Slave will unterhalten, beschwatzt in kurzer Zeit vieles, wesswegen ihn der Erstere einen Nemec (ursprünglich der Stumme,

Rewica) hatte im Jahre 1608 ein Stadtsiegel verfertigen lassen mit der Umschrift: „S. Quirinus de Rauschenbach." Auch die deutschen Benennungen der nun slavischen Orte : Ober- und Nieder-Salza (Felső und Alsó Sajò), Henzendorf (Hesz-Rowa), Petermannsdorf (Petermanowce), Hankau (Hankowa), Hamburg (Restér), Eltsch (Jelsau, Jolsva), Slavdorf (Slabos), Theissholz (Tiszolcz), Gross- und Klein-Rauschenbach (Nagy und Kis Röcze), Rosenau (Rosnyo); der Hochwald, Langenberg und Schwarzenberg bei Topschau u. s. w bezeugen die deutsche Abstammung ihrer nun slavisirten Bewohner [1]).

§. 76.

Deutsch-Pilsner und andere Deutsche im Honter Komitate.

Ausser den Sachsen in Schemnitz und den Bürgern von Pukantz (Baka-Bánya) [2]), welche eigene Bergstadtrechte besassen, gab es in dieser Gespanschaft auch Deutsche von oberdeutscher Abstammung, welche laut Zeugniss ihres Dialectes und einer alten Tradition mit den Krikehayern verwandt seien und unter Bela IV. theils aus der Gegend von Kremnitz und Schemnitz, theils später von Topschau und andern Orten des Gömörer Komitates einwanderten.

Zwar ist keine Urkunde über die Einwanderung der Deutschen nach Deutsch-Pilsen (Börsony) bekannt; aber das Pfarrbuch enthält die Aufzeichnung obiger Tradition, welche durch den aus dem dreizehnten Jahrhunderte stammenden Baustyl der Pfarr-Kirche, durch die Sculptur des Hammers und Schlägels über dem Eingange der Kirche, und durch alte Bergwerksstollen in der Umgegend bestätigt wird [3]).

Auch in Frauenmarkt (Báth), wo jetzt Ungern wohnen, und in den slavischen Orten Szébekléb, Németi, Steinbach etc. waren einst Deutsche dieses Stammes; und Neustadt (Gross-Maros), gegenüber der königlichen Residenz Visegrad war ebenfalls bereits im vierzehnten Jahrhunderte von Deutschen bewohnt, welchen Karl I. (1324) die gewöhnlichen Rechte königlicher deutscher Freistädte verlieh [4]). Denselben war der Fischfang von Veröcze und Waizen bis zur Eipel frei gestattet;

---

sonderbarer Weise im Gegensatze der Urbedeutung) nennt. — Der Deutsch-Slave krümmt die Knie gegeneinander im Gehen, der Urslave geht gerader, beinahe steifer. Die Aussprache des Ersteren ist hart, schreiend eindringlich, des Letzteren ruhig, biegsam, freundlich und mild. Dieser spricht grammaticalisch richtiger, jener beobachtet auch die Feinheiten der Sprache. Beide geben sich mit Bergbau, Eisenproduction, Kohlenbrennerei, Feldarbeiten ab, aber an obigen angegebenen Merkmalen kann man ihre Abkunft leicht unterscheiden.

1) A. a. O. — Die deutschen Namen sind in der ethnographischen Karte eingetragen. Selbst der Name Gömör — slavisirt statt Hammor oder Hammer, soll nach Bartholomaeides Meinung deutschen Ursprunges seyn und auf deutsche Bevölkerung hinweisen, welche in uralten Zeiten hier Bergbau trieben und Hammerwerke unterhielten.

2) Cod. dipl. VIII. VII. 259.

3) In Deutsch-Pilsen befindet sich auch eine St. Stephan's-Kapelle aus den Tagen des h. Königes Stephan. Die Abbildung davon und die Erläuterung von J. V. Haeufler hierüber, sammt einem Kostüme-Bilde der Deutsch-Pilsnerinnen siehe in: Magyar hajdan és jelen (Ungern's Vergangenheit und Gegenwart III. Heft).

4) Cod. dipl. VIII. II. p. 515—518. Dieses Privilegium bestätigten: Ludwig I. (1345), Sigmund (1388 und 1436), Mathias I. (1464), Wladislaus (1492), Ferdinand (1528) und selbst noch Leopold (1688).

nur vom Hausen mussten sie ein Viertheil für den König abliefern. Die Handelsleute konnten zoll- und mauthfrei durch ganz Ungern reisen, und die Pilser Wälder standen den Bürgern von Maros zur eigenen Nutzung zu Gebote.

§. 77.

Die Krikehayer (sammt Deutsch-Bronnern, Stubnern etc.) in den Komitaten Bars, Neutra und Thurocz.

Die sogenannten Krikehayer wohnen in den gedachten Komitaten in drei Gruppen und einigen kleineren deutschen Inseln mitten unter Slovaken; die Hauptgruppe liegt um Kremnitz in den oberen Theilen des Barser und Neutraer Komitates, und besteht aus dem Marktflecken Krikehay [1]) (Handlowa) und aus den Dörfern: Hones-Hay (Johannesdorf), Koneshay (Kunosó), Neu-Hay (Uj-Lehota), Drexel-Hay (Janó-Lehota), Tresel-Hay (Theresiendorf), Perk (Berg), Bleifuss und Schwabendorf.

Die zweite Gruppe ist im nördlichsten Theile des Neutraer Komitates, umfassend den Marktflecken Deutsch-Bronn [2]) (Nemecke-Prowna, Német-Próna) und die Dörfer: Gaydell, Maizell, Schmidshaiss (Tuzsina), Klein-Bronn (Kis-Próna), Zach (Czach) und Solk (Szólka).

Die dritte kleinste Gruppe, wo nur mehr wenig Spuren des einstigen Deutschthums erübrigen, besteht aus den Dörfern: Alt- und Neu-Stuben (A. und T. Stubnya), Glaser-Hay (Skleno), Ober- und Unter-Turschek (F. und A. Turcsek), Bös-Hay (Poschaj), Hay, endlich aus der deutschen Sprachinsel: Vriczkó (Münchwiesen) [3]).

Wann die Krikehayer zuerst eingewandert sind, ist unbekannt. — Die wenigen Schriftsteller, welche dürftige Notizen von ihnen geben, halten sie für Reste der Gepiden oder Gothen [4]). — Die ältesten jetzt verlorenen Urkunden über dieselben erwähnten Deutsch-Bronn in den Tagen Ladislaus IV., Andreas III. und Karl I. [5]). — Die nicht so leicht verlöschbare natürliche Urkunde über die Zeit und Gegend ihrer Abkunft, die mittelhochdeutsche Mundart sämmtlicher Krikehayer

---

[1]) Der Name Krikehay scheint aus dem altdeutschen Worte: Krik (englisch kreek, französisch crique) d. i. Krümmung, Bucht, Bergkessel, und hay (slavisch haj, gleich Hain oder Wald), d. i. Hag (französisch la haye, altdeutsch hagin), Gehäge oder umzäuntes Dorf, zusammengesetzt, und dürfte so viel als Kesselsdorf bedeuten, wofür die durch eine Klause geschützte Lage im Bergkessel übereinstimmt.

[2]) Der Name Deutsch-Bronn (im Gegensatze von Tót-Próna in der Thurocz) kommt von den dort befindlichen Sauer-Brunnen, und scheint nur wegen der oberdeutschen harten Aussprache des B gleich P in Prón übergegangen zu sein, wie der Ort gewöhnlich auch geschrieben wird. Etymologisch richtiger aber dürfte die Schreibart Bronn sein.

[3]) Zu Bel's Zeit waren auch: Jaszenova, Hadwiga und Briestyca noch deutsch.

[4]) M. Bel Not. II. p. 306: Gepidarum reliquas dicunt aliqui; quod non disputo. Alii ad Gothos originem eorum . . . referant. Korabinsky hält die Mundart für unverständlich (Lexicon S. 341). — Auch Fényes E. in Magyarország leirása (Pest 1847) 170 l. sagt: maradékai azon gothoknak, szászoknak, thuringaiaknak.

[5]) Ladislaus Cumanus schenkte diesen Ort dem Grafen Heck, und Andreas III. erneuerte 1293 seinen Söhnen die Privilegien (Korabinsky Geog. Hist. Lexicon S. 577). Die Urkunden gingen bei dem Brande des Archives in Deutsch-Bronn zu Grunde (Hesperus Jahrgang 1817, II. Bd. S. 361 etc. Sprachproben siehe in Windisch Magazin IV. Bd. S. 484—487.

weiset auf das zwölfte bis vierzehnte Jahrhundert und zwar auf Thüringen, so wie auf die Sudetenländer hin, von wo wahrscheinlich bei der grossen deutschen Wanderung der Ansiedler von Westen gegen Osten, auch die Karpathenthäler bereits unter den ersten arpadischen Königen durch bergbaukundige deutsche Colonisten besetzt, und durch nachrückende derlei Schaaren unter Bela IV., Carl I. und Ludwig dem Grossen um des Bergbaues und der Bodenkultur willen, verstärkt wurden. Wenn sie auch nicht mehr Reste der Quaden und Gothen, vorgefunden haben; so deuten doch jedenfalls manche altdeutsche Berg-, Bach- und mittelhochdeutsche Personen-Namen, z. B. Donnig-Stain, Hobh-Berg, Harberg, Sachsenstain, Krois- (Krebs-) Bahh (Bach), Honesh (Hanns), Tinal (Martin), Ditrech (Dietrich), nebst den erwähnten Ortsnamen und der Mundart selbst, auf lange Anwesenheit der dortigen Deutschen[1]).

Auch die Deutschen in St. Martin (Sz. Márton) in der Thurocz, welche im Jahre 1340 von Karl I. mit den Freiheiten der Bergstadt Karpfen begabt[2]), von Ludwig I. von der Gewalt des Castrum's Sklabina befreit wurden, und 1434 von Sigmund die Erneuerung ihrer Privilegien erhielten; dann die Deutschen von Poruba im Neutraer Komitate, welche im Jahre 1339 bei der Burg Bajmócz angesiedelt[3]), dann jene von Prividgye, welche von der Königinn Maria privilegirt wurden[4]), dürften ursprünglich der Gruppe der Krikehayer angehört haben: obgleich diese vom deutschen Kerne derselben entfernteren Colonien in der Folge mit Slaven vermischt, und endlich sogar gänzlich slavisirt wurden.

Die Scultetei Poruba wurde von Nicolaus und Johann, Söhnen des Banus Gelath, Grafen von Bajmócz und Prividgye, auf dem bei dieser Burg gelichteten Waldgrunde (1339) am Flüsschen Silnice und bezüglich durch den Vogt Conclinus, der diesen Bezirk vom obigen Grafen zur Bevölkerung dieser Gegend erhalten hatte (ad populos congregandos), angelegt. Die dort bereits anwesenden oder zukommenden Colonisten geniessen sechzehn abgabenfreie Jahre, nach dieser Frist werden sie den übrigen Deutschen gleichgehalten[5]). Der Vogt (advocatus) soll ihr Richter sein, soll eine Curie und das Recht auf eine Mühle und auf ein Schuster-, Fleischer-, Schneider- und Wirths-Gewerbe besitzen (Item advocatus debet habere liberam curiam, unum molendinum, unum sutorem, unum carnificem, unum satorem, unum tabernatorem).

---

[1]) Dass jedoch die Krikehayer in der Nähe von Kremnitz erst seit dem vierzehnten Jahrhundert angesiedelt wurden, siehe §. 83 Note 2.

[2]) Cod. dipl. VIII. IV. 439, IX. III. 435, X. VII. 566 etc.

[3]) A. a. O. VIII. VII. 319 etc.

[4]) A. a. O. X. I. 60 etc.

[5]) Cod. dipl. VIII. VII. 319—322: Notum sit .... quod nos Magister Nicolaus et Joannes, filii Gelathi quondam Bani filiis recordationis comites Baymocz et de Prividia, discretam atque idoneam personam advocati nostri Conclini, ostensoris praesentium intuentes damus et contulimus ex potestate metuendi domini Caroli . . . praefato advocato Conclino, suisque haeredibus seu successoribus universis, tempore perpetuo et in aevium quamdam silvam hominibus non habitatam, ad castrum Baymocz pertinentem, circa fluvium Szielnice ad congregandos populos, amicabiliter duximus committendam .... quicumque in ipsam silvam nostram, causa comorandi advenerit seu congregati fuerint a dato praesentium usque ad annos XVI . . . sine aliquo censu seu debito, liberi et securi, et cohabiteot. His itaque annis supra dictis expiratis, eadem; qua ceteri Teutonici gaudent et permanent, perfruantur libertate etc.

Privigye wurde durch die Königinn Maria (1382) mit ansehnlichen Freiheiten beschenkt. Um die dortige Bevölkerung an Zahl zu mehren und in Treue zu bestärken, befreite dieselbe die Bürger und Gäste dieses Ortes von der Gerichtsbarkeit des Palatins, des Judex Curiae, des Komitatsgrafen und jedes anderen Magnaten, Edelmannes und Kastellans, namentlich von jener des Burgvogtes von Bajmócz, und gestattete ihnen freie Wahl des Richters und Pfarrers. Der Königzins wurde zwar von 200 auf 400 Goldgulden erhöht, dafür wurde aber das gedachte Ortsgebiet mit den königlichen Dörfern Muchsehitz, Mihalenhufaja und Rheterfalva vergrössert. In Privigye durften Handwerker aller Art sich niederlassen; dagegen war es anderen Orten im Umkreise einer Meile verboten, Handwerkern den Aufenthalt zu gestatten (wovon nur die zwei Orte Bajmócz und Novak ausgenommen waren). Auch darf in diesem Umkreise von einer andern Gemeinde kein Markt abgehalten, keine Mühle angelegt, und kein Fischfang ausgeübt werden. Auch sollen die gedachten Bürger und Gäste alle Vorrechte der Ofner geniessen. In streitigen Rechtsfällen hat das Stadtrecht von Karpfen als Norm zu dienen [1]).

§. 78.

Deutsche im Liptauer und Arvaer Komitate.

Auch in den hohen Alpen dieses Komitates, unweit des Ursprunges der Waag lebten Deutsche. Bela verlieh den Gästen von Deutsch-Lipcse (1270) (hospitibus nostris de Liptow in villam Lipche congregatis et congregari volentibus) einen förmlichen Freiheitsbrief, welcher das Recht freier Richterwahl, Befreiung von aller Bewirthung der Liptauer Grafen und jedes Andern, Zollfreiheit und Dreissigstfreiheit von eigenen Waaren durch's ganze Land. die Befugniss Gold- und Silber-Bergwerke gegen die gewöhnlichen Leistungen anzulegen, das Recht eines freien Wochenmarktes und Zehentfreiheit für ihren Pfarrer, so wie selbe die Karpfner und Schemnitzer geniessen, endlich auch die Abmarkung des eigenen städtischen Gebietes enthält, die Leistung der Bürger aber auf ein gewisses Gewicht Gold von jedem Hause jährlich festsetzt [2]), und zwar am Tage des Martinsfestes als Grundzins (in festo St. Martini de mansione qualibet unum pondus auri ratione terragii nobis dare et solvere teneantur).

Das Recht dieser Stadt galt fort (1339) auch als Muster für das benachbarte Rosenberg. Karl I. beschenkte damit die Bürger und Gäste, auf Bitte ihres Richters Han, und der Bürger Peter von Scepusi und Kunchel; Sigmund schützte sie darin auf Verwendung des Graner Erzbischofes, namentlich verbot er Jedermann Zoll oder Tribut von ihnen zu fordern [3]).

---

[1]) Cod. dipl. X. I. 60—65.

[2]) Cod. dipl. IV. III. 9. und 124.

[3]) A. VIII. IV. 376: quod Hanus villicus, Petrus dictus de Scepusi, Kunchul ciues de Rosenberg pro se et pro universis ciuibus et hospitibus .... petierunt .... quatenus eisdem libertates populorum seu hospitum nostrorum de Lipche .... concedere dignaremur. Igitur nos .... considerantes ex ipsis libertatibus numerositatem populorum dictae possessionis nostrae de Rosenberg augmentatam, et eandem habitatoribus dilatari, intuita fidelitatum eorum, voto et supplicationi satisfacere et respondere parati etc. — Vergl. auch Cod. dipl. X. V. p. 765 etc.

Dass auch im Liptauer Komitate noch mehrere Deutsche waren, diess bezeugen die Ortsnamen: St. Peter. Joachimsthal (Bocza media); Jacobsdorf, Német-Poruba, Benedikowa (einst Dietrichsdorf); der Hohhwald etc., dann auch der Ort Hibbe oder Gibbe (civitas seu libera villa Gibe) dessen Gebiets-Gränzen in einer Urkunde Bela's (1265) abgemarkt. und dessen Bewohnern die deutschen Municipalfreiheiten verliehen, von Stephan V. und von Andreas III. aber bestätiget wurden [1]).

Auch weiter abwärts im romantischen Thale der Waag ist eine ansehnliche deutsche Colonie im vierzehnten Jahrhunderte urkundlich bekannt. Ludwig der Grosse ertheilte (1357) der Stadt Silein (Silina) ein Jahrmarktsprivilegium nach Analogie des den Ofnern ertheilten diessfälligen Rechtes und befreite die Stadt von jeder fremden Gerichtsbarkeit der Reichsbarone oder Magnaten [2]). Uebrigens galt in Silein das Teschner Recht. Im Jahre 1379 vertauschten die Sileiner jedoch nach der Anordnung dieses Königs, welchem der Rechtszug in's Ausland nicht genehm war, ihr altes Teschner Recht mit dem sächsischen Rechte von Karpfen [3]). Im Jahre 1382 wurde ihnen zwar der Gebrauch des früheren Rechtes gestattet; aber schon zwei Jahre darauf hob die Königinn Maria diese Verfügung wieder auf und die Sileiner mussten sich abermals nach dem Karpfner Rechte richten [4]).

Selbst in dem unwirthbaren Arvaer Komitate gab es gemischte (wahrscheinlich ursprünglich oberdeutsche) Ansiedlungen. — König Ludwig legte nemlich auf einem Waldgrunde der Burg Arva im J. 1369 die Orte Kolbin (Kubin) und Mese an, um daselbst freie Leute jeden Standes oder Jobbagyen (populos seu Jobbagiones quicumque iberae conditionis homines) zu versammeln, und gestattete ihnen in Rücksicht des unfruchtbaren Bodens 24 steuerfreie Jahre unter königl. Burgschutze [5]).

Auch zu Leszina im Arvaer Komitate wohnten Gäste (hospites), deren Rechte zu achten und zu schützen König Sigismund den Kastellanen von Arva befiehlt [6]).

---

[1]) Cod. dipl. IV. III. 312. In Gibbe (Geib) erwähnt Bel (Note II. p. 558) noch deutsche Flurnamen: Lerberg, Riegel, Mühewies, Vorwerk.

[2]) A. a. O. XI. 514.

[3]) Das Teschner Recht scheint auf Abstammung der Sileiner aus Schlesien zu deuten. — Die bezügliche Stelle im Cod. dipl. IX. VII. 619 über obige Rechtsverwechslung lautet: „Quoniam dominus noster serenissimus Ludovicus dei gratia etc. nos de juribus Tessiniensibus huiusque in nostra civitate habitis per edictum suae majestatis prohibuit, volens nos in regno suo, ubi legum perfectissimarum copia fore dignoscitur, leges suscipere et earundem perfrui nunc et semper, praeterea liberum nobis arbitrium eligendi administratores legum quarumcumque civitatum in regno contentarum dictus dominus noster rex pro suae majestatis gratia nobis tribuit atque dedit, ideo cum nos advocatus, consules et scabini et tota universitas civium et hospitum in Zelina leges distinctorum virorum judicis et juratorum et civitatis Karpona justas, perfectas atque deificas esse recognovimus, ad easdem nos et nostram civitatem et habitatores ejus una cum nostris posteritatibus in requisitione juris et justitiae confoederationem constringimus, ut in causis ambiguis dictos cives et eorum leges nunc et in perpetuum requirere debeamus testimonio praesentium mediante."

[4]) Cod. dipl. XI. 530: volumus vos in vestris juribus et libertatibus pristinis illaesos conservare, — constituimus igitur vestri ad medium magnificum virum, comitem Templinum, tavernicorum nostrorum magistrum, ut una vobiscum omnes causas inter vos et in dicta civitate habitas more ipsius civitatis libertatum dejudicet, finiat et decidat, non obstantibus aliis literis nostris praevie ex mala informatione contra libertates ipsius civitatis exaratis, quas praesentibus revocamus.

[5]) Cod. dipl. IX. IV. pag. 171.

[6]) A. a. O. X. I. pag. 430.

§. 79.

Die Habaner oder mährischen Brüder (Wiedertäufer[1]) in Ungern und Siebenbürgen.

Mährische Brüder waren bereits seit dem Jahre 1548 nach Ungern gekommen; doch grössere Schaaren derselben wanderten im Jahre 1622 nach Ungern und Siebenbürgen, als sie ihres Glaubensbekenntnisses halber Mähren verlassen mussten. Nachdem sie längere Zeit, wie ein Spielball (Haban) vom Schicksale herumgeschleudert worden, liessen sie sich in Gross-Schützen (Levard), St. Johann und Szobotist nieder, bauten dort nach ihrer Weise Häuser mit besonders künstlichen Dachstühlen (den sogenannten Habaner-Böden), und lebten mit ihren eigenthümlichen religiösen Sitten und Gebräuchen bis an's Ende dieser Periode[2]).

Vereinzelt waren diese mährischen Brüder[3]) noch überdiess in mehreren Orten Ungern's anzutreffen.

In Siebenbürgen nahm sie (1622) Fürst Bethlen Gabriel wegen ihrer industriellen Geschicklichkeit zu Alvincz und Boberek unter der Bedingung auf, dass sie vom Wein und Feldfrüchten den Zehent entrichten, dass sie ihre Manufacturen ihm und seinen Nachfolgern um halben Preis verkaufen, und eben so um halben Preis für dieselben Arbeiten sollen[4]). Georg Rakóczi und Barchai, Fürsten von Siebenbürgen, ertheilten ihnen die Bestätigung über die von Bethlen eingeräumten Besitzungen und Befugnisse[5]).

---

[1]) Dieselben bildeten sich in Folge der hussitischen Streitigkeiten und Partbeiungen, im fünfzehnten Jahrhunderte als eigene Religions-Sekte, welche anfangs unter dem Namen der Brüder, bald unter jenem der böhmischen oder mährischen Brüder, auch unter jenem der Wiedertäufer (Anabaptisten) vorkommt, und bis 1622 zu Fulnek in Mähren ihren Hauptsitz hatte. — In Ungern nannte man sie auch Habaner, weil sie wie ein Spielball (den sie Haban nannten) vom Schicksale umhergeschleudert wurden.

[2]) Unter Maria Theresia wurden die Habaner zur katholischen Religion zurückgeführt, womit sich allmählig ihre Eigenheiten verloren. Hesperus Jahrgang 1810. S. 202—220.

[3]) Wir erwähnen darunter den berühmten Johann Amos Comenius, welcher zu Comna in Mähren geboren, 1614 Rector der Schule zu Prerau, 1616 Rector in dem Hauptsitze der mährischen Brüder zu Fulnek wurde, 1623 nach Lissa in Polen ging, 1641 nach London, bald auch nach Schweden und Preussen und 1650 von dem Siebenbürger Fürsten Sigmund Rákoczy nach Saros-Patak berufen wurde, wo er die Einrichtung des reformirten Muster-Collegiums übernahm. Von seinen Werken erwähnen wir, als hierher bezüglich: Ecclesiae slavonicae historiola, Amsterdam 1660; von Buddeus 1702 zu Halle unter dem Titel: Historia fratrum Bohemorum, und 1648 zu Lyon unter jenem: Historia persecutionum ecclesiae Bohemiae, deutsch von Elsner (Berlin 1766) edirt.

[4]) Archiv der ehemaligen siebenbürgischen Hofkanzlei: Nos (Bethlen) Fratres (Moravicos) sedibus suis ob bellorum crudelitatem Moravia excitos atque hinc inde dispersos intelleximus tamquam dictarum artium mechanicarum et manuarionum apprime peritos, artifices seu Magistros, ubique in Hungariae Regno conquiri et recolligi facientes una cum familiis nostris in nostram hanc patriam Transilvaniam introduximus . . . . I°, ut ex omni eorum allodiaturarum ac bladorum et terra nascentium proventu, simul etiam e vino in vineis eorum proveniendo Decimam solam . . . quot annis dare et pendere, II°, ut res quaslibet . . . quae artificio eorum parantur nobis et successoribus nostris medio pretio vendere, III°, dum Nos — vel successores nostri laboribus eorum secundum artem ipsorum consuetam in quibuscunque operibus manuariis uti voluimus vel voluerint — omnia pro medio pretio . . . exhibere . . . teneantur etc.

[5]) A. a. O. Nos Achatius Barchai (Barcsai) . . . literas quasdam . . . binas . . . Georgij Rakoci senioris Principis etc. ... primas quidem de et super Fratrum Moravorum Domo sive Curia pertinentiisque suis in praescripto Oppido Alvincz habita . . . confirmationales, alteras vero

b) **Niederdeutsche** (Sachsen, Saxones).

§. 80.

Allgemeine Bemerkung über die Bedeutung des Wortes Sachsen.

Wenn man sich einerseits den schwach bevölkerten, von Wäldern und Erzen erfüllten Boden der ungrisch-siebenbürgischen Karpathen, die Einfälle der Kumanen und Mongolen, anderseits die Ueberschwemmungen der Nordsee, den Einbruch der Zuyder-See, die starke Bevölkerung und Wanderlust der Niederdeutschen im zwölften und dreizehnten Jahrhunderte vergegenwärtigt: wird man leicht begreifen, warum die ungrischen Könige, namentlich Geisa II. (1141—1161), und Bela IV. Flandrer, Sachsen (Sassen, Niedersachsen), Rheinländer und Deutsche überhaupt nach Oberungern und Siebenbürgen beriefen, welche theils durch Ausrodung der Wälder, Eröffnung von Bergschachten, durch Gewerbthätigkeit und Handel, theils durch Beschützung der Gränzstrecken und Treue gegen die Krone als nützliche Unterthanen sich bewährten. Diese Eigenschaften und Verdienste machten die Colonisten allerdings geeignet, dass ihre Nationalität durch Privilegien, welche ihre Rechtsgewohnheiten und Sprache erhielten, beschützt wurden.

Ueber die **Heimath der Sachsen** in Siebenbürgen und Ungern war man bisher nicht im Klaren. Die historische Geographie und deutsche Dialectenkunde dürften jedoch vereinigt, mit ziemlicher Wahrscheinlichkeit auf die ursprünglichen heimathlichen Sitze der verschiedenen Sachsen-Abtheilungen hindeuten.

Um die niederdeutsche Abkunft und die weitere Bedeutung des Namens **Sachsen** (Saxones) zu verstehen, muss man sich nicht nur den bedeutenden Umfang des Herzogthums Sachsen im zwölften Jahrhundert[1]) vergegenwärtigen, welcher von der Spree bis gegen den Rhein und vom Harz bis an die Ostsee reichte, also den grössten Theil der deutschen Westhälfte des heutigen preussischen Staates, dann des Königreichs Hannover umfasste, sondern auch erwägen, dass andere Gebiete von Sachsen bewohnt und benannt wurden, so z. B. erscheint in der Nähe des Rheinstromes nach einer Urkunde des Kölner Erzbischofs Heriman (1041) ein **Sachsengau**, welcher unter den Hohenstaufen Westphalen begränzte[2]). Der **pagus flandrensis** hatte theils im vierten und fünften Jahrhundert, theils zu Zeiten Karl des Grossen viele sächsische Bewohner erhalten, daher wohl auch die dortige Küste **litus saxonicum** genannt wurde; die Chronik von St. Denis macht alle Flammländer und Brabanter wegen Gleichheit der Sprache zu Sachsen[3]). Aus diesen Andeutungen dürfte sich erklären, warum die **Flandrer**, wel-

---

consensuales super emptione cuiusdam particulae terrae in Territorio oppidi nostri **Boberek** existentes . . . confirmavimus etc.

[1]) Vergl. G. D. Teutsch über den Namen der Siebenbürger Sachsen im Archiv für den Verein der siebenbürgischen Landeskunde. I. Bd. II. Hft. S. 113—117. mit den **Karten** von Spruner's historisch-geographischem Handatlas Nr. 15 und 16; siehe auch §. 65.

[2]) A. a. O. S. 116 nach **Lacomblet** Urkundenbuch für die Geschichte des Niederrheines 1, 110.

[3]) A. a. O. S. 114 nach Warnkönig's flandr. Staats- und Rechtsgeschichte I. Th. S. 86, 90, etc. Die Gebiets-Eintheilung Flandern's in das **Land** von Brügge, von Wans und Alosd erinnert an die volksthümliche Benennung des siebenbürgischen Alt-, Wald-, Wein- und Burzenlandes, so wie die Mark **Winz** zwischen Lahn und Lippe an den gleichnamigen Ort in Siebenbürgen (Al- und Fel-Vincz.).

che die Hermannstädter Provinz beurbarten, in der Folge gewöhnlich Sachsen genannt wurden; warum zwischen der siebenbürgisch-sächsischen Mundart und der Köln-Elberfelder oberhalb des deutschen Siebengebirges eine auffallende Aehnlichkeit herrscht; warum in der Zips und den Bergstädten noch die Sage von Einwanderungen aus der Gegend Westphalen's und des Harzes sich erhalten haben; warum den mitgebrachten Privilegien und Stadtrechten, der Sachsenspiegel und namentlich das Magdeburger Recht zu Grunde liege.

Der Ausdruck Teutones scheint theils ganz allgemein Deutsche zu bezeichnen, und in diesem Sinne heissen auch die Hermannstädter: flandrenses hospites — Teutones, theils scheint man im Gegensatze zu Saxones (Norddeutsche), die Süd-Deutschen unter Teutones zu bezeichnen. So nannte man Pest eine deutsche Stadt (villa Teutonica) und seine Bewohner Deutsche, Ofen aber hatte sächsische Colonisten, welche nach dem Magdeburger Stadtrechte lebten [1]. Valkow (Vukovár) war von deutschen und sächsischen, nebst ungrischen und slavischen Gästen urkundlich bewohnt [2]. — So kann man füglich die Unterscheidung von Hoch- und Nieder-Deutschen (Teutones et Saxones) schon im Mittelalter erkennen und der ethnographischen Darstellung zu Grunde legen.

§. 81.

Die Sachsen in den ungrischen Bergstädten (zu Karpfen, Sohl etc.).

Wann die Bergstädte ihre ersten deutschen Colonisten erhielten, ist nicht bekannt, vermuthlich aber schon unter Geysa II., und zwar aus Sachsen, obwol auch andere Deutsche sich ihnen zugesellt haben mussten, da die bezüglichen Urkunden des dreizehnten Jahrhunderts öfters Saxones und Teutonici [3]) setzen. Doch mögen die bergbaukundigen Sachsen die überwiegende Zahl gebildet haben, weil in der Folge ihr Name von allen dortigen Deutschen gebraucht wurde.

Die Privilegien der Sachsen in den Bergstädten waren durch die Mongolenfluth vielfach zu Grunde gegangen; Bela IV. stellte ihnen (1244) neue, als Bestätigung ihrer alten Rechte, aus, wovon folgende bekannt sind:

1. Die sächsischen Hospites von Karpfen (urkundlich Kurpona, ungrisch: Karpona, slovakisch: Krupina), hatten das gewöhnliche Recht, sich ihren Pfarrer und Richter, den letzten jährlich mit königlicher Bestätigung zu wählen. Wichtige Streitigkeiten sollen durch den Eid von zwölf der angeseheneren Bürger, nie aber durch Zweikampf entschieden werden. In besonders schwierigen Rechtsfällen bleibt die Appellation an den König. Das Zeugniss von Ungern allein gegen die hospites hat keine Rechtskraft, sondern erst in Verbindung mit dem Zeugnisse von Sachsen oder andern Deutschen. — Um die Colonie zu heben (ut melius congregentur),

---

Analog sind das flandrische Borgberg und siebenbürgische Burgberg, Roden und Rodna, Alosd mit Alid (bei Schässburg) und Alzen (bei Leschkirch).

[1]) Vergl. Cod. dipl. IX. VII. p. 657 mit dem Ofner Stadtrecht. Pressburg 1845 im 4° und Rdger c. 15.

[2]) Cod. dipl. III. II. pag. 237. Hospitibus juxta castrum Valkow commorantibus, scilicet Teutonicis, Saxonibus, Hungaris et Sclavis. Sieh die gemischten Colonien §. 106.

[3]) Dass unter den Teutonicis die Schmölnitzer, Gölnitzer, Metzenseifer, Krikehayer und andere Colonisten von mittelhochdeutscher Abstammung begriffen seien, ist §. 77 erörtert worden.

erhalten die Hospites ein vom Komitate unabhängiges Gebiet[1]). Das Recht für Karpfen wurde Muster für die Freiheiten vieler anderer Orte[2]).

2. Die Hospites von Zolon (Zolyom, Altsohl), hatten ganz analoge Freiheiten, welche ihnen Bela IV. (1254) abermals bestätigte, da die ihnen (1244) ertheilte Bestätigungsurkunde schadhaft geworden, und verlieh ihnen einen benachbarten Bezirk des Ortes Halasz, wo früher die königlichen Fischer wohnten[3]).

3. Die Hospites von Neusohl (nova villa de Bistricia, Beszterce-Banya) erhielten (1255), ausser den gewöhnlichen Freiheiten der Sachsen, das Recht im ganzen Sohler Komitate auf Gold. Silber und Metalle zu bauen; dafür entrichten sie vom Gold den Zehent, vom Silber und Metallen ein Achtel. Bei Feldzügen, welchen der König selbst beiwohnt, haben sie unter der königlichen Fahne zu dienen. — Der gerichtliche Zweikampf wurde gestattet, doch nur nach Sachsen-Sitte mit rundem Schilde und Schwertern. — Auch erhielten die Colonisten ein ansehnliches vom Komitate unabhängiges Weichbild von Acker-, Wiesen- und Waldland[4]). Die Neusohler hielten bis in's siebzehnte Jahrhundert ihre sächsische Nationalität durch strenge Zunftgesetze aufrecht[5]).

4. Die hospites von Dobronya (Dobronica) und Babaszék (Babina) hatten mit den Sachsen der übrigen Bergstädte, namentlich mit Karpfen, völlig analoge Freiheiten, die ebenfalls von Bela IV. (1254) bestättigt wurden[6]). Auch im vierzehnten Jahrhunderte galt das Recht von Karpfen als Vorbild für andere[7]).

Die gedachten Gäste von Babaszék, Dobronya und jene von Német-Pelsöc erhielten auf Fürsprache des Pfarrers Georg von Babaszék, Nicolaus von Dobronya und Tilmann von Német-Pelsöc zugleich von Ludwig I. die Bestätigung ihrer, von Bela IV.

---

[1]) Cod. dipl. IV. I. 329—331. Item quod testimonium Hungarorum tantum contra ipsos (hospites de Karpona) non admittatur; sed mox totum cum Saxonibus vel Teutonicis vigorem obtineat. Dass die Hospites von Karpfen Sachsen waren, erhellet aus Cod. dipl. a. a. O. p. 137: „Saxones de Corpona."

[2]) Bis zum Jahre 1610 war die Mehrzahl der Bewohner Karpfen's (170 Familien) deutsch, der Stadtmagistrat bestand aus lauter Deutschen. Aber 1611 wurde (in Folge L. A. 13 v. 1608 und 44 v. 1609) der erste Magyar Palászthy, und 1612 der erste Slovak Piatek Stadtrichter. Jetzt ist Karpfen ganz slavisirt; doch findet man noch manche Local-Benennungen, z. B. die Weingebirge: Fileberg, Niklberg, Barnfloss (Warmfluss); die Gasse Kaltypoch (kalter Bach), welche an die einstige deutsche Bewohnerschaft erinnern. (Csaplovics England und Ungern S. 122.)

[3]) A. a. O. IV. I. p. 332. — IV. II. p. 213.

[4]) A. a. O. IV. II. p. 296—299.

[5]) Selbst nach dem 13. Art. v. 1608 wollten die Neusohler nur Sachsen das Bürgerrecht ertheilen, bis sie durch L. A. 40 v. 1613 für ihre Widerspänstigkeit mit 2000 fl. gestraft wurden und auch Slovaken zulassen mussten. — An die einstige weitere Verbreitung der Deutschen in jener Gegend erinnern die Namen: Sachsenstain, Kostführersdorf, Ulmannsdorf, Schalksdorf, Schaiba, Seilersdorf, Mayerdorf, Deutschendorf (Nemce), Nemecka, Mezybrod, Hiadel, Rudolphsdorf; die Bergnamen: Herrengrund, Altgebirg, Sandberg und Halljahr, Richtergrund etc. bei Bel Not. II. S. 458—460.

[6]) A. a. O. p. 228—230.

[7]) Karl Robert befreite 1340 Deutsch-Lipcse (im Liptauer Komitate) von der Verwaltung des Komitates und verlieh der neuen k. Freistadt die Rechte von Karpfen, nachdem er den Rosenbergern die Rechte von Lipsce gewährt hatte. Ludwig der Grosse betheilte (1358) die Colonisten von Loppena mit denselben Freiheiten, und die Königinn Maria befreite die Bewohner Silein's (1384) von dem Rechtszuge nach Teschen, und wies dieselben an Karpfen, wohin auch die Bürger von Prividgye im höheren Rechtszug bei streitigen Fällen gewiesen waren.

ertheilten und von Stephan V. und Ladislaus IV. bekräftigten Freiheiten. Er setzte den in ihren Privilegien nicht bestimmten Königszins auf 50 Ofner Mark fest, wovon 25 zu Pfingsten und 25 zu Weihnachten jährlich zu entrichten seien[1]). Auch ertheilte der König, auf gemeinsames Ansuchen der drei Richter der gedachten Orte: Nicolaus, genannt Kun, Peter Stumar und Andreas Konrad (1380) die Bestätigung, und Sigmund verminderte auf Einschreiten des Pfarrers Laurenz von Dobronya, dann der Richter dieser freien Orte, nämlich: Peter Koszker, Andreas Gertler und Nicolaus Grinius den erwähnten Königszins um 20 Mark.

5. Die Bürger und Gäste von Brezno-Bánya (Brizna) an der Gran wurden (1380) von Ludwig I. mit den Freiheiten von Zeben (Sybnicia) beschenkt[2]), welche Gunst derselbe König im folgenden Jahre auf Bitten ihres Pfarrers Peter und ihres Richters Andreas bestätigte.

§. 82.

Sachsen in den ungrischen Bergstädten. (Fortsetzung: Schemnitz).

6. Die hospites von Schemnitz (Selmecz-Bánya) waren ebenfalls Sachsen, welche sich mit Bergbau befassten, wie wir aus dem Privilegium, welches Bela IV. (1244) denselben ertheilte, ersehen[3]). Sie standen nicht nur gleich den übrigen Deutschen in Rechtssachen unter ihrem Stadtrichter (praetor civium) und waren abgabenfrei, sondern sie durften auch der königlichen Wälder zu ihren Schachten und Bergwerkstollen sich frei bedienen. — Keinem anderen Herrn oder Richter stand eine Einmischung selbst im Falle eines geschehenen Todtschlages zu. — Die speciellen Berechtigungen und Statuten, welchen das Privilegium König Bela's im Allgemeinen zur Grundlage dient, sind aus dem alten Stadt- und Bergrechte der königlichen Frei- und Bergstadt Schemnitz zu ersehen, welches überhaupt eines der ältesten und werthvollsten derartigen Documente aus dem dreizehnten Jahrhunderte ist und viele interessante characteristische Sittenzüge der dortigen Deutschen in Ungern enthält[4]).

Einige characteristische Züge aus dem gedachten Stadt- und Bergrechte dürften hier ihren Platz finden: §. 3 bestimmt, dass die Frau ihren Mann von jeder Wallfahrt ausser Land, z. B. nach Rom, nach St. Jacob di Com-

---

dipl. VIII. IV. p. 443 etc. „ad instar aliarum nostrarum civitatum Teutonicalium — ad instar libertatis hospitum de Karpona. A. a. O. VIII. IV. p. 376 etc.

[1]) Cod. dipl. IX. V. 391.

[2]) A. a. O. IX. V. 390 etc. In der Gemeinde-Gränzbestimmung begegnen sich deutsche, slavische und ungrische Local-Namen: pratum Figurch vocatum, fluvium Stainkop, alpes, vulgo Hydeghawas; locus Beneshawa, vallem Vothoha, fluvium Korpona, Gron.

[3]) Die Urkunde ist durch Feuchtigkeit schadhaft geworden; das lesbare Bruchstück derselben ist bei Bél Notit. Hung. IV. p. 573 und hiernach in Katona hist. crit. VI. p. 43 und Schlözers Gesch. der Deutschen in Siebenbürgen p. 295. mitgetheilt.

[4]) Professor Dr. Gustav Wenzl hat das Verdienst, das gedachte älteste deutsche Stadt- und Bergrecht in Ungern in den Wiener Jahrb. der Lit. Band CIV mitgetheilt zu haben. Der Eingang ergänzt gewissermassen das verloren gegangene Privilegium Bela's IV. für Schemnitz, da es in der Einleitung einen deutschen Auszug aus demselben enthält: „Wir Bela von Gottes Genaden etc. — — — begnaden und bestettigen, an alles widersprechn, ewiglichen mit unserer Majestæt. Also das kein Lantherr, noch kein Edellman, noch kein Ritter, noch kein Land-Richtter, Noch kein gehochtter Mon, geistlich noch werentlich, die zu unserm Reich gehören, keynen Freuel

postella etc., nur nicht von einer Wallfahrt nach Jerusalem abhalten dürfe. §. 6 sagt: dass kein Kammergraf, noch jemand Anderer ohne Richter in irgend einem Hause Münzfälscher oder andere Uebelthäter aufzusuchen habe. §. 7 dass laut besonderen königlichen Befehles jährlich am Lichtmess-Tage von den Geschwornen und Aeltesten der Gemeinde ein ehrbarer Mann, welcher ein Jahr im Rathe gesessen, zum Richter zu wählen sei, derselbe hat so wie die Geschwornen eidlich zu geloben, sowohl dem Armen als dem Reichen gleiches Recht zu sprechen. §. 15. Wer den Richter und Bürger ungerecht schmäht, soll drei Markttage an dem Pranger stehen und öffentlich sprechen: was ich geredet von dem Richter oder Geschwornen, das habe ich gelogen als ein Bösewicht, und soll sich selbst mit seiner Hand an's Maul schlagen, und gleicherweise auch der, der von ehrbaren Leuten, Frauen und Jungfrauen wider ihre Ehre lügt. §. 16. Gotteslästerer sollen sieben Sonntage vor der Procession, entblösst bis an den Gürtel und baarfuss um die Pfarrkirchen herumgetrieben und gestrichen werden. — §. 17. Zauberer und Zauberinnen, die auf wahrer That ergriffen werden, soll man verbrennen. §. 19. Ueberwiesene Diebe und Räuber soll man hängen, Raubmörder schleifen und radbrechen, Brandleger und die mit Brand drohen soll man verbrennen. — §. 26. Wenn jemand eine Jungfrau entführt und aufgehalten wird, soll der Richter die Geschwornen und der Jungfrau Freunde versammeln, das Mädchen zwanglos in ihre Mitte stellen, wobei der Entführer gegenwärtig sein müsse. Geht sie nun zu dem Manne über, so ist keine weitere gerichtliche Verhandlung, geht sie aber zu den Freunden, so soll man dem Manne das Haupt abschlagen. — Bis zum siebenzehnten Jahrhunderte waren die Schemnitzer Deutschen sehr wachsam über ihre Nationalität. Noch im Jahre 1554 musste (laut städtischen Protokolles) der Stadtmagistrat die dortige Schusterzunft freundlich bitten: „es einem ehrsamen Rathe zu Gefallen zu thun, und einen verstossenen Wenden (Slaven) auf Lebezeit zu geduldea, nachmals aber sollte kein Wende zu ewigen Zeiten in die Zech genommen werden;" nach 20 Jahren musste jedoch mit den Bürgern Slatky und Gregussovics abermals eine Ausnahme gemacht werden, und der Landtags-Art. 13 von 1608 hob den Unterschied der Nationalitäten auf[1]).

Die Umgebung von Schemnitz war einst weit mehr deutsch als jetzt. Daran erinnern noch die Namen: Schüttersberg, Siegelsberg, Windschacht, Giszhübel, Kolpach, die Au (Sz. Antal), etc.

---

noch gewallt begeon. In keiner unserer perckstetten, keinen mennschen anlawffen, noch vahen, Noch on keynen Gescheffl hyndern, on desselben Stadt-Richters urlab, und seiner geschworen, und auch ob ein Perkmonn oder Burger gegenn dem andernn icht zw klagen hat, für dem Richter und für dem Gericht soll das geschehen und sol sein recht suchen, als anndere Lewlt. So wellen wir auch und gebieten, was der Richtter von der Stadt und geschworen Burger ordennt, und schaffen, das der Gemain gut ist und nwtz, das das staat und unzerbrochen pleibe und gehallten werde von allen lewtten. So wellen wir auch und gebieten vestiglich zu behalten Ob ein mon einen todslaag begieng, oder also grosse missetatt, So soll kein Lannt-Richter, noch keiner unsrer ambttlewtt keinen Gewalt on seinen guett, farund oder unfarunde begeenn, Noch der Richtter, noch die Geschworen von der Statt, wie wol er doch schuldig und vorflüchttig worden say, Sonder sein Hawsfraw und irre erben sollen es besitzen mit Frid und mit gemach."

[1]) Schwartner Statistik. I. §. 26.

§. 83.

Sachsen in den ungrischen Bergstädten.

(Fortsetzung: Kremnitz, Libelhen etc.)

7. Zu den ältesten ungrischen Bergstädten soll Kremnitz (Cremnich-Bánya, Kremnica, Körmöcz, Cremnicium) gehören. Der Name deutet auf slavischen Ursprung. Die Tradition versetzt Deutsche dahin in die Zeit Samo's (siebentes Jahrhundert), und schon im Jahre 1100 soll Kremnitz eine königliche Frei- und Berg-Stadt gewesen sein[1]). Das dortige städtische Archiv bewahrt aber erst eine Urkunde vom Jahre 1328, worin König Karl I. den gesammten in Kremnitz versammelten und zu versammelnden Gästen, mit Zustimmung der Prälaten und Barone des Reiches, die Befugniss einräumte, zwei Meilen im Umkreise das von Bewohnern entblösste waldige Land bebauen, und unter einem selbstgewählten Richter leben zu dürfen. Wäre dieser in seinen Rechtssprüchen ungerecht oder fahrlässig, soll er an dem königlichen Hofe darüber sich verantworten. Schulden halber sollen die Kremnitzer im ganzen Lande von Niemanden behelligt, sondern nur im Rechtswege belangt werden. In allen Uebrigen sollen sie die Freiheiten der Gäste zu Kuttenberg in Böhmen (Kuttembánya regni Bohemiae) geniessen[2]).

8. Ludwig der Grosse erhob (1379) Libethen oder Libetbánya zur königlichen Freistadt, erklärte dieselbe als Freistätte für jeden Inn- und Ausländer, der weder Brandlegung, Raub oder sonst ein entehrendes Verbrechen begangen, sofern ihn die Bürger aufnehmen wollen, und wies dieselben an das Recht und die Gewohnheiten von Schemnitz[3]). Als besondere Sitte bemerken wir, dass der jüngste Rathsherr Scharfrichters-Dienste daselbst versehen musste[4]).

9. Loppena wurde von einem Schulzen aus Prividgye Namens Petrik gegründet, der für sich und seine Nachkommen die Schulzenwürde, eine ganze freie Session, eine Mühle und eine Fleischbank abgabenfrei nach deutscher Sitte erhielt, während den deutschen Colonisten die Rechte von Karpfen verliehen wurden[5]).

10. Auch die Bergstädte Nagybánya und Felsö-Bánya verdanken König Ludwig I. ein gemeinsames Privilegium, welches derselbe (1376) auf Ansuchen Herislin's des Richters, Johann Crobsgolth's eines Geschwornen, und Johann's des No-

---

[1]) L. Nagy Notit. polit. geogr. stat. R. Hung. p. 54 etc. — J. C. v. Thiele: Merkwürdigkeiten des Königreichs Ungern, I. S. 148. Nach letzterem soll sich die Urkunde im ehemal. ung. Hofkammer-Archive befinden.

[2]) Cod. dipl. VIII. III. p. 295 etc.: Quod nos (Carolus) — — universis hospitibus nostris ad Cremnich-Banya congregatis et congregandis — — — hanc perpetuae libertatis praerogativam duximus concedendam, ut ydem hospites nostri de ipsa Cremnich-Banya ad duo milliaria terras seu syluas habitatoribus destitutas, vicinas eis et contiguas — — — cultui ipsorum et usui applicandi liberam habeant facultatem etc. — Wenn also auch früher eine königliche Freistadt Kremnitz bestand, so konnte sie nicht bedeutend seyn, da die nächste Umgebung noch unbebaut war.

[3]) Cod. dipl. IX. V. p. 312: Ludovicus — villam Lubetha in civitatem duximus erigendam — — — et quod eadem civitas sub jure et consuetudine civitatis Schemnitiae esse debeat perpetuis temporibus et manere.

[4]) Die Libethnyer-Chronik sagt zum Jahre 1303: dass „Hanssen Munkfussel, ein achtbares, aber jüngstes Mitglied des wohlweisen und ehrenhaften Rathes, einen armen Sünder, den die hochnothpeinliche Justitz zum Tode verurtheilt, durch's Schwert hingerichtet, und sich dabei muthig benommen habe." — Eine ähnliche Uebung war auch in Leutschau. (Csaplovics England und Ungern, S. 126.)

[5]) Cod. dipl. IX. II. p. 672.

tars von Nagy-Bánya (de rivulo Dominarum); dann Hekkmann's (Richters) und Peter's, Notars der Bergstadt Felső-Bánya (de Medio Monte) als Abgeordneten der Bürger und Bergleute dieser Städte ertheilte, um hierdurch die Zahl der Einwohner und die königliche Macht zu vermehren [1]). —

Der jeweilige königl. Graf (comes et urburarius) soll die Richter und Geschwornen nach allgemeinem Wunsche der Bürger erwählen, welche das Richteramt, wie in andern königl. Bergstädten. auszuüben hatten [2]). Der königl. Graf soll den Richtern zur Ergreifung und Bestrafung aller Art Uebelthäter behülflich sein. Uebrigens dürfen die Bewohner beider Städte sich zum Baue ihrer Häuser und Mühlen u. dgl. frei der königl. Wälder bedienen. Sie haben jährlich am Georgitag 1000 Goldgulden zu zahlen, sind aber sonst von jeder königl. Abgabe befreit [3]).

§. 84.

Die Zipser Sachsen (Saxones Scepusii).

1. In derselben Zeit, als die Sachsen der Bergstädte, sollen auch die Zipser Colonisten unter Geysa II. (1143) eingewandert und Raynaldus der erste Führer und Graf der Zipser Sachsen (Dux et Comes Saxonum) gewesen sein.

Sie gründeten viele Orte, wovon (angeblich im J. 1204) die vier und zwanzig Zipser Städte einen Bund (Fraternitas Plebanarum XXIV. Regalium) schlossen, von welchen Leutschau (Leuche, Löcse) als erste galt. Die übrigen Orte waren: 2. Wallendorf (Olaszinum, Villa latina), 3. Kirchdorf (Várallya, Suburbium), 4. Neudorf (Igló, nova villa), 5. Leibitz, 6. Bela, 7. Merhard, 8. Deutschendorf (Poprad, villa Theutonicalis), 9. Georgenberg, 10. Fölk, 11. Gross-Lomnitz (Méga- oder Kakas-Lomnitz), 12. Eisdorf (Szakocz, villa Isaak), 13. Durand, 14. Hunsdorf (Hunnis villanus), 15. Kapsdorf (villa compositi), 16. Donnersmark (Csötörtök, Quintoforum, Fanum S. Ladislai), 17. Sperndorf (villa Sperarum, villa Ursi), 18. Palmsdorf (villa Palmarum), 19. Odorin, 20. Schwabsdorf (Svabosz, villa Suevi), 21. Müllenbach, 22. Rissdorf (Rusquinium), 23. Eulenbach (Welbach, Felbach), 24. Sanct Kirn (villa de S. Quirinio) [4]).

---

[1]) Cod. dipl. IX. V. p. 96 etc. Vergleiche das Privilegium für Gölnitz a. a. O. p. 312 und viele andere Privilegien etc., welche denselben Zweck aussprechen.

[2]) A. a. O.: Primo videlicet, quod comes et urbararius noster pro tempore constitutus, judices et juratos inter se ipsos de communi voluntate eorum eligat, qui omnes causas in eorum medio emergentes more et ad instar judicum et juratorum civitatum et montanarum nostrarum iudicandi habeant facultatem.

[3]) Es ist zwar nicht gesagt, dass die Bewohner Sachsen gewesen seien; doch folgt es aus der Hinweisung auf die Rechtsgewohnheiten der andern (meist sächsischen) Bergstädte mit Wahrscheinlichkeit.

[4]) „Kurze nachdenkliche Zipserische und Leutschauerische Chronica" edirt im Magazin für Geschichte, Statistik und Staatsrecht der österreichischen Monarchie. S. 229. Carol. Wagner Analecta Scepusii I. p. 266; gibt ein Fragment der Bundes-Statuten. Wahrscheinlicher erfolgte das Zipser Bündniss erst 1248. Die alten Schriftsteller leiteten die Zipser von den Gepiden her: — Gepidia — Gepusia, Chepusia, Sepusium!? — Man zweifelte auch, ob die Zipser aus Sachsen kamen, denn der Ausdruck Saxones wurde oft im weiteren oder uneigentlichen Sinne gebraucht, und der deutsche Freiheitsbrief für die Zipser Sachsen von 1328 (Hormayr's Taschenbuch vom Jahre 1827, VIII. p. 333—337) enthält eher einen oberdeutschen als sächsischen Dialect. Der jetzige Dialect der Zipser Sachsen, namentlich die characteristische Aussprache des o gleich au, z. B. Leb = Laub, Buch = Bauk, Fuss = Faut spricht für die Abkunft aus Westphalen, obwohl auch andere Spracheigenheiten an Holland und die Hanse-

So weit die Tradition. — Doch erst nach dem Mongolen-Einfalle erscheinen Urkunden, die uns das Dasein und die Tapferkeit der Zipser Sachsen bezeugen, ohne von ihrer ersten Einwanderung chronologisch bestimmt zu sprechen. —

2. Bela IV. bestätigte (1243) sämmtlichen Adelichen der Zips (Nobiles de Scepus), die von ihrem Kriegsdienste gemeiniglich auch Lanzenträger (Lanceati) hiessen, ihre alten Vorrechte, wornach sie und ihre Jobbagyones wie die servientes regis und deren Jobbagyonen von Abgaben befreit, von acht Huben nur einen Wohlbewaffneten unter die königliche Fahne zu stellen hatten. Auch konnte der Graf des Zipser Komitates nur über Diebstahl, Zehent- und Münzangelegenheiten richten, über alle anderen Fälle aber der selbstgewählte Richter, und ebenso konnte der Graf keine Bewirthung erzwingen. Wenn einer dieser Adelichen ohne männliche Erben stirbt, so kann seine Erbschaft auch auf dessen Eidam übergehen [1]).

3. Auch die hospites der Stadt Käsmark erhielten (1259) das Recht, sich selbst einen Richter zu wählen, jedoch mit der Pflicht zu St. Georg und St. Michael Steuern und Zehent gleich den übrigen Sachsen zu zahlen [2]). Käsmark erhielt von Sigmund im Jahre 1404 einen Nachlass des königlichen Grundzinses auf 12 Jahre zur Wiederherstellung der Stadtmauern und zur Beförderung des Wohlstandes der Bürgerschaft, auch befreite er sie von allem Dreissigst und bestätigte ihre Gerechtsame gegen die Eingriffe der sächsischen Landgrafen (1411 und 1417). Im Jahre 1433 den 25. September zu Ferrara, hiess er ihre durch die Hussiten zerstörten Mauern schleunig wieder erbauen, und 1435 den 11. November zu Pressburg, bestätigte er abermal die Freiheiten, sie vermehrend mit Verleihung des Wagamtes, der Stapelgerechtigkeit und einiger freien Jahrmärkte von vierwöchentlicher Dauer.

4. Die Sachsen von Sumugh (Schmegen) in der Zips erhielten (1254) die Bestätigung über einen von dem königlichen Jagdpersonale (caniferis) gekauften Bezirk unter der Bedingung, gleichen Dienst wie die früheren Besitzer zu leisten, dabei wurde ihr Recht einem eigenen Richter zu unterstehen, für aufrecht bleibend erklärt [3]).

5. König Stephan V. aber ertheilte den sämmtlichen Zipser Sachsen (1271) folgendes, ihre alten Rechte modificirendes Privilegium, dessen wesentliche Punkte sind [4]): Sie zahlen jährlich am St. Martinstage 300 Mark Silber (im Ofner Gewicht), wofür sie von jeder andern Abgabe befreit sind. Im Kriege haben sie 50 Bewaffnete unter die königliche Fahne zu stellen, bei Reisen des Königs in die Zips müssen sie

---

städte mahnen. Wahrscheinlich kam die Mehrzahl aus Westphalen, und wurde durch sporadische Nachwanderung aus anderen deutschen Gebieten vermehrt. Vergl. die Leutschauer Chron. ad. a. 1212.

[1]) Wagner A. a. O. I. p. 102 und 103, und Cod. dipl. IV. I. p. 279. Zehn Adeliche begleiteten den König in den Krieg und bildeten seine Leibwache. Sie wohnten in 14 Ortschaften: Abrahamsdorf, Bethelsdorf, Ladendorf (Leskocz), Pikendorf (Pikocz), Csengiez, Michelsdorf, Komarócz, Horka, Szent András, Kissócz, Hozelecz, Janócz, Filitz und Halusfalva (Hadersdorf), welche man das kleine Komitat nannte und welche ihren besonderen Vicegespan hatten.

[2]) A. a. O. I. p. 48. — Mehr über Käsmark siehe in Genersich's Merkwürdigkeiten dieser Stadt (2 Theile).

[3]) Wagner a. a. O. Von Andreas III. wurden (1293) die caniferi de Sumugh den Sachsen von Leuche (Löcse) in Rechten gleichgestellt.

[4]) A. a. O. I. 189—191. — — placuit nobis — libertatem fidelium hospitum nostrorum Saxonum de Scepus gratiosius reformare, diess setzt also schon frühere Freiheiten voraus.

denselben sammt seinem Geleite bewirthen. — Sie geniessen das Recht, einen eigenen Grafen oder Richter zu wählen, welcher in Leutschau[1]), dem Hauptorte der Zipser Provinz seinen Sitz nehmen wird. Auch steht den Zipsern die freie Wahl ihrer Pfarrer zu. Sie dürfen durch Niemanden ausserhalb ihrer Provinz vor den König gerufen werden, sondern weil sie schlichte mit Ackerbau und Arbeit beschäftigte Menschen und im Rechte der Adelichen unerfahren sind, sollen sie nach ihren eigenen Gesetzen gerichtet werden.

6. In dem Kampfe zwischen König Karl Robert und Mathäus von Trenchin hatten sich die Zipser Sachsen als treue Anhänger des Königs, durch Aufopferung von Gut und Blut, insbesondere aber durch Tapferkeit in der entscheidenden Feldschlacht bei Rozgon ausgezeichnet, und sich wesentliche Verdienste um des Königs Person erworben. — Als sie hierauf ihren Grafen Stephan, Heinrich, den Richter von Kirchdorf und Johann von Scherendorf als Abgeordnete mit der Bitte um Bestätigung der Handvesten, welche ihnen die früheren Könige Ungern's ertheilt hatten, sendeten, stellte König Karl I. (1312) den Zipser Sachsen einen grossen Freiheitsbrief[2]) aus. Die wesentlichen, darin enthaltenen Pflichten und Rechte der Zipser sind:

Die Zahlung eines jährlichen Zinses von 1400 Mark Silbers für ihr Land und Erbe[3]), dafür sollten sie von königlicher Bewirthung und Heerfahrt frei sein; nur in der Zips selbst und an deren Gränzen sind sie zur kräftigsten Abwehr verpflichtet; der

---

[1]) Leutschau (Löcse, Lewočn) wurde Hauptstadt und Sitz des Zipser Grafen.

[2]) Der in deutscher Sprache abgefasste Freiheitsbrief — aus dem Originale mitgetheilt in Wagner's analect. Scepus. P. I. p. 196—200, dann im vaterländ. Taschenbuch J. 1827. S. 330 etc. und im Cod. dipl. VIII. I. p. 435—440, — zählt alle damaligen Zipser Orte auf, nämlich: die Hauptstadt Leutsch (Löcse) mit ihren Vorwerken und Höwen, die in ihrem Hatterth liegen, und Köpern (Ulozza), sammt der Stadt Wylkostorff, Friedrichsdorff, Dunst, das Dorf Meister Gottfried's, hernach Kyrchdorff (Várallya, Suburbium, Podhrad), Kalbach und das Dorff Heinrich Richter's und Erhart's, Zwen-Nadosch, Eilenbach (Félbach), Wallendorff (Olaszi) mit Johannsdorff und Altznau (Dytrichsdorff item Kalisdorff), die Duren mit Denisdorff, Neudorff mit seinen Mayerhöwen und Bergwerken, Halmesdorff (Harikócz) mit dem Howe Marschky, Sperrendorff mit dem Stück Land von Drawes, Gross- und Klein-Thomasdorff, Donnerstagmark (Csötörtökhely) mit Pulmesdorff, Kabisdorff (Kaposztafalva) und Preymanndorff, Teutschendorff (Poprad), Felka, Schlakendorff (Szalók, Schlagendorf), Möllenbach, Eysdorff (Zakocz), Menhardsdorff (Verbova), Bela, Kesmark, Leibitz, Risdorff (Ruszkinocz), Thurlsdorff (Twarozna). Derselbe erwähnt die Verdienste der Zipser: „Auch wellen wir si in Gnad und in kuniglicher Gewalt wider jeglichen guberniren und regieren, darum drch des empfangen Machts wegen, wellen wir cyn jeglichen Unser getreyen aus dem Cyps, in iren Rechten behalten, darum das wir haben erkannth, ire treye und Dinst, di si uns von unser Kindheit guttwillig erwiesen haben, beid demütiglich und begirlich in Schtrayten di wir hatten wider Matthäum von Trentschin und Demetrium und wider Omodeus son auf dem Feld bei Rozgon und diselbigen Cypser unser getreyn männlich Schtritten und schonten nicht ihre Güter, noch eygner person, sundern sich vor unser kuniglicher Majestett dargeben haben, in Fertigkeit und Blutvergissen und vor den Tod irer Freinde mit Beheglichkeit begaben, wi wol das si mer wurdig weren, so seyn wir doch bereit di egenannte Freyuten vor Gutte zu haben, und bestettigen on Hindernisse kuniglicher Rechten und andere."

[3]) Im Original oder im Wagner'schen Abdruck scheint hinsichtlich der Anzahl Mark Silbers ein Irrthum obzuwalten, wo es heisst: „Zu den ersten, das sie von Ziens wegen ihres Landes und Erbes alle jerlich sein gflichtig zu geben tausend und cccc Mark, zu Santt Joannes Tag cccc Mark und zu Sanct Mertens Tag und cccc Mark gutes Silbers" etc. Aus dem Contexte „das sie sich abgekauft haben mit den eegeschrieben mcccc Mark Silbers" folgt, dass die Zipser Sachsen im Ganzen 1400 Mark Silbers jährlich als königlichen Zins, und zwar in zwei Terminen: 1000 Mark am Johannestag, und 400 Mark am Martinstag zu entrichten hatten.

Zipser Graf und Burggraf, sammt dem Untergrafen und Landgrafen allein sollen Richter der Sachsen daselbst sein, und zu Leutschau Recht sprechen nach den Gewohnheiten, Rechten und Freiheiten des Landes [1]).

§. 85.

Die Zipser Willkühr und spezielle Zipser Rechte und Gewohnheiten.

Im Jahre 1370 versammelten sich die Richter, Geschwornen und Aelteren der Zips zur Aufzeichnung des freien Rechtes, der sogenannten „Willkühr der Sachsen in dem Zips [2])".

Kein Zipser darf an den königlichen Hof geladen werden, sondern er soll sein Recht suchen vor dem Burggrafen und Landgrafen in der Zips und vor den eigenen Richtern [3]).

Jeder ehrbare Mann und jede ehrbare Frau haben über ein Drittheil ihrer Güter zu bescheiden; da die Frauen in diesem Lande ein eben so gutes Recht als die Männer haben [4]): doch hat keine Frau zu tedingen (zur Tagsatzung zu erscheinen) die einen Mann hat [5]).

Wenn irgend ein Zipser Richter einen Beinzichtigten gefangen nimmt, soll er ihn dem Grafen nach Leutschau überantworten [6]).

Wenn der Zipser Graf seine Würde niederlegt, so soll diess in dem Rathe geschehen und er soll sich entfernen; auch sollen die 124 Richter die Grafschaft in Freundschaft in dem Sagrer (sacrarium) hingeben, und wer die meisten Stimmen dort bekommt, der soll Graf sein („und wen das meiste teil in dem sagrer zuleget, der soll unser grofe sein") [7]).

Auch sind ausführliche Vorschriften über den gerichtlichen Zweikampf enthalten: der Kämpe soll Schild und Kolben haben, der Gegner einen Baum von gleicher

---

[1]) A. a. O.: „Wir wellen auch, das si von aller Herfart frei sein und überhoben, die uns gebirett zu vorbringen, es seyn welchen es ist unseren Landt, alleyn so gebirt, in dem Cyps aber an derselben Craniz und darumb zu einer Beschirmung ihres Landts, so wellen si pfllichtig seyn zu helffen mit irer ganzer krafft. Auch wellen wir inen imer zu mitgeben, das kein Mensch es sey welcherley Wesen es ist, als die Einwoner des Cyps, dass man di nit geladen von unser Majestätt in keinerley wegs, sunder der Grow und der Burgrow, der dazu der Zeit wird von der kuniglichen Gewalth durch sich selbst, oder durch sein Undergrowen mitsampth den Landtsgrowen di zu in geheren allerley sachen zu erforschen und zu richten, sollen in unser Statt Leutsch nach der Gewohnheit des Landts Rechten und der Freythumb ires Landts, und irn alten Gewohnheit. — In Leutschau waren zwei besondere Rechts-Gewohnheiten. Der jüngste Rathsherr daselbst musste die Scharfrichtersstelle versehen. (Man zeigt daselbst das bezügliche Richtschwert, nach Hesperus XXX. B. S. 190); die Leutschauer Tuchmacher hatten in ihrem Zunftprivilegium v. 1598 die Vorschrift: der jüngste Meister solle alle Jahrmärkte am Thore in der Rüstung stehen, bis er von einem andern jungen Meister erlöst wird.

[2]) Wagner A. a. O. P. I. p. 240 — 260. Correcter ist diese Willkür der Zipser Sachsen abgedruckt in A. Michnay's und P. Lichner's Herausgabe des Ofner Stadtrechtes, Seite 221 — 235. — Von den 95 Artikeln sind hier nur einige die Sittengeschichte betreffende, berührt.

[3]) Vergleiche Art. I. mit dem früher erwähnten Privilegium Stephan V. im Cod. dipl. V. I. 133, dann VIII. I. 436; VIII. II. 59; und das erwähnte Ofner Stadtrecht p. 103.

[4]) Vergl. Art. 2 mit dem Sachsenspiegel I. 17. 1. und vergl. Grimm's Rechts-Alterth. p. 407.

[5]) Art. 3.

[6]) Art. 83.

[7]) Art. 56.

Länge in eine pfennigbreite Spitze auslaufend. Welcher der beiden aus dem Kreise wiche, der wäre sieglos. Wenn Jemand Einem der Kämpfenden hilft, der verliert sein Haupt, derjenige aber, dem er Hilfe geleistet, verliert seine Sache [1]). —

Einzelne Orte erhielten noch besondere Freiheiten. z. B. unter Ludwig wurde Lublau (Lublyó) im J. 1342 mit dem Rechte Kaschau's begabt und zur k. Stadt erklärt [2]). Pudlein (Podolin) wurde (1343) zur königl. Freistadt erhoben [3]); sohin von der Gerichtsbarkeit des Komitats-Grafen und der Kastellane, namentlich jenes von Lublyó, befreit. Dieses Privilegium erwirkten der Pfarrer Peter der St. Marienkirche zu Podolin und der Bürger Ugrum im Namen sämmtlicher Gäste (hospites) von Podolin. An der Spitze der Stadtverwaltung stand der Graf (Comes) Hanns und der Richter Hermann Leisinger, auf deren Bitte der König (1345) obiges Privilegium bestätigte, die Appellation an denselben oder an den königl. Tavernicus bestimmte, und den jährlich zu entrichtenden Königszins auf 30 Mark herabsetzte [4]). Auf neuerliches Einschreiten des Schulzen (Scultetus) Jacob und der Geschwornen Johann Henker, Johann Lisneker, Schwarzer und Tylo Zontecher dieser Stadt wurden die Freiheiten Podolin's noch von demselben Könige, so wie später (1412) auch von Sigmund durch königl. Urkunden bestätigt [5]). — Auch Leutschau (Löcse) der Hauptort der Zips, besass sächsische Eigenthümlichkeiten. An die Abstammung der Leutschauer aus Holland und den Hansestädten dürfte die besondere, von Alters gerühmte Vorliebe zum Garten- und Gemüsebau sprechen: auch erhielten sich lange viele sächsische Gebräuche. Die Rathsherren trugen deutsche Mäntel über den ungrischen Röcken; von der Kirche gingen sie paarweise auf das Rathhaus, vor ihnen die Diener mit entblössten Häuptern, und es wurde während dieses Ganges (wie in Lübeck) das Rathsglöckchen geläutet; auch mahnt die Bauart Leutschau's, namentlich die sogenannten Löben (Lauben oder Wölbungen) an die alten Hansestädte [6]). — Igló oder Neudorf (nova villa) erhielt (1380) durch Ludwig I. ein Wochenmarkt-Privilegium zu seinem bessern Emporkommen, welches (1435) Sigmund bekräftigte [7]). Die Gäste von S. Ladislaus erhielten (1364) eine besondere Bekräftigung ihrer Freiheiten [8]).

---

[1]) Art. 54. — Der Art. 94 erwähnt, dass im Jahre 1505 die Herren der Städte Kaschau, Leutschau, Bartfeld, Eperies und Zeben in Kaschau sich versammelten, um noch einige gemeinsame Rechtsbestimmungen zu berathen.

[2]) Cod. dipl. VIII. III. p. 140, Wagner a. a. O. p. 440, Fessler III. p. 768.

[3]) Cod. dipl. IX. I. 97 etc. peticionibus eorumdem fidelium hospitum nostrorum de Podolin, nostre Majestati, per dictos Petrum Plebanum et Ugrum consocium eorumdem porrectis — — — — duximus concedendum, ut ipsi ad instar aliarum liberarum ciuitatum nostrarum capitalium — de jurisdictione Comitum Parochialium et Castellanorum, specialiter Castelli Lublyó penitus et per omnia excepti sint et habeantur. Im Jahre 1244 hatte Pudlein von Boleslaus, Herzog von Krakau und Sandomir, Magdeburger Recht (eo juris processu — Magdeburgiensi, qua cives Krakovienses et Sandomirienses utuntur) erhalten, als dieser Herzog dem Schulzen Heinrich für seine treuen, von Jugend an, namentlich beim Mongolen-Einfalle, geleisteten Dienste die erbliche Scultetie des verheerten Pudlein verlieh. Cod. dipl. IV. I.

[4]) A. a. O. X. I. 280—282.

[5]) A. a. O. IX. III. 420, und X. V. 338.

[6]) Leutschauer Chronik im erwähnten Magazin.

[7]) Cod. dipl. IX. V. 395 und X. VII. 667, S. 221. — Vergl. §. 84. Note [5]) bezüglich anderer specieller Leutschauer Sitten.

[8]) A. a. O. IX. III. 42.

§. 86.

Sächsische Ausiedlungen der Zipser Grafen.

(Die Verpfändung der Zipser Städte).

Karl's I. und Ludwig's I. Gunst für die Zipser Sachsen findet einen Nachklang in den Zipser Grafen.

Im Jahre **1322** übergab Meister Philipp, Graf vom Zipser und Ujvárer Komitate, einem gewissen Stephan, Sohn Peter's aus Klein-Lomnitz, den Wald Neu-Lubló, am Flüsschen Lubló, damit er eine Colonie, Stephanau (Stephaniou), nach deutscher Art und mit deutschem Rechte gründe, den Wald in Felder verwandle [1]). Die Colonisten sollen sechzehn Jahre von Abgaben frei sein, nach dieser Frist am Georgitage einen halben Ferthing [2]) entrichten. Die Gemeinde erhielt die gewöhnlichen Zipser Rechte (jura Scipsensium), sammt freiem Fischfang und Gebrauche von Wald und Weide. Der Schulze (Scultetus) wurde mit drei Mansen [3]) (Huben) dotirt, und ihm zugleich das ausschliessliche Mühlen- und Fleischerrecht in der Gemeinde verliehen. Auch soll der Schulze und seine Nachkommen ein Sechstheil vom herrschaftlichen Grundzinse und alle Gerichtstaxen beziehen, die nicht einen Ferthing übersteigen, von höheren Taxen hat er zwei Drittheile an den Grundherrn abzuführen.

In demselben Jahre wies auch der Zipser Burgvogt (castellanus), Meister Thomas, dem Sohne Konrad des Schlagendorfer Schulzen Hermann, einen grossen Wald in der Zips zur Colonisirung an, worin er Klein-Schlagendorf (Kis Szalok, Slauk) anlegte [4]). Die Colonisten genossen zwölf zinsfreie Jahre, Gemeinde und Schulze hatten auch sonst ähnliche Rechte wie die Schlagendorfer.

Die deutsche Pflanzung Kunchdorf (Helmanocz) wurde von dem Gross-Schlagendorfer Schultheissen Kunchmann auf Meister Thomas Gebiete im freundlichen Thale, längs des Gölnitzer Forellenbaches, unter ähnlichen Bedingungen und Freiheiten angelegt [5]).

Im Jahre **1412** (8. November) wurden Lublau und Podolin, dann die dreizehn Zipser Städte Gnesen, Bela, Laibitz, Menhardsdorf, Deutschendorf, Michelsdorf, Neudorf, Risdorf, Wallendorf, Fölk, Kirchdorf, Georgenberg und Durlsdorf an König Wladislav von Polen um **37.000** böhmische breite Groschen [6]) verpfändet, und dadurch der Bund der **24** Zipser Städte aufgelöst. Die eilf bei Ungern verbliebenen sächsischen Städte hatten zwar einen Landgrafen, standen aber unter dem Komitatsgrafen, und büssten allmälig Wohlstand und Nationalität ein.

Auch in andern Orten, wo einst Deutsche waren, erlosch der deutsche Stamm oder wurde slavisirt, namentlich im Maguraner Bezirke. Die Ortsnamen:

---

1) Cod. dipl. VIII. II. p. 390 etc. more et jure theutonicorum.

2) Ferto = 1/4 Mark; bei den Ungern 84 Denare (Du Cange Gloss. nach Sambucus).

3) Mansus (Hove, Curia), vergleiche Sachsenspiegel Lib. II. art. 54. §. 2.

4) Cod. dipl. a. a. O. p. 392 etc. „ut ibidem populos sub jure et libertate Saxonum congregare debeat seu locare." Wagner a. a. O. p. 446 etc.

5) Cod. dipl. IX. I. p. 50.

6) 155.400 ungrische Ducaten (Schönwisner Not. Rei Num. p. 313.)

Fridmann, Krempach, Neu-Bela, Durstin, Falstin, Altendorf (Ó-falu), Ostern (Osturnja), Gross- und Klein-Frankenau, Matzdorf (Mátyás-falva), Richwald, Giebel, Hag etc. erinnern an einstige deutsche Bewohner; dann die Bergnamen: Eisthalerspitz, Hinterleithen, Königsnase, Kesselberg, Kastenberg, Kahlenbacher Grat, Trichtergor, Sattel, Waxmund etc. an die langjährige Germanisirung der Zips.

§. 87.

Sachsen im Abaujvárer Komitate.

Kaschau soll von Stephan V. zur königlichen Freistadt erhoben worden sein (1270)[1]. — Karl I. ertheilte den Kaschauern die Mauth- und Zollfreiheit innerhalb der Komitate Abaujvár und Zemplin, bis an die Theiss, den Sajó und bis an die Gränze der Beregher Gespanschaft (1319[2]). — Ludwig I. verlieh den Bürgern Kaschau's (1344) das Stapelrecht, und (1347) die Freiheiten von Ofen[3]). Später (1361, 1364 und 1368) bestätigte er ihre Privilegien, namentlich das Stapelrecht und gestattete ihnen (1369) zum Zeichen besonderer königlicher Gunst, das Anjou'sche Lilien-Wappen in ihr Stadtsiegel und Banner aufzunehmen[4]); auch verbot Ludwig I. in demselben Jahre, die Kaschauer Kaufleute vor ein fremdes Gericht zu laden oder ihr Gut in Beschlag zu nehmen[5]). König Sigmund, welcher bereits (1407) die Verhältnisse des ungrisch-polnischen Handels regulirt, und (1423) das Wappen dieser Stadt modificirt hatte[6]), ertheilte im Jahre 1435 den gesammten Bürgern, Gästen und Einwohnern von Kaschau (civibus, hospitibus et incolis) auf Ansuchen des Stadtrichters Johann Hebenstreit und der Geschwornen Gabriel von Szepusy und Ladislaus Knol, einen grossen Freiheitsbrief (in 21 Punkten), welcher eine Zusammenstellung nicht nur aller ihrer frühern Vorrechte, sondern fast alle städtischen Sachsenrechte umfasste[7]).

§. 88.

Sachsen im Zempliner Komitate (Die Hospites in Patak.).

Unter die sächsischen Einwanderer des zwölften Jahrhunderts kann man mit Wahrscheinlichkeit auch die bei der St. Nicolauskirche zu Patak (im Zempliner Komitate) verweilenden Hospites zählen, da ihnen eine Urkunde König Emerich's vom Jahre 1201 nicht nur das Recht ertheilte, nach der Gewohnheit ihres Volkes sich

---

[1]) Albrecht: das ungrische Municipalwesen, im vaterl. Taschenb. J. 1832.
[2]) Cod. dipl. VIII. II. p. 213 etc.
[3]) A. a. O. IX. I. p. 210 etc. und 466 etc.
[4]) A. a. O. IX. III. p. 241 etc., 402 etc., IX. IV. p. 135 etc. u. 174 u. 175.
[5]) A. a. O. IX. V. p. 387 etc.
[6]) A. a. O. X. IV. 588 u. X. VI. p. 524 etc., vergl. Korabinsky geogr. hist. Lexicon p. 288 b).
[7]) Der Freiheitsbrief ist abgedruckt nach einer H. S. Bél's in Michnay's u. Lichner's Ofner Stadtrecht S. 250—253. — Es ist zwar nirgends ausdrücklich erwähnt, dass in Kaschau Saxones waren; allein der Umstand, dass sie nach Ofner und bezüglich Magdeburger Rechte und andern sächsischen Gewohnheiten lebten, macht wahrscheinlich, dass den Kern der Kaschauer Bevölkerung Sachsen bildeten, um so mehr, als überhaupt in den oberen Komitaten die sächsische Bevölkerung vorwiegend war.

einen Richter zu wählen, von welchem in weltlichen schwierigen Angelegenheiten die Appellation nur an den König oder an den Palatin gestattet ward, sondern weil König Emerich auch die Einrichtungen der früheren Könige zum Nutzen der Pataker Colonie bestätigte [1]).

§. 89.

Sachsen im Sároser Komitate.

Die Freiheiten der Zips erstreckten sich auch über diese Provinz noch hinaus. Die Städte Sáros, Eperies und Zeben liessen sich die Zipser Rechte von König Ludwig (1347) bestätigen und im Jahre 1399 ertheilte Sigmund den Bürgern von Altdorf das Privilegium der 24 Zipser Städte: Wein, Bier und andere Getränke nach der Sitte der genannten Städte einzuführen und auszuschenken [2]).

Bartfeld wurde (1320) durch einen gewissen Laurentius auf dem sogenannten Schönfelde angelegt, und colonisirt, der für sich und seine Nachkommen daselbst das Richteramt, ferner alle Mühlen der Stadt und das Recht, allein Mühlen bauen zu dürfen, endlich zwei abgabenfreie Mansen (duobus fundis curie) erhielt. Das Stadtgebiet sollte bis Hozyumezeu (Langenfeld) und Szipfolu (Schöndorf) reichen, und die Wälder darin in Ackerboden verwandelt werden. Die Colonisten genossen 10 abgabenfreie Jahre. Leute jedes Standes (cuiusque status et conditionis) sollten darin als Gäste Aufnahme finden [3]).

Im Jahre 1370 wurde Bartfeld in die Zahl und das Collegium der königlichen Freistädte Kaschau und Ofen aufgenommen [4]).

Derselbe König gestattete (1374), dass die Bürger und Gäste der Stadt Eperies hinsichtlich des Kaufes und Verkaufes von Tüchern und anderen Gegenständen der Industrie derselben Freiheiten, wie die Ofner Bürger, theilhaftig sein sollen [5]).

Im Jahre 1405 wurde Zeben mit den Kaschauer Freiheiten betheilt [6]).

Auch noch weiter im Sároser Komitate, besonders in dem an die Zips gränzenden Theile, war einst das deutsche Element weiter verbreitet, als diese urkundlichen Spuren uns führen; diess bezeugen noch die Ortsnamen: Siebenlinden (Hethárs), mit der Burg Henig, ferner Stellbach, Hamburg, Neudorf, Richwald, Schlauch (Ober- und Unter-Schlagendorf), Schönbrunn (Feketekut), Német-Jakobs-vágás, Hermann (Hermány), Bertholdsdorf (Bertólfalva), Stephanau (Stephanowce), St. Peter, Klausen etc., welche zum Theile auf die Herkunft namentlich auch auf eine einstige Vorrückung der Colonisten aus der Zips oder auf die Stifter der verschollenen deutschen Colonien (nun slovakisch-ruthenischen Orte) hindeuten dürften. —

---

[1]) Fejér Cod. dipl. II. p. 388: Quidquid praecedentium Regnum auctoritas ad ipsorum utilitatem rationabiliter instituit firmiter observetur. — Nirgends ist zwar ausdrücklich gesagt, dass diese Colonie eine sächsische sei, aber die Rechte (juxta consuetudinem suæ gentis) sind den Rechten der übrigen sächsischen Colonisten gleich, die Vermuthung leitet daher auch hier auf eine ursprüngliche sächsische Colonie.

[2]) Cod. diplom. X. II. 668 etc.

[3]) Wagner Diplom. Saros. p. 98 etc. u. Cod. dipl. VIII. II. p. 253.

[4]) Cod. dipl. IX. IV. 230 und IX. V. 83 etc.

[5]) A. a. O. IX. VI. 178.

[6]) A. a. O. X. IV. 431.

§. 90.

Sachsen in Ofen (Neu-Pest).

Auch die Hauptstadt Ungern's wurde von Sachsen bezogen. Bela IV. befestigte den gegenüber von Pest gelegenen Berg und das darauf (1447) errichtete Kastell (die Festung Ofen), neben welchem Sachsen aus Magdeburg die gleichnamige Stadt anlegten. — Zum gehörigen Verständnisse ist ein kurzer Rückblick auf die im Zusammenhange stehende Geschichte von Buda-Pest nothwendig [1]).

Pest, welches im Bulgarischen einen Ofen bedeutet, ist wahrscheinlich von den Bulgaren, welche vor der Ankunft der Magyaren zwischen der Donau und Theiss wohnten, erbaut und befestigt worden. Die Brüder Bila und Boen, welche mit einer grossen Anzahl Ismaeliten aus Gross-Bulgarien vom Ural her unter Herzog Toxus eingewandert waren, erhielten die Veste Pest (Castrum Pest) vom Herzoge zum Geschenke. Das Gebiet von Pest erstreckte sich auch über die Donau. An der Stelle der jetzigen Razenstadt Ofen's stand Klein-Pest (minor Pest), gleichsam die Hafenstadt von Pest (portus pestiensis). Der darüber sich erhebende Blocksberg hatte damals den Namen Pester Berg (mons pestiensis), später hiess er Gerhardtsberg. Pest selbst hiess im Gegensatz von Klein-Pest auch Gross-Pest (major Pest), und war zur Zeit des Mongoleneinfalles eine ansehnliche und reiche deutsche Stadt [2]). Sie wurde aber von den Mongolen erstürmt und verbrannt [3]). — Um das Wiederaufleben der Stadt Pest zu bewirken, stellte Bela IV. bereits im Jahre 1244 eine sogenannte goldene Bulle aus, womit er den neuen Gästen und Bürgern dieser Stadt nicht nur die üblichen Freiheiten anderer deutscher Städte ertheilte, sondern dieselbe auch zum Stapelplatze erklärte, und ihr das Befugniss einräumte, täglich Markt zu halten [4]). — Auch Klein-Pest genoss gleiche Freiheiten hinsichtlich der Niederlage der Waaren, der freien Schiffahrt und der Weingärten. Das Gebiet der Pester Stadt wurde zugleich mit dem Steinbruche (Kewér oder Kuér) vermehrt [5]). — Um einer ähnlichen Gefahr für die Stadt Pest für die Zukunft vorzubeugen, liess König Bela IV. auf den Rath des Papstes Innocenz III. viele Vesten im Lande erbauen, darunter auch ein Kastell auf dem Pest gegenüber gelegenen Berge, welches urkundlich Castrum novi montis Pestiensis (d. i. Neu-Pest) hiess, und welches die dort angesiedelten Sachsen [6]) mit dem Namen Ofen [7])

---

[1]) Buda-Pest. Historisch-topograf. Skizzen von Ofen und Pest und deren Umgebungen v. J. V. Häufler.

[2]) Rogerius de destructione Hungariae C. 15.

[3]) A. a. O. C. 28—38.

[4]) Diess ist das älteste Beispiel des Stapelrechtes in Ungern. Wahrscheinlich trug das Beispiel von Wien (welches seit 1198 Stapelort war) hiezu bei. Vergl das Ofner Stadtrecht von A. Michnay und P. Lichner.

[5]) Codex dipl. IV. I. p. 326—329.

[6]) Dass Sachsen am rechten Donau-Ufer wohnten, sagt Bela in einer Urkunde (1226) von Klein-Pest (Codex dipl. IX. VII. pag. 657). — Das Stadtrecht der Festung Ofen beruhte aber vorzugsweise auf dem Magdeburger Rechte (Siehe das erwähnte Ofner Stadtrecht.).

[7]) Im Altdeutschen bedeutet Ofen nicht nur einen Heiz-Ofen, sondern Oeffnungen und Grotten im Gestein, vorzüglich Wasserschluchten, z. B. die Oefen der Salza, die Lamma-Oefen, die Scheuk-Oefen u. s. w. Wenn man die überhängenden zerklüfteten Felswände des Blocksberges, namentlich die Grotte daselbst, unterhalb welcher die heissen Quellen des Elisabethbades hervorbrechen, so wie überhaupt die unterhöhlten Breccia-Lager von Ofen und Pest betrachtet, so dürfte wohl die altslavische Benennung Pest und die altdeutsche Ofen von diesen natürlichen Oefen oder Höhlungen her-

vom Bulgarischen in's Deutsche übersetzten, während Pest auf Urkunden und Siegeln antiqua Pest und von den Deutschen Alt-Ofen genannt wurde[1]). Bald wurde der Name Ofen auch auf die benachbarte Stadt Buda ausgedehnt, und die Stadt Ó-Buda (an der Stelle des römischen Aquincum) auch Alt-Ofen genannt[2]).

Die Festung Neu-Pest oder Ofen wurde bald der Mittelpunkt lebhaften Verkehrs, besonders seit König Ladislaus der Kumane (1276) die dortigen Gäste (hospites) mit wichtigen Freiheiten beschenkte[3]). — Durch Handel und Gewerbe der thätigen Sachsen gewann Neu-Pest (Ofen) nicht nur über Klein-Pest, sondern auch über das jenseits der Donau gelegene alte Pest eine Art Oberhoheit, indem diese Stadt bis auf König Sigmund's Zeiten aus der Zahl der Geschwornen der Festung ihre Richter sammt 2 Räthen erhielt. Als der König von den Bürgern Ofen's 1000 fl. Anlehen machen, diese aber die Summe nicht vorschiessen wollten, benutzten die Pester die Gelegenheit, sie brachten die 1000 fl., stellten dem König Sigmund vor, dass die goldene Bulle eigentlich für Pest erlassen, aber von den aus Ofen erhaltenen Richtern entwendet worden sei, und baten sonach um die Erlaubniss, sich wieder selbst einen Richter sammt 6 Beisitzern aus den Pester Bürgern erwählen zu dürfen, was ihnen von Sigmund auch gewährt, in der Folge aber von König Mathias sogar der ganze Rath (von 12 Mitgliedern) zugestanden und Pest zur eigenen königlichen Freistadt gemacht wurde[4]). — Ursprünglich scheinen bloss Sachsen die städtische Bevölkerung Ofen's gebildet zu haben; im vierzehnten Jahrhunderte gab es aber daselbst auch eine ungrische Gemeinde. Auch waren daselbst bereits damals schon viele Juden. Wir theilen nur einige auf das ethnographische Verhältniss Ofen's bezügliche Bemerkungen aus dem Ofner Stadtrechte mit. An der Spitze der städtischen Verwaltung stand der Stadtrichter. Es konnte Niemand hiezu gewählt werden, der nicht ein Deutscher von 3 Ahnen und nicht früher wenigstens 6 Jahre im Rathe gesessen hatte. Nachdem der ausgewählte Richter den Antritts-Eid geleistet: das Recht gegen Jeden unpartheiisch handhaben zu wollen, wurden von der Gemeinde 12 Rathsherren, und zwar 10 Deutsche und 2 Ungern, von den Rathsherren und dem Stadtrichter zusammen aber der Stadtschreiber gewählt, der ebenfalls ein Deutscher sein musste; und endlich von jedem Handwerk 2 der Aeltesten und Verständigsten als Geschworne, womit die städtische Restauration zu Ende war. — Der Stadtschreiber und Rath wählten den Pfarrer, den jedoch der Erzbischof in Gran bestätigen musste. Die alten Magistratualen

---

rühren. Eine andere Meinung leitet den Namen Pest (deutsch Ofen) von muthmasslichen Kalköfen damaliger Zeit her.

[1]) Podhradczky Josef im Tudományos Gyüjtemény vom J. 1829 b. X. p. 73.

[2]) Häufler's Buda-Pest §. 7, §. 32 u. §. 52. Ausser den gedachten Städten gab es noch mehrere neben einander gelegene (jetzt zu Ofen gehörige), damals selbstständige Orte, als: Neu-Buda (Neustift) mit Jacobsdorf, die lange Vorstadt und Slavendorf (Christinastadt), Logod, Elisabethdorf (jetzt ein Theil der Razenstadt), die heil. Dreifaltigkeitstadt oder Félheviz (jetzt Landstrasse); davon sagt Oláh ausdrücklich (bei Mathias Bel ad 1536. p. 10): Prope Budam oppidum Félheviz cum thermis.

[3]) Cod. dipl. VI. I. p. 400—403. Aus einer anderen Urkunde a. a. O. p. 310 etc., so wie aus dem Ofner Stadtrechte erhellen die mannigfachen bürgerlichen Beschäftigungen und Handels-Objekte der Ofner.

[4]) Den Hergang obiger Ereignisse erzählt der Anhang vom Ofner Stadtrecht.

dankten vor der Gemeinde zuerst in deutscher, dann in ungrischer Sprache ab, wobei der Stadtrichter als Zeichen der Amtsniederlegung einen Zweig, oder ein weisses Stäblein zur Erde legte. Hierauf wurde von der Gemeinde dem Richter gedankt, und von dem neugewählten der Amtseid geleistet. Die Stadt hatte das Recht wöchentlich zwei Märkte zu halten. Mittwoch auf dem Platze vor der Liebfrauen-Kirche bei den Deutschen, und Freitag um die St. Margarethen-Kirche bei den Ungern; nach Gewohnheit kam noch der Samstag als dritter Markttag dazu. Auch durfte an Kirchentagen und zu Weihnachten bei den Deutschen, und zwar bei der gedachten Marien- und bei der St. Georgen-Kirche Markt gehalten werden. Zu blutigem Zwiste zwischen Ungern und Deutschen kam es in Ungern unter König Albrecht, welcher jedoch denselben gütlich durch die Gleichberechtigung beider Nationalitäten in Ofen beilegte, die auch König Mathias Corvinus aussprach [1]).

Die Juden wohnten in der jetzigen Wiener-Gasse der Ofner Festung, wovon auch damals das dortige Thor: Wiener-Thor genannt wurde. Sie durften ihre Waaren nur in der Judengasse feil bieten und mussten einen rothen Mantel mit einem gelben Fleck darauf tragen, um sogleich kenntlich zu sein [2]).

Seit dem vierzehnten Jahrhunderte waren in Ofen auch Franzosen, Italiener, Polen, Serben und Türken etc. zu finden [3]).

§. 91.

Sachsen in Vissegrad.

Vissegrad (Arx alta), dessen Name auf slavischen Ursprung weiset, ward bereits unter König Stephan I. als Stadt genannt, von Karl I., Ludwig I., Sigmund und Mathias Corvinus zur Residenz erkoren, und mit aller Pracht ihrer Zeit geschmückt [4]). Die am Fusse dieser Hochburg gelegene königliche Freistadt gleichen Namens wurde von Deutschen (Sachsen) bewohnt, und von denselben Plintenburg oder Blendenburg (blendende Burg?) genannt. König Sigmund befahl die in Verfall gerathene Stadt durch die Bürger herzustellen und machte dem Graner Erzbischofe und bezüglich dem Stephan von Kanisa, königlichen Thürhüter, und seinem Sohne Johann eine Curie zum Geschenke [5]).

Von den Sachsen in Siebenbürgen wird des örtlichen Zusammenhanges halber später gehandelt; hier erwähnen wir noch derjenigen 100 Siebenbürger Sachsen mit ihren Familien, welche König Mathias Corvinus im J. 1474 nach Vissegrad (Plintenburg) verpflanzte, um die bedeutend herabgekommene Bevölkerung dieser königl. Freistadt wieder zu ergänzen. Dieselben waren von allen Abgaben frei und hatten nur zu

---

1) Siehe J. V. Häufler's Buda-Pest S. 23 und 36.

2) Mehreres über die Juden siehe §. 23.

3) Vergl. Bertrandon de la Brocquiere, Oberst-Stallmeister des Herzogs Philipp des Guten von Burgund, Beschreibung von Ofen und Pest v. J. 1433. und Oláh im sechzehnten Jahrhunderte, a. a. O.: Oppidum Budense cum Italis, Germanis, Polonis et Turcis.

4) Siehe J. V. Häufler's Album von Vissegrad mit 8 Ansichten (darunter zwei historische: Zur Zeit Mathias Corvin's und zur Türkenzeit).

5) Cod. dipl. X. V. 302.

St. Georgi 20 — und um Martini ebenfalls 20 Goldgulden in die königl. Kasse zu entrichten [1]).

Sachsen erscheinen zwar urkundlich in Valkó (Vukovár), Verőcze, St. Benedict an der Gran, in Bars, in Luprechtháza (Beregh-Szász) u a. Orten, allein da sie mit Slaven, Ungern, Wälschen etc. zusammenlebten, so werden sie bei den gemischten Colonien angeführt.

§. 92.

Rückblick auf die einstige weitere Verbreitung der Deutschen in Ungern.

Betrachtet man die zahlreichen einstigen deutschen, insbesondere die sächsischen Städte und Colonien, welche am Kranze der Karpathen bis nach Siebenbürgen sich erstreckten, so sieht man, dass die Deutschen in fast allen oberen Komitaten einst viel zahlreicher waren, ja von Kremnitz bis in die Zips eine fast zusammenhängende Kette von Niederlassungen bildeten. Seit Sigmund begann die Schwächung des deutschen Elementes in Ungern. Die Zipser Sachsen verloren durch die Verpfändung der Zipser Städte. Der Zusammenhang der Bergstädte im Barser, Sohler und Gomörer Komitate wurde durch die Einwanderungen der böhmischen Brüder unterbrochen, und in den getrennten sächsischen Gruppen und Inseln verminderte sich oder erlosch der deutsche Stamm und wich dem slavischen Sprach-Elemente. Die deutschen Orte im Sároser und Liptauer Komitate wurden aber ganz slovakisirt, z. B. Siebenlinden, Hamburg etc. in ersterem, Rosenberg, Deutsch-Lipcse etc. in letzterem.

Vergebens suchten sich die Deutschen durch kastenartige Abschliessung vor der ihrer Sprache gefährlichen Nachbarschaft der Slaven zu schützen; vergebens weigerten sie sich, gleich ihren Stammältern in Deutschland, „einem Knaben den Handwerks-Gebrauch zu lehren, der nicht beweisen konnte, dass er von freien und deutschen Aeltern und nicht windischer Art, aus einem keuschen Ehebette erzeugt und geboren sei [2])." Dennoch wurden nicht nur viele kleinere deutsche Orte im siebzehnten Jahrhunderte slavisirt, sondern selbst in vielen Bergstädten. z. B. in Neusohl, Königsberg, Pukantz, Karpfen etc. erhielt das slavische Element das Uebergewicht.

Auch im ungrischen Flachlande, namentlich längs der Donau, und bis nach Kroatien und Slavonien waren schon im Mittelalter Deutsche in inselartigen Gruppen

---

[1]) Die Urkunde ist abgedruckt im Verfassungszustand der sächsischen Nation in Siebenbürgen. Hermannstadt 1790, S. 24—27. „Nos (Mathias) volentes civitatem Visegradiensem — — ut locus ille egregius qui Majestati nostrae gratissimus est, bonis habitatoribus incolatur, vigoremque suum pristinum civitas illa optimorum civium industria resummat, centum Jobbagionalis Conditionis Saxonibus, qui videlicet de partibus Regni nostri Transilvanis e medio fidelium nostrorum Saxonum septem et duarum sedium ad præfatam civitatem nostram Visegradiensem unanimi consensu et voluntate pari, in præfato numero se conferre voluerint moraturos et una cum conjugibus liberis et familia domestica ad dictam Civitatem nostram habituri advenerint, talem libertatis Prærogativam duximus concedendam et concedimus per præsentes, ut ipsi post descensum eorum in præfata Civitate nostra Visegradiensi nullum Censum neque taxam sive Contributionem seu ordinariam seu extraordinariam Majestati Nostrae vel successoribus Nostris præter annualem 40 florenorum auri solutionem solvere teneantur, ita videlicet, ut medictatem illius Summae, hoc est 20 florenos prænotati Centum Saxones pro communi et definito ipsorum Censu circa festum St. Georgii et aliam medietatem, hoc est residuos 20 florenos similiter circa festum St. Martini quolibet anno solvere teneantur.

[2]) Schwartner's Statistik. Pest 1798. S. 93.

ansässig. Die damalige Menge deutscher Colonien in Ungern ist um so bedeutender anzunehmen, als einerseits nur ein Theil derselben bisher urkundlich bekannt ist, anderseits aber auch in den meisten Städten von gemischter Nationalität die Deutschen das Uebergewicht behaupteten[1]).

Wenn auch seit den Türkeneinfällen die deutsche Bevölkerung decimirt wurde, so lässt sich doch mit Hinblick auf die einstige weit grössere Verbreitung der Deutschen in Nordungern annehmen, dass zur Zeit der Blüthe des deutschen Elementes in Ungern im dreizehnten und vierzehnten Jahrhunderte die damalige Gesammtzahl der Deutschen über eine halbe Million betragen haben mochte[2]).

§. 93.

Sächsische Colonien in Siebenbürgen (Erdély, Transylvania)[3]).

(Die Hermannstädter Colonie).

Wenn man den durch Petschenegen und Kumanen verheerten und zur Wildniss gewordenen Zustand und die dünne Bevölkerung des von steten Einfällen dieser Völker bedrohten Berglandes (Transylvania) erwägt, so begreift man, warum König Geisa II. (1141-1161) gerne des Berg- und Ackerbaues kundige Sachsen und andere Deutsche aufnahm und gewerbtreibende Flandrer berief, welchen ihre eigenthümlichen Rechte zugesichert, die aber zugleich zur Landesvertheidigung (ad retinendam coronam) und zur Bebauung des ihnen geschenkten königlichen Grundes verpflichtet wurden.

Gleichzeitig mit den Sachsen in der Zips und den Bergstädten langten bereits unter Geisa auch Flandrer, Sachsen und andere Deutsche in Siebenbürgen an; näheres Licht über dieselben erhalten wir jedoch erst aus den Privilegien Andreas II.

1. Die Hermannstädter Colonie:

Unter Geysa II. (1141—1161) wurden Flandrer (Flandrenses) aus ihrer Heimath berufen, und ihnen eine wüste Gegend (desertum) jenseits des Waldes angewiesen. Unter Bela III. (1189) war die Colonie bereits so ansehnlich, dass derselbe eine eigene Propstei für sie stiftete, welche exemt war, d. i. unmittelbar unter dem Papste stand. Der Wirkungskreis des Propstes erstreckte sich aber nur über die in dem obigen wüsten Bezirke angesiedelten, nicht aber auf die übrigen Flandrer Siebenbürgen's [4]).

---

[1]) Art. 13. v. 1608, S. 4: — „Civitatum . . . . incolae pro majori parte ex Germanica constent natione. Vergl. §. 97 etc. von den gemischten Colonien.

[2]) Eine Würdigung des Einflusses der Deutschen in Ungern auf dieses Reich wird am Schlusse der historischen Skizze folgen.

[3]) Ausser den citirten gedruckten Quellen wurden auch schriftliche Bemerkungen des Nestor's der siebenbürgischen Gelehrten, des Herrn Prof. J. K. Schuller, welche derselbe zu dem MS. zu machen die Güte hatte, benützt.

[4]) Eine Urkunde über die erste Einwanderung der Hermannstädter Colonie unter Geysa II. selbst existirt nicht, doch ist das Gesagte aus spätern Urkunden sicher. Der päpstliche Legat sagt in der Urkunde, worin er den Sprengel des Propstes blos auf die „in deserto" befindlichen Flandrer (1189) beschränkt: Rex (Bela) ad interrogationem nostram hanc interpretationem Vesprimii in præsentia magnatum suorum promulgavit: quod non fuit eius intentionis tempore constitutionis Præposituræ, nec postea, quod alii flandrenses Præposito essent subditi, nisi qui tunctantummodo habitabant in deserto, quod Sanctae recordationis G. (Geysa)

Da zur Zeit Andreas II. die Siebenbürger Flandrer in ihren Rechten sich verletzt fühlten, so bestätigte dieser König ihre alten, bei der Einwanderung erhaltenen Freiheiten [1]) (1224), und vereinigte die verschiedenen von einander unabhängigen Gaue (Comitatus) der von Geysa II. berufenen Colonisten mit der Hermannstädter Grafschaft (Comitatus), wornach also auf alle darin vereinigten Colonisten die alten Freiheiten der Hermannstädter Colonie übergingen. Das Wesentliche dieser Rechte war:

α) Die Colonie untersteht nur der Gerichtsbarkeit des Königs und ihres Grafen, selbst in peinlichen Fällen; sie hat ihr eigenes Gewohnheitsrecht. Das Sachsenland ist in seiner ganzen Ausdehnung von Broos bis Drass (bei Reps) ein politisches Ganzes; der König darf keinen Theil desselben als adeliges Lehen verleihen.

β) Der König behält sich die Bestellung des Grafen als Richters und Oberhauptes der Colonie vor, der daher auch Königsrichter (Judex regius) hiess.

γ) Der Graf soll Niemanden zum Richter bestellen, der nicht unter ihnen ansässig ist, und welchen das Volk nicht gewählt hat.

δ) Die Colonie hat freie Wahl ihrer Geistlichen, diesen steht in Kirchensachen die ausschliessliche Gerichtsbarkeit zu, auch gebührt ihnen der Zehent.

ε) Die Colonie geniesst zollfreien Handel durch ganz Ungern, abgabenfreie Wochen- und Jahrmärkte, unentgeltlichen Bezug des Kleinsalzes (dreimal des Jahres), gemeinschaftlichen steuerfreien Gebrauch der Waldungen und Gewässer, und erhält ausserdem noch eine angränzende Gebietsstrecke, den sogenannten Walachen- und Bissenen Wald zur gemeinschaftlichen Benützung.

Pater suus flandrensibus concesserat (Cod. dipl. II. p. 251). Daraus folgt nicht nur dass unter Geysa II. Flandrer in der siebenbürgischen Wüste wohnten, sondern auch, dass unter Bela III. bereits anderwärts Flandrer als Colonisten in Siebenbürgen lebten. Urkundliche Data zur genauen Bestimmung des Umfanges des desertum's (welches Geysa den Flandrern überliess, und welches die gedachte Urkunde von 1189 erwähnt) fehlen. Erwägt man aber, dass der Sprengel des Propstes von Hermannstadt die drei mit den politischen Districten zusammen fallenden Decanate von Hermannstadt, Leschkirch und Gross-Schenk umfasste, so haben wir triftigen Grund anzunehmen, dass gerade diese drei Stühle das Geysa'ische desertum gebildet. — Papst Cölestin erklärt die gedachte Propstei für exemt (1191), wobei die Flandrer unter dem allgemeinen Namen: „Siebenbürger Deutsche" vorkommen: Quum autem Ecclesia Teutonicorum Vltrasilvanorum, in praepositoram liberam sit instituta. (A. a. O. p. 276). Die Propstei verlor jedoch frühzeitig ihre exemte Stellung und kam unter den Erzbischof von Gran. Andreas II. wollte sie zum Bisthume für alle deutschen Colonisten in Siebenbürgen erheben, wogegen aber sowohl der Graner Erzbischof, als der Siebenbürger Bischof protestirten. (Siehe Schuller's Umrisse zur Geschichte von Siebenbürgen mit besonderer Rücksicht der deutschen Colonien etc. I. II.)

[1]) Der von Andreas II. den Siebenbürger Deutschen ertheilte Freiheitsbrief (nur in Transumten erhalten, worunter das älteste von König Karl Robert 1317) sagt: Accedentes itaque fideles nostri hospites Teutonici Vltrasilvani universi ad pedes nostrae maiestatis humiliter nobis monstraverunt, quod penitus a sua libertate, qua vocati fuerant a piissimo Rege Geysa, avo nostro escidissent. Nos igitur — — pristinam eis reddimus libertatem, ita tamen, quod universus populus incipiens a Vaross usque ad Baralt cum terra Siculorum terra Szebus et terra Daraus unus sit populus et sub uno judice censeatur, omnibus comitatibus præter Cibiniensem, cessantibus radicitus.

δ) Sie erhält als Siegel eine Krone. Dieselbe wird von vier Personen gehalten, von welchen die beiden mittlern auf dem rechten Knie ruhen, von den Seiten-Personen, die rechts befindliche kniet, die links aber steht. Die Umschrift lautet: „Sigillum Provincie Cibiniensis *ad retinendam coronam.*"

Die Pflichten der Hermannstädter Colonisten bestehen:

α) in der Entrichtung einer jährlichen Abgabe von 500 Mark Silbers nach kölnischem Fuss zur königlichen Kammer, als Ablösung des aus der periodischen Umwechslung der Münze der königlichen Kammer zufliessenden Gewinnes (lucrum camerae), daher denn auch im Sachsenlande dieser Umsatz der verrufenen Münze nicht durch die Münzpächter, sondern durch die Beamten der Colonisten selbst geschehen sollte.

β) in der Stellung von 500 Mann bei einem Kriege im Reiche selbst, von 100 Mann bei einem Kriege ausserhalb der Reichsgränzen, wenn der König persönlich das Heer anführt, in jedem andern Falle in jener von 50 Mann.

γ) In den unentgeltlichen drei Bewirthungen des Königs und in zwei des Wojwoden bei Landesbereisungen [1]).

§. 94.

Andere sächsische Colonien in Siebenbürgen.

2. Um dieselbe Zeit, wo nicht früher als die Hermannstädter Flandrer, scheinen die Sachsen von Karako, Chrapundorf (Grabendorf?, Igen) und Rams eingewandert, und im Westen Siebenbürgen's des Berg- und Weinbaues wegen angesiedelt worden zu sein [2]).

Die wesentlichen Freiheiten dieser Colonisten bestanden darin, dass sie:

α) keinem Gerichte (nicht einmal dem des Wojwoden) ausser ihrem eigenen unterworfen waren;

β) dass der Wojwode keine Bewirthung (descensus) fordern konnte;

γ) dass sie weder, wie die anderen Sachsen [3]) eine Abgabe zu zahlen, noch Kriegsdienst zu leisten hatten, ausser der König würde in eigener Person das Heer anführen;

δ) Auch haben sie weder von ihren Weingärten, noch von ihrem Borsten- und anderem Vieh den Zehent oder andere Abgaben zu entrichten.

---

[1]) Sieh die bezügliche Urkunde v. J. 1224 in Fejer's Cod. dipl. III. I. p. 441 — 445. Eine nähere Auslegung dieses Privilegiums in J. H. Benigni v. Mildenberg's Unterhaltungen aus der Geschichte Siebenbürgen's p. 212 — 243. Schuller Umrisse etc. mit besonderer Rücksicht der deutschen Colonisten. II. I. p. 60 — 101. — Die Bestätigungen u. Erweiterungen des Andreanischen Privilegiums siehe Cod. dipl. VIII. II. 62, IX. III. 248, IX. IV. 335, IX. VI. 501, X. I. 145 etc. u. 288, X. VIII. 324.

[2]) In dem dem Freiheiten-Bestätigungsbriefe von Andreas III. (1289) einverleibten Privilegium K. Andreas II. von 1206 heisst es: (Ist nach Schuller's Umrisse etc. 1. Heft p. 69, eine Ergänzung aus den Collect. des Herrn Hofrathes v. Rosenfeld.) „Primi hospites regni de tribus villis ultrasilvanis: Karako videlicet, Chrapundorf et Rams — tali eos ob reprimendam posterorum praesumtionem libertatis gratia, quam et antecessorum nostrorum privilegiis obtinuere dotavimus (Fej. Cod. dipl. III. I. 34).

[3]) Zwar redet Kinnamus bereits von Sachsen, die nebst Böhmen im Heere des Königs Geysa II. (1156) dienten, aber urkundlich erscheint (1206) der Name Sachsen in Ungern das erstemal im obigen Pri-

3. Ueber die Gründung der meisten übrigen Colonien der nachmaligen Hermannstädter Provinz (Provincia vel Comitatus Cibiniensis), so wie von der Mediascher (Megyes, im Weinlande) und der Bistritzer Colonie (im Nösnerlande) fehlen urkundliche Angaben, obwohl Wandchroniken (vermuthlich nach späterer unsicherer Tradition) folgende Jahre für die einzelnen deutschen Colonien in Siebenbürgen angeben [1]):

1142 oder 1146 . . . . . Mediasch (Megyes [2]),
1150 . . . . Mühlenbach (Szasz Sébes),
1160 . . . . Hermannstadt (Nagy Szeben, Cibinium).
1178 . . . . Klausenburg (Kolosvár).
1178 (1193, 1196, 1198) Schäsburg (Segesvár),
1180 (1206) . . . . Bistritz (Beszterczc),
1198 . . . . Reusmarkt (Szerdahely).
1200 . . . . Broos (Szászváros),
1203 . . . . Kronstadt (Brassó, Borza [3]).

4. Die frühere Heimat der Bistritzer lässt sich noch weniger als die der südlichen Colonien in Siebenbürgen sicher bestimmen. Aehnlichkeit der Mundart und Kleidung [4]), Ortsnamen, z. B. Bistritz, Wallendorf etc. unterstützen indess die Volkssage, dass die Bistritzer in Siebenbürgen keine unmittelbare Einwanderung aus Deutschland, sondern nur eine Vorrückung der im nördlichen Ungern, um die Mitte des zwölften Jahrhunderts angesiedelten Zipser und anderer Sachsen aus den Bergstädten seien [5]). Im Jahre 1222 erscheint bereits ein Emrich von Salzburg als Comes Bistriciensis.

5. Rudana (Radna) nennt Roger (c. 20) eine reiche wohlbevölkerte deutsche Bergstadt im Bistritzer Bezirk, wo königliche Silbergruben waren. Die Stadt hatte einen eigenen Grafen, unter welchem mehr als 600 Bewaffnete anfänglich den Mongolen Widerstand leisteten, aber durch verstellte Flucht getäuscht, überfallen und zu Gefangenen gemacht wurden.

6. In Folge des Mongoleneinfalles dürften auch die Deutschen auf das bischöfliche Gut Enyed zur Bevölkerung des verödeten Bodens angekommen sein. Ein Gleiches scheint der Grund der erweiterten Privilegien der durch die Mongolen verwüsteten Ab-

---

vilegium: „a collectarum, et quibus alii Saxones obligantur, sint immunes" . . . Man sieht daraus zwar mit ziemlicher Bestimmtheit, dass die Colonisten von Karako etc. selbst Sachsen waren, ob aber die hier angeführten Sachsen wirklich aus dem Herzogthume Sachsen, oder aus einem anderen sächsischen Gebiete stammten, oder im weitern Sinne als Deutsche überhaupt genommen sind, wie Bela IV. schon (1244) diesen Ausdruck zu gebrauchen scheint: „concessimus etiam eis, quod decimas suas tempore messis in agro relinquere debeant, more Saxonum aliorum," ist nicht zu bestimmen.

[1]) Nach Eder de initiis etc. p. 64, 66, 89; bei Schlözer die Deutschen in Siebenbürgen, p. 208.

[2]) Mediasch (villa) erhielt von Stephan V. deutsche Municipalrechte (Cod. dipl. VII. III. p. 71).

[3]) Ueber Kronstadt und Klausenburg folgen weiter unten ethnographische Andeutungen.

[4]) Windisch neues ungrisches Magazin, I. Bd. p. 14. Auch die ältere Kleidungstracht der Zipser und Siebenbürger Sachsen, namentlich die schwarzen Frauenmäntel, stimmen überein.

[5]) Schlözer, S. 277. Schuller Umrisse, S. 69. Eder ad Sches. Script. t. I. S. 225. Teutsch Beiträge zur Geschichte Siebenbürgen's im Archiv des Vereins für siebenbürgische Landeskunde, a. a. O. S. 231—252.

tei **Kerz** zu sein [1]). In einer Urkunde **Bela IV.** von **1247** wird eines **Vertrages** erwähnt, den er **mit dem Grossmeister der Hospitaliter, Rembald, zur Wiederbevölkerung des durch die Tataren verwüsteten Landes** schloss. Die wenigen urkundlichen Spuren, die bisher bekannt sind [2]), zeigen jedenfalls, dass **Bela IV.**, so wie für Ungern's, so auch für **Siebenbürgen's Wiederbevölkerung** thätigst sorgte. Urkunden selbst schreiben die Verwüstung der Güter des Siebenbürger Bisthums, der Abteien von Kolosmonostor und Kerz, des Bezirkes von Zek und der Burg Sz. Lélek im Háromszeker Stuhl den Mongolen zu.

Bela IV. schickte noch im Jahre **1242** den Wojwoden **Laurentius** nach Siebenbürgen mit der Vollmacht, die Ueberreste der Bevölkerung zu sammeln, und im Namen des Königs die nöthigen Massregeln zu ergreifen.

Die Verleihung einiger Landstrecken an die **deutschen** Brüder Lenteuck und Hermann für geleistete Kriegsdienste ist die erste sichere diplomatische Spur dieses Laurentius während seiner Anwesenheit in Siebenbürgen.

Es ist anzunehmen, dass diese herabgeschmolzenen deutschen Colonien durch neue Einwanderungen aus Deutschland und durch neue Anlegung von Colonien gestärkt wurden.

7. Unter die neuen Ansiedler scheinen jene von **Deésvár** am Zusammenflusse des grossen und kleinen Szamos zu gehören, da Herzog Stephan in der Bestätigung ihrer Freiheiten vom Jahre **1261** ausdrücklich sagt, dass sie diese und ihr Gebiet von seinem Vater Bela erhalten haben [3]). Die Colonie lebte nach deutschem Rechte und blühte durch den Salzhandel schnell empor. Ferdinand I. untersagte noch (**1553**) dem Wojwoden Andreas Báthori jeden Eingriff in ihre Rechte, doch jetzt ist von deutscher Bevölkerung keine Spur mehr.

8. Klausenburg (villa Colusvar jetzt Kolosvár) wurde von Stephan V. (**1270—1272**) gegründet. Die Bestätigungs-Urkunde Karls vom Jahre **1316** erwähnt zugleich ihre ursprünglich erhaltenen Vorrechte: die freie Wahl des Richters und Pfarrers, Zollfreiheit innerhalb der Gränzen Siebenbürgen's, Anerkennung ihres rechtlich erworbenen Besitzstandes, wogegen die **Klausenburger** (hospites et **Saxones** de Colusvar) zur Heeresfolge und jährlichen Steuer verpflichtet waren. Diese Freiheiten wurden (**1331** und **1336**) wiederholt von Karl bestätigt [4]).

Unter Sigmund ging der Appellationszug von Klausenburg nach Hermannstadt. Ueber diese Verbindung und die Magyarisirung Klausenburg's folgen unten Andeutungen.

---

[1]) Schuller Mongolen in Siebenbürgen, Archiv, I. Bd. 1. Heft.

[2]) A. a. O. I. Band 1. Heft p. 38—63.

[3]) Cod. dipl. VIII. VII. p. 95.

[4]) Die betreffenden Urkunden sollen im Klausenburger Archive liegen, und eine Zusammenstellung derselben enthalten die Privilegia Civit. Claudiopol. Ms. in der Batthyanyschen Biblioth. zu Karlsburg nach G. D. Teutsch Beiträge zur Geschichte Siebenbürgen's unter Karl Robert, S. 237. Vergl. Cod. dipl. VIII. I. 596 etc. — und VIII. IV. 171 — die weiteren Vorrechte der Klausenburger siehe im Cod. dipl. IX. V. 160 und 257—260; dazu gehörte auch ein **Walachendorf** im Walde, welches die Sachsen von Klausenburg desshalb erhielten, um sich gegen die Raubanfälle der dortigen Walachen zu schützen.

9. Laurentius ertheilte (1248) den deutschen Ansiedlern von Vinz (Alvincz) und Borberg (Borberek) ein erweitertes Privilegium, um — wie Stephan V. deutlich sagt — die verminderte Bevölkerung der Gäste zu vermehren.

10. Ludwig der Grosse übernahm (1381) die Besitzungen des Ladislaus von Ebesfalva (Elisabethstadt), verband dieselben mit den Stühlen Mediasch und Schelk (welche bereits den sieben Sachsen Stühlen angeschlossen waren), und verlieh den dortigen Bewohnern, auf Rath des siebenbürgischen Bischofs Goblin und des gedachten Herrn Ladislaus von Ebesfalva die Freiheiten, deren sich die Sachsen von Mediasch und Schelk erfreuten[1]).

11. Die Kronstädter, welche durch den Abzug der deutschen Ordensritter noch mehr aber durch den Mongoleneinfall viel gelitten hatten, erhoben sich durch Handelsthätigkeit unter Ludwig dem Grossen. Sie sendeten im Jahre 1353 ihren Grafen und Richter (comes et villicus) Jacob, im Namen sämmtlicher Bürger und sächsischen Gäste von Kronstadt, an den König, welcher ihre älteren Freiheiten und eigene Jurisdiction unter ihrem Grafen bestätigte, zugleich aber auch ihre Pflichten bestimmte[2]). — Sie hatten jährlich 150 Mark Königszins zu entrichten; bei einem Kriegszuge des Königs in die östlichen Gebiete (in partes orientales) mussten sie 50 wohl gerüstete Lanzenträger stellen. Ueber Todtschlag richtete zwar der königliche Richter; doch durfte er — ohne Willen der sächsischen Gemeinde — weder den Thäter in sein Haus verfolgen, noch dessen Güter einziehen. Wald und Gewässer können die Kronstädter Bürger und Gäste frei benützen, und überhaupt alle ihre Freiheiten geniessen, so lange sie dem Könige treu bleiben.

Im Jahre 1358 gestattete Ludwig I. den Kronstädter Kaufleuten auch freien Uebergang über die Donau vom Orte Uz bis zum Einflusse des Sereth[3]); bald (1364) bekam Kronstadt gleiche Marktfreiheiten mit Ofen, auch erhielt diese Stadt zugleich mit Hermannstadt das Stapelrecht, und im Jahre 1370 wurde ihnen zollfreier Handel (durch ganz Ungern und Kroatien bis Zara) eingeräumt, nur in Ofen hatten sie die Dreissigst-Abgabe zu entrichten[4]).

Auch wurde den Kronstädtern die Zusicherung ertheilt, dass kein königlicher Graf, Richter oder Kastellan — er mag ein Unger, Sachse oder von einer andern Nation sein — sie in ihren Freiheiten beeinträchtigen, sondern vielmehr darin beschützen soll[5]).

---

[1]) Cod. dipl. IX. V. 464 und 465 etc. — Die Mediascher und Schelker hatten von Karl I. gegen jährliche 400 Mark, Befreiung vom Kriegsdienste erworben (a. a. O. VIII. II. 160).

[2]) Cod. dipl. IX. II. 236.

[3]) A. a. O. IX. II. 688 bestätigt IX. IV. 227. — Das Recht Wachs zu giessen und frei zu verkaufen, erhielten sie 1370 (a. a. O. IX. IV. 565).

[4]) A. a. O. IX. IV. 227.

[5]) A. a. O. IX. V. p. 158. etc. Seit dem sechzehnten Jahrhunderte kamen auch türkische Unterthanen, namentlich Griechen, nach Kronstadt, welche zu Rakoczi II. Zeit dort und in Hermannstadt eine Handelscompagnie gründeten, und grossentheils den Verkehr der durch Türkeneinfälle und Pest herabgeschmolzenen Kronstädter Sachsen übernahmen. Art. Diaet. comp. Const. p. 40. — Fr. Hann, zur Gesch. des siebenbürgischen Handels. Vereins-Archiv. III. B. 3. H. S 275.

Von Sigmund wurden die Kronstädter (1391) mit den Freiheiten der Hermannstädter, namentlich hinsichtlich der Handelsvortheile begünstigt[1]).

12. Auch Thorda (Thorenburg) hatte deutsche Bewohner (hospites), welchen Andreas III. die Freiheiten der Sachsen in Dés-Akna, Zék und Kolos verlieh, und Karl I. dieselben bestätigte[2]).

Wichtig wurde Thorda durch die hier wiederholt (1438 und 1542) geschlossenen Unionen der Szekler, Ungern und Sachsen. Doch erlosch die deutsche Nationalität während der Türkenherrschaft, und (1672) wurden die zwei Marktflecken Alt- und Neu-Thorda zu einem Marktflecken und Taxalorte vereinigt.

13. Mehrere alte deutsche Namen von Orten in Siebenbürgen, welche jetzt ganz oder wenigstens zum Theile von Walachen oder Ungern bewohnet, oder welche ganz verschollen sind, deuten auf eine einstige weitere Verbreitung des deutschen Stammes in diesem Waldlande (Transylvania); dahin gehören[3]), ausser den früher angedeuteten Orten: Klausenburg, Deés, Thorenburg, Elisabethstadt etc., z. B.:

Altumburgh	(urkundlich	1427,	jetzt	Körösbanya).
Brigendorf	„	1377,	„	Botfalva) im Kronstädter Districte.
Budinbach	„	1383,	„	Szibiel) im Hermannstädter Stuhle.
Burgberg Borpergh	„ „	1361, 1552,	„	Boberek) im Unter-Albenser Komitate.
Chrapundorf	„	1206, 1366,	„	Magyar Igen) „ „
Conradsdorf (villa Conradi)	„	1386,	„	Gainár) im Ober-Albenser Komitate.
Chrützenburg (Cruceburc)	„	1216, 1342,		bei Nyén „ „ „
Chellthurn	„	1313,	„	Gergelyfaja.
„			„	Spring im Unter-Albenser Komitate.
Detreh (Dietrich)	„	1523, 1547,		jetzt Detrehem) im Krasznaer Komitate.
Erdenburg	„	1345,		einst im Burzenlande.
Eppendorf Eppesdorf	„ „	1314, 1448,		jetzt Borgo) im Dobokaer Komitate.
Fugindorf	„	1357,		einst im Kokelburger Komitate.
Hegun (Hag?)	„	1349,		jetzt Hégen) im Schässburger Komitate.
Homabach	„	1322,	„	Bukur) im Hermannstädter Stuhle.
Hyltvetsdorff	„	1462, 1464,		im Kronstädter Bezirke.

[1]) A. a. O. X. VIII. p. 324.

[2]) A. a. O. VI. I. 105 u. VIII. VII. 267 etc.

[3]) Siehe das Verzeichniss veralteter Namen siebenbürgischer Ortschaften, im Archiv des Vereines II. B. I. Heft 145 — 157, und 163 — 167, ergänzt durch Herrn Hofrath Ludwig von Rosenfeld.

Hussatseif (urkundlich 1366, jetzt Ujfalu) im Kronstädter Bezirke.
Hopsysen „ 1462, „ Komlos) im Kronstädter Bezirke.
Hofeld (Hochfeld) „ 1487, „ Fofeld) im Leschkircher Stuhle.
Krisbach (Kroysbach) „ 1383, „ Kakova) im Hermannstädter Stuhle.
Krenezerfeld (Gränzerfeld) „ 1453, bei Talmács.
Kripczbach „ 1486, „ Omlas im Albenser Komitate.
Kyrch (Kirch) „ 1547, im Zarander Komitate?
Karuth „ 1337, (pagus Saxonicus).
Mikesdorf „ 1471,
Neppundorf „ 1328, jetzt Felsö Borgo) im Dobokaer Komitate.
Pottendorf (Pettendorf) „ 1311, einst Also Borgo) „ „ „
Rams (Roms) „ 1206, jetzt Roms) bei M. Igen.
Städterdorf „ — „ Resinar) „ „
Somosdorf „ 1543, „ Szamostelke?) im Kükülloer Komitat.
Schelgestadt „ 1355, „ Szelistadt) im Gross-Schenker Stuhle.
Toroczkó (Eisenmarkt) „ 1291, „ im Thorenburger Komitate.
Wyngartcheerch „ 1329, (Wengenkirch) „ 1345, „ Vingárd) im Unter-Albenser Komitate.

Das deutsche Element schmolz während der Herrschaft des Halbmondes bedeutend herab, so dass manche der gedachten Orte verlassen oder in der Folge von anderen Nationalen besetzt wurden.

Wie bedeutend die Entvölkerung Siebenbürgen's durch die Türkeneinfälle im fünfzehnten Jahrhunderte war, zeigt die Geschichte der Jahre 1438 und 1441. — Im Jahre 1438 fiel Murat beim Rothenthurm-Passe nach Siebenbürgen ein, und kehrte über den Törzburger Pass zurück, 70.000 Gefangene mit sich in die Türkei führend[1]). Im Jahre 1441 wurde das Burzenland von den Türken verheert, und sogar der Magistrat von Kronstadt in die Gefangenschaft geschleppt.

Die früher genannten Burgen des Burzenlandes, welche gegen die Kumanen errichtet, so wie die Törzburg (Theodrichsburg)[2]), welche zur Zeit Ludwig's des

---

[1]) Engel's Geschichte der Walachei S. 169. Wir erinnern übrigens, dass die sächsische Bevölkerung schon früher auf friedlichem Wege eine Ableitung nach der Walachei erhalten hatte, indem zur Zeit von Radul's Herrschaft (1290 — 1314) eine sächsische Colonie dort Kimpolung (Langenfeld) gegründet hatte, und den Siebenbürger Sachsen ihre eigene Richterwahl und die übrigen deutschen Rechte eingeräumt wurden, welche die Sachsen bis in's achtzehnte Jahrhundert ausübten. Sulzer I. p. 330 — 332. — Eine Auswanderung auf friedlichem Wege geschah auch unter Mathias Corvinus, indem derselbe, wie bereits erwähnt, eine Colonie von 100 Siebenbürger Sachsen (Saxonum septem et duarum sedium) in die entvölkerte königlichen Freistadt Vissegrad verpflanzte. Siehe §. 91.

[2]) Vergl. Cod. dipl. a. a. O. IX. V. p. 158 und Engel a. a. O. (nach Eder) S. 41. Nos Ludouicus — — — quod quia fideles nostri Seniores, Judices, Jurati et totaque communitas Saxonum Sedis Brassouiensis — — — sponte ac liberaliter unanimiter promiserunt, nouum Castrum in lapide Tidrici aedificare — — — — — — et nos viceversa — — fauemus, quod

Grossen von den Kronstädter Sachsen (1377), so wie Landskron (bei Talmács), welche von den Hermannstädtern erbaut wurden, hatten gegen die Türken keinen Schutz gewährt; dafür wurde weit zweckmässiger erachtet, den Pass an der Aluta zu befestigen, und (1453) den rothen Thurm zu erbauen.

Als ein bei weitem wichtigeres Schutzmittel gegen die gemeinsame Gefahr sollte jedoch die Vereinigung der Ungern, Szekler und Sachsen dienen.

§. 95.

Innere Angelegenheiten der Siebenbürger Sachsen.

(Die sächsische Gesammtheit, die Hermannstädter Provinz, die sieben Stühle, der Hermannstädter Graf die erste Union (1437), die Rechtsverbindung von Kronstadt und Klausenburg und Magyarisirung des Letzteren.)

Bevor wir den Akt der Union selbst erzählen, dürfte es zweckmässig sein, einen kurzen Rückblick auf die inneren Angelegenheiten der Siebenbürger Sachsen seit dem Erlöschen der Arpaden, zu gewähren [1]).

Bei den damaligen Kronstreitigkeiten hielten die Sachsen offen an König Otto. Nachdem jedoch Karl I. durch wiederholte Krönung als rechtmässiger König anerkannt war (1309 und 1310), neigte sich auch die Mehrzahl der Sachsen, wenigstens für einige Zeit auf Karl's Seite und erklärte ihre Anhänglichkeit an denselben [2]). — In den Wirren des Kronstreites waren die Mediascher, Schelker und Birthelmer von der Hermannstädter Colonie, mit der sie seit dem andreanischen Freiheitsbriefe vereinigt gewesen, durch den Wojwoden Ladislaus getrennt worden. Zwar stellte Karl im Jahre 1315 die Einigung urkundlich wieder her, ohne dass sie jedoch thatsächlich ausgeführt wurde.

Die Mediascher und Schelker erhielten vielmehr (1318) für sich die Freiheiten der Hermannstädter Sachsen und die ersteren erscheinen sogar unter eigenen Grafen [3]).

In dieser Periode erscheinen auch nebst der, durch den andreanischen Freibrief gesetzten sächsischen Gesammtheit (universitas), an der Stelle der frühern Gaue (comitatus), allmälig die Stühle (Sedes) [4]). — Im Jahre 1316 bathen und

---

villae — — — Waydenbach, nova Civitas, Rosnow, villa Wolkaa, Cydinis, Mergenburg, villa nucum. Rufa ripa, villa Heltieu, Mons mellis, Mons S. Petri, Brigondorf (vel Tortalcu vocatae) ei Civitati Sacrae Coronae sicut hactenus ab antiquo fuerunt sic et deinceps sint annexae — — — — Declaramus tamen, ut in eum sive Ungaros, sive Teutonicos, sive de alia natione Comitem, Judicem et Castellanum dicti novi Castri et etiam castri Heltven (Heldenburg) praeficiendi habemus et retinemus potestatem, qui eosdem fideles nostros Saxones in suis libertatibus conseruabunt et in consuetudinibus antiquis.

[1]) Wir folgen zunächst hierin auszugsweise G. D. Teutsch's Beiträgen zur Geschichte Siebenbürgen's vom Tode König Andreas III. bis zum J. 1310 im Archiv des Vereines für siebenbürgische Landeskunde I. B. 1. H. und II. B. 1. H.

[2]) A. a. O. Collect. Vaticanae Biblioth. F. 131.

[3]) Cod. dipl. VIII. II. p. 160. etc. — Erst Sigmund vereinigte wieder die Mediascher und Schässburger mit der Hermannstädter Provinz.

[4]) Im J. 1302 werden genannt: Die Gesammtheit der Gaugenossen des Hermannstädter Stuhles und der zu diesen Gehörigen; und der Sedes Nagy-Sink; im J. 1309 der Hermannstädter Stuhl und die Gesammtheit desselben; im J. 1318 der Mediascher und Schelker; im J. 1337 der Schässburger und Repser, und 1351 der Leschkircher, nach den (a. a. O. S. 51 und 52) angeführten urkundlichen Daten.

erhielten die Klausenburger Sachsen (Hospites et Saxones de Culusvar) [1]), und (1317) die Hermannstädter Provinz die Bestätigung ihrer Freiheiten. Die Treue der Klausenburger rühmt Karl im Freiheitsbrief; die Hermannstädter finden wir im Jahre 1324 im Aufstand gegen Karl. Der Ausdruck der „Siebenstühle" (septem sedium) wurde erst in der zweiten Hälfte des vierzehnten Jahrhunderts (1359), und zwar zur Bezeichnung der Hermannstädter Provinz gebräuchlich. Darin hatten doppelte Versammlungen von Richtern (Königsrichtern, Stadtrichtern), Bürgern, Räthen und Geschwornen statt, und zwar die allgemeine Versammlung der Provinz, und die Versammlung der einzelnen Stühle, welche jährlich viermal unter freiem Himmel nach deutscher Sitte öffentlich gehalten wurden. — Mehrere dieser Richter erwarben ihre Würde erblich; dagegen stand an der Spitze der ganzen Hermannstädter Provinz der vom König jedesmal eingesetzte Graf. Die Kronstädter und Mediascher Grafenwürde war gewöhnlich dem Szekler Grafen übertragen; die Bistritzer Sachsen aber wurden erst 1334, und die Klausenburger erst unter Sigmund von der Gerichtsbarkeit des Wojwoden, befreit [2]); auch Winz und Weinberg standen bis zur Vereinigung mit der Hermannstädter Provinz (1339) unter dem Wojwoden, während die Ansiedlungen in Chrapundorf, Krako, Deés und Thorenburg, obwohl der Aufsicht und Richtergewalt desselben entzogen, doch in den Stürmen der Folgezeit ihr Deutschthum gänzlich verloren. — Allmälig war das ursprünglich nur für die Hermannstädter Provinz gültige andreanische Privilegium auch auf den Mediascher, Kronstädter und Bistritzer Kreis ausgedehnt; daher kam der diplomatische Ausdruck: Universitas Saxonum, septem et duarum sedium Saxonicalium [3]) ac Brassoviensis et Bistriciensis et terrae Borzae. Unter Ludwig dem Grossen erreichte der Handel und der Wohlstand der Sachsen seinen Gipfelpunkt. Nicht nur Hermannstadt und Kronstadt haben vielfache Handelsvorrechte von ihm erhalten, sondern König Ludwig ertheilte, auf vereinigte Bitten der Klausenburger und Hermannstädter Kaufleute (1378), denselben die Gerechtsame, dass Kaufleute aus Kaschau und andern ungrischen Städten nirgends als nach Klausenburg, Bistritz und Weissenburg, Enyed und zuletzt nach Hermannstadt mit ihren Waaren reisen, ihre Tücher nicht nach der Elle, sondern im Stück verkaufen, und von Hermannstadt weiter in den sieben sächsischen Stühlen nicht handeln dürfen [4]). — Auch unter Sigmund stehen die Kronstädter und Klausenburger mit den übrigen Sachsen nicht nur in Handels- sondern in rechtlicher Verbindung, indem sie im Jahre 1405 laut königl. Entscheidung in ihren Prozessen nach Bistritz und von da nach Hermannstadt appellirten. Im J. 1422 trat Kronstadt

---

[1]) A. a. O. S. 31. Nach dem Privileg. Claudiopol. Cod. M. S. in der Batthianischen Büchersammlung in Karlsburg p. 117.

[2]) Ludwig I. wies sie noch im J. 1378 der Gerichtsbarkeit der Wojwoden zu. Cod. dipl. IX. V. 257. etc.

[3]) Die Hermannstädter Provinz umfasste sieben Stühle; der Mediascher und der ehemalige Marktschelker Stuhl bildeten die oben erwähnten zwei Stühle.

[4]) J. G. Schaser im Vereins-Archive II. Bd. 1. Heft S. 57, nach dem Hermannstädter Archiv Nr. 38. Vergl. über die Geschichte des siebenbürgischen Handels in Fr. Hann's bezüglicher Abhandlung im Archive des Vereins III. Bd. 2. und 3. Heft.

in noch engere Verbindung mit Hermannstadt, und (1433) stellten die Klausenburger mit den sieben sächsischen Stühlen im Verein ihr Contingent an Wachen an die Gränze gegen die Walachen[1]. — Nicht allein die wiederholten Türkeneinfälle, sondern zunächst der Aufstand der ungrischen und walachischen Bauern gegen den Adel und die Sachsen hatten im Jahre 1437 zu einer gegenseitigen Vereinigung (unio) oder zu einem Schutzbündnisse der Ungern, Szekler und Sachsen bei gemeinschaftlicher Gefahr in Kapolna (14. September) und zu einer Erneuerung in Thorda (2. Februar 1438) geführt[2], doch war diese Union nur vorübergehend, vielmehr zeigten sich in der zweiten Hälfte des fünfzehnten Jahrhunderts, so wie in andern Städten des ungrischen Reiches, auch in Siebenbürgen heftige Reibungen zwischen Ungern und Deutschen, namentlich in Klausenburg.

Seit dem vierzehnten Jahrhundert hatten sich in dieser Stadt den Sachsen allmälig Ungern beigemischt[3], welche im fünfzehnten Jahrhunderte bereits so zahlreich wurden, dass sie gleiche politische Rechte mit den Sachsen ansprachen. Diese gaben zur Bewahrung des Friedens, im Jahre 1458, das Zugeständniss: bei der jährlichen Wahl des Stadtrichters soll der Wechsel zwischen Ungern und Sachsen genau beobachtet werden, der Magistrat soll aus sechs Sachsen und eben so vielen Ungern, und die Hundertmannschaft aus fünfzig Sachsen und fünfzig Ungern bestehen, und beide Nationsverwandten sollen an den Stadt-Einkünften gleichen Antheil haben. König Mathias bestätigte diesen Friedensbund (1468). Derselbe befahl auch dem Magistrate der Stadt Ofen, jenem von Klausenburg eine Abschrift ihrer Freiheiten und Stadtrechte zu übergeben, mit welchem Auftrage eine Deputation der Klausenburger im Namen sowohl der ungrischen als deutschen Gemeinde bei dem Ofner Magistrate erschien[4] (1488).

Während der Regierungswirren zwischen König Ferdinand und dem Wojwoden Johann Zápolya fand die Lehre Luther's Eingang in Siebenbürgen. Die Sachsen blieben derselben ergeben, während die Ungern bald zu Calvin's (auf einige Zeit auch zu Socinus) Lehre sich bekannten. In Broos geschieht schon im Jahre 1491 einiger reformirten Ungern (Calviner und Unitarier) Erwähnung, und in Klausenburg begann das sächsische Element allmälig zu erlöschen, seit die Ungern in den Besitz der sächsischen Pfarrkirche traten (1568). Ausser Klausenburg wurde auch das deutsche Element in andern Orten des Sachsenbodens geschwächt, indem die Ungern nicht nur Anhänger der reformirten Lehre auf demselben gewannen, sondern auch sächsischen Grund, Gerechtsame und Freiheiten

[1]) A. a. O. nach dem Hermannstädter Archive Nr. 68.

[2]) Obigen Anlass hat bereits Joseph L. Eder in seinen Noten zur siebenbürg. Geschichte Felmer's S. 70 — 76 nachgewiesen, und Gf. Jos. Kemény im Magazin II. Bd. 3. Heft den bezüglichen Bauernaufstand und Schutzvertrag durch neue Documente beleuchtet.

[3]) Ueber Klausenburg's alte Geschichte vergleiche Eder's: Christiani Schesaei Ruinae pannonicae. Hermannstadt 1797 p. 212 — 223. Deutsche Fundgruben von Graf Jos. Kemény. Klausenburg 1835, I. S. 75 — 79.

[4]) Die betreffende Urkunde ist im k. Gubernial-Archiv zu Klausenburg, und abgedruckt im Ofner Stadtrecht, erläutert und herausgegeben von Andreas Michnay und Paul Lichner. Pressburg 1845 S. 254—257.

erwarben, wie diess in den sächsischen Marktflecken Broos, Thorda, Enyed, Salzburg und Fogaras geschehen ist[1]).

Endlich ist noch zu bemerken, dass die Siebenbürger Sachsen seit dem dreizehnten Jahrhundert bis zur Trennung von Ungern sowohl an den ungrischen Reichstagen, als auch fortan an den siebenbürgischen Landtagen Antheil nahmen; überdiess aber auch vor und nach Eingehung der Union, eben so wie Ungern und Szekler, noch besondere Versammlungen für die Angelegenheiten der sächsischen Nation unter dem Vorsitze ihres Grafen hielten[2]).

§. 96.

Die Union der Siebenbürger Sachsen, Ungern und Szekler.

Aus dem früher angedeuteten Umrisse der inneren Zustände Siebenbürgen's erhellt, dass die Ungern, Szekler und Sachsen anfangs durch kein gemeinschaftliches Band oder Oberhaupt im Lande verbunden waren, sondern dass jede Nation unmittelbar unter dem Könige stand; dass weder die Sachsen, noch die Szekler anfänglich dem Wojwoden unterworfen waren, sondern ihren eigenen Grafen hatten.

Die erste Union zwischen den gedachten drei Nationen wurde, wie bereits früher erwähnt, am 2. September 1437 zu Kapolna nicht nur wegen der Türkeneinfälle, sondern hauptsächlich als gemeinschaftlicher Schutz gegen die aufständischen Bauern, wiederholt geschlossen. Die Erneuerung dieser Union erfolgte am 2. September 1438, dann (1459, 1463, 1506) bei den wiederholten Einbrüchen und Verheerungen der Osmanen, und am 30. März 1542 zu Thorda[3]).

Die wesentlichen Punkte dieser Nationalverbindung waren[4]):

1. Von Seite der ungrischen Edelleute sollen sieben, eben so viele von Seite der Szekler und Sachsen zur Berathschlagung der gemeinschaftlichen Angelegenheiten mit dem königlichen Statthalter gewählt werden.

2. Kein Private was immer für einer Nation darf — ohne besondere Bewilligung des Statthalters — einen Abgeordneten an ein fremdes Reich schicken. Wenn aber die Szekler des Csiker, Gyergyóer, Sepsier und Orbaer Stuhles ihrer Geschäfte halber in die Moldau oder ein anderes fremdes Land reisen wollten, so mussten sie ihren Reise-Entschluss vor dem Stuhlrichter bei Lebens- und Güter-Verlust anzeigen.

3. Alle drei Nationen unterstützen sich nach alter Befugniss und Reichsgewohnheit durch Rath und That zur Aufrechthaltung des Friedens.

4. Bei einem feindlichen Angriffe von Aussen oder von Seite eines innern Feindes, waren sie bei Todesstrafe (poena capitis) verpflichtet, gemeinschaftlich mit ihrem ganzen Kriegsaufwande, nach Anordnung des Statthalters zu wirken.

---

[1]) J. G. Schaser: Das Wiederaufleben der evangelisch-lutherischen Kirche zu Klausenburg im Archive für siebenbürgische Landeskunde II. Band I. Heft p. 53 — 78.

[2]) Jos. Bedeus v. Scharberg: Die Verfassung des Grossfürstenthum's Siebenbürgen. Wien 1844. III. S. 17 — 33.

[3]) Ueber die späteren Unionen vom Jahre 1545, 1613, 1630 und 1649 sich Approb. Const. P. III. Tit. I.

[4]) Nach den durch Herrn Prof. Dr. Gustav Wenzel (aus den Collect. des MSS. des leider für die ungrisch-siebenbürgische Literaturkenntniss und für seine Freunde zu früh verstorbenen Hofsecretärs Emerich v. Jancsó) mitgetheilten Unions-Artikeln.

Die übrigen Punkte betreffen 5. den Eid der Treue gegen den Sohn des Königs [1]; 6. Die Erhebung und Vergütung des Schadens der drei Nationen.

7.—20. Die nähere Bestimmung der Insurrections-Pflicht und der Art der Ausrüstung nach Stand und Vermögen der hiebei Betheiligten. —

Bei jeder der drei Nationen sollen, im Falle einer allgemeinen Insurrection nach Köpfen, von je zehn Wehrmännern Einer zur Bewachung seines Ortes, dann die Krämer und eine vom Herrn zu bestimmende Zahl Diener zum Schutze seines Hauses zu Hause bleiben. Sobald Edelleute die Aufforderungsbriefe des Statthalters oder das blutige Schwert ansichtig werden, sind sie bei Verlust ihres Kopfes verpflichtet zu insurgiren. Die Klausenburger haben während der Kriegszeit fünfzig Schützen (pedites pixidarios) zu erhalten; auch sollen nöthigen Falls zwei Drittheile der Bürger ausrücken, und nur ein Drittheil zur Bewachung der Stadt zurückbleiben.

Auch die übrigen Städte haben mit ihren Fahnen und gutem Kriegszeuge nach alter Uebung auszurücken.

Jeder Edelmann soll mit Helm, Panzer (lorica), Lanze (hasta), doppelschneidigem Schwerte (framea), rundem Schilde (clypeus) zu Pferde wohl ausgerüstet seyn. — Aermere Grundbesitzer von nur Einer Ansässigkeit, sollen zu Pferd, mit Schild. Schwert und Lanze erscheinen, und Vasallen (servitores) haben einen eben so ausgerüsteten Stellvertreter zu senden. Noch Aermere sollen zu Fuss, mit Lanze, Schild und Beil oder mit Pfeilen und Bogen ausgerüstet, dienen.

Bauern (Coloni), die sechs Ochsen besitzen, sollen mit Schwert, Schild, Bogen, Pfeilen und Beil; die ärmeren derselben mit Picke (cuspide) und Beil oder Lanze erscheinen.

Die Cameral-Orte sollen in dieser Hinsicht (der Vertheidigung) mit dem Reiche zusammenhalten (loca camerarum teneant unum in hoc cum regno).

Sämmtliche waffenfähige Schulmänner (omnes scolastici) sollen ebenfalls, bei Todesstrafe zur Reichsvertheidigung sich stellen, und diessfalls der Bischof von Siebenbürgen die Zustimmung derselben bewirken.

Wer von den Grundholden nicht insurgirt (ceteri coloni omnes, qui non consurgerent), ist seiner Habe verlustig; Pferd und Waffen, Geld etc. bekommt der Statthalter, Hausgeräthe der Grundherr; doch soll in jeder Mühle ein Müller bleiben. Ganz arme, gebrechliche und kranke Individuen sind von der Heeresfolge frei; doch haben die letzteren, wenn sie Vermögen haben, einen Ersatzmann zu stellen. —

Seit 1538 hatte Siebenbürgen eigene Fürsten, welche die Wojwoden-Würde mit dem Fürstentitel vereinigten.

Bei jedem Regierungswechsel wurden mit den Fürsten Verträge geschlossen, und die ihnen zukommenden Herrscherrechte festgesetzt [2]. Die Fürsten

---

[1]) Bekannterweise war bereits im J. 1526 faktisch, und 1538 vertragsmässig Siebenbürgen mit einem grossen Theile Ungern's an Johann Zápolya übergegangen.

[2]) Conditiones Principum: Aprob. Const. P. II. T. I. Art. 1—7 et Comp. Const. P. II. T. I. Art. 1—5.

waren das gemeinsame Oberhaupt der drei Nationen, doch blieben sie (seit 1542) an den Rath von Abgeordneten der drei Nationen gebunden [1]).

Seit dem Jahre 1690 kehrte Siebenbürgen unter den Scepter des Hauses Oesterreich zurück, und Leopold I. gab durch die Diplome vom 4. December 1691 dem Fürstenthume zuerst eine geschriebene Verfassung [2]), wodurch auch die von den drei Nationen eingegangene Union bestätigt und dieselbe auch ferner auf den siebenbürgischen Landtagen durch die Stände der drei Nationen repräsentirt wurde [3]).

Der früher erwähnte fürstliche, aus den drei Nationen zusammengesetzte Rath blieb auch unter dem Hause Oesterreich, doch unter dem modificirten Namen eines Guberniums mit einem Gouverneur an der Spitze für die Verwaltung der siebenbürgischen Landesangelegenheiten. Es hörte auch bald auf, die höchste Behörde für Siebenbürgen zu sein, da schon im Jahre 1695 die bereits zwei Jahre früher bewilligte siebenbürgische Hofkanzlei in Wien errichtet wurde [4]).

IV. Gemischte Colonien.

§. 97.

Allgemeine Bemerkung.

Den ungrischen Königen war es vorzugsweise um Vermehrung der Bevölkerung zu thun, wie die Privilegien vieler Orte ausdrücklich angeben; daher sie in dieselben freie Leute jeder Art, Nationalität und Sprache (cuiusque conditionis et linquae) aufnahmen. Deutsche und Slaven, Romanen und selbst Magyaren, welche vom flachen Lande in die Städte oder Marktflecken zogen, wurden als Hospites und Cives darin betrachtet und genossen insgesammt gleiche Rechte. Hierdurch entstanden, im Gegensatze der rein sächsischen oder oberdeutschen Orte, die Städte und Colonien gemischter Nationalitäten, wobei jedoch die deutschen Municipal-Rechte die Grundlage der städtischen Einrichtungen bildeten und worin die Deutschen gewöhnlich die überwiegende Volkszahl ausmachten.

In die Abtheilung der Orte von gemischter Nationalität wurden theils jene aufgenommen, von welchen diess ausdrücklich in Urkunden gesagt oder sonst nachweisbar ist, theils jene wo die gemischte Nationalität der Ortsbewohner zwar nicht bestimmt angegeben ist, dieselbe jedoch aus dem Privilegium der Aufnahme freier Gäste (hospites), ohne Rücksicht auf Stand und Sprache, geschlossen werden kann. — Auch viele ursprünglich rein deutsche Orte, z. B. Ofen, Pest, Agram, Warasdin, Kreuz, die Zipser Städte, und selbst mehrere siebenbürgische Sachsen-Orte nahmen in der Folge andere nationale Elemente, ja ganze Gemeinden in ihre Mauern auf; daher die Sonderung der rein deutschen und gemischten Orte oft schwierig ist.

---

[1]) Vergleiche Jos. Bedeus von Scharberg: Die Verfassung des Grossfürstenthumes Siebenbürgen. Wien 1844. S. 14.

[2]) Siehe den 2. Landtags-Art. v. 1691.

[3]) J. Bedeus a. a. O. S. 32 und 33.

[4]) Resolutio sic dicta Alvincziana de 14. Maii 1693 puncto 22. in Szász Sylloge Tractatuum etc. p. 388.

Da aber die deutschen Stadtrechte und Institutionen auch das Muster für die Städte von gemischter Bevölkerung blieben, so wurden die gemischten Colonien in Ungern, Kroatien und Slavonien den deutschen zunächst angereihet.

§. 98.

Gemischte Orte in Ungern im Süden der Donau.

(Stuhlweissenburg, Gran und Raab.)

Diese drei Städte reichen in die Zeit des heiligen Stephan und verdanken dem den Ausländern durch diesen König verliehenen Schutze, so wie ihrer Lage für den Handel ihre Bewohner gemischter Nationalität.

1. Stuhlweissenburg (Alba Regalis, Székesfejérvár) gehörte zu den königlichen Freistädten von gemischter Bevölkerung. Diess schreibt sich bereits aus der Gründungsperiode her, als König Stephan der Heilige diesen Ort als Residenzstadt gründete, mit einer prachtvollen Kathedrale schmückte (c. 1000), und seinen Thron nicht bloss mit Ungern, sondern auch mit Italienern, Deutschen und anderen Ausländern umgab. Bela IV. bestätigte (1237) die der Stadt von den ersten ungrischen Königen ertheilten und gewährten Freiheiten, welche sich namentlich auf Zoll- und Mauthfreiheit im ganzen Lande erstreckten. Die Freiheiten Stuhlweissenburg's wurden Muster für viele andere ungrische Stadt-Privilegien[1]).

2. Auch Gran, die Geburtsstätte und theilweise Residenz des ungrischen Apostel-Königes Stephan I., hatte Bewohner verschiedener Abkunft, indem nebst einer ungrischen, deutschen und italienischen Gemeinde daselbst auch Armenier und Juden sich aufhielten[2]).

Die wälschen Kaufleute und die Bürger von Gran wurden mittelst Schiedsspruch König Bela's (1243) verpflichtet: von allen Waaren, mit Ausnahme solcher, welche schon einmal verzollt, dann ausgeführt und wieder zurückgebracht worden sind, Zoll an das Kapitel zu entrichten.

Nachdem die Mongolen die Stadt Gran zerstört hatten, und die Sicherstellung der übrig gebliebenen Bürger vor einem neuen feindlichen Einfalle dem Könige rathsam schien, beschloss er nach dem Rathe seiner königlichen Räthe (de consilio Jobbagionum regni nostri) die Graner Bürger in die Burg aufzunehmen. Da aber der Raum dort zu enge war, vertauschte er den in der Burg befindlichen königlichen Palast sammt Zugehörungen gegen das Wohngebäude des Erzbischofes Stephan, damit in dem dadurch gewonnenen Raume die Bürger sich ansässig machen konnten[3]).

---

[1]) Cod. dipl. IV. I. p. 73, — VII. I. p. 107, — X. VI. p. 376. Auch die deutsche Colonie Szathmar-Nemethy, dann Gran, Neutra, Tyrnau, Raab und andere Orte erhielten ([illegible]) die Freiheiten von Stuhlweissenburg (siehe Cod. dipl. VII. V. p. 366 und V. I. p. 146 etc.), die Oedenburger wurden aber mit den Freiheiten der Stuhlweissenburger und Ofner Bürger (1317) betheiliget (Cod dipl. VIII. II. p. 74).

[2]) A. a. O IV. II. p. 307. Vergleiche a. a. O. vom Jahre 1255, p. 304 bis 307 und 343. Der Italiener (Lombardi) zu Gran erwähnt auch Roger in carm. miserab. c. 57. Dieselben und die Deutschen wohnten grossentheils in der Festung, die Ungern in der Wasserstadt Gran's.

[3]) Cod. dipl. IV. II. p. 37.

Da aber bei Erbauung der neuen Häuser Zwietracht unter den Bürgern entstand, die auch nicht in einem so unbequemen engen Raume beisammen wohnen mochten, so widerrief der König die ganze Verordnung, überliess den verödeten königlichen Palast, den ohnehin schon sein Vater König Andreas II. dem Erzbisthume geschenkt hatte, sammt dem ganzen Umfange der alten Burg (cum tota antiqui castri circuitione) dem Erzbischofe, den Bürgern aber erlaubte er die Stadt auf dem vorigen Orte wieder zu erbauen und zu befestigen (civibus autem dedimus auctoritatem fundandi Civitatem in loco suo antiquo et consueto — et burgum aedificandum).

Im Jahre **1251** (9. December) erliess König Bela eine Urkunde, in welcher er die Rechte der Juden, besonders aber die Art und Weise, wie und in welchen Fällen gerichtliche Eide von ihnen gefordert werden können, festsetzt[1]).

Diese Rechte haben zwar Sigmund und mehrere Könige bestätiget, aber nur zu bald mussten wider die Anmassungen und den Wucher derselben schärfere Gesetze erlassen werden. Die mehrmalige Besitznahme Gran's durch die Türken brachte den Wohlstand der Bewohner (besonders der wälschen Gemeinde und der Deutschen) sehr herab, der sich erst seit der Vertreibung der Türken zu heben begann, seit welcher Zeit neue deutsche Ansiedler und Ungern sich daselbst niederliessen[2]).

3. Raab (Jaurinum, Györ) erhob sich auf den Trümmern von Arabona durch Stephan den Heiligen als Bischofsitz, und wird bereits (**1009**) als civitas[3]) genannt. Nachdem es von Ottokar zerstört worden war, liess Stephan V. der künftigen Sicherheit wegen die Bürger und Gäste in die Raaber Burg übersiedeln (**1271**), und dieselben erhielten die Bestätigung ihrer mit den Bürgern von Stuhlweissenburg analogen Freiheiten, sammt einem ansehnlichen Gebiete. Auch die zum Raaber Bisthume gehörigen Bewohner Raab's (populi Episcopi et capituli Jauriensis) sollen mit Ausnahme der an den Bischof oder das Kapitel zu zahlenden Abgaben, gleiche Freiheiten, wie die königlichen hospites geniessen. — Zugleich wurde (**1271**) Raab als Stapelort für die von Oesterreich nach Ungern, und umgekehrt, gehenden Waaren erklärt[4]).

---

[1]) A. a. O. IV. II. p. 108 bis 112.

[2]) Siehe mehr über Gran in Ungern's Vergangenheit und Gegenwart I. B. IV. Heft.

[3]) Die Stiftungsurkunde für das Fünfkirchner Bisthum ist datirt vom Jahre 1009: „Actum in Civitate Jauryana."

[4]) A. a. O. V. I. p. 146 bis 149. Da Raab das zweitälteste Beispiel vom Stapelrecht in Ungern gibt, so folgen hier die bezüglichen Worte: „Statuimus etiam, quod omnes mercatores usque Austrum in Hungariam descendentes et de Hungaria in Austriam transeuntes, mercimonia sua in castro deponant Jauriensi ad concambium faciendum."

Wer diese hospites Jaurini waren, ist nicht mit Bestimmtheit anzugeben, vermuthlich grösstentheils Deutsche und andere Gäste. Da einerseits die deutschen Municipal-Rechte, der betriebene Handel mit Oesterreich, der Zolltarif für die Wiener Kaufleute etc. auf das Dasein einer Zahl von Deutschen, und anderseits die Eigenschaft eines Handelsplatzes mitten im ungrischen Gebiete auch auf Ungern und andere Nationale schliessen lässt, so sind die Hospites von Raab hier unter die gemischten Colonien aufgenommen.

Siehe die Bestätigung Andreas III. von 1295 im Cod. dipl. 525, VI. I. p. 348. — VIII. II. p. 446. Mit Letzterem bestätigt Karl I. (1323) die Freiheiten der Capitelstadt Raab, welche Ladislaus IV. (1283 und 1285) ertheilt hatte, und welche auch Mathias Corvin (1463), Wladislaw II. (1496), Ludwig II. (1519), Ferdinand I. (1527) und Rudolph II. (1604) bekräftigten.

Raab kam (1595) in türkische Gewalt, wurde aber durch die denkwürdige Einnahme Schwarzenberg's

§. 99.

Fortsetzung.

(Eisenburg, Steinamanger, St. Gotthard, Vesprim, etc.)

4. Die königlichen hospites von Eisenburg (Castrum ferreum, Vasvár) erhielten von König Ladislaus IV. (1279) ebenfalls nach dem Muster der Stuhlweissenburger Colonie ein Privilegium, um freie Leute dahin zu ziehen, und die durch beständige Einfälle der Deutschen herabgeschmolzene Bevölkerung zu verstärken. Der Inhalt dieses Privilegiums zeigt, dass in Eisenburg (Vasvár) lebhafter Handel war, und dass die fraglichen hospites selbst zum Theile (deutsche) Handelsleute waren [1]).

5. Steinamanger (Saharia, Szombathely) blühte an der Stelle der römischen Colonie [2]), zuerst als zur Salzburger Erz-Diöcese [3]), später zur Graner gehörig, vorzüglich durch Gewerbe und Handel treibende Deutsche auf, obwohl auch Ungern daselbst wohnten. Ueber ihre alten städtischen Vorrechte und Rechtsgewohnheiten ertheilten ihnen der Raaber Bischof Johann (1404) und mehrere seiner Nachfolger, dann die Kaiser Ferdinand I. (1534), Maximilian II. (1567) und Rudolph (1578) Bestätigungen [4]).

6. Zu den gemischten Colonien dürfte auch das an der ungrisch-wendisch-deutschen Sprachgränze gelegene St. Gotthard gehört haben, da Ludwig I. (1343) die daselbst befindlichen und ferner zu sammelnden (congregatos et congregandos) sämmtlichen freien Leute und Jobbagyonen von der Gerichtsbarkeit des Komitates befreite, und sie jener des Abtes von St. Gotthard zu dem Zwecke unterordnete, damit sie durch neue Ansiedler sich mehren [5]).

7. Selbst das nun rein magyarische Vesprim (Weissbrunn, Veszprém) dürfte in früheren Zeiten nebst Ungern auch deutsche Bürger und Bewohner anderer Nationalität, namentlich griechische Künstler, Handwerker und Kaufleute, gehabt haben. Der Anonymus Belae redet von römischen (deutschen) Besatzungen, die daselbst sich zu Arpád's Zeit befanden. Mit Gisela, welche hier sich aufhielt, kamen wahrscheinlich in ihrem Gefolge Deutsche, und mit den übrigen Königinnen, wel-

---

und Palffy's schon 1598 daraus befreit, und 1761 wurde Raab von Maria Theresia wieder zur königlichen Freistadt erhoben.

[1]) A. a. O. V. II. p. 525—528: Statuimus, quod mercatores extranei ad forum ipsorum venientes pannum incisum vendere non praesumant, sed petias vendere teneantur; — ut in nullo locorum regni nostri tricesimam (hospites) de suis curribus et quibuscunque rebus oneratis, solvere teneantur, nisi de his tantum, quae in regnum nostrum de terris extraneis sunt delatae, de quibus debitam solvant tricesimam, velut alii mercatores. Der Handel in jenen Gegenden war aber grösstentheils in den Händen der Deutschen.

[2]) Stephani Schönwisner: Antiquitatum et Historiae Sabariensis ab origine usque ad praesens tempus Libri novem. Pestini 1791.

[3]) Mon. Boica T. X. p. 345 und Cod. dipl. I. 169 etc., 193, 220, 261—271. — Der Ausdruck: Sabaria Civitas ad Rabam, Rapa Sabaria und Rabensis schreibt sich daher, weil das Stadtgebiet bis zur Raab reichte und dem Raaber Bischofe gehörte. Auch wurde dadurch dieses Sabaria (Steinamanger) von dem Sabaria sicca (bei Martinsberg) unterschieden.

[4]) Fényes E. Magyar Országnak leirása I. 387 l.

[5]) Cod. dipl. IX. I. 93 etc.

che in Vesprim Hof hielten, wohl auch verschiedene Ausländer dahin; im Jahre 1025 stiftete der heilige Stephan ein Kloster für griechische Nonnen, und liess es durch griechische Baumeister und Künstler bauen. Doch scheinen alle fremden Gäste in der ungrischen Umgebung, weil in geringer Zahl, bald magyarisirt worden zu sein. Durch die ersten Türkeneinfälle wurde die Stadt bedeutend entvölkert. Um sie wieder zur Blüthe zu bringen, erneuerte Kaiser Ferdinand I. (1563) die alte, angeblich von Stephan I. ertheilte Handfeste [1]).

§. 100.

Gemischte Orte im Norden der Donau.

(Komorn, einst Camarum, Kamarun, Kumarun, jetzt Komárom.)

8. Komorn (castrum Camarum) soll von Oluptulma, dem Sohne des ungrischen Heerführers Ketel, gegründet worden sein, welcher die Gegend am Einflusse der Waag für seine bei der Eroberung Pannonien's bewährte Tapferkeit erhalten hatte. Daselbst wurden theils Leute Ketel's, theils neu gewonnene Ansiedler aufgenommen, und zwei Drittheile des gedachten Gebietes zum Burgfrieden einbezogen [2]).

Der Ursprung der Freiheiten Komorn's ist ganz eigenthümlich. Die Juden Wölflein (Volvlinus), Altmann und Reclin, die Söhne des königlichen Kammergrafen Henel, erhielten die Komorner Burg, und nachdem derselbe in seiner Rechnung einen bedeutenden Rückstand schuldig geblieben war, fiel diese Burg an den König zurück. welcher sie an den Kammergrafen Walter um dieselbe Summe überliess. Auf dessen Begehren nun, welchem der König um so lieber willfahrte, da Walter die Burg aus eigenen Mitteln bedeutend befestigt und verschönert hatte, verlieh Bela IV. ihm auch den Burgflecken, welchen bis jetzt die königlichen Hofdiener (Udvornici) bewohnt hatten, denen nun andere Wohnplätze angewiesen wurden; den neuen Einwohnern von Komorn aber gestattete er alle Freiheiten der neuen Stadt auf dem Pester Berge (1265), d. h. des heutigen Ofen's [3]). So ward Komorn, obwohl noch einem Grundherrn unterthänig, doch schon privilegirt und frei, da der neue Gebieter schwerlich etwas Anderes zu fordern berechtiget gewesen sein mochte, als was die Stadt dem Könige an Grundzins zu leisten verpflichtet gewesen wäre; denn so nur lässt sich ihre Abhängigkeit mit den Rechten der Stadt Ofen in Einklang bringen. Auch erhielt Graf Walter im Jahre 1268 über denselben Besitz eine goldene Bulle, welche zugleich die Abmarkung enthält [4]).

---

[1]) Fényes a. a. O. I. 414 l.

[2]) Anonymus Belæ c. XV: Arpad subjugata sibi tota terra Pannoniae, pro fidelissimo servitio suo, eidem Ketel dedit terram magnam juxta Danubium, ubi fluvius Wag descendit, ubi postea Oluptulma, filius Ketel, castrum construxit, quod Camarum nuncupavit, ad servitium cujus castri, tam de populo secum ducto, quam etiam a duce acquisito, duas partes condonavit, ubi etiam longo post tempore, ipse Ketel et filius suus Tulma, more paganismo sepulti sunt.

[3]) Quia regum est proprium gaudere in multitudine populorum, ut ad ipsam villam (Kamarun) securius et liberius hospites congregentur, hospitibus ad ipsam villam congregatis et congregari volentibus in futurum eandem per omnia concessimus libertatem, qua cives nostri de novo monte Pesthiensi gratulantur. (Cod. dipl. IV. III. p. 283 fg.)

[4]) A. a. O. p. 443. Diese Urkunde beweiset zugleich, dass damals die Einkünfte der Dreissigstämter der Königinn gehörten.

Die hospites de Kumarun (Komárom) erhielten (1277) vom Banus Thomas (zugleich Grafen vom Pressburger, Neutraer und Komorner Komitate) die Befreiung von der Gerichtsbarkeit des Burggrafen (castellani vel curialis comitis de Kumarun) und das Befugniss, ihre Rechtsstreite entweder vom Banus selbst, oder von ihrem Bürgermeister (villicus) entscheiden zu lassen[1]).

Gegen das Ende dieser Periode wurden auch Serben (Rascier) in Komorn angesiedelt und serbische Truppen unter ihrem Vize-Wojwoden Monasterly daselbst stationirt.

§. 101.

Fortsetzung.

(Gemischte Orte im Barser und Neutraer Komitate.)

9. Die Bewohner von St. Benedict an der Gran werden ausdrücklich von gemischter deutscher, ungrischer und slavischer und anderer Nationalität genannt (Quatenus cujuscumque nationis homines, Saxones videlicet, Hungari, Sclavi seu alii, qui ad Terram St. Monasterii St. Benedicti de Gran comorandi causa jam convenerunt vel convenire voluerint.). Sie erhielten (1217) die Freiheiten, deren sich die Gäste von Pest, Stuhlweissenburg und Ofen erfreuten[2]).

10. In Bars waren sowohl Ungern als Deutsche (hospites, tam Hungari quam Teutonici in suburbio Castri de Bors comorantes), welche vom Könige Bela (1244) einen Freiheitsbrief erhielten, aber darin zugleich verpflichtet wurden, von hundert Hauswirthschaften (mansionibus) einen wohlgerüsteten Krieger zu stellen, und dem Burggrafen mehrere Geschenke in Naturalien zu geben[3]).

11. Neutra — eine Hauptburg des grossmährischen Reiches, und bereits 880 Bischofsitz — hatte den Ungern bei der Eroberung des Landes starken Widerstand geleistet. Stephan der Heilige hatte das Bisthum erneuert, und 1206 ein Chorherrenstift gegründet, welches er mit dem Marktflecken sammt den dortigen (mährischen) Gästen dotirte[4]). Auch gegen die Mongolen hielt sich die Neutraer Burg. Die Bürger derselben (cives castri Nitriensis) erhielten desshalb von Bela IV. (1258) für ihre Tapferkeit und Treue die Freiheiten Stuhlweissenburg's[5]). Sie genossen aber dieser

---

[1]) A. a. O. VI. II. p. 401. Erneuerungen und Zusätze der oben angedeuteten Handfesten erfolgten 1307 durch Mathäus von Trenchin, dann 1331 durch König Karl I., 1388 durch die Königinn Maria, 1401 und 1411 durch Sigmund (a. a. O. VIII. 1. 238, X. 1. 401), 1453 und 1456 durch Ladislaus Posthumus (der hier am 22. Februar 1440 das Licht der Welt erblickte), 1492 durch Wladislaw II., 1518 durch Ludwig II., 1527 durch Johann Zapolya, 1538, 1548 und 1560 durch Ferdinand I., 1576 durch Maximilian II., 1578 und 1602 durch Rudolph II., 1609 durch Mathias II., 1651 durch Ferdinand III., 1692, 1703 und 1707 durch Leopold I., 1737 durch Karl III. (VI.), und 1745 wurde Komorn von Maria Theresia zur königlichen Freistadt erklärt. — Die Festungswerke wurden verstärkt und umgebaut 1550, 1809 und 1840 — 1846.

[2]) Tudom. Gyüjtem. 1829. Heft IV. S. 21. Diess ist zugleich das seltene und älteste Beispiel, dass auch den Bewohnern unterthäniger Orte die Freiheiten königlicher Städte ertheilt wurden. Karl I. bestätigte (1328) diese Freiheiten. Cod. dipl. VIII. I. p. 291.

[3]) Cod. dipl. IV. I. p. 322.

[4]) A. a. O. I. p. 213, 228 u. 285 etc.

[5]) A. a. O. IV. II. p. 456 — 461. In der Gränzbestimmung kommt auch ein Judaeorum castrum vor.

Rechte nicht lange, da die Stadt schon 1288 von Ladislaus IV. dem Bischofe Paschasius geschenkt wurde [1]).

12. Die getreuen Bewohner von Neustadtl (1253) (fideles nostros cives de villa nostra regia Ujhely juxta fluvium Vagh), welche während des Mongolen-Einfalles unter den Ersten mit der Heeresmacht des Königs sich vereint hatten, wurden mit den Freiheiten anderer Bürger betheiliget [2]).

13. Skalitz (Zakolcha, Szakólcza), eine Stadt an der mährischen Gränze, liess Ludwig I. (1372) mit Mauern umgeben, und ertheilte den Bürgern und Gästen dieser königlichen Stadt einen Freibrief, laut welchem sie im ganzen Königreiche vom Dreissigst und Zoll befreit wurden, welches Vorrecht auch den fremden dahin kommenden Kaufleuten an den Markttagen dieses Ortes zustand; den blossen Transito-Waaren kam dieser Vortheil jedoch nicht zu Gute. Ueberdiess sollten die Bürger dieser neu befestigten Stadt alle Freiheiten geniessen, deren andere königliche Städte theilhaft sind [3]).

Ein Decennium später bestätigte Ludwig I. auf Einschreiten des Stadtrichters Michael Albus (Weiss?) und des Bürgers Konrad Neuremberger die früher ertheilten Vorrechte [4]).

§. 102.

Gemischte Colonien im Pressburger Komitate.

(Tyrnau, Pressburg, Modern, Pösing, St. Georgen.)

14. Die Hospites von Nagy-Szombat (Tyrnau).

Bela IV. erklärte (1238) alle Gäste (hospites), was immer für einer Nation, die sich als Bürger in Tyrnau ansiedeln wollten, zur königlichen Krone gehörig, von fremder Gerichtsbarkeit, so wie vom Kriegsdienste in der Regel frei, sofern nicht der König selbst beim Heere sich befände. In anderen Fällen haben sie bloss von 100 Mansionen (Huben) einen Mann zu stellen. Ihr durch die Mehrheit gewählter und vom Könige bestätigter Bürgermeister (villicus) soll über alle bürgerlichen und peinlichen Fälle, ja mit Zuziehung von zwölf angesehenen Bürgern selbst über das Leben richten. Die königliche Münze übernimmt ebenfalls dieser villicus. — Als Zeugen können nur Bürger oder andere Gäste, die gleiche Rechte mit ihnen haben, zugelassen

---

[1]) Siehe mehr über Neutra in M. Bel. Not. Hung. T. IV. p. 313 etc.

[2]) Cod. dipl. p. 174. Vergl. Bel. a. a. O. p. 460.

[3]) A. a. O. IX. IV. 421—423: ut dicta civitas nostra de nouo fundanda, majori antidotorum premio clarescat et decoretur — — — ipsis concedimus, vt ijdem ciues nostri et eorum posteri omnibus eisdem libertatibus, immunitatibus, graciis, legibus et praerogativis potiantur, quibus alie ciuitates nostre regales gaudent potissime et fruuntur.

[4]) A. a. O. IX. V. p. 574—576. Durch den ersten Artikel von Sigmund's fünftem Dekrete vom Jahre 1435 wurden die Bürger von Skalitz gleich denen von Pressburg, Tyrnau, Trenchin u. s. w. verpflichtet, ihre Stadt auf eigene Kosten zu befestigen und mit Vertheidigern, Waffen und Nahrungsmitteln zu versehen, um die Umgegend zu schützen. — Der slavische Name und die slovakische Umgebung einerseits, die deutschen Vorrechte und die Bürger-Namen andererseits sprechen für eine deutsch-slavische Bewohnerschaft dieser königlichen Freistadt in älterer Zeit. Siehe mehr über Skalitz bei Bel. a. a. O. p. 499 etc.

werden. Auch der Pfarrer wird selbst gewählt. Hinsichtlich der Abgaben sind sie, wie die Bürger von Stuhlweissenburg gehalten (also im ganzen Lande davon befreit). Der Zehent wird nach deutscher Weise abgeliefert [1]).

Die Stadt erhielt auch ein eigenes Gebiet, wozu Bela noch (1244) das Gut (terra) Parna beifügte [2]).

15. Pressburg's (Posony's) Gründung wird gewöhnlich in die dunkle Zeit des grossmährischen Reiches versetzt, und einem Herzoge Ratislaw (Wratislaw, Braslaw) zugeschrieben [3]).

Wahrscheinlich wurde die Stadt bereits zu Zeiten des heiligen Stephan durch Franken und Bayern bevölkert, — so viel indessen ist gewiss, dass Pressburg schon unter des heiligen Stephan's Nachfolger, Peter, bestand, und dem Kaiser Heinrich, welcher zu Gunsten desselben gegen seinen Widersacher Samuel Aba mit einer wohlbemannten Donauflotte vor dieser Stadt erschien, so kräftigen Widerstand leistete, dass er nach zweimonatlicher Belagerung mit dem Verluste mehrerer Schiffe abzuziehen sich genöthigt sah (1050).

König Salomon hielt sich oft in dieser Stadt auf, und trug zur Verschönerung derselben und des Schlosses viel bei (1063—1074). Dass die Stadt im zwölften Jahrhunderte nicht nur deutsche, sondern auch ungrische Bevölkerung hatte, sieht man aus den magyarischen Namen jener Stadtbewohner, welche Stephan III. (1165) in den Adelsstand aufnahm [4]).

Durch die Kriegszüge des Königs Ottokar von Böhmen (1271) hatte Pressburg viel gelitten, doch erhob es sich allmälig durch die Gunst des Königs Ladislaus aus seiner Asche bald schöner und grösser als vorher. — Im Jahre 1280 verlieh dieser König der Stadt wegen besonderer Verdienste um die Besorgung königlicher Bothschaften die Dörfer Weidritz und Schellendorf (oder Blumenau), welche jetzt Vorstädte Pressburg's bilden [5]).

Andreas III. der Veneter, in Venedig erzogen, und mit städtischen Vorzügen, der Kenntniss der Industrie, des Handels und der schönen Künste vertraut, war ein Freund

---

[1]) Fejer Cod. dipl. IV. I. p. 132—135. Tyrnau scheint nicht nur von Deutschen, sondern auch von Böhmen und andern Gästen bewohnt worden zu sein, da einerseits Pulkava angibt, dass Konstantia (Bela's III. Tochter und Gemahlin Przemisl Ottokar's I. von Böhmen) die Stadt Trnaw (Szombat) gegründet habe, und da anderseits die Einrichtung nach deutschem Municipal-Rechte geschah und die Urkunde sich besonders darauf bezieht. Da ferner Gäste ohne Unterschied der Nationen berufen wurden, so wird diese Stadt wohl füglich den gemischten Colonien hier angereiht.

[2]) A. a. O. V. I. p. 307 und 308.

[3]) Die angedeutete Ableitung des Namens Pressburg von Braslawburg hätte Analogie von Breslau (Wratislawia, Braslawia) für sich, und scheint auf gemischte slavisch deutsche Bevölkerung hinzuweisen. Die Ableitung Posony's von Pisonium (einem Kastelle der Pisonen) oder Peisonium (einer Stadt am Peiso-See) ist jedoch ungegründet, da die Römer hier kein Kastell hatten und der See Peiso auch viel zu weit entfernt war.

[4]) Diese Namen lauten: Ombúd, Colon, Cazen, Petu, Vokut, Nichw, Numsa, Endre, Scareunpeutiki, Juna, Kelud, Gaka, Ceca, Gurdas, Searaguuka, Fonsol, Arichdi. — Das oben Erwähnte beruht auf Ballus Beschreibung der königlichen Freistadt Pressburg, S. 256—262, und Gyurikovich geschichtlichen Notizen über diese Stadt. M. S.

[5]) Ballus A. a. O. p. 263 und J. Albrecht: das ungrische Municipalwesen in Hormayr's Taschenbuch S. 225, dem wir bei den gemischten Colonien hier und an andern Stellen fast wörtlich folgen.

und Beförderer des Municipalwesens. Zahlreiche und wichtige Urkunden beweisen diess. Eines seiner ersten und wichtigsten städtischen Privilegien überhaupt ist jenes für Pressburg (1291), welches zum Zwecke hatte, die königlichen Gäste (hospites nostri) von Pressburg, welche durch die Kriegsereignisse der letzten Decennien in den Kämpfen mit Ladislaus, König von Böhmen, und Herzog Albrecht von Oesterreich zu grossem Schaden gebracht und zerstreut wurden, wieder zu versammeln und gehörig zu sichern, wodurch Pressburg zur königlichen Freistadt erhoben wurde.

Nach diesem Privilegium waren die Gäste Pressburg's vom Komitatsgrafen unabhängig. — Sie durften sich jährlich am Georgitage ihren Richter (villicum seu judicem) selbst wählen, welcher alle Streitigkeiten mit zwölf geschwornen Beisitzern nach der Sitte anderer Gäste zu entscheiden hatte. Bezüglich ihrer Waldungen waren sie von allen Zahlungen an den königlichen Jagdgrafen (comes venatorum) befreit. Sowohl von den alten, als neu angelegten Weingärten hatten sie weder Steuer noch Bergrecht zu entrichten. Auch ward ihnen das Ueberfuhrrecht mit dem Eigenthume beider Ufer des Donau-Armes Challowo, der die Insel Schütt bildet, verliehen [1]). Die Zollfreiheit der Pressburger durchs ganze Land wurde ebenfalls festgesetzt; selbst Fremde, die sich dahin begeben, sind auf dem Heimwege zollfrei. — Den Früchten-Zehent zahlten sie, so wie vorher, nach deutscher Sitte. In Streitsachen sind sie nicht gehalten fremde Zeugen anzunehmen, wenn nicht auch einige ihrer Mitbürger darunter vorkommen. — Von jeder Bewirthung und Jurisdiction eines königlichen Beamten waren sie befreit, dem königlichen Münzwechsler sollte ein städtischer Beamter vorangehen.

Freie Leute aller Orte konnten nach Pressburg einwandern, und mussten als Hospites aufgenommen werden. Auch die Fischer und die Juden genossen gleiche Rechte mit den Bürgern, doch mussten die Fischer ein Drittheil ihres Fanges dem Pressburger Grafen überlassen. Fremde Kaufleute mussten ihre Waaren in Pressburg verkaufen. Pressburg war also der Zeit nach der zweite Stapelplatz Ungern's [2]).

Karl I. bestätigte diese Freiheiten (1328 u. 1336), und verlieh der Stadt (1323) das Dorf Weinern, nebst der Begünstigung, sich jeder Art Münze bedienen zu dürfen, und zur Annahme der königlichen nicht gezwungen zu sein, und 1333 schenkte Karl der Stadt das Gut Szöllös (terram Szeulleus [3]). König Ludwig I. ertheilte der Stadt Jahrmarktsbefugnisse [4]) (1343 und 1364). Zugleich verordnete er, dass Leute, welchen

[1]) Die Schütt-Insel heisst noch Csallóköz, doch besitzt die Stadt das erwähnte Ueberfuhrrecht seit Jahrhunderten nicht mehr.

[2]) Vergl. das Ofner Stadtrecht etc., S. 246 etc., wo die Urkunde aus dem Originale mitgetheilt ist, mit Cod. dipl. VI. 1. p. 107—111 u. VI II. p. 97. Si aliquis de quacunque villa in civitatem Posoniensem commorandi causa venire voluerit, dominus ipsius villae seu possessionis ipsum impedire non praesumat. — — Item Judaei in ipsa civitate constituti, habeant eamdem libertatem, quam et ipsi cives — — piscatores singuli et universi cum civibus Posoniensibus in aliis exactionibus et libertatibus congaudebunt. — — omnes Mercatores pannorum, boum, piscium, de quibuscunque regnis, vel locis ad ipsam civitatem venientes, descendant in eadem, mercimonia sua libere et secure venditioni exponendo. — Et haec omnia propter augmentum hospitum nostrorum, praedictorum et munitionem ipsius civitatis nostrae de gratia concessimus speciali.

[3]) A. a. O. VIII. VII. p. 288. — M. Bel Not. Hung. I. p. 138, 154.

[4]) A. a. O. IX. III. p. 389, IX. VI p. 127 und 175, IX. VII. p. 146.

Standes immer (also auch Geistliche, Magnaten, Edelleute und Juden), welche in der Stadt Häuser haben, an allen bürgerlichen Lasten, so wie an der gemeinsamen Bewachung der Stadt Antheil nehmen müssen. Ferner ermächtigte er den Pressburger Magistrat, Räuber und Mörder aus den Kirchhöfen und Klöstern, ungeachtet aller Einsprache der Geistlichkeit, auch mit Gewalt heraus zu treiben und gesetzlich zu verurtheilen.

Den weit verbreiteten Verkehr Pressburg's zeigt die von Ludwig I. (1366) den Bürgern ertheilte Befreiung von allem Zoll und Dreissigst der Waaren aus Dalmatien, insbesondere aus Zara. Dessgleichen (1374) genossen sie Befreiung von aller Wassermauth und Dreissigst der auf der Donau nach Vissegrad und Ofen verführten Getreide-Gattungen und Nahrungsmittel, um der durch Brand eingetretenen Verarmung der Bürger aufzuhelfen. Auch bestätigte er (1378) die Befreiung derselben von aller Wegmauth und von jedem Zoll der zu Lande wo immer hin im Reiche verführten Waaren. —

Unter Ludwig's Regierung waren die Juden in Pressburg so zahlreich und vermöglich, dass sie nicht nur den ganzen Handel an sich zogen, sondern überdiess den grössten Theil des Privatvermögens der Pressburger Bürger, ja sogar mehrere öffentliche Gebäude, als das Rathhaus, das Beneficiat-Haus und die Corporis Christi-Kapelle pfandweise an sich brachten. Um diesem Unfuge zu steuern, befahl Ludwig I. (1371), dass auch die Juden dem Stadt-Magistrate Steuern zahlen sollten [1]).

Auch die Königin Maria war der Stadt günstig[2]), und ihr Gemahl König Sigmund, der Beförderer des ungrischen Städtewesens, verlieh der Stadt Pressburg (1392) einen Theil von Frattendorf (Vereknye) auf der Insel Schütt sammt der Bestätigung des Ueberfuhr-Rechtes (portus esallo). Er befreite die Pressburger Bürger (noch in demselben Jahre) von der Last der an die Juden zu zahlenden Wucher-Zinsen, ferner bestätigte er (1389) den neuen Jahrmarkt, welchen seine Schwiegermutter, die Königinn Elisabeth, auf den Sonntag Laetare verliehen hatte; 1391 gestattete er ihnen zwei Viehmärkte, 1402 bestätigte er das wichtige Stapelrecht und das Recht der Ueberfuhr über die Donau und verlieh ihnen das Recht zur Einhebung eines Ueberfahrtzolles (naulum). Im folgenden Jahre bestätigte er die Mauth- und Zollfreiheit der Pressburger im ganzen Reiche, 1418 gestattete er ihnen einen Wochenmarkt, und 1430 einen Jahrmarkt bis auf vierzehn Tage. In demselben Jahre erhielten sie die besondere Begünstigung der Münzfreiheit mit dem halben Gewinnste [3]). Im Jahre 1436 endlich empfing die Stadt durch Sigmund's Gunst das bis in die neueste Zeit bestehende Siegel sammt dem Vorrechte, damit in rothem Wachse zu siegeln, nebst andern Freiheiten [4]). Seit Sigmund's Zeit liessen sich auch Čechen und andere Slaven in Pressburg nieder, welche manchmal sogar an der durch die Deutschen geführten städtischen Verwaltung Antheil nahmen [5]).

[1]) Albrecht's ungr. Städtewesen im Taschenbuche für vaterländische Geschichte, Jahrg. 1832, p. 236—239.

[2]) Cod. dipl. X. VIII. p. 135 — 137.

[3]) Das sogenannte alte Münzhaus erhielt noch das Andenken dieser ungewöhnlichen königlichen Gnade, denn nur Kaschau hatte sich eines ähnlichen später von Mathias Corvin verliehenen Vorzuges zu rühmen. Die in Pressburg geprägten Münzen, welche die Buchstaben — L. P. — Liga Posoniensis, zwischen dem Reichswappen getheilt, kennbar machen, gehören unter die besonderen numismatischen Seltenheiten.

[4]) A. a. O. X. VIII. p. 172, 178, 283, 285, 288, 323, 651, 653, 658, 661; X. VII. p. 757.

[5]) M. Bel. a. a. O. p. 645. etc.

König Albrecht erlaubte den Pressburgern die Errichtung einer Schiffbrücke über die Donau und die Abnahme einer Brückenmauth. Auch von Ladislaus Posthumus hat Pressburg eine Bestätigung (von 1453) über das von Andreas III. erhaltene Privilegium, so wie die erneuerte Befreiung von den an Juden schuldigen Wucher-Zinsen, dann über die Steuerpflichtigkeit der Juden aufzuweisen. — Mathias Corvinus bestätigte mittelst einer goldenen Bulle [1]) der Pressburger Bürgerschaft die Zoll- und Mauthfreiheit durchs ganze Land nebst den andern wichtigeren von früheren Königen eingeräumten Vorrechten, und gestattete die Einhebung des Brückenzolles selbst von den Adeligen (mit Ausnahme des königl. Hofstaates, der Reichsbarone und Prälaten und des Pressburger Dompropstes) zu fordern (1475). Unter Ludwig II. war Pressburg wieder durch die Juden verarmt, und als dieselben bei der Annäherung der Türken die Stadt verliessen, wurden sie von der Königinn Maria (1526) aus Pressburg verbannt [2]).

Pressburg kam unter dem Hause Habsburg zu neuem Flor. Hier hatte Ferdinand's I. Wahl zum ungrischen Könige Statt, hier wurden mehrere Versammlungen der Stände gehalten, hierher war der Sitz der Kammer und des Graner Erzbischofes verlegt worden, und seit dem Verluste Ofen's an die Türken (1541) galt Pressburg als die Haupt- und Residenzstadt Ungern's. Im Jahre 1563 wurde auch Ferdinand's Sohn Maximilian II. daselbst gekrönt, und seitdem blieb Pressburg auch die Krönungsstadt der ungrischen Könige [3]).

16. Modern [4]), welches von Geysa II. im Jahre 1158 an die Neutraer Kirche zu St. Emeran und von Ladislaus IV. dem Pressburger Grafen Johann (1287) geschenkt worden, erhielt von Ludwig dem Grossen im Jahre 1361 das Privilegium einer königlichen Stadt, indem er dessen Bewohnern Unabhängigkeit vom Pressburger Grafen, freie Wahl ihres Richters und der Magistratspersonen, dann die Anlegung eines eigenen Weingebirges und Befreiung vom Niederlagsgelde gestattete. Die Appellation der Bürger und Gäste sollte in Schuldsachen nach Tyrnau, in Besitz- und Erbschafts-Angelegenheiten nach Pressburg gehen [5]).

17. Pösing (Bazin, Becielk) und St. Georgen (Sz. György) gehörten dem gleichnamigen Grafengeschlechte, fielen nach dessen Aussterben an Ferdinand I. und gelangten pfandweise an Nicolaus von Pálffy, später an Stephan Illyésházy. Nach oftmaligem Ansuchen und nach wiederholter Bevorwortung der ungrischen Stände wur-

[1]) Albrecht a. a. O. S. 275. Vergl. auch das Ofner Stadtrecht S. 247. etc.

[2]) Städt. Archiv in Pressburg, vergl. §. 37. S. 119.

[3]) Nur Franz I. wurde in Ofen gekrönt. — Mehr über Pressburg siehe in M. Bel Not. Hung. T. I., in Ballus Beschreibung der königlichen Freistadt Pressburg, in Albrecht's ung. Städtewesen. Schätzbare Materialien zu einer Geschichte dieser Stadt befinden sich in G. v. Gyurikovich's MSS. Nachlasse.

[4]) Modern (Modra, Modor) hatte, wie Geysa urkundlich 1158 sagt, seinen Namen von den königlichen Mähern oder Mahdern; „Donavi villam meam Modor conditionalem prope regnum Theotonicum, prope montem, ubi falcatores mei resident." Siehe Hormayr's Taschenbuch für vaterländische Geschichte, Jahrgang 1832 p. 235.

[5]) Cod. dipl. IX. III. p. 250 und IX. IV. p. 573. — Im Jahre 1400 gelangte der mächtige Stibor in den Besitz der Stadt; im Jahre 1557 fiel sie dem Fiscus anheim, und 1559 (8. Februar) erneuerte Maximilian II. die alten Freiheiten Modern's. Im Jahre 1608 (Art. 6) wurden die Rechte von Modern, Pösing und St. Georgen noch vor der Krönung in Erwägung gezogen, Modern zur Tavernical-Stadt erklärt, und 1613 den königlichen Freistädten: Ofen, Pest, Pressburg, Tyrnau, Oedenburg, Bartfeld und Skalitz gleichgesetzt. (Math. Bel, Not. Hung. II. p. 102 — 104.)

den endlich beide Städte (1647) in die Zahl der königlichen Freistädte aufgenommen[1]). — In diesen Städten waren gleichfalls nebst Deutschen auch Slaven und Ungern vorhanden; doch waren die ersteren im Besitze der städtischen Verwaltung[2]).

Die vielen theils deutschen und slavischen, theils deutschen und ungrischen Ortsbenennungen im Pressburger Komitate deuten auf mehrfach gemischte Bevölkerung dieses Komitates in älterer Zeit, z. B. die Marktflecken Cseklész (Lanschitz), Cseszthe (Schattmannsdorf, Casta), Csötörtök (Loipersdorf), Alsó Diós (Windisch-Nussdorf, Dolne Oressany), Felsö Diós (Ober-Nussdorf, Horne Oressany), Devén (Theben, Dowina), Gajar (Gairing, Gagare), Grinawa (Grünau), Lévard (Grossschützen, Welke Lewari), Ompithal (Ottenthal), Püspöki (Pischdorf oder Bischofsdorf), Rétse (Razersdorf), Szempcz (Wartberg, Senec), Stompfa (Stampfen, Stupawa), Szúha (Dürnbach, Sucha); dann die Dörfer: Almás (Apfelsbach, Gablonowe), Németh (Deutsch-)Bél, Magyar (Ungrisch-)Bél, Boldogfa (Frauendorf, Matka Boži), Borostyankö (Ballenstein, Pagstun, Stupawski Zómek), Detrekö (Csötörtök-Zankendorf, Stwrtek), Detrekö Várallya (Blasenstein, Podhradi), Also- und Felsö-Csölle (Ober- und Unter-Waltersdorf), Németh-, Tóth- und Horváth- (Deutsch-, Slovakisch- und Kroatisch-) Gurab, Hidegkut (Kaltenbrunn, Dubrawka), Hoszufalu (Langdorf, Dluha), Konyha (Kuchel), zwei Királyfalva (Königsaden und Königshof, Kralowa), Kiliti (Frauendorf), Lamács (Blumenau), Nagy- und Kis-Magyar (Gross- und Klein-Magendorf), Magyarfalva (Ungraden, Uherska Wes), Marianka (Marienthal), Misérd (Mischendorf), Szeleszkút (Breitenbrunn, Solov neča), Szunyogdi (Muckendorf), Uszor (Austern), Vedröd (Wadarady), Vereknye (Frattendorf, Wrakendorf, Fragendorf) u. dgl.

§. 103.

Colonien in der Marmaros, im Ugócser und Beregher Komitate.

18. Selbst in der Marmaros gab es gemischte Colonien; in Visk, Huszt, Técsö und Hosszumezö werden urkundlich ungrische und deutsche Gäste genannt, welchen Karl Robert, in Anbetracht des sterilen Bodens, (1329) die Freiheiten der Bürger von Szöllös ertheilte[3]). Freie Leute jeder Art (quicunque conditionis liberae homines) können in den gedachten Orten sich ansiedeln; sie haben freie Wahl ihres Richters, sie lassen den Zehent für ihren Pfarrer auf dem Felde liegen; die Geistlichen zahlen von 50 Joch (fundis) Ackergrund eine Mark dem Bischofe. Todtschlag, Gewalt, Brandlegung und Diebstahl richtet der königliche Richter in Gemeinschaft mit ihrem Richter; in allen andern Fällen letzterer allein. Von jeder Bewirthung oder Abgabe sind die Gäste dieser Orte befreit.

19. In der Ugocser Gespanschaft erhielten die Gäste von Felzás (jetzt Ezüstfalu), obwohl im Verbande der Unterthänigkeit (hospites nostri de villa Felzáz apud domum nostram videlicet in Vgocha constituti) eigenthümliche Freiheiten (1272)[4]), als: Be-

[1]) Art. 53 von 1535, Art. 63 von 1638, Art. 78 v. 1647 und Art. 53 von 1649. M. Bél a. a. O. p. 115 — 120.
[2]) Bel a. a. O.
[3]) Cod. dipl. VIII. III. p. 353 etc.
[4]) A. a. O. V. 1. p. 177.

freiung von allen öffentlichen Abgaben und von der Last der Heeresfolge. Der Ugocser Graf darf nur des Jahres hindurch einmal eine Bewirthung (descensum) von ihnen fordern: ihre Kirche soll, gleich einer königlichen Kapelle, von jeder geistlichen Jurisdiction befreit sein. Es wird ihnen ein eigenthümlicher Wald mit der Jagdbarkeit und dem Rechte, Ausrodungen zu Ackerfeldern zu machen, dann die freie Fischerei verliehen. Hinsichtlich ihrer Schuldigkeit haben sie bloss die königlichen Wagen innerhalb ihres Territoriums zu befördern und Schnitter für den König zu liefern. Den Ugocser Grafen Botendienste zu leisten oder Pferde zu geben, sind sie nicht gehalten. Uebrigens wird ihnen freie Richterwahl und diesem das Recht zugestanden, alle Klagen, ausser Criminalfällen, welche dem Ugocser Grafen vorbehalten sind, zu entscheiden.

20. Die gemischte Colonie von Luprechtháza (Bereghszász) erhielt ebenfalls 1247 von Bela IV. die bei den Deutschen üblichen Municipal-Gerechtsame. Ihr Richter konnte über Alles, nur nicht bei Mord, Blutvergiessen und Diebstahl entscheiden. Der selbstgewählte Pfarrer bekam, nebst den Zehenten vom Wein und von Früchten, von fünfzig Mansionen Eine Mark. Alle Samstage war Markt. Auch hatten sie freie Benützung der Aecker, Wälder, Gewässer u. s. w. in ihrem Gebiete. Dafür hatten sie jährlich am St. Michaelstage 2 Pfund von jedem Thore zu zahlen [1]).

§. 104.

Gemischte Orte in Nieder-Ungern (Al-Föld).

Auch im Flachlande (Al-Föld) zwischen der Theiss und Maros gab es Gäste, welche wahrscheinlich von verschiedener Abkunft waren.

1. Bela (1247) beschenkte nämlich die Zegediner (hospites de Zegedino) mit dem früher zur Burg Csongrad gehörigen Gute Thabey und dem Fischteiche Wárto [2]).

2. Grosswardein (nova Pech in Varadino), ein alter ungrischer Bischofsitz [3]), hatte deutsche und walachische Bewohner. König Bela bestätigte (1259) den Urtheilsspruch des Graner Erzbischofes Benedict als hierzu bestellten Schiedsrichters in der Rechtssache des Grosswardeiner Stadtrichters und der Bürger einerseits, dann des Grosswardeiner Abtes Brabus andererseits über die Walachen-Vorstadt (Olasfalva), welche beide Theile in Anspruch nahmen, wornach jene Vorstadt den Bürgern zugesprochen und deren Gränzen bestimmt wurden [4]).

3. Die Bürger, Gäste und insbesondere auch die Kaufleute (cives, hospites et mercatores) von Debreczin wurden (1360) wegen ihrer Treue gegen Karl I., von des-

[1]) A. a. O. IV. I. p. 455—457. — Dass die Hospites von Luprechtháza gemischter Abkunft waren, sagt die Urkunde selbst: Ad ipsum autem congregati cujuslibet conditionis et linguae homines una fungantur libertate.

[2]) Cod. dipl. IV. 1. p. 454.

[3]) Vergl. die chronol. Uebersicht am Schlusse der Periode beim J. 1000.

[4]) A. a. O. IV. II. p. 490. Das Regestrum de Varad v. J. 1021—1235 (48 und 116) erwähnt zehn deutsche Orte (Regine hospites de prouincia noui castri, scilicet Teutonici de X uillis, quae dicuntur: Felnémet, Cüzépnémet, Olugnémet, Puruen, Guney, Uruzca, Uisl, Jgyházasuisl, Ceee, Dubucya); (108) wird ein Ort Chroat, (23) ein Ort Uruz (Orosz), (41) Ismaelitae de Nyr etc. genannt; fast alle andern Orts- und Personen-Namen lauten magyarisch. (Siehe Stephan Lad. Endlicher: Rerum Hung. Mon. Arpád. p. 640—740.)

sem Sohne Ludwig I. mit Freiheiten begabt und Debreczin zur königlichen Freistadt erhoben [1]). — Sigmund befreite sie nach dem Vorrechte der meisten ungrischen Städte auch vom Zoll im ganzen Reiche (juxta libertatem civitatum regni nostri ab antiquo observatam [2]).

§. 105.

Gemischte kleinere Colonien in Ungern.

Auf noch mehrere kleinere gemischte (wahrscheinlich ursprünglich deutsche) Colonien weisen urkundliche Spuren und Traditionen.

Dahin dürften gehören: Gesztes (im Trencsiner Komitate), wo Gäste lebten (hospites), welchen Bela IV. (1238) die gewöhnlichen deutschen Freiheiten verlieh [3]); Vertus (Schildberg), dessen Bewohnern Karl I. das von Bela IV. ertheilte Privilegium bestätigte; Óvár (Altenburg im Wieselburger Komitate), dessen Gäste mit den Freiheiten Ofen's (civitatis Budensis) von der Königinn Elisabeth begabt wurden, damit sie hierdurch an Zahl und Treue zunehmen (ut iidem fideliter in numero augeantur).

Jahrmärkte zogen Fremde herbei und beförderten indirect die Ansiedlungen. In diese Reihe zählen wir beispielweise Zezarma, nachdem Ludwig I. auf dem Gute den Herren Stephan und Wolfgang, Söhnen des Peter Takasy die Marktfreiheiten herstellte [4]); Sumerein (Samaria, Somorja, Fanum St. Mariae) hatte nebst andern Privilegien von Ladislaus Cum. bis Karl III., auch vier Jahrmärkte, wodurch allmälig nebst Ungern auch Deutsche und Slaven sich ansiedelten [5]); ferner Sárvár, dessen Gäste (hospites de insula Sárvár) durch Marktrechte und Dreissigstbefreiung mitten in sumpfiger Gegend eine durch Handel blühende Colonie bildeten [6]); Szenicz, ein Marktflecken, dessen grösstentheils slavische Bewohner (cives, populi Jobbagyones) Befreiung vom Dreissigst und Tribut zu Lande und zu Wasser genossen, insoferne sie ihre eigenen Waaren verführten [7]).

§. 106.

Gemischte Colonien in Kroatien und Slavonien.

Auch in diesen Ländern gab es Colonien, von welchen Warasdin (1209), Agram (1242), Samobor, Jablanich (1251), Kreuz und Kopreinitz ursprünglich von Deutschen bewohnt worden sein dürften, während nach ausdrücklich

---

1) A. a. O. IX. III. p. 248 etc.

2) A. a. O. X. V. p. 113 etc. Bestätigt wurden diese Vorrechte (1582) von Kaiser Rudolph, (1689) von Leopold I.

3) Cod. dipl. VIII. III. p. 289.

4) A. a. O. IX. VII. pag. 499.

5) M. Bel. T. II. p. 221 etc.

6) Cod. dipl. VIII. IV. p. 651, IX. I. p. 99, X. I. p. 351.

7) A. a. O. X. VI. p. 188. Die Namen des Richters Philipp Bulwsky und der Geschwornen Martin Knezevich und Andreas Halak sind offenbar slavischen Ursprungs.

urkundlichen Angaben Valkow (1210), Veröczo (1234) und Petrinia (1240) gemischte Bevölkerung hatten [1]).

1. Warasdin wurde unter König Andreas königliche Freistadt. Die erste ganz bestimmte ausführliche Handfeste eines ungrischen Königs für eine Stadt des Reiches, ganz das Vorbild späterer Verleihungen ist Andreas II. Urkunde vom Jahre 1209 für die unter der Warasdiner Burg ansässigen Gäste, welche ihm einst, während er noch als Gefangener seines Bruders, Königs Emerich auf der Kneeger Burg gesessen, manche guten Dienste geleistet hatten [2]). Eigene Richter-Wahl, Befreiung von Mauth und Dreissigstzoll (ausser einer sehr geringen Abgabe von den nach Deutschland ausgeführten Gegenständen), Unterwerfung der auf dem Stadtgebiete weilenden Fremden unter den städtischen Richter. Unbedingte Vermögensfreiheit, genaue Abmarkung des Weichbildes etc. sind die Hauptpuncte dieses Privilegiums [3]).

2. Bela IV. hatte im Jahre 1242 auf dem Grecher Berge bei Agram (Zágráb) ein Kastell (Grech, Gräz) sammt Stadt gegründet [4]).

Die ausgedehnten Freiheiten für die Hospites, meist Handelsleute dieser Stadt, dienten dazu, dieselben einerseits in allen zur ungrischen Krone gehörigen Ländern vor Raub und Gewalt dadurch zu schützen, dass ihnen von dem Herrn des bezüglichen Gebietes Schadenersatz geleistet werden musste, andererseits um allen Gewaltthätigkeiten unter den Bürgern selbst vorzubeugen; daher Geldstrafen, Verbot gerichtlicher Zweikämpfe, Appellation an den König, vor dem in diesem Falle der Stadtrichter selbst zu erscheinen hatte. Der Stadtrichter konnte jährlich neu gewählt werden. Jeder Bürger, der ohne Notherben starb, durfte nur über sein bewegliches Vermögen frei verfügen; sein unbewegliches wurde durch Rathsbeschluss seiner Frau oder einem seiner Verwandten, bei deren Mangel aber zwei Drittheile den Armen und ein Drittheil der Stadt zugewiesen. Die Bürger waren im ganzen Lande abgabenfrei. Wöchentlich zweimal (Montag und Donnerstag) wurde Markt gehalten. Bei einem Feldzuge des ungrischen Königs in die Meeresgegend, oder gegen Kärnthen und Oesterreich haben sie zehn gerüstete Männer zu stellen, dem Könige aber zum Mahle zwölf Ochsen, tausend Brote und vier Tonnen Wein, dem Herzoge von Slavonien aber — wenn er aus königlichem Geblüte ist — die Hälfte; dem Banus aber nur einen Ochsen, hundert Brote und eine Tonne Wein zu liefern.

Binnen einem Vierteljahrhunderte war Agram zu einer volkreichen Stadt geworden. Unter dem Schutze des Kastelles lebten die Bürger sicher und auch das umliegende Gebiet war von Räubern gereinigt worden. Handel und bürgerliche Gewerbe gediehen aber noch mehr zur Blüthe, als König Bela der Stadt ein neues Privilegium

[1]) Wegen der Schwierigkeit der Bestimmung, ob und wie lange diese Colonien den deutschen Charakter erhalten haben, so wie des örtlichen Zusammenhanges wegen, werden hier alle obigen Orte bei den gemischten Colonien angeführt.

[2]) Cod. dipl. III. I. p. 86 — 89. Vergl. Fessler p. 843 — 845.

[3]) Der Ausdruck: villicum, quem Richtarum solent appellare, deutet offenbar auf die ursprünglich deutschen Ansiedler in Warasdin.

[4]) In Agram hatte bereits im Jahre 1093 Ladislaus der Heilige ein Bisthum gestiftet. Vergl. die chronol. Uebersicht.

(1266) ertheilte[1]), in welchem er sie gänzlich von der Pflicht der Heeresfolge, so wie von allen Diensten, Steuern und Abgaben befreite, bis auf eine jährliche Zahlung von 40 Mark oder 200 Pensen. — Unter die zahlreichen polizeilichen Anordnungen, welche in dieser merkwürdigen Urkunde vorkommen, entspricht dem damaligen Zeitgeiste vorzüglich die, dass wenn ein Bürger, wo immer in Ungern, Dalmatien, Kroatien oder Slavonien geplündert oder getödtet wird, der Grundherr, auf dessem Gebiete diese That geschah, gehalten sey, entweder den Missethäter herbeizuschaffen, oder den Ersatz des geraubten Gutes, laut Schätzung redlicher Männer, zu leisten und die Geldbusse des Todtschlages zu erlegen[2]).

3. Die Bürger (hospites) von Samobor beim Schlosse Oskich erhielten in demselben Jahre (1242) die Bestätigung ihres vom Könige Koloman (1095—1114) nach dem Muster der Freiheiten der Gäste von Petrinia gegebenen Privilegiums[3]). Sie werden hiernach von ihrem selbstgewählten Richter gerichtet, der bei einer Appellation an den König selbst vor demselben sich zu rechtfertigen hat. Der Banus kann nur Aufnahme in ihren Häusern, aber keine Bewirthung verlangen, fügt er ihnen um eine Mark Schaden zu, so hat er ihnen hundertfachen Ersatz zu leisten.

4. Die Stadt Jablanich wurde auf dem gleichnamigen Berge von dem Ban Stephan zu Ehren des Königs Bela IV. erbaut; mit dem Privilegium von Trau begabt, und mit Colonisten von Arbe aus Dalmatien besetzt[4]).

5. Auch die Stadt Kreuz wurde von demselben Bane gegründet und die neuen Ansiedler empfingen die Freiheiten von Agram (Graezz et nova villa Zagrabiae)[5]).

6. Die Bürger und Gäste von Kopreinitz (Kapronceza), die bereits von der Herzogin Margaretha von Kroatien, Slavonien und Dalmatien, dann von Herzog Stephan gegen die Uebergriffe der Kastellane geschützt wurden, erhielten durch Ludwig das Privilegium von Agram (1356)[6]).

7. Die gemischte Colonie von Valkow (Vukovár). Koloman, Herzog von Slavonien ertheilte mit Rath seiner Jobbagyonen den bei der Burg Valkow verweilenden deutschen, sächsischen, ungrischen und slavischen Gästen das Recht, ihre Streitigkeiten durch einen eigenen Richter (major villae) beizulegen, sofern sie nicht zum Blutvergiessen führten, in welchem Falle der Schlossvogt (Janitor castri) entscheidet. Niemand soll ohne gerichtlichen Vorgang gebunden oder gefesselt aus seinem Orte geführt werden, auch ist darauf zu achten, dass kein Rechsstreit zum Zweikampfe führe. Sie geniessen das Recht frei zu jagen, zu fischen und den Wald zum Häuserbau u. s. w. zu benützen; sie dürfen frei testiren und nach Belieben Colonisten ein-

[1]) Cod. dipl. IV. I. p. 258 — 264.

[2]) Cod. dipl. IV. III. p. 330.

[3]) A. a. O. p. 264 — 266. Hiernach reihen sich also die Hospites von Zamobor und Petrinia an die ältesten bekannten freien Städte, die bald nach der Gewinnung Kroatien's entstanden. In einer Urkunde derselben vom Jahre 1242 (a. a. O. p. 267) ist auch die Rede von hominibus hospitum — de Perna et Petrina.

[4]) Cod. dipl. IV. II. p. 113 etc.

[5]) A. a. O. IV. II. p. 164 etc. und p. 172. Die Stadt heisst darin: „nova et libera villa in Crisio."

[6]) A. a. O. IX. II. p. 416.

und wegziehen lassen. Sie haben dafür von jedem Thore (ihres Ortes) drei Pfund zu St. Georg und drei zu St. Martin zu entrichten [1]).

8. Die Colonie von Veröcze (Verocz) 1234 erhielt durch denselben Koloman ähnliche Freiheiten, ihre Einwohner durften überdies weder Pferde, noch Wagen (porosz) etc. liefern, noch Bothendienste leisten, noch die Zolusma (d. i. Viktualien an den Ban) geben [2]).

9. Auch ist zu bemerken, dass die Königinn Maria, Bela's IV. Gemahlin (1248) die Freiheiten Petrinia's bestätigte und die Leistungen an Geld und Naturalien bestimmte [3]).

10. Den Gästen zu Beryn in der Szegediner Grafschaft Kroatien's hatte König Bela schon (1264) gegen jährliche Zahlung von drei Pfunden von jedem Wohnhause Freiheiten verliehen [4]) und ihre Dienstleistungen und Naturalabgaben festgesetzt. Dieses Privilegium bestätigte sein Sohn, der Herzog von Slavonien, Bela, und verwandelte die Abgabe der drei Pfunde in fünfzehn Banal-Denare [5]).

11. Derselbe Herzog verlieh in demselben Jahre den Einwohnern von St. Ambras die Freiheiten der Gäste von Veröcze, nämlich Unabhängigkeit von dem Veröczer Grafen und eigenes selbst zu wählendes Gericht — jedoch gegen die Erhöhung der bisherigen Zahlung (ratione marturinorum) von zehn auf vier und dreissig Mark in Banal-Pfennigen, fünf Pensen für eine Mark gerechnet und dergestalt, dass wenn der Zahlungstermin am St. Stephanstage versäumt würde, nach acht Tagen das Doppelte als Strafe zu erlegen sei.

12. Diesen Orten reihen sich an das 1579 gegründete Karlstadt, dann die für den Seehandel wichtigen Punkte im Littorale: Fiume, Zengg und Carlobago.

Erzherzog Karl, dem nebst der Verwaltung der innerösterreichischen Lande auch jene der windischen und kroatischen Gränze oblag, hatte, als Vormauer gegen die Einfälle der Türken, am Zusammenflusse der Kulpa und Korana, unweit Dubowac (Dawowäcz), „eine Festung in Form einer Stadt" gebaut und nach seinem Namen: Karlstadt („Carlstatt") genannt (1579—1581). Kaiser Rudolph II. ertheilte hierüber die Bestätigung und verlieh (am 24. April 1581) den sämmtlichen Bewohnern der neuen Festung ein Privilegium, dessen wesentliche Punkte darin bestehen:

α. Jeder Kriegsmann, er sei ein Deutscher, ein Unger oder ein Kroat, welcher sich daselbst ein Haus baut, soll dasselbe eigenthümlich und erblich besitzen; jedoch mit der Bedingung, dass — im Falle ein solches Haus an Erben fallen würde, die weder in Steiermark, Kärnthen oder den benachbarten Landschaften ansässig sind, noch in Kroatien Kriegsdienste leisten — jeder Kriegsmann in der Festung das Recht habe, das fragliche Haus, um einen billigen Schätzungspreis, zu kaufen.

---

[1]) Cod. dipl. III. II. p. 237. Hospitibus juxta Castrum Valkow commerantibus, scilicet Teutonicis, Saxonibus, Hungaris et Sclavis. Die Bestätigung erfolgte 1263 von Stephan als rex junior. A. a. O. 79 u. 154. Unum grossum seu unum pondus (Siehe Caroli Decr. v. 1342 §. 59).

[2]) A. a. O. p. 412 und 413.

[3]) Cod. dipl. IV. II. p. 35.

[4]) A. a. O. IV. III. p. 201.

[5]) A. a. O. IV. III. p. 529.

β. Alle Bewohner (Hausbesitzer, Bürger und Inwohner) sollen die gemeinen bürgerlichen Freiheiten geniessen, aber auch der städtischen Polizei-Ordnung unterliegen.

γ. Niemand darf zum Nachtheil der Festung in der Vorstadt ein Haus etc. errichten; selbst Küchengärten dürfen erst im Umkreise von 200 Klaftern angelegt werden.

δ. Die Stadt soll die Befugniss haben, jährlich zwei Jahrmärkte abzuhalten, nämlich am St. Karl's-Festtage (28. Jänner) und am Tage der seligen Margaretha (13. Heumonat), an welch letzterem Tage die Stadt zu bauen angefangen wurde. — Ausserdem darf an jedem Samstage Wochenmarkt gehalten werden [1]).

13. Fiume (St. Veit am Pflaum, ad flumen) gehörte als ein Görzer Lehen den Grafen von Duino; zwar kam es einige Zeit in Pfandbesitz des Grafen Bartholomäus von Frangepan; doch wurde dasselbe von dessen Söhnen Stephan und Johann (1365) wieder dem Grafen von Tybein (Duino) zurückgestellt. Es gelangte mit der Grafschaft Görz zur österreichischen Hausmacht [2]). Da aber König Ferdinand I. die Sicherung der slavonischen und kroatischen Lande (Civil-Kroatien und kroatische Gränze) gegen die Türken durch Aufnahme deutscher und kroatischer Soldaten in den dortigen festen Orten und Hafenplätzen beabsichtigte und den Grund zur sogenannten windischen und kroatischen Gränze legte, wurde auch Fiume hierzu gezogen und daher damals auch zu Kroatien gerechnet [3]). Die Bewohner scheinen nebst den kroatischen und deutschen Kriegern Kroaten, Deutsche und Wälsche gewesen zu sein.

14. Zengg (Sena, Seyna, Segnia) — angeblich von senonischen Galliern gegründet, — wurde im dreizehnten Jahrhunderte beim Einbruche der Mongolen in Asche gelegt. Bela IV. schenkte diese Stadt (1255) den Grafen Bartholomäus, Friedrich und Guido Frangepan [4]) für ihre bei diesem Einfalle geleisteten Dienste. Dieselben bauten die Stadt wieder auf, bevölkerten selbe, und ihre Nachkommen ertheilten den Bewohnern von Zengg (in den Jahren 1388, 1458 und 1462) verschiedene Freiheiten. König Mathias bestätigte dieselben und erhob Zengg (1488) zur königlichen Freistadt [5]).

---

[1]) Kriegs-Minist. Archiv Nr. 39 von 1581. Gleichzeitige Abschrift der „Privilegien und Freyhaitten der neuerpawtten Vesstung Carlstatt.“ — Die Regulirung der Stadt Karlstadt geschah im Jahre 1781. — Das diessfällige Concertations-Protokoll des k. k. Hofkriegsrathes und der k. ungrischen Hofkanzlei und die diessfällige allerhöchste Entschliessung und hofkriegsräthliche Anordnung siehe B. 2113 v. 26. Nov. 1781.

[2]) Die beweisenden Urkunden liegen im Staats-Archive. Vergl. Roschman's Abhandlungen (M. SS.) im k. k. Staats-Archive mit Pray's Observationen u. Engel's Gesch. des ung. Reiches. 4. II. Th. S. 340.
Die Theilungs-Urkunde über die Erbländer zwischen Karl V. und Ferdinand I. vom 7. Februar 1522, nennt ausdrücklich auch St. Veit am Pflaum (Fiume). Im Jahre 1529 bestellte Ferdinand I. den Kroaten Nicolaus Jurisich zum Capitän von St. Veit am Pflaum.

[3]) Das Brucker Libell von 1578 (alte Abschrift im Kriegs-Minist. Archive p. 100 sagt: in Windischland — Warasdin, Agram, Thopulschka, Tsänisniak. In Kroatien — Ogulin, Sluin, Zengg, St. Veit am Pflaum. Karl VI. erklärte Fiume (1725) zum Freihafen, erst Maria Theresia einverleibte (1776) aus Handelsrücksichten Fiume dem Königreiche Ungern. (Chronol. Synopsis Jurium et Privilegiorum . . . urbis, liberi portus, districtus Flumensis. Vergl. Diaetal. Art. 4 vom Jahre 1807.)

[4]) Cod. dipl. IV. II. p. 308 etc.

[5]) F. J. Fras. Topographie der Karlstädter Militär-Gränze p. 409. — Dass das Zengger Gebiet im sech-

15. Bago — in alten Zeiten auch Srissia und Strippa, später Carlobago genannt — gehörte einstens den Grafen von Corbavia, welche diese Stadt (1387, 1432 und 1451) mit Freiheiten beschenkten, welche auch König Mathias I. (1481) bestätigte. Im Jahre 1525 wurde diese Stadt von den Türken erstürmt, geplündert und zerstört[1]).

16. Gewissermassen gehören auch die meisten Städte des Küstenlandes und Dalmatien's zu den gemischten Colonien, da sich in denselben italienisches und slavisches Element begegnete [2]).

17. Endlich reihen sich den gemischten Colonien die meisten grösseren Orte, namentlich auch die von Stephan dem Heiligen gegründeten Bischofsitze und Klöster an, dann die Convente der Templer, deutschen Ordensritter, Hierosolymitaner, Prämonstratenser, Benedictiner etc., da nicht nur die Geistlichkeit selbst, in der ersteren Zeit des Christenthums in Ungern, grossentheils aus dem Auslande stammte, sondern auch im Gefolge der Priester Colonisten aus ihrer Heimath mitzogen, welche theils als Acker- und Weinbauern den Boden beurbarten, theils als Kloster-Hörige Handwerke betrieben [3]).

---

zehnten Jahrhunderte der Hauptsitz der Uskoken war, wurde bereits (§. 55) erwähnt. — Im Jahre 1752 ist Zengg unter die Commerzial-Intendenz zu Triest, und nach deren Aufhebung (1776) zum Austausche gegen Karlstadt, welches an das Provinziale abgetreten wurde, als Militär-Communität an die Karlstädter Militär-Gränze überlassen, und (1785) zu einem Freihafen erklärt worden.

[1]) Fras a. a. O. p. 414. — Erst unter Karl VI. erhob sich dieser Ort wieder, und erhielt, ihm zu Ehren, den Namen Carlobago. Maria Theresia ertheilte der Stadt am 15. August 1757 eigene Statuten, und am 10. Mai 1760 ein eigenes Diplom, wodurch alle früheren Rechte Bagos (corpus civicum) wieder eingeführt wurden. Seit dem Bestande der Karlstädter Militärgränze war Carlobago stets ein Theil derselben, bis dasselbe im Jahre 1754 an die Triester Commerzial-Indendenz abgetreten wurde. Im Jahre 1776 jedoch ward diese Stadt wieder der Militär-Gränze einverleibt und sodann im Jahre 1785 zu einem Freihafen erhoben.

[2]) Vergleiche §. 39, b).

[3]) Andeutungen hierüber folgen in der am Schlusse beigefügten chronologischen Uebersicht der Völkerstämme und Colonien.

Chronologische Uebersicht

der

in Ungern, in der serbischen Wojwodschaft und im Temeser Banate, in Slavonien, Kroatien und Dalmatien, dann in Siebenbürgen

von den Magyaren

bei ihrer Einwanderung vorgefundenen und später eingewanderten

Völkerstämme und Colonien.

Vorbemerkungen.

Die folgende Zusammenstellung soll eine kurze chronologische Uebersicht der vorausgegangenen historisch-ethnographischen Darstellung gewähren.

Der Ausgangspunct ist der Zeitraum unmittelbar vor der Einwanderung der Magyaren nach Ungern (ums Jahr 894 nach Christi Geburt); den ersten Gegenstand der Uebersicht bilden die von den Magyaren vorgefundenen Völkerstämme und Orte in den bezeichneten Ländern. — An diese reihen sich die nach der Niederlassung der Magyaren erfolgten Einwanderungen ganzer Stämme, so wie die sporadischen Colonisirungen. Dabei waltet aber ein Unterschied ob, in der Art der Niederlassungen der asiatischen und europäischen Stämme, welche eine verschiedene Darstellungsart fordern. Die ersteren kamen meistens als Stammesabtheilungen ins Land, nahmen ganze Gebietsstrecken ein, lebten vielfach im Mittelalter nomadisch unter Zelten auf Puszten, und verloren häufig ihre Sprache und nationale Eigenthümlichkeit unter den Magyaren; die europäischen Ansiedler aber langten mehr sporadisch als Colonien, oft berufen oder angelockt durch Privilegien und andere Vortheile an, gründeten Städte, Marktflecken, Dörfer und andere feste Wohnsitze, betrieben Bergbau, Ackerbau, Gewerbe und Handel und behaupteten grossentheils ihre Sprache, ihre Municipalrechte und nationalen Eigenschaften. —

Bei den asiatischen Stämmen ist daher bloss eine gedrängte chronologische Uebersicht ihrer Niederlassungen, mit der am Schlusse beigefügten Andeutung ihrer einstigen weiteren Verbreitung; bei den europäischen aber eine tabellarische Darstellung der vorzüglicheren Colonien, mit Andeutung ihrer Privilegien und Angabe der bezüglichen Geschichtsquellen hier versucht worden, welche jedoch auf Vollständigkeit keinen Anspruch macht. — In der chronologischen Reihenfolge der Orte erscheinen auch die von Stephan dem Heiligen gegründeten Bisthümer und Klöster, da dieselben nicht nur meist von ausländischer Geistlichkeit bezogen, sondern selbst die Mittelpuncte von Einwanderern und Gästen (hospites) wurden.

Der Kürze wegen wurde bei den Citationen der Quellen der oft vorkommende „Codex diplomaticus Hungariae ecclesiasticus et civilis" Georg Fejér's bloss mit den römischen Ziffern der Bände (Tomus) und Theile (Volumina), dann mit den arabischen der Seiten (Pagina) angedeutet.

Völkerstämme,

welche die Ungern (die Magyaren mit den verwandten Stämmen) bei der Einwanderung in ihr jetziges Vaterland bereits vorfanden.

a) Im Norden der Donau, oder in Gross-Mähren.

1. zwischen March und Gran: Grossmährische Slaven oder Slovaken (Sclavi, Moravani, Boemi).
2. „ Gran, Donau und Theiss: Slaven, (namentlich slavisirte) Bulgaren und Reste der Awaren.
3. „ Theiss und Maros: Chazaren, Szekler, Romanen (Walachen) und Bulgaren.
4. „ Maros und Donau: Romanen, Hunnen, Slaven (slavisirte Bulgaren und Abodriten).

b) Im Süden der Donau oder in Ober- und Mittel-Pannonien:

Deutsche (Franken, Bayern, Salzburger), Slovenen (Karantanen oder Wenden) und mährische Slaven.

c) Im untern Pannonien (Pannonia savia mit Syrmien, später Slavonien genannt):

Serben, Kroaten, Slovenen, Bulgaren, Franken, Langobarden und Reste der Gepiden, Griechen, Walachen.

d) In Kroatien und Dalmatien:

Reste der Illyrier, Kroaten und andere slavische Stämme (Slovenen, Guduscauer, Timokaner, Walachen), Wälsche (Italiener, Romani, Latini) und Reste der Awaren.

e) In Transilvania (Erdeueleu, Erdély, später Siebenbürgen genannt).

Romanen (Walachen), Slaven (Bulgaren), Szekler, Bissenen (Petscheuegen, Bessenyök).

Burgen, Städte und andere Orte (Colonien),

welche bei der Einwanderung der Ungern (ums Jahr 894) in ihr jetziges Vaterland bereits vorhanden waren.

a) Im Norden der Donau, oder in Gross-Mähren.

Die Burgen: Munka (Munkács), Hungu (Unghvár), Semlum (Zemplin), Hymusuduor (Tokay), Geuru (Dios Györ), Miscousy (Miskolcz), Gumuor (Gömör), Castrum Salis (Sovár am Hernad), Nograd (Neograd), Nitra (Neutra), Stumtey (Szemte), Galgus (Galgocz), Blundus (Beczko), Trusun (Trencsin), Surungrad (Csongrad), Titul (Titel), Budrugh (Bodrógh), Borsua (Beregh), Ugosa (Ugocs), Zotmar (Szathmar), Bihor (Bihar), Bellarad (Arad), Varad (Grosswardein), Uyllok (Illok), Zarand, Kewe (Kubin), Horom (bei Ujpalanka), Ursova (Orsova), Dowina (Theben) und wahrscheinlich auch Brazlaburgum (Pressburg).

b) **Im Süden der Donau oder in Ober- und Mittel-Pannonien** (Pannonia superior, Valeria).

Die Etzylburg (auf den Trümmern von Aquincum, jetzt Alt-Ofen), Portus Megyer (Pocs Megyer), Vissegrad, Bezprim (Vesprim civitas), Castrum ferreum (Eisenburg), Moseburg (am Plattensee), Borona (Baranyavár), wahrscheinlich auch Gran (Istrogranum, Strigonium, Esztergom).

Ueber das bisher Gesagte ist der Anonymus Belae die Hauptquelle [1]. Aus Urkunden und aus dem Salzburger Anonymus kennen wir folgende deutsche Städte und Colonien in Pannonien: Sabaria civitas (Stein am Anger), Sabaria sicca (nachher mons Pannonius, Martinsberg), Rappa (auf den Trümmern von Arrabona, im Mittelalter Gewr, Jaur, Jaurinum, jetzt Raab oder Györ), Kensi (Güns), Hrabiskeit (Raba Semjen?), Kirisstettin (Kierstein?), Lindoldschirichum (Limbach?), Salapiuchin (Salla, Szalavár), Quinque Ecclesiae (Fünfkirchen) etc.

Viele andere Orte in Pannonien, welche die gedachten Quellen bezeichnen, gehören theils jetzt zu Oesterreich und Steiermark, theils sind sie bisher nicht hinlänglich geographisch ausgemittelt.

Ueberdiess die Reste pannonischer Städte: Flexum (bei Ung. Altenburg), Gerulata (jetzt Karlburg), Bregetium (bei Alt-Szöny), Scarabantia (bei Oedenburg), Carpis (bei Gran), ad Herculem (bei Vissegrad), Ulciscia castra (bei St. Andrä), Vetus Salina (bei Érd), Anamatia (Duna Pentele), Alisca (bei Tolna) etc.

c) **Zwischen Drave und Save in Unter-Pannonien** (Pannonia inferior vel Suavia, Sclavonia) mit **Syrmien**.

Zagráb (Agram), Ulku (Walkow, Vukovár), Zalankemen (Acumincum, Slankemen), Alba Bulgaria (Singidunum, jetzt Belgrad), vielleicht auch schon Franca villa (Frankenstadt); dann die Reste römischer Städte: Siscia (Szisseck), Mursa (Esseg), Cibalis (bei Veröcze), Teutoburgium (bei Bieloberdo), Cornacum (bei Illok), Bononia (bei Banostor), Taurunum (Semlin), Malata (Peterwardein), Sirmium (bei Mitrowitz) etc.

d) **In Kroatien (Liburnien) und Dalmatien.**

Senia (Seyna, Segnia, Zengg), Tersatica (Tersat), Chribassa (Corbavia), Litza (Licca), Diadora (Jadera, Zara), Tragurium (Trau), Split (Spalato), Scardona, Salona, Narona, Nona, Rausium (Ragusa, Dubrawnik), Butua etc.; auf den Inseln: Rab (Arbe), Absorus (Opsara, Osero), Kerk (Wekla, Veglia), Melita, Brattia (Brazza), Issa, Pharus etc. die gleichnamigen Orte.

e) **In Transilvania (Erdeuelen, Erdély, oder nachmals Siebenbürgen).**

Gyula (Alba Julia, Fejérvár, jetzt Karlsburg), Eskeleu (Eskűllő), nebst den Resten vieler dakisch-römischer Städte und Orte, als:

Szarmizegethusa oder Ulpia Trajana (Várhely im Hatzeger Thale), die einstige Hauptstadt (Metropolis) des trajanischen Daciens, — Apulum (bei Karlsburg), ad Aquas (Kis Kalany oder Alt Gyógy im Hunyader Komitate); Salinae (bei Thorda), Patavissa (Pataviccensium vicus, bei Maros Ujvár), Napoca (Poca Nyaradtó, Doboca, Szamosujvár oder Marósvasárhely?), Opuntiana (Görgény), Cargiana (nördlich von Szász Regen), Cersle (bei Remeteszeg), Ulpianum (bei Klausenburg), Rucconium (ober Dées), Castra Trajana (Praetoria augusta), und Burridava (Taba des Jornandes beim rothen Thurm-Passe), Auraria major (Abrudbanya, Gross-Schlatten), Auraria minor (Zalathna, Klein-Schlatten) u. s. w.

---

[1] Cap. 11, 13, 15, 17, 18, 21, 34, 35, 36, 37, 40, 46, 51, 57. Vissegrad wird in einer Urkunde vom Jahre 1009 (Cod. dipl. I. p. 289) Civitas genannt. Theben wird in den Annalen der Karolinger Periode als Hauptsitz des Herzogs Rastic (Rastislaw) und Swatopluk's (Zwentibold) genannt.

A. Asiatische Völker-Stämme.

Magyaren.

Ihre Einwanderung nach Ungern (Gross-Mähren und Pannonien [1]) erfolgte ums Jahr 894 aus Atelkuzu unter Arpad.

Sie waren in 7 Stämme und 108 Geschlechter getheilt.

Die Gesammtzahl der Magyaren betrug bei 216.000 Krieger und Familienhäupter oder höchstens eine Million Seelen.

Ihre Führer waren:

Arpad (894—907), unter welchem die Besetzung des Landes durch Magyaren von den Karpathen bis zur March, Raab, Save und dem Adriatischen Meere erfolgte; namentlich aber die Niederlassung in dem Flachlande der Donau und Theiss.

Ueber fünfzig Jahre dauerten die Streifzüge der Magyaren nach Deutschland, Italien, Frankreich und selbst nach Hispanien unter den folgenden Herzogen:

Zoltan (907—944 † 946), welcher ganz Ober-Pannonien sammt der Ostmark besetzend die Enns zur Westgränze Ungern's gewann.

Taksony (944—972), unter welchem die Magyaren (im Jahre 955) die grosse Niederlage am Lechfelde bei Augsburg erlitten, die Deutschland's Ruhe sicherte.

Geysa (973—1000), unter welchem die Christianisirung Ungern's begann; die sein Sohn Stephan der Heilige vollführte (1000—1038).

Bei der Eroberung des Landes wurde viel zerstört. — Doch entstanden auch einige feste Plätze bei dem Einwanderungszuge der Magyaren.

Szabolcs wurde von dem gleichnamigen ungrischen Führer gegründet.

Sátorholmi (Satórallya-Ujhely) entstand an Arpad's Lagerstelle.

Zerenche (Szerencs d. i. Glück), wurde zur Erinnerung an den glücklichen Fortschritt der Magyaren über den Sajó genannt. In

Ezilburg (auf Aquincum's Trümmern), feierte Arpad Feste, und im Walde

Torbagy (beim gleichnamigen Orte) erscholl dessen Hifthorn.

Sunád (Csanád) wurde vom gleichnamigen Heerführer angelegt. — Auf der Puszta:

Szer wurde der erste Landtag gehalten, und zur Errinnerung das Kastell Szer (Ordnung) gegründet, eben so

Alpar, ein Kastell auf der gleichnamigen Puszta.

Die weiteren Schicksale der Magyaren und ihre Gründungen von Städten und anderen Orten gehören nicht mehr der Einwanderungs- und Colonisationsgeschichte, sondern der Geschichte des ungrischen Reiches und Volkes, und der historischen Geographie an. Nur so viel sei bemerkt, dass die lateinischen Urkunden des eilften bis sechzehnten Jahrhunderts aus den meisten Theilen Ungern's, besonders aber aus dem mittleren Flachlande vorwiegend ungrische Local-Namen enthalten.

Kumanen.

(Cumani, Kunok, Falen und Palóczen. Siehe §. 28 und 30.)

1. Die erste Abtheilung Kumanen eroberte in Gemeinschaft mit den Magyaren — Ungern. Sie bestand ebenfalls aus sieben Stammgeschlechtern, deren Stammeshäupter und Führer folgende waren:

Ed und Edumen, welche am Flüsschen Tocota und an der Matra begütert wurden.

Ete, welcher sich an der Theiss niederliess und Surungrad (Csongrad) erbaute. Sein Sohn erbaute Zecuseu (Szescö) an der Donau.

[1]) Vergleiche §. 18, 19 und 26.

Bunger, welcher Geuru (Diosgyör) erhielt und dessen Sohn **Borsu**, welcher **Borsod** erbaute.

Ousad, dessen Sohn **Ursuur** ein gleichnamiges Kastell (Örs) gründete.

Boita erhielt die gleichnamige Besitzung, dann Güter an der Theiss.

Ketel, dessen Sohn **Oluptulma** die Veste **Cumara** (Komorn) erbaute.

Der Kumane **Keve** liess sich zu Turkeve in Gross-Kumanien, — **Sepel** (Csepel) auf der von ihm benannten gleichnamigen Insel nieder.

2. Im Jahre 1098 brach eine **zweite Abtheilung Kumanen** unter den Anführern, **Kopulch** und **Akus** durch Siebenbürgen nach Ungern ein; sie wurde besiegt und der Rest (wahrscheinlich) in Jazygien und Gross-Kumanien angesiedelt.

3. Im Jahre 1124 erschien **eine dritte Abtheilung Kumanen** unter dem Anführer: **Tartar**. — Sie liess sich in Klein-Kumanien nieder.

4. Im Jahre 1238 flüchtete die **vierte Abtheilung Kumanen** unter dem Anführer: **Kuthen** (mit 40.000 Familien) vor den Mongolen zu König Bela IV. und wurde nach dem Abzuge der letzteren zwischen Donau und Theiss (in Gross- und Klein-Kumanien) angesiedelt und dem Palatin untergeordnet.

5. Im Jahre 1285 erfolgte ein neuerlicher Einfall der Mongolen (Tartaren, Neugerii und Kumanen, Falen oder Valven) nach Ungern bis Pest; der grösste Theil wurde aufgerieben, der Rest bei den übrigen Kumanen angesiedelt.

NB. Im Jahre 1298 erschienen die Kumanen zuerst auf dem ungrischen Landtage.

Jászen oder Jazyger.

(Jászok, Sagittarii, Philistaei etc.)

Die Bezirke der Jászen, d. i. der aus Kumanen, Bissenen, Szeklern etc. gewählten königlichen Pfeilschützen wurden unter König Bela IV. organisirt und der Gerichtsbarkeit des Palatins zugewiesen, welche Einrichtung die folgenden Könige bestätigten.

Kumanen und **Jászen** bildeten 4 Bezirke mit den Hauptorten: **Halasz**, **Kecskemét**, **Kolbasz**, **Mizse**.

Andere Districte oder Niederlassungen (Szállások) derselben waren: Belén-Szállás (jetzt Jászberény), Arok, Szombat, Jakab, Zank, Banta-Sállás [1]).

Sigmund stellte alle Kumanen unter das Gericht von Kewres (Köres) und Kecskemét (XVI. 540). Ueber die Rechtsverhältnisse der Kumanen und Jazyger siehe §. 28, S. 92.

Bissenen.

(Bessenyök oder Petschenegen etc., siehe §. 29.)

1. Im Jahre 944 wurde die **erste Abtheilung** am Neusiedler See noch zur Zeit Zoltan's angesiedelt.
2. Circa 950 erhielt eine **zweite Abtheilung** unter ihrem Führer **Thomizoba** Wohnplätze von Kemey bis zur Theiss.

---

[1]) Viele Orte, wo einst Jászen wohnten, sind noch durch den Ortsnamen erkennbar, z. B. Jász-Apáthi und Jasz-Ladány (in Jaszygien), Jaszfalu bei Pilis-Csaba, Jasafalu (im Komorner Komitate), Jaszin (im Beregher K.), Jászo-Ujfalu, Jászo-Debrőd, Jászo Mindszent und Jászó (im Abaujvárer K.), Jásztelek (im Neograder K.), Jasztraba (im Barser K.), Jasztrabie (im Trencsiner K.), Jásztrecz (in der Zips), Jaszenhay (in der Thurocz), Jaslowec (im Pressburger K.), Jastrabie (im Saroser K.), Jasyna (in der Marmaros), Jasen (im Sobler K.), Jásd (im Veszprimer K.), Jaszak (in Syrmien), Jáskowo, Jasickosello, Jasterbarska (im Agramer K.), Jaszlovic, Jasen (im Veröczer K.), mehrere Jasz, Jaszen etc. in der Militärgränze. — Auch die Orte **Löwö** (Schützen) deuten auf die Sitze der Jászen (Sagittarii), z. B. Löwö (im Oedenburger, Szalader, Barser, Szabolcser und Eisenburger Kom.); dann Nagy-Lévárd (Gross-Schützen) und Kis-Lévárd (Klein-Schützen) im Pressburger Komitate etc.

3. C. 1005 erscheint eine dritte Abtheilung (60 Familien), die unter Stephan dem Heiligen Aufnahme in Ungern fand.
4. C. 1073 wurde eine vierte Abtheilung, nämlich von gefangenen Bissenen, zu Lövö (Schützen) im Oedenburger Komitate angesiedelt.
5. C. 1074 eine fünfte Gruppe Bissenen finden wir während des Streites zwischen Salomon und Geysa I. bei Wieselburg und Pressburg.
6. C. 1075 wird eine sechste Abtheilung endlich an der Sitva erwähnt [1]).

In Siebenbürgen wohnten die Bissenen im östlichen Theile bis zur Hermannstädter Provinz (sylva Blacorum et Bissenorum).

Szekler.

(Siculi, Szekelyek sammt den Eör's, d. i. Gränzwächtern, siehe §. 31.)

Sie bestanden aus sechs Stammgeschlechtern: Adorján, Megyes, Jenö, Halom, Zabrán und Orlötz, und lebten in mehreren Stuhlorten (Székhely) unter einem Grafen (Comes), der zu Udvarhely seinen Sitz hatte.

Diese Szekler erscheinen nicht nur in Siebenbürgen, sondern auch an der Waag als Gränzer. Auch als Gränzwächter (Eör, Speculatores) scheinen an vielen anderen Orten (die noch den Namen Eör und Örs führen), vorzüglich Szekler verwendet worden zu sein [2]).

Im Jahre 1298 nahmen die Szekler (gleich den Kumanen und Sachsen) am ungrischen Landtage Antheil.

In den Jahren 1437. 1438, 1463, 1506, 1542 und 1545 nahmen die Szekler auch an der Union der Ungern und Sachsen Antheil.

Chazaren.

(Kozaren gentes kozard, siehe §. 32.)

C. 894 scheinen gleichzeitig mit den Ungern auch Chazaren eingewandert und zwischen der Theiss und Maros sich angesiedelt zu haben. Die noch bestehenden Orte Chozar (Kozar) im Norden der Matra, dann im Baranyer Komitate: Racz-Kozar etc. zeigen ihre einstigen Sitze.

Ismaeliten.

(Bulgaren und andere Mhamedaner, siehe §. 33.)

Um's Jahre 920 kamen unter ihren Führern Bila, Bosuth und Heten viele Bulgaren an.

C. 1000 — 1038 wurden von Stephan dem Heiligen ebenfalls Ismaeliten oder Bulgaren aufgenommen.

---

[1]) Die zahlreichen Orte: Besenyö etc. deuten auf einstige Ansiedlungen der Bissenen in den Komitaten Arad, Bács, Bars, Heves, Komorn, Neutra, Pest, Pressburg, Szabolcz, Tolna und selbst in Syrmien und Veröcze (zu Essek). Siehe S. 95. Zur Hintanhaltung von Bissenen in Siebenbürgen durch Szekler wurde Castrum Várhegy (Waarheghy) und das Vorwerk Szekelnez (Zechelnecz) angelegt (Schuller's Umrisse I. Urkundenbuch).

[2]) Die Orte Also und Felsö-Eör (Unter und Ober Wart) im Eisenburger Komitate bewahren nicht nur die von Karl I. erhaltene Bestätigung ihrer von Bela IV., Stephan V. und Ladislas Cumanus empfangenen Freiheiten (VIII., III. 178), sondern auch den Szekler Dialect und Szekler Taufnamen als Familiennamen. Andere derartige auf einstige Wohnsitze der Eör's (Speculatores Szekler oder Gränzer) hindeutende Orte sind: Buda-Eörs (bei Ofen), Könvago-Eörs (im Szalader Kom.), Ör-venyes, Felsö- und Also-Örs (am Balaton), Örs (am Sárviz), Eör (im Schimegher Kom.), Nemes-Örs (im Komorner Kom.), Mezo-Örs (im Raaber Kom.), Eörkeny (im Raaber und im Pester Kom.), Eörmező (im Szabolcser und im Zempliner Kom.), Eörs (im Stuhlweissenburger Kom.), Tarna und Tisza-Örs (im Heveser Kom.) etc. — Auch die Orte mit der Wurzel Szék dürften einstige Szeklersitze in Ungern anzeigen, z. B. Szék-Udvár (bei Kis-Jenő), Felsö-Szék (im Krasznaer Kom.), Szekuljes (im Krasznaer Kom.) etc.

Die Ismaeliten (worunter auch Tataren waren) betrieben grösstentheils Handelsgeschäfte, und bildeten über dreissig Gemeinden in Ungern.

Tataren.

(Mongolen und Nogayer.)

Diese waren Gefangene vom Tatareneinfalle her (1241), und bewohnten: Tatár Vidéke, Tatár Szállás in Gross-Kumanien, Tatár-Szent Miklos (jetzt Kun-Szent Miklos), dann Tatár Szent György und Mizse etc. in Klein-Kumanien.

Osmanen (Türken).

Seit dem vierzehnten Jahrhunderte findet man Spuren von Anwesenheit der Türken in grösseren Orten Ungerns (Ofen, Pest, Semlin) etc.

Dieselben waren dann über anderthalb Jahrhunderte (1526 — 1699) im theilweisen Besitze Ungern's. (Die Bewegung ihres Vorrückens und Zurückweichens sieh §. 35.)

Armenier.

(Armeni, Örmenyek, siehe §. 36.)

Armenier waren in verschiedenen Theilen Ungern's sporadisch vertheilt. Auf ihre Sitze dürften die Orte Örmeny, Ürmeny etc. hindeuten.

Dieselben sind als Hospites zu Gran im dreizehnten Jahrhundert urkundlich nachweisbar. Die Haupteinwanderungen nach Siebenbürgen geschahen aber erst seit dem J. 1660.

Juden.

(Siehe §. 37.)

1098. Wahrscheinlich seit dem neunten Jahrhunderte in Ungern, erhielten die Juden einen Zuwachs aus Böhmen, wo dieselben unter Herzog Brazlaw's Regierung verfolgt wurden.

1222. Unter Andreas II. wurden sie geldmächtig und von verderblichem Einflusse auf die Verwaltung, daher durch die goldene Bulle die Juden und Ismaeliten von königlichen Aemtern gesetzlich (wenn auch in der Folge bald wieder nicht mehr thatsächlich) ausgeschlossen wurden.

1251. Bela IV. verlieh den Juden einen grossen Freiheitsbrief nach dem Muster der von Friedrich dem Streitbaren erlassenen Judenordnung.

C. 1375 erfolgte unter Ludwig dem Grossen die Verbannung der Juden aus ganz Ungern, doch schon
1396 ihre Rückkehr unter Sigmund.

1526. Einzelne Verbannungen und Abzüge der Juden erfolgten aus verschiedenen Orten, z. B. 1526 der Abzug von 200 Juden aus Ofen in die Türkei mit Suleiman, die Verbannung der Juden aus Pressburg durch die Königinn Maria. — Eben so mehrfache Beschränkungen, ungeachtet welcher doch die Judenschaft nicht unbedeutend in Ungern blieb.

Zigeuner.

1417 erschienen die ersten Zigeuner in Ungern und Siebenbürgen unter einem eigenen Führer (Wojwod), welchem König Sigmund (1423) einen Freiheitsbrief für die Leute seines Stammes verlieh (X. VI. 532 etc.).

B. Europäische Völker-Stämme

und die von denselben

gegründeten oder bewohnten Städte und Colonien.

Jahr	Name des Ortes oder Gebietes	Name des Landes oder Komitates	Nationalität	Angabe der Regierung oder des Gründers der Ansiedlung	Bemerkungen und Quellen.
c. 894	—	Ungvár, Marmaros Ugocsa, Bereg etc.	Ruthenen (Rutheni, Oroszok)	Herzog Arpád	Mit den Magyaren wanderten (nach dem Anonymus Belae Notarius c. 10.) Ruthenen über die Karpathen ein, und blieben in den nordöstlichen Komitaten zurück.
c. 900	**Oroszvár** (Russenburg, jetzt Karlburg)	Wieselburg (Moson)	„	„	Soll eine Colonie der ersten ruthenischen Einwanderer, noch aus Arpad's Tagen, gewesen sein.
c. 925	—	„	„	Toxus	Mit Bissenen vermischt soll diese Abtheilung Ruthenen angelangt, und an der Westgränze angesiedelt worden sein.
1000	**Gran** (Istrogranum, Esztergom, Strigonium)	Gran	Ungern, Deutsche, Italiener (Lombarden), Armenier, Juden, seit dem 16. Jahrhundert auch Serben, die im westlichsten Theile an der Donau, in der sogenannten Razenstadt wohnten.	König Stephan I. der Heilige	Gran — König Stephan's Geburtsort — durch ihn Sitz des Erzbischofes (Papst Silvester's III. Bulle I. 276: Strigoniensem Metropolim et reliquos Episcopatus .... concessimus). Daselbst wohnten Deutsche (grossentheils in der Festung) und Italiener (Lombardi, Latini), von welchen, nach der Zerstörung Gran's durch die Mongolen neue Landsleute (de terra latina) ankamen. Die Wasserstadt war meist von Ungern bewohnt. Auch Armenier lebten in Gran mit eigenem Privilegium (IV. II. 307). Die Bürger und Gäste Gran's genossen die Freiheiten Stuhlweissenburg's u. a. Vorrechte (IV. II. 37, 304, 320, 343, 374, 486 etc.). Die Rechte der Juden bestimmte Bela 1251 (IV. II. 105). Bela IV. — nebst Stephan I. — Gran's Hauptgönner, wurde auch dort in der von ihm gestifteten Kirche des heil. Franciscus begraben (1270). In den Jahren 1529—1595 u. 1602—1668 war Gran unter türkischer Herrschaft; Donaubeschreibungen des 17. Jahrhunderts zeigen uns dort auch eine Razenstadt.
circa 1000	**Stuhlweissenburg** (Székesfejérvár, Alba regia)	Stuhlweissenburg	gemischt (Ungern, Italiener, Deutsche etc., später auch Serben).	„	Stuhlweissenburg, Residenz, Krönungs- und Begräbnissstadt der ungrischen Könige, erscheint bereits im Jahre 1009 urkundlich als civitas (I. 289). Nach dem Siege über den Bulgaren Herzog Kean, dotirte (1003) Stephan I. die von ihm gegründete Basilica (Albensem Basilicam) reichlich (Hartvici Legenda S. Stephani p. 67. Ofner Chronik ad a. 1003) — Unter Bela IV. erfolgte 1237 die Erneuerung (IV. I. 73, VII. I. 107), unter Sigmund die Erweiterung des Privilegiums (X. VI. 376), welches das Muster für viele an-

Jahr	Name des Ortes oder Gebietes	Name des Landes oder Komitates	Nationalität	Angabe der Regierung oder des Gründers der Ansiedlung	Bemerkungen und Quellen.
					dere Stadtrechte wurde. — Ferdinand I. erhob sie wieder zur k. Freistadt (1541). In den Donaubeschreibungen des 16. und 17. Jahrhunderts erscheint auch eine Razenstadt in Stuhlweissenburg.
circa 1000	**Neutra** (Nitria, castrum Nitriense)	Neutra	Slaven (Mährer, populus usque ex partibus Marcomannorum illuc confluens), Deutsche etc. (cives castri Nitriensis.)	Stephan I.	In dieser alten Hauptburg der Grossmährer erneuerte c. 1000 Stephan der Heilige das alte (schon 880 bestandene, beim Einbruche der Ungern aber c. 900 zerstörte Bisthum, stiftete daselbst 1006 ein Chorherrenstift, und verlieh demselben den Marktflecken mit den Gästen (vicum cum hospitibus, intra suburbium et castrum nostrum novum ad defluxum minoris fluminis Nitra existentibus I. 285). Wegen der beim Mongolen-Einfalle bewiesenen Treue erhielten die Bürger Neutra's die Freiheiten Stuhlweissenburg's (IV. II. 456); doch 1288 wurde die Stadt an den Neutraer Bischof verschenkt. Vergl. M. Bel. Not. (T. IV. p. 313 etc.).
"	**Vesprim** (Besprem, Veszprém, Weissbrunn)	Vesprim	Ungern, (in alter Zeit wahrscheinlich auch Deutsche, Griechen etc.	"	In Veszprim hatte Stephan I., wahrscheinlich (1001) nach Kupa's Besiegung ein Bisthum errichtet, welches er und seine Gemalin Gisela reich dotirten; 1009 erscheint Veszprim urkundlich als civitas (I. 289). Der dortigen St. Michaelskirche waren die vier civitates: Veszprim, Alba Regia, Vissegrad und Corteu untergeordnet.
"	**Fünfkirchen** (Pécs, Quinque Ecclesiae vel Basilicae)	Baranya	gemischt (Ungern, Deutsche, später auch Serben).	"	Diese alte deutsche Salzburger Colonie wurde vom h. Stephan zum Bischofsitze erhoben (I. 291) und dessen Sprengel bis zur Save ausgedehnt, vom h. Ladislaus bestätigt (I. 480 etc.). Sieh Koller Historia Episc. Quinque, Eccles.
"	**Raab** (Arrabona Jaurinum, Janrenk, Jaur, Geur, civitas Jauryana, jetzt Györ)	Raab	gemischt (Deutsche, Ungern etc.)	"	Raab — von Stephan I. zum Bischofsitze erhoben — erscheint urkundlich 1009 als civitas Jauryana (I. 292). Stephan V. erhob sie [illegible] Freistadt ([illegible]), und ertheilte den Bürgern und Gästen die Freiheiten Stuhlweissenburg's nebst dem Stapelrechte (V. I. 146), welche Andreas III. 1295 und Karl I. 1323 u. a. bestätigten (VI. I. 348 und VIII. II. 446) Von 1595—98 war Raab im türkischen Besitze, aus dem es durch Schwarzenberg befreit wurde.

Jahr	Namen des Ortes oder Gebietes	Namen des Landes oder Komitates	Nationalität	Angabe der Regierung oder des Gründers der Ansiedlung	Bemerkungen und Quellen.
circa 1000	**Kolócsa** (Colocza, Calotsa, Kolocsa)	Pest	gemischt	Stephan I.	Steph. Katona Hist. Metropol. Colol. Ecclesiae.
„	**Bács** (Bach, Bač)	Bács	„		
„	**Erlau** (Agria, Eger)	Heves	„		Schmitt Episcopi Agrienses.
„	**Csanád** (Chanad, Sunad)	Csanád	„		Diese gedachten zehn Orte sind die ältesten Bischofsitze, deren Gründung dem heiligen Stephan allgemein zugeschrieben werden. Der Papst Sylvester II., und Hartwicus nennen nicht die Diöcesansitze selbst, sondern letzterer sagt: Provincias decem partitus episcopatus Strigoniensem ecclesiam metropolim et magistram ceterarum fore constituit). Da nun der Biograph des h. Gerhard von XII Bisthümern spricht, so rechnen die meisten auch Waitzen und Grosswardein unter die Diöcesen-Stiftungen des h. Stephan. Siehe darüber die genannten Orte.
„	**Waitzen** (Vácz civitas)	Pest	Gemischt	„	Einige nennen Waitzen eine Stiftung des h. Stephan (Beweise dafür bei Innocent. Deserici Historia Episcopatus Dioecesis et Civitatis Vaciensis.) womit auch Pray u. A. übereinstimmen. Andere halten (nach der ung. Chronik) Geysa I. für den Gründer, welcher in Folge eines Gelübdes vor der Schlacht zwischen Mogyorod und Czinkota (1074) das Bisthum Waitzen gestiftet und von einem dortigen Eremiten Vácz (Waitzen) genannt haben soll.
„	**Gross-Wardein** (Nova Pech in Varadino)	Bihar	Gemischt (Deutsche, auch Romanen)	„	Dem heiligen Stephan schreiben die Gründung von Grosswardein zu: Pray Diatribe in dissertationem de S. Ladislav. Episcopat. Varad. fundatore ab Antonio Ganotzy conscriptam und im specimem Hierarchiae. Hung. P. II. p. 87. etc. Vergl. auch Nic. Kereszturi de Episcop. Varad. und Dissert. de S. Ladislao etc. u. a. Andere schreiben Grosswardein's Stiftung dem heiligen Ladislaus zu. Die Gründe siehe bei Ganóczj de S. Ladislao und in Podhradczky Chron. Bud. p. 174—178.

Jahr	Name des Ortes oder Gebietes	Name des Landes oder Comitates	Nationalität	Angabe der Regierung oder des Gründers der Ansiedlung	Bemerkungen und Quellen.
					Dass auch Grosswardein im 13. Jahrhunderte (deutsche) Hospites und Walachen zu Bewohnern hatte, sieht man aus einer Urkunde Bela's IV. vom Jahre 1259 (IV. II. 490).
1001	**Martinsberg** (Mons Pannonius)	Raab	Gemischt (Italiener, Ungern, Böhmen, Deutsche)	Stephan I.	Benedictiner Abtei (I. 280). Der erste Abt war St. Anastasius (Astricus) vom monte Cassino; der zweite St. Bonifacius Martyr, dessen früherer Mitbruder; der dritte Henricus, ebenfalls vom Monte Cassino. Die ersten Mönche kamen eben daher, so wie aus dem böhmischen Kloster Braunau. Die Bestätigung des heil. Ladislaus (siehe I. 482).
1002/1005	**Szathmár Némethi**	Szathmár	Deutsche aus Bayern	(durch die Königinn Gisela)	Nach Andreas II. Freiheitsbrief von 1230 kamen die Einwohner mit der Königinn Gisela nach Ungern, und standen mit Zustimmung der Reichsbarone unter der Gerichtsbarkeit des k. Tavernicus und waren gleich den Sachsen zur Heeresfolge verpflichtet (III. II. 211), 1270 wurden ihnen die Freiheiten von Stuhlweissenburg eingeräumt.
"	**Solmar** (Solyomvár)	Pest	"	"	Collect. M. S. Podhradczky.
1000	**Dotis** (Tata villa)	Komorn	Ungern, Italiener (später Deutsche)	(durch Deodat)	König Stephan scheukte Tata seinem Erzieher, dem Grafen Deodat, welcher daselbst ein Kloster zu Ehren der Apostelfürsten Peter und Paul stiftete. (Cod. dipl. IV. III. 103, Thurocz. II. C. 1.)
"	**Ják**	Eisenburg	gemischt (Deutsche, später Ungern)	Stephan I.	Wenzel von Wasserburg scheint der Gründer desselben zu sein. (Die merkwürdige Kirche im romanischen Baustyle des 12. Jahrhunderts.)
C. 1000/1014	**Hahót** (Abtei Hahold) und **Limbach.**	Szalad	"	"	Die Abtei Habót und der Ort Ober-Limbach scheinen ihren Ursprung dem Grafen Hadolt (Hahold) von Orlamünde oder seinen Nachfolgern zu verdanken.
1009	**Vissegrad**	Pest			Diese altslavische Hochburg hatte am Fusse schon im Jahre 1009 eine gleichnamige civitas, als Hauptort eines Komitates (in comitatu Vissegradiensis civitatis I. 289). Karl I. wählte Vissegrad zur Residenz, Ludwig I., Sigmund und Mathias Corvin verschönerten es, letzterer berief im Jahre 1474 auch Siebenbürger-

Jahr	Name des Ortes oder Gebietes	Name des Landes oder Komitates	Nationalität	Angabe der Regierung oder des Gründers der Ansiedlung	Bemerkungen und Quellen.
					Sachsen dahin (siehe §. 91); vereinzelt wohnten auch Ungern, Italiener, Polen etc. daselbst.
1009	**Corteu** (Curta?) Urhida	in Pago Cortoensi, in Comparto Urhida	?	Stephan I.	I. 289. Vielleicht dürfte Corteu an der Stelle Curta Ptolomeus sein, und in dem Orte Kurta-Kesz noch eine Erinnerung nachklingen (St. Salagius de statu Ecclesiae Pannon. II. 241).
1015	**Pécsvárad** (am Fusse des Eisenberges)	Baranya	Gemischt	"	I. 296. Die urkundlich genannte Art der Gewerbsleute dieser Benedictiner Abtei lässt Italiener und Deutsche vermuthen.
1019	**Szalavár** (St. Adrian-Kloster auf der Szala Insel	Szala	"	"	I. 304. Stephan erneuerte die in der Burg Priwinna's bestandene St. Adrian's-Kirche und stiftete zu Ehren dieses Heiligen ein Benedictiner Kloster. Die Bestätigungsurkunde Ladislaus des Heiligen (siehe I. 466).
1022	**Alt-Ofen** (Ó Buda, auf den Trümmern Aquincum's und der Ezelburg)	Pest	Ungern	"	Zu Ehren der Apostelfürsten Peter und Paul gründete (1022) Stephan I. ein Chorherrenstift (I. 285); Geysa II. ertheilte demselben den Donauzoll; Emerich schenkte ihm das ganze Alt-Ofner Gebiet sammt der Gerichtsbarkeit und dem Marktrechte (III. I. 121 etc.); Bestätigungen erfolgten von Bela (1243) und Ladislaus (IV. I. 296 et VIII. 299 etc.). Im J. 1241 betrieb Bela IV. die Vertheidigungsanstalten gegen die Mongolen, Karl I. bestätigte die Freiheiten (VIII. VII. 291 etc.). Ludwig I. tauschte vom Alt-Ofner Kapitel einen Theil des städtischen Gebietes ein und gründete Neubuda (siehe beim J. 1355).
1025	**Zobor** (St. Hypolit Kloster auf dem gleichnamigen Berge bei Neutra)	Neutra	Gemischt	"	I. 312. Darin ist der Ort Gan (Gány) an der Waag im Pressburger Komitate als villa Episcopalis (Nitriensis) erwähnt.
1036	**Bakonbél** (Benedictiner Kloster zu Ehren des heil. Mauritius)	Vesprim	"	"	I. 327.

Jahr	Name des Ortes oder Gebietes	Name des Landes oder Komitates	Nationalität	Angabe der Regierung oder des Gründers der Ansiedlung	Bemerkungen und Quellen.
1050	**Altenburg** (Óvár), Leyden (Lebeny), Pots-Neusiedl	Wieselburg	Deutsche	Peter	Diese Orte scheinen dem Ernst Pot (Bothen Kaiser Heinrich's an König Peter von Ungern) ihren Ursprung zu verdanken.
1052	**Wallonen-Orte:** Loca Gallica bei Erlau: Kál (Gal?) Andornok etc.	Heves	Wallonen (Lütticher, Leodienses)	Andreas I.	VII. V. 58. Eine zweite Nachwanderung von Wallonen in die Orte Andornok, Kál (Gal) etc. scheint 1317 erfolgt zu sein. Vergl. §. 40.
1055	**Tihany** (am Plattensee)	Szala	Gemischt	"	I. 388.
1078/1094	**Sz. Jog** (St. Jóhb), bei Grosswardein	Bihar	"	Ladislaus I.	Diese Abtei stiftete der h. Ladislaus zum Andenken an die Auffindung und Bewahrung der rechten Hand des heiligen König Stephan (I. 486. Vergl. Pray: Dissertatio de S. Dextra S. Stephani).
1091	**St. Aegidii** Monasterium (in Valle Uauiana)	Sómegh (de Simeghio)	Franzosen	"	Lad. I. stiftet dieses Kloster (salvo episcopali jure I. 469). Diese Abtei war von der Abtei S. Giles in der Diöcese Nimes (in Langued'oc) abhängig, und nahm nur Franzosen auf.
1093	**Agram** (Zágráb) Grech (Greč)	Kroatien	Gemischt (Kroaten, populus de Dumbroa, seit 1242 auch Deutsche etc.)	"	Der heil. Ladislaus gründete (nobilium consilio) das Bisthum Agram (I. 484), der erste Bischof Agram's Duh (Duch) war ein Čeche; der vierte (1113) Francita, ein Franzose; der fünfte (1131—1150) ein Italiener, und der siebente (Bernard c. 1160) ein Spanier. (Vergl. Schem. Dioec. Zagrab. 1847). Bela IV. gründete im J. 1242 auf dem Berge bei Agram: Grech (Greč, Grätz), castrum juxta Zagrabiam, ertheilte den neu daselbst zu versammelnden (meist deutschen) Gästen und Bürgern ein Privilegium (IV. I. 258), und befreite sie auch (1266) von der Heeresfolge und von Abgaben (IV. III. 330, 337, 396 etc.).
1102	**Belgrad** (Alt-Zara, Zara vecchia)	Dalmatien	Kroaten, Italiener,	Koloman	Dieser König vollendete die von dem h. Ladislaus begonnene Besitznahme von Kroatien und Dalmatien, indem sich ihm auch die dalmat. Seestädte ergaben. Im

Jahr	Name des Ortes oder Gebietes	Name des Landes oder Komitates	Nationalität	Angabe der Regierung oder des Gründers der Ansiedlung	Bemerkungen und Quellen.
					Jahre 1102 wurde er zu Belgrad (Alt-Zara) gekrönt.
1102	Zara (Jadra)	Dalmatien	Kroaten, Italiener	Koloman	Bei dem Kampfe um den Besitz Dalmatien's hielt Zara grösstentheils zu Ungern. Daselbst wurde der berühmte Friede 1358 geschlossen, wodurch Dalmatien (sammt Nona, Jadra, Scardona, Sebenico, Trau, Spalato und Ragusa, dann den Inseln Cherso, Veglia, Arbe, Pago, Brazza, Lesina und Curzola) an Ungern gelangte. Zara erhielt, so wie die meisten der gedachten Städte, im J. 1358 ein Privilegium.
1104	Nemes-Orosz	Hont	Ruthenen (Russinen, Oroszok)	„ durch Přeslawa (Predslawa)	Mit Přeslawa, Tochter des galizischen Herzogs Swatopluk, Gemalin Koloman's, kamen Russinen dahin. (Istvanfi L. XVI. Korabinski Lexicon p. 503.)
1108	Trau (Tragurium)	Dalmatien	Kroaten, Italiener	Koloman	ertheilte der Stadt das Versprechen, ohne ihre Einwilligung weder einem Unger, noch anderen Fremden ein Domicil zu verleihen (II. 45. und 60, weitere Freiheiten siehe IV. 1. 240); die Bestätigung erfolgte unter Ludwig I. (1355).
C. 1141	Lochmann (Lócsman)	Oedenburg	Deutsche?	Geysa II.	Gottfried und Albrecht von Guthkeled scheinen dahin Deutsche aus Meissen gebracht zu haben.
1141 / 1161	Hedervár (auf der Schütt)	Raab	„	„	Hederich, Bruder Wolfgers, gründete Hedervár, angeblich die Stammburg der Pálffy's.
„	Geysa's Markt (Forum Geisae) oder Félhevíz (ad superiores aquas calidas), später auch Dreifaltigkeitsstadt (oppidum S. Trinitatis) genannt	Pest	Gemischt (Ungern, Deutsche, Italiener)	„	Die ersteren Namen sprechen selbst die Entstehung aus. Oppidum S. Trinitatis hiess der Ort von der durch Hospitaliter gegründeten Dreifaltigkeits-Kirche (Budapest I. S. 53). Jetzt bildet dieser Ort eine Unterstadt Ofen's — die Landstrasse.
„	Hermannstadt (Cibinium)	Siebenbürgen	Deutsche aus Flandern (Flandrenses, Teutonici ultrasylvani, Saxones)	„	Geysa berief Flandrer in das siebenbürgische Desertum; Andreas II. stellte ihre Freiheiten wieder her (II. I. 441). Neue Freiheiten ertheilte Andreas III. im Jahre 1291 (VII. II. 139);

Jahr	Name des Ortes oder Gebietes	Name des Landes oder Komitates	Nationalität	Angabe der Regierung oder des Gründers der Ansiedlung	Bemerkungen und Quellen.
					dann Karl I. im Jahre 1317 (VIII. II. 62); Ludwig I. (IX. III. 248, IX. IV. 335 und 501). Auch die Königinnen Elisabeth und Maria verliehen ihnen im Jahre 1384 und 1386 Vorrechte (X. I. 145 und 288). Sigmund gestattete den Hermannstädtern die Handelsfreiheit der Kronstädter (X. VIII. 324).
1141/1161	**Karako** (Krako)	Siebenbürgen	Sachsen	Geysa II.	(III. I. 33.) Dieselben erhielten Freiheitsbriefe im Jahre 1206 von Andreas II. (VII. IV. 71 und 74); im Jahre 1238 von Bela IV. (VII. IV. 84) und 1266 von Stephan V. (VII. IV. 130).
„	**Chrapundorf** (Magyár Igen)	„	„	„	„ „ „ „
„	**Rams** (Romosz)	„	„	„	„ „ „ „
1142	**Spalato**	Dalmatien	Kroaten, Italiener	„	ertheilte der Stadt die Vorrechte von Trau (II. 119 u. 179 etc.).
„ *)	**Mediasch** (Megyes)	Siebenbürgen	Sachsen	„	Die hospites der Villa Megyes erhielten von Stephan V. Freiheiten (hospitum suae nationis), dann ein Stadtgebiet sylvam Sarcuz usque Hegtu et Subragada usque Hegypatak (VII. III. 71). In Mediasch wurde 1459 eine Union geschlossen (nach dem im National-Archiv befindlichen Original in der Schrift: vom Eigenthums-Recht der siebenb. Nation S. 63 etc.).
(150*)	**Mühlenbach** (Szász Sebes)	„	„	„	
1157	**Güssing** (Kicsen, Nemetujvár)	Eisenburg	Deutsche	„	Wolfger Graf von Güssing baute eine Burg, um welche Deutsche ansiedelten, und stiftete ein Kloster bei seiner neuen deutschen Burg (Német Ujvár.) (Cod. dipl. II. 145).
1178 *)	**Klausenburg** (Kolosvár)	Siebenbürgen	Sachsen	Bela III.	Vergl. das urkundl. Gründungs-Jahr 1270.
1193	**Modruser Gebiet**	Kroatien	Kroaten	„	Bela III. schenkte das Modruser Gebiet dem Grafen Bartholomäus Frangepani (II. 292).

*) Die mit Sternchen bezeichneten Jahreszahlen erscheinen nur auf siebenbürgischen Wandchroniken.

Jahr	Namen des Ortes oder Gebietes	Namen des Landes oder Komitates	Nationalität	Angabe der Regierung oder des Gründers der Ansiedlung	Bemerkungen und Quellen.
1198	—	Bács	Slaven (Serben ?)	Emerich	Zwischen Save und Donau werden in der Diöcese Kolocza Slaven erwähnt (II. 528).
1198 *)	Reussmarkt (Szerdahely)	Siebenbürgen	Sachsen	„	
„ *)	Bistritz (Besztercze)	„	„	„	
1200 *)	Broos (Szászváros)	„	„	„	
1201	Patak (Saros-Patak)	Zemplin	Deutsche	„	Emerich bestätigte ihre alten Privilegien (II. 387).
1202	Marton (angeblich Kis-Marton oder Eisenstadt), wahrsch. Öri-Sz. Marton	Eisenburg	„	„	II. 395. Deutsches Privilegium vom Jahre 1373.
1203*)	Kronstadt (Brassó)	Siebenbürgen	Sachsen	„	Kronstadt gelangte zur Blüthe unter Ludwig dem Grossen, welcher die Freiheiten der sächsischen Gäste (hospites Saxones) erweiterte in d. J. 1353 (IX. II. 236 und 688), dann 1370 (IX. IV. 227 und 565), dann 1377 (IX. V. 158). Auch die Königinn Maria schützte ihre Freiheiten 1385 (X. I. 132), so wie Sigmund 1395 (X. II. 291, 294, 300, 306 etc.).
1206	Nona (Civitas maritima Nonnensis)	Dalmatien	Kroaten, Italiener	Andreas II.	Die Privilegien Nona's siehe VII. V. 166.
1209	Warasdin	Kroatien	Gemischt (Deutsche und Kroaten etc.)	„	Die Municipal - Freiheiten derselben siehe III. I. 86.
1210	Valkow (Vokovár)	Slavonien (einst im gleichnamigen Komitate Valkow)	Gemischt (Sachsen, Deutsche, Ungern, Slaven)	Andreas II. und Bela IV.	Die Privilegien siehe III. II. 237, IV. II. 315 und IV. III. 79 und 154.

Jahr	Name des Ortes oder Gebietes	Name des Landes oder Komitates	Nationalität	Angabe der Regierung oder des Gründers der Ansiedlung	Bemerkungen und Quellen.
1212	**Marienburg**, **Schwarzburg** (bei Zeiden), **Kapellenberg** (bei Tartlau) oder **Heldenburg** (bei Krizba), **Rosenauer-burg**, **Kreuzburg** (Cruceburc be Nyép.)	Siebenbürgen	Sachsen (Deutsche)	Andreas II.	Diese Burgen wurden von Ordensrittern angelegt.
1217	**S. Benedict** an der Gran (Sz. Benedek)	Bars	Sachsen, Ungern und slavische Colonisten	Andreas II.	Die Abtei von S. Benedict war 1075 von Geysa I. gestiftet (Katona Hist. crit. II. p. 366). Die Gäste erhielten gleiche Freiheiten wie jene von Pest, Ofen und Stuhlweissenburg (Tudomanyos gyüjtemény 1829. IV. 21. l.); bestätigt wurden dieselben von Karl I. im J. 1328 (VIII. III. 291).
1218	**Vinodol** (Gebiet bis zur Fiumara)	Kroatien	Kroaten	„	Andreas II. verlieh dem Grafen Jerindo Frangepan von Veglia und Modrus: Vinodol, nebstbei auch die Inseln: Curzola, Brazza, Fara und Lagosta, deren Besitz Papst Innocenz III. und König Bela IV. bestätigten (III. I. 306 und IV. II. 98 bis 103).
1223	**Bogóth** (eine Burg)	Gran	Spanier?	„	Andreas II. schenkte dem spanischen Grafen Simon für seine Verdienste die gedachte Burg.
1223 und 1224	—	Siebenbürgen	Romanen	„	Die erste bekannte urkundliche Erwähnung der Romanen (Walachen, Blachi) in Siebenbürgen, siehe III. I. 423.
1224	—	Wojwodina	„	„	Die Walachen werden im Severiner Gebiet unter Wojwoden erwähnt, IV. I. 446 und 450.
[illegible]	**Turopolya** (Feld bei Agram)	Kroatien	Kroaten	Bela IV. (als Rex junior)	Bela befreite die Turopolyer Kroalen vom Komitat Agram, und adelte dieselben (III. II. 481). Erweiterungen und Bestätigungen siehe (IV. II. 288, V. I. 196, V. II. 498, VII. V. 233 etc., vergleiche §. 59).
1228	**Ruthokeur**	Oedenburg	Spanier?	„	III. I. 393, III. II. 140.

Jahr	Name des Ortes oder Gebietes	Name des Landes oder Komitates	Nationalität	Angabe der Regierung oder des Gründers der Ansiedlung	Bemerkungen und Quellen.
1234	**Veröcze** (Verencze)	Veröczer Komitat in Slavonien	Gemischt (Deutsche, Ungern, Slaven)	Herzog Koloman von Slavonien	Dessen Privilegien für die hospites von Veröcze, siehe III. II. 212, jenes der Königinn Maria, Bela IV. Gemalin (IV. II. 35).
1238	**Tyrnau** Nagy Szombath)	Pressburg	Gemischt (Deutsche, Slaven etc.)	Bela IV.	Dessen Privilegien für Gäste aller Art mit Zusicherung der Steuerbefreiung, freier Benützung der Wälder u. dgl., siehe IV. I. 132 und IV. III. 393.
"	**Gesztecz**	Trencsin	Gemischt (hospites)	"	Ertheilte Freiheiten, welche Karl I. 1328 bestätigte (VIII. III. 289).
1240	**Petrinia**	Kroatien	"	Herzog Koloman von Slavonien (dux totius Slavoniae)	verlieh den Gästen ein Privilegium, welches Ludwig I. (1362) überschrieb (IX. III. 313), dann 1366 dieselben ordnete (IX. III. 566).
1241	**Medvég**	Siebenbürgen	Sachsen	Bela IV.	Vor dem Mongoleneinfalle, Eigenthum der Sachsen Folkun.
1242	Die Inseln **Pharos** und **Brazza**	Dalmatien	Kroaten	"	Die Gesammtheit der Adeligen erhielt die Freiheit von Trau und Spalato. IV. I. 251.
1243	**Jászó** (Civitas Jaszou)	Aba Ujvár	Deutsche (populi ecclesiae)	Propst Albert	ertheilt der Stadt freie Wahl des Richters (villicus), welcher jedoch über Mord, Blutvergiessen und Gewaltthätigkeit nur mit Zuziehung des Propsteirichters entscheidet; auch die Wahl ihres Pfarrers steht ihr zu, welchem sie den Zehent nach deutschem Gebrauche entrichten (more Teutonicorum relinquent in acris). VII. I. 112.
"	**Wallendorf** (Olaszi)	Zips	Italiener (hospites de latina villa)	Bela IV.	ertheilt Freiheiten (IV. II. 278. IV. III. 312). Ladislaus ertheilte den Gästen die Rechte der Zipser Sachsen (V. II. 127. V. III. 41.).
"	**Abrahamsdorf, Bethelsdorf, Ladendorf** (Lerkócz), **Pikendorf** (Fikócz), **Csengiz, Michelsdorf, Komarócz, Horka,**	"	Sachsen	"	verleiht den königlichen Lanzenträgern der erwähnten Orte den Adel und besondere Freiheiten, IV. I. 279. Diese Orte bildeten den sogenannten kleinen Komitat, sind aber jetzt fast ganz slavisirt.

Jahr	Name des Ortes oder Gebietes	Name des Landes oder Komitates	Nationalität	Angabe der Regierung oder des Gründers der Ansiedlung	Bemerkungen und Quellen.
	St. Andrä (St. András), **Kisólcz**, **Hostelée**, **Hannsdorf** (Janoc), **Filsdorf**, **Hadersdorf** (Hadusfalva)				
1244	**Sambor** (Samobor)	Kroatien	Kroaten	Bela IV.	erth. Privil, IV. 1. 264.
„	**Pest** (Pest major vel antiqua)	Pest	Bulgaren, Deutsche (Teutones) später auch Franzosen, Italiener, Türken, Zigeuner etc.	„	Pest, ursprünglich (C. 924) eine bulgarische Niederlassung, später eine reiche deutsche Stadt (Roger C. 15), wurde von den Mongolen zerstört und erhielt von Bela IV. eine goldene Bulle, worin nebst anderen Freiheiten auch das älteste Stapelrecht in Ungern ihnen verliehen wurde (IV. II. 326). Ihre Rechte gingen auch auf Ofen über (castrum novi montis Pestiensis), siehe das Jahr 1246 und 1247. Auch erhielten sie damals ein städtisches Gebiet sammt dem Steinbruche (Kuer, Köér). Pest verlor durch Eigenmächtigkeit der Ofner Sachsen seine städtische Unabhängigkeit; erst Sigmund gewährte der Stadt Pest wieder einen eigenen Magistrat und Mathias Corvin erhob Pest zur zweiten königl. Freistadt.
1244	**Karpfen** (Carpona)	Sohl	Sachsen	„	ertheilt dieser Bergstadt ein Privilegium, welches Muster für viele andere Bergstädte und sonstige Orte wurde (IV. I. 329. V. II. 199). Sigmund ertheilte ihr 1421 Tavernical-Rechte (X. VI. 351).
„	**Schemnitz** (Selmeczbánya im Mittelalter auch Schenicz)	Hont	„	„	ertheilt ihnen ein Privilegium (Bel M. not. Hung. IV. 573). Vergl. das Schemnitzer Stadt- und Bergrecht in den Wiener Jahrb. der Lit. B. CIV. — Ludwig I. schenkte 1353 den Schemnitzer Sachsen: Gerod (Grad) Karlik (Kherling), Siegelsberg, Diln (Dülln), Sekken (Sekis) und Goldbach (Kolbach). Bestätigungen machten Sigmund (1405 und 1425), Wladislaus (II. 1496 und 1500), Ludwig (1520).

Jahr	Name des Ortes oder Gebietes	Name des Landes oder Komitates	Nationalität	Angabe der Regierung oder des Gründers der Ansiedlung	Bemerkungen und Quellen.
1244	**Bars** (Alt-Bars) (In suburbio castri Bars)	Bars	Deutsche u. Ungern	Bela IV.	ertheilt ein Privilegium, worin nebst den Freiheiten zugleich die Pflichten gegen den König und Komitat bestimmt werden. (IV. I. 322).
"	**Pudlein** (Podolin)	Zips	Sachsen (Cives et hospites)	Boleslaus, Herzog von Sandomir und Krakau	verleiht dem Schulzen Heinrich für seine treuen, besonders beim Mongoleneinfalle geleisteten Dienste das erbliche Schulzenamt in Pudlein, dem Orte selbst den Gebrauch des Magdeburger Rechtes (IV. I. 353). — Ludwig I. befreit Pudlein von der Jurisdiction des Komitates und der Castellane (IX. I. 97) — 1345 erhebt er Pudlein zur königlichen Freistadt (IX. I. 280). Die weiteren Gerechtsame vom Jahre 1364 und 1412, siehe IX. III. 420 und X. V. 338.
"	**Keszthely, Suk, Zala, Hitens**	Salad (am Balaton)	Sachsen (Deutsche Ordensritter)	Bela IV.	schenkt diese drei Dörfer (villae) sammt der Burg Hitens dem deutschen Ritter-Orden.
"	**Bago** Srissia, Stirpa (später Carlobago)	Karlstädter-Gränze	Kroaten	"	verleiht Bago an den Grafen von Corbavien; weitere Freiheiten erhielt die Stadt im Jahre 1387, 1432, 1451, 1481; 1525 von den Türken zerstört, blühte sie erst in der folgenden Periode unter Karl VI. 1740 als Carlobago wieder auf.
1246	**Klein-Pest** (Pest minor) Kelenföld, vel Portus Pestiensis, ad aquas calidas inferiores, (später Razenstadt)	Pest	Sachsen, Ungern (später auch Serben)	"	Fast gleichzeitig mit Pest scheint Klein-Pest als Hafen des ersteren am Fusse des Gerhardsberges (Mons Pestiensis, jetzt Blocksberg) gegründet; es hiess auch von der dortigen Ueberfuhr bei den Ungern: Kelenföld. — Dass Sachsen daselbst wohnten, sagt Bela selbst 1246 (IX. VII. 657). Ueber die Ankunft der Serben und die Benennung Razenstadt sieh beim J. 1247.
1247	**Ofen** (Castrum novi montis Pestiensis vel Budensis, die Festung Ofen)	"	Sachsen, später auch Ungern, Italiener, Juden etc. (Die Juden wohnten theils in der Wiener Gasse, theils in der Juden-	"	In Folge des Mongoleneinfalles wurde die Ofner Veste von Bela IV. 1247 gegründet; die goldene Bulle für Pest (vom J. 1244) geht auch auf Ofen über (IV. I. 326); auch Ladislaus Cumanus ertheilt (1276) ein Privilegium (VI. I. 100.), dann Jahrmarktsrechte vom J. 1287 (V. III. 350); vergl. auch IV. II. 321. IX. I. 166 u. IX. VII. 657, so wie das Privilegium Sigmund's vom J. 1403 (X. IV. 237.) Die Be-

Jahr	Name des Ortes oder Gebietes	Name des Landes oder Komitates	Nationalität	Angabe der Regierung oder des Gründers der Ansiedlung	Bemerkungen und Quellen.
			stadt, jetzt Wasserstadt); seit 1400 Serben, Türken, Franzosen etc. nach 1686 Deutsche, doch auch Ungern, Serben und Kroaten (an letztere bewahrt die Kroaten-Gasse die Erinnerung).		wohner waren Sachsen, welche nach Magdeburger Rechte lebten. Vom J. 1249—1439 hatte Ofen deutsche Stadtrichter (Judex, Villicus, Comes, Rector), seit dem J. 1439 war alternative Richterwahl zwischen Deutschen und Ungern eingeführt. Siehe Ofner Stadtrecht und in Häufler's Budapest die Reihenfolge der Stadtrichter u. §. 20 und 21. Zu Sigmund's Zeit lebten in Ofen und Pest bereits Italiener, Böhmen, Serben, viele Juden, Türken, Franzosen. Von 1541—1686 war Ofen in türkischem Besitze. — Nach 1686 wurde Ofen meist von Deutschen bezogen.
1247	**Elisabethdorf**	Pest	Deutsche?	Bela IV.	Wurde neben Kleinpest (ad aquas calidas inferiores) beim jetzigen Blocks-had, bei der zu Ehren der heil. Elisabeth erbauten Kirche angelegt und bildete später einen Theil der Razenstadt.
„	**S. Jakobsdorf** (Sz. Jakabfalva)	„	„	„	Kleriker an Bela's Hofe gründeten eine Pfarrkirche zum heil. Jakob (im jetzigen Neustift Ofen's), um welche (deutsche?) Ankömmlinge angesiedelt wurden (Budapest p. 54.).
„	**Logod** und **Slavendorf**	„	Ungern, Slaven	„	Aus letzterem scheint zu Mathias Corvin's Zeiten die lange oder hintere Stadt Ofen's (jetzt Christinenstadt) entstanden zu sein; sieh d. J. 1355.
„	**Bereghszász** (Luprechthaza)	Beregh	Sachsen und andere Bewohner	„	ertheilt Privil. IV. I. 455.
„	**Szegedin** (Zegedinum)	Csongrád	Gemischt (Hospites de Zegedino)	„	verleiht das Gut Tapey und den Burgteich (Wártó) an die hospites IV. II. 185.
„	—	Siebenbürgen	—	„	Bela schloss mit dem Grossmeister der Hospitaliter einen Vertrag wegen Wiederbevölkerung Siebenbürgen's.
1248	**Alvincz** (Unter-Winz)	Siebenbürgen	Sachsen, später auch	„	Die Sachsen erhielten durch den Wojwoden Laurentius gleiche Freiheiten mit

Jahr	Name des Ortes oder Gebietes	Name des Landes oder Komitates	Nationalität	Angabe der Regierung oder des Gründers der Ansiedlung	Bemerkungen und Quellen.
	und **Borberek** (Weindorf)		mährische Brüder und Bulgaren		den Hermannstädtern und wurden unter Johann Zapolya dem Albenser Kom. einverleibt. 1622 mähr. Wiedertäufer, 1690 Bulgaren angesiedelt (Ehmals Siebenbürgisches Hofkanzlei - Archiv, Benigni's Statistik III. p. 6. etc.).
C. 1248	1) **Leutschau** (Löcse), 2) **Wallendorf** (Olaszi), 3) **Kirchdorf** (Várallya), 4) **Neudorf** (Igló), 5) **Leibitz** (Lubica), 6) **Bela**, 7) **Menhardsdorf** (Menyhard), 8) **Deutschendorf** (Poprad), 9) **Georgenberg** (Szépes Szombathely), 10) **Fölk** (Felka), 11) **Gross-Lomnitz** (Kakas-Lomnitz), 12) **Donnersmark** (Csötörtökhely), 13) **Eisdorf** (Zsakócz), 14) **Durand** (Durlsdorf), 15) **Hunsdorf**, 16) **Kapsdorf**, 17) **Sperndorf**, 18) **Palmsdorf**, 19) **Odorin**, 20) **Schwabsdorf**, (Svabócz), 21) **Müllenbach**, 22) **Eulenbach** (Welbach), 23) **Rissdorf** (Ruszquinócz), 24) **St. Kirn**, (Quirinium)	Zips	Sachsen	Bela IV.	Die gedachten 24 Zipser - Städte schlossen (nach der Leutschauer Chronik ad A. 1204 einen Bund (fraternitas), nach andern Handschriften dieser Chronik erfolgte aber wahrscheinlicher die Abschliessung dieses Bundes im J. 1248. Bruchstücke der Statuten, sieh in Wagner's Analecta sep. I. 266. etc. Das Haupt des Zipser Städtebundes war Leutschau, welches (nach Nagy Not. Hung. p. 286) schon im J. 1242 königl. Freistadt, nach der Leutschauer Chronik aber erst 1245 erbaut wurde. Der Zipser Bund wurde aufgelöst mit der Verpfändung der XIII Zipser Städte durch König Sigmund (1412) an Polen. Im Jahre 1271 ertheilte Stephan V. sämmtlichen Zipser Sachsen einen grossen Freiheitsbrief (V. I. 119, 132 und 191). Auch Karl I. ertheilte ihnen für ihre Treue und Tapferkeit im Kampfe gegen Math. v. Trenchin im J. 1312 einen Freiheitsbrief in deutscher Sprache (VIII. I. 435); die Bestätigungen und neuen Freiheiten Sigmund's v. J. 1419 und 1434 etc. (siehe VIII. II. 57, VIII. V. 83. und 93, X. VII. 536).

36 *

Jahr	Name des Ortes oder Gebietes	Name des Landes oder Komitates	Nationalität	Angabe der Regierung oder des Gründers der Ansiedlung	Bemerkungen und Quellen.
1251	**Jablanich**	Slavonien (Kroatien)	Dalmaten von Arba	Bela IV.	Der Ban Stephan erbaute zu Ehren des Königs die Stadt auf dem Berge Jablanich, die Bewohner dieses Ortes erhielten das Privilegium von Trau (IV. II. 113).
1252	**Kreuz** (Cris)	„	Gemischt	„	Derselbe Ban gründete Kreuz (novam et liberam villam in Crisio) mit dem Privilegium v. Agram (Graez et de nova villa Zagrabiae) (IV. II. 164 und 172).
1253	**Neustadtl** (Vágh Ujhely)	Neutra	Gemischt (Deutsche, Slaven etc. fideles cives)	„	ertheilte ihnen die Rechte anderer Bürger (civium) (IV. II. 174.).
1254	**Schmegen** (Villa Sumugh, Smizsan)	Zips	Sachsen	„	bestätigt den Kauf eines Gutes und ertheilt dem Orte die Rechte der übrigen Zipser Sachsen (more aliorum Saxonum nostrorum in Szypus) IV. II. 211. etc. Andreas III. erhebt den Ort 1291 zum königl. freien Marktflecken (VI. I. 245).
„	**Altsohl** (Zolon)	Sohl	„	„	ertheilt ein Privilegium (IV. I. 332, IV. II. 213, IV. III. 142.)
„	**Dobronyiva** (Dobrona), **Babaszék** (Babina)	„	„	„	„ „ „ (IV. II. 228).
1255	**Neusohl** (Nova villa de Bistrizia, Beszterceze-Bánya)	„	„	„	„ „ „ (IV. II. 296).
„	**Raab, Abda, Tiszeghy**	Raab	Gemischt (Deutsche, Ungarn etc.)	„	bestätigte den Zolltarif für die Wiener Kaufleute (IV. II. 323). Stephan V. 1270 und Ladislaus 1279 gaben ebenfalls eine Bestätigung.
„	**Zengg** (Sena, Seyna, Segnia)	Karlstädter Gränze	Kroaten (später auch einige Zeit Uskoken)	„	schenkte Zengg den Grafen Bartholomaeus, Friedrich und Guido Frangepan (IV. II. 308), die Stadt erhielt Freiheiten 1388, 1458, 1462 und 1473, 1488 wurde sie königl. Freistadt.

Jahr	Name des Ortes oder Gebietes	Name des Landes oder Komitates	Nationalität	Angabe der Regierung oder des Gründers der Ansiedlung	Bemerkungen und Quellen.
1258	**Zipserburg** (Zipser Haus, Szepes Váral-lya)	Zips	Sachsen	Bela IV.	verleiht das Gut Kaldbach (IV. II. 449, 452, 465.).
1259	**Kesmark**	"	"	"	ertheilt Privilegien (IV. II. 48, IV. III. 514). Sigismund bestätigt 1399 das Privilegium Stephan's (X. II. 660, 664) und erweitert 1404 die Gerechtsame (X. VII. 285), 1411 (X. V. 3), 1433 (X. VII. 452, 455, 460), 1434 (X. VII. 541, 599, 602) u. 1435. (X. VII. 671).
1260	**Oedenburg** (Supron, Sopron)	Oedenburg	Deutsche und später auch Jazyger aus Löwö.	"	Oedenburg — an der Stelle des römischen Scarabantia — scheint identisch mit Cyperon zu sein, wo K. Koloman mit Gottfried Bouillon eine Zusammenkunft hatte. — Bela IV. ertheilte den Oedenburgern ein Privilegium (IV. III. 513) und verlieh ihnen das Gut Udvornik (V. II. 397). Ladislaus Cumanus bestätigte im J. 1277 (V. II. 401) und Andreas III. im J. 1291 (VI. I. 38 und 122, VI. II. 97), Karl I. im J. 1313 (VIII. I. 495) und Sigmund 1402 mit mehreren neuen Begünstigungen ihre Freiheiten (X. IV. 108); neue Bestätigungen erfolgten 1464, 1498, 1524, 1533, 1576, 1701 und 1706.
"	**Deutsch-Lipcse** (Német Lipcse)	Liptau	Deutsche (hospites)	"	ertheilte den Gästen die gewöhnlich. Rechte der Sachsen in den Bergstädten (IV. III. 9 und 124, V. I. 20); Karl I. erneuert die Freiheiten der Gäste (VIII. III. 416 [1340], VIII. IV. 443). Sigismund befiehlt die Freiheiten der Bürger zu bestätigen (X. VII. 541). Das Zipser Capitel überschreibt die Freiheiten (X. VIII. 599. 602).
"	**Mathézalka**	Szathmar	Gemischt	"	Graf Mathäus Zalka gründete diese Colonie (VII. III. 41).
1261	**Kaschau** (Kassa)	Aba-Ujvár	Deutsche (fideles hospites de Kaschau)	"	Einige halten Kaschau für das Casu des Anonymus Belae (C. 32). Eine Urkunde im städtischen Archiv v. J. 1196 soll bereits Kaschau als wichtigen Ort erwähnen, jedenfalls spricht der Bau der Michaelskapelle und die Elisabethkirche für deutsche wohlhabende Bewohner im 13. Jahrh. (Dr. Henszlmann in Vahot magyarföld és népel I. sö und dessen Kaschauer Dom.

Jahr	Name des Ortes oder Gebietes	Name des Landes oder Komitates	Nationalität	Angabe der Regierung oder des Gründers der Ansiedlung	Bemerkungen und Quellen.
					Stephan V. als rex junior schenkte den Gästen das Gut Ober Kaschau (IV. III. 49). Derselbe erhob (1271) Kaschau zur k. Freistadt (städtisches Archiv). Weitere Freiheiten ertheilte (1319) Karl I. (VIII. II. 213); Ludwig I. 1364 und 1368 (IX. III. 402 und IX. IV. 135). Sigmund ordnete Kaschau's Handel mit Polen 1407 und ertheilte der Stadt im J. 1435 einen grossen Freiheitsbrief (Siehe Ofner Stadtrecht etc. Seite 250).
1261	**Deésvar**	Siebenbürgen	Sachsen	Bela IV.	ertheilte Freiheiten — Karl schirmte dieselben 1310 (VIII. VII. 95).
1264	**Bergyn** (Berény)	Kroatien (Com. Segesd)	Gemischt	,,	Privilegium (IV. III. 201, 529).
1265	**Gybe** (Hibbe, Geib, civitas seu libera villa)	Liptau	Deutsche	„	ertheilte ihnen die Rechte einer freien k. Stadt (IV. III. 312).
„	**Komorn** (Comarom)	Komorn	Gemischt	„	Komorn, nach dem Anonymus als Castrum Camarum (c, 15) von Oluptulma gegründet, erhielt von Bela Ofner Recht und andere Freiheiten (IV. III. 285 und 443, VII. I. 322). Banus Thomas (1277) schirmt dieselben (VI. II. 401); Math. v. Trenchin 1307 bestätigte selbe (VIII. I. 238); Maria bestätigt (1388) die von Karl (1131) ertheilten Privilegien (X. I. 401).
„	**Só-Patak**	Saros ?	Polen (wahrscheinl. auch Deutsche)	,,	Die polnischen Brüder Chukurzi wurden vom Könige verpflichtet in Só-Patak eine Colonie mit dem Saroser Rechte zu gründen (V. III. 332).
1269	**St. Ambros** (S. Ambrosium)	Slavonien	Gemischt (hospites de St. Ambrosio)	,,	dessen Sohn Bela als Herzog von Slavonien ertheilt den Gästen dieses Ortes die Freiheiten von Veröcze (IV. III. 530).
„	**Füzegthü** (Füsztö)	Eisenburg	Gemischt? (hospites)	,,	verleiht den Gästen terram Saar (VII. I. 356), Stephan V. (1272) bestätigt es (VII. II. 17).

Jahr	Name des Ortes oder Gebietes	Name des Landes oder Komitates	Nationalität	Angabe der Regierung oder des Gründers der Ansiedlung	Bemerkungen und Quellen.
1270 / 1272	**Klausenburg** (Colusvar, Kolosvár, Claudiopolis)	Siebenbürgen	Sachsen, später auch Ungern	Stephan V.	Laut Angabe der Privilegiums-Bestätigung (von 1316 u. 1331) Karl's I. wurde Klausenburg von Stephan V. gegründet (VIII. I. 596, M. S. der gräfl. Bathyanischen Büchersammlung). Neuerliche Bestätigung und Freiheiten ertheilte Karl 1336 (VIII. IV. 171), Ludwig I. 1378 und 1387 und Sigmund 1390 und 1391 (IX. V. 257, X. I. 576 und 672). Seit dem J. 1458 wurde alternative Richterwahl zwischen den Sachsen und Ungern Klausenburg's beobachtet. Im J. 1488 erhielt sie eine Abschrift der Rechtsurkunde der Stadt Ofen. — (Ofner Stadtrecht S. 454.) Seit dem J. 1568 erfolgte die völlige Magyarisirung Klausenburg's (Siebenbürgen's Vereins-Archiv II. Bd. 4. Heft S. 57).
1271	—	Zips	Sämmtliche Zipser Sachsen (hospites)	"	Das Privilegium Stephan V. für die Zipser Sachsen sieh beim J. 1248.
1272	**Pelzáz**	Ugocsa	Sachsen	"	befreite die hospites bei der k. Burg zu Ugocha von Abgaben und Heeresfolge (V. I. 177).
"	**Olaszi** (bei Patak)	Zemplin	Italiener (hospites)	"	bestätigte Emerich's Privilegien von 1201 den Gästen de villa Olaszi prope Patak.
1279	**Eisenburg** (Castrum ferreum, Vasvár)	Eisenburg	Gemischt	Ladislaus Cumanus	ertheilte ein Privilegium, wodurch sie zur k. Freistadt wurde (V. I. 147); Karl bestätigte selbe (VIII. IV. 173); durch Türkeneinfälle verlor die Stadt grösstentheils ihre deutsche Bevölkerung.
1280	**Pressburg** (Posony, Posonium, Brecíburg, Braslaburg?)	Pressburg	Gemischt (Deutsche, Juden etc.)	"	verleiht der Stadt, welche wahrscheinlich seit der mährischen Herrschaft (als Braslaburg?) bestand, wegen der Besorgung königlicher Bothschaften die Dörfer Weidritz und Blumenau (jetzt Vorstädte Pressburg's). Andreas III. erhob im J. 1291 Pressburg zur k. Freistadt und verlieh ihr das Stapelrecht und andere Freiheiten (VI. I. 107 und 111, VI. II. 97). Neue Bestätigungen und Freiheiten ertheilten der Stadt: Karl 1313, 1330 (VIII. VII, 282), dann Ludwig 1364, 1366, 1371, 1374 und

Jahr	Name des Ortes oder Gebietes	Name des Landes oder Komitates	Nationalität	Angabe der Regierung oder des Gründers der Ansiedlung	Bemerkungen und Quellen.
					1378 (IX. III. 389, IX. VI. 127 und 175, IX. VII. 146); die Königinnen Maria 1384 und Elisabeth 1385 (X. VIII. 135, 137, 172 und 178); Sigmund 1389, 1391, 1402, 1419, 1430 und 1436 (X. IV. 112, 119, 121, X. VI. 246, X. VII. 196 und 757, X. VIII. 263, 285, 288, 323, 653, 658, 661). Math. Corvin in der goldenen Bulle (1464) und Wladislaw II. (1498) gaben ebenfalls Bekräftigung (Ofner Stadtrecht etc. S. 247).
1282	**Göllnitz**	Zips	Deutsche	Ladislaus	bestätigt die der Bergstadt von Bela IV. und Stephan V. bewilligten Freiheiten (V. III. 125); Karl vermehrte ihre Freiheiten (VIII. IV. 299); ebenso Ludwig und Sigmund in den J. 1359 und 1399 (IX. III. 50, IX. V. 312, IX. VI. 101, X. II. 652). Die sieben Orte: Zachar, Bolkonor, Brakom, Henchmann, Eremit, Svedler und Habakuk waren von Göllnitz abhängig (IX. IV. 564).
1285	—	Marmaros	Romanen (Walachen)	„	Der Rest der Walachen, welche im J. 1285 bei ihrem mit den Tataren (Neugerii) und Kumanen (Valven) gemeinschaftlich unternommenen Einfalle nach Siebenbürgen und Ungern besiegt wurden, wurde in der Marmaros und den angränzenden Komitaten angesiedelt; der grösste Theil derselben wanderte aber im J. 1359 unter ihrem Führer Dragos in die Moldau aus (X. III. 159). Dragos, welcher in der Marmaros begütert blieb, gründete den Moldauischen Staat als ungrischen Vasallen-Staat. (Die Walachei [Ungroblachia] war bereits 1285 in ähnlicher Eigenschaft gegründet worden).
1291	**Eisenmarkt** (Turoczkó)	Aranyos (Siebenbürgen)	Oesterreicher (Austriaci e loco Eisenwurzel)	Andreas III.	ertheilt ihnen Freiheiten, wie sie in ihrer Heimath zu leben pflegten (VI. I. 38. 119). Seit dem 15. Jahrhunderte sind Ungern daselbst angesiedelt.
„	**Churnok**	Neutra	Slaven	„	bestätigte die Freiheiten (VI. I. 48), die Bela III. den (slavischen) hospitibus Jank, Paulik (Sudrun), Krupuh, Rubyna, Milozt Mladen, Tyrian, Chulad, Zumar und Potku verlieh.

Jahr	Name des Ortes oder Gebietes	Name des Landes oder Komitates	Nationalität	Angabe der Regierung oder des Gründers der Ansiedlung	Bemerkungen und Quellen.
1291	**Thorda** (Thorenburg)	Siebenbürgen	Sachsen, später auch Ungern	Andreas III.	ertheilte den Gästen von Thorda die Privilegien von Dees-Akna, Zék und Kolos, und erweiterte ihr Gebiet (VI. I. 105). Karl I. bestätigte 1335 obiges Privilegium (VIII. VII. 267). Unions-Akte der Ungern, Szekler und Sachsen erfolgten hier 1438 und 1542 (sieh II. §. 96). Im Jahre 1672 wurden die zwei Marktflecken Alt- und Neu-Thorda zu einem Orte vereinigt.
,,	**Szeuden** (teutonica villa) jetzt Német-Sölgyén	Gran	Deutsche (hospites Teutonici)	,,	Erzbischof Lodomerius gründet die Pfarre (VI. I. 164) in Deutsch-Szöden, ungeachtet der Einsprache des Pfarrers von Ungrisch-Szöden.
,,	**Roszna-Bánya** (Rosenau)	Gömör	Deutsche	,,	bestätigt dem Graner Erzbischof Lodomerius die Gränzen des Gebietes von Roszna-Bánya (VI. I. 100).
1293	**Deutsch-Bronn** (Német Prona)	Neutra	,,	,,	erneuert den Freiheitsbrief, den Ladislaus Cumanus verlieh. Vergl. Korabinsky. Lex. S. 577 und Hesperus 1817. II. Bd. 361.
1297	**Olaszy** de Tornova	Torna	Italiener	,,	ertheilt Privilegien, welche Stephan bestätigte (VII. I. 330).
,,	**Révfalu**	Raab	Ungern?	,,	Theodos. Bischof von Raab ertheilt den Bewohnern Freiheiten (VII. II. 197).
1299	**Kerch** (Kercz)	Siebenbürgen	Sachsen	,,	bestätigt Privil. (VI. II. 187). Transumt des Priv. vom Jahre 1277.
1301	**Walachendorf** (Villa olachalis in medio Siculorum de Udvarhely)	,,	Romanen (Walachen)	,,	werden vom Könige gegen die Uebergriffe der Szekler geschützt und ihnen Freiheiten ertheilt (Schuller's Umrisse etc. e collectan. Rosenfeld. I. 2).
1310 / 1340	**Krikehay** (Graegerhay, Handlowa), u. **Meisel** (Meizell)	Neutra	Deutsche (Krikehayer)	Karl I. Robert	Die Erwähnung der verbrannten Urkunden, siehe im Hesperus vom J. 1817, II. Bd. S. 360 etc. Vergl. B. II. §. 77.
1317	**Sambokrét**	,,	Gemischt	,,	schenkte im J. 1317 diesen Ort seinem Falconier (Sambokrét), der ihm die Nachricht vom Siege über den Grafen Math. von Trenchin brachte (M. Bel. Notit. Hung. II. 427).

Jahr	Name des Ortes oder Gebietes	Name des Landes oder Komitates	Nationalität	Angabe der Regierung oder des Gründers der Ansiedlung	Bemerkungen und Quellen.
1318	**Megyes Selk** und **Shad Selk**	Siebenbürgen	Sachsen etc. (Saxones et universi ad has sedes pertinentes)	Karl I.	ertheilt den Schelkern die Freiheiten der Hermannstädter (VIII. II. 160) und befreit sie gegen Zahlung von 400 Mark vom Kriegsdienste.
1320	**Bartfeld** (Bartfa)	Saros	Sachsen	„	ertheilt der neu gegründeten Stadt ein Privilegium (VIII. II. 235); Ludwig bestätigt es (IX. III. 311), ertheilt 1365 das jus gladii (IX. III. 508), erweitert 1370 ihre Rechte (IX. IV. 231), erhebt sie zur königlichen Freistadt (IX. V. 83); Sigismund (1392) bestätigt das von Ludwig 1376 ertheilte Privilegium (X. II. 61) und vermehrt ihre Freiheiten 1426 und 1427 (X. IV. 507 und X. VI. 892).
1322	**Stefanau** bei Lubló	Zips	Sachsen	„	Philipp Graf von Zips und Ujvár überlässt dem (Schulzen) Stefan einen Wald zur Erbauung von Stefanau (VIII. II. 380).
„	**Klein-Schlagendorf** (Szalók, Slauk)	„	„	„	Gründung von Schlagendorf (Wagner Annal. Scep. P. I. 446).
„	**Kunchdorf** (Helczmanocz)	„	„	„	Gründung von Helczmanocz (Wagner a. a. O. 449).
1324	**Neustadt** (Gr. Maros)	Hont	Deutsche	„	erhebt Neustadt zur königl. Freistadt und ertheilt ihr besondere Gerechtsame (VIII. II. 514), welche von Ludwig I. (1345), von Sigmund (1388 u. 1436), von Mathias I. (1464), Ferdinand I. (1528) und Leopold I. (1698) bestätigt wurden.
1325	**Vertus** (Vértes)	Gran	Gemischt (Incolae)	„	bestätigt den Bewohnern die von Bela IV. erhaltenen Freiheiten (VIII. VI. 83). Der Name Vértes (Schildberg) kommt bekanntermassen von der Niederlage her, welche Kaiser Heinrich III. (1054) erlitt, wobei die Deutschen auf der Flucht durch jenes Gebirge ihre Schilder (vért) wegwarfen.
1326	**Topschau** (Dobsina)	Gömör	Deutsche	„	Die dortigen Ansiedler erhielten die Freiheiten der Karpfner Deutschen (Teutonicorum de Carpona, VIII. II. 130 etc.).

Jahr	Name des Ortes oder Gebietes	Name des Landes oder Komitates	Nationalität	Angabe der Regierung oder des Gründers der Ansiedlung	Bemerkungen und Quellen.
1328	**Güns (Keőszegh, jetzt Kőszeg)**	Eisenburg	Deutsche (hospites seu cives de Keőszegh)	Karl I.	bestätigte ihre alten Freiheiten, ertheilte ihnen das Oedenburger Recht und überdiess die Befreiung von der Ruga (VIII. III. 279, VIII. IV. 214, IX. III. 569). Ludwig I. befreite sie vom Kammergewinn; auch Sigmund beschützte ihre Freiheiten (1387) und erliess ihnen die Zahlung des Tributs (X. I. 225, X. IV. 713).
"	**Sárvár**	"	Deutsche (hospites de insula Sar)	"	ertheilte den Gästen ein Privilegium (VIII. IV. 651.); Ludwig I. gewährte ihnen auch 1343 die Mauthfreiheit (IX. I. 99). Sigmund bestätigte selbes und befreite die Bürger und Gäste 1387 von der Dreissigstabgabe (X. I. 351. etc.).
"	**Kremnitz (Körmeczbánya)**	Bars	Deutsche	"	ertheilte den Gästen von Kremnitz die Freiheiten der königl. Bergstadt Kuttenberg (VIII. I. 295), Ludwig I. bestätigte 1358 deren Freiheiten (IX. IV. 665) und Sigmund in den J. 1393 und 1396 (X. III. 129. X. VIII. 416).
1329	**Visk, Huszt, Tecső und Hosszumező**	Marmaros	Sachsen und Ungern (hospites Saxones et Hung.)	"	ertheilte den Gästen der erwähnten vier Orte die Freiheiten von Szőlős (VIII. III. 353).
"	**Neusiedl**	Oedenburg	Deutsche	"	Urkundliche Erwähnung dieses auf deutsche Ansiedler deutenden Ortes (VIII. III. 320).
1332	**Schmölnitz** (Smölnicz bánya, Smolnuch bánya)	Zips	"	"	gründet diese Bergstadt (VIII. III. 577) und vermehrt ihre Freiheiten 1338 (VIII. IV. 299), auch Ludwig erweitert 1353 ihre Privilegien (IX. II. 233) und Sigmund 1399 (X. II. 652).
1339	**Rosenberg** (Roznabánya)	Liptau	"	"	ertheilt den Gästen die Freiheiten von Lipcse (VIII. IV. 376), Sigismund verbiethet die Gäste in ihren Freiheiten zu hindern, d. i. Zoll und Tribut von ihnen zu fordern. (X. V. 765).
"	**Poruba**	Neutra	" (Krikehayer)	"	Die Grafen von Bajmócz siedeln im unbewohnten Walde Poruba Deutsche an (VIII. VII. 319).
"	**Czach**	"	"	"	Die Grafen von Keleth legen im unbewohnten Walde eine deutsche Colonie an (M. Bel. not. hung. T. IV. p. 440).

37 *

Jahr	Name des Ortes oder Gebietes	Name des Landes oder Komitates	Nationalität	Angabe der Regierung oder des Gründers der Ansiedlung	Bemerkungen und Quellen.
1340	**St. Martin** (Sz. Marton)	Thuroca	Deutsche (cives, hospites et inhabitatores)	Karl I.	ertheilt den Bürgern, Gästen und Bewohnern die Freiheiten von Karpfen (VIII. IV. 439); ferner macht er sie vom castrum Sklabina frei (IX. III. 435.); Sigmund stellt ihre Privilegien wieder her (X. VII. 466).
1342	**Bach** (Bacsujfalu ?) und **Tapolchan** (Gross-Tapolcsan)	Bars	Deutsche ? Slaven ?	,,	Beide Orte werden nebst Bars, Karpfen, Trenchin und Tirnau civitates genannt und Bach zu 35, Tapolcsan zu 20 Mark Königzins verpflichtet in Karl's I. Decret v. 1342, §. 31.
1343	**St. Gotthardt**	Eisenburg	Gemischt (Jabbagyones et populos congregatos et congregandos)	Ludwig I.	stellt sämmtliche Jobbagen und andere Ansiedler auf den Gütern des Abtes unter dessen Jurisdiction und befreit sie vom Komitate (IX. I. 93).
1345	**Aurana** (Prioratus)	Dalmatien	Gemischt (Johanniter)	,,	schenkt dieses Priorat — ursprünglich ein Benedictiner-Kloster, dann den Templern gehörig — den Johannitern für ihre Verdienste (Pray de Prioratu Auranae).
,,	**Königsberg** (Uj - Bánya)	Bars	Sachsen	,,	erhebt den Ort zur königlichen Frei- und Bergstadt (Nagy Notit. Hung. pag. 61).
1351	**Babaszegh, Dobronya, Német Pelsöcz**	Sohl	Deutsche (hospites et populi)	,,	bestätigt den Gästen Bela's Freiheiten (IX. (IX. II. 68) und bestimmt den Königszins auf 5 Ofner Mark; bestätigt selbe neuerlich im J. 1380 (IX. V. 391); Sigismund bestätigt und ertheilt (1419) neue Privilegien (X. VI. 210).
1354	**Altenburg** (Óvár)	Wieselburg	Deutsche (cives seu hospites)	Elisabeth (Königin Mutter)	ertheilt den Gästen die Rechte königlich. Freistädte, namentlich jene Ofen's (Budensis, ut iidem fidelitar in numero augeantur. IX. II. 324).
1355	**Neu-Buda** (Uj-Buda, jetzt die Ofner Unterstadt: Neustift)	Pest	Gemischt (Ungern, Italiener etc.)	Ludwig I.	tauschte das Gebiet Neu-Buda's, wo seine Burg stand, vom Alt-Ofner Capitel ein, und erhob dasselbe zur königlichen Stadt (civitatem reginalem constituimus, Buda-Pest S. 17).

Jahr	Name des Ortes oder Gebietes	Name des Landes oder Komitates	Nationalität	Angabe der Regierung oder des Gründers der Ansiedlung	Bemerkungen und Quellen.
1355	**Kopreinitz** (Kaproncza)	**Kroatien**	Gemischt (universitas civium et hospitum)	Ludwig I.	Margaretha, Herzogin von Slavonien, Dalmatien und Kroatien, beschützt die Rechte der Bürger (IX. II. 416), die Stephan, Herzog von Slavonien gegen die Uebergriffe der Castellane ertheilt hatte. Ludwig I. (1356) erhebt sie zur k. Freistadt mit den Rechten von Agram (more civium Grecensium).
1358	**Wagendrüssel** und **Mühlbach**	Zips	Sachsen (in coeto et collegio fidelium exercituantium)	"	befiehlt den Herren Georg und Stephan von Bebek, die Bewohner dieser Orte in den von Ladislaus Cumanus ertheilten Freiheiten zu belassen und ihnen keine Robotleistungen aufzubürden (IX. II. 678).
"	**Loppena**	Neutra	Deutsche	"	ertheilt der neuen Colonie zwanzigjährige Steuerfreiheit und die Rechte von Karpfen, more Theutonicali (IX. II. 672).
"	**Sebenico** (Sibenice)	Dalmatien	Italiener und Kroaten	"	bestätigt und vermehrt ihre vom Bane Johann Chuz erhaltenen Freiheiten (IX. II. 685), welche auch im J. 1383 Elisabeth und 1407 Sigmund beschützen (X. III. 1 etc. und X. IV. 827).
"	**Ragusa** (Dubrawnik)	"	"	"	ertheilt der Stadt nach der Wiedergewinnung Dalmatien's ein grosses Privilegium (Engel's Geschichte von Ragusa).
1359	—	Marmaros	Walachen	"	Ueber die Auswanderung derselben in die Moldau sieh d. J. 1285.
1360	—	"	Ruthenen	"	nimmt den lithauischen Fürsten Theodor Koriatovich als Herzog der Marmaros (dux de Marmaros) mit seinen Ruthenen daselbst auf (Sieh B. II. §. 46).
1360	**Debreczin**	Bihar	Gemischt (cives et hospites et mercatores)	"	ertheilte den Bürgern, Gästen und Kaufleuten wegen ihrer Treue gegen seinen Vater Karl I. das Recht der k. Freistädte (IX. III. 248) (juxta libertatem Civitatum Regni nostri ab antiquo observatam). Sigmund befreite sie 1411 vom Zoll (X. V. 113). Bestätigungen folgten 1509, 1600, 1609, etc.

Jahr	Name des Ortes oder Gebietes	Name des Landes oder Komitates	Nationalität	Angabe der Regierung oder des Gründers der Ansiedlung	Bemerkungen und Quellen.
1361	**Modern** (Modra)	Pressburg	Gemischt (Deutsche und Slaven, cives et hospites)	Ludwig I.	erneuert die durch Brand verloren gegangenen Freiheitsbriefe der Bürger und Gäste (IX. III. 250) und bestätigt selbe (IX. IV. 573); die Appellation geht in Schuldsachen nach Tirnau, in Besitz- und Erbschafts-Angelegenheiten nach Pressburg.
1364	**St. Ladislaus**	Zips	Sachsen	"	schützt das Privilegium der Bürger (IX. III. 427).
1366	**Lapus** (terra), **Kapus** (villa)	Siebenbürgen (Weissenburger Komitat)	Szekler und Sachsen (nobiles Siculi et Saxones)	"	entscheidet den Theilungsstreit zwischen Johann von Almakaregy und den Sachsen von Kapus (IX. III. 567).
1367	**Andreasdorf** (Koss)	Neutra	Deutsche (Krikebayer)	"	überträgt dem Schulzen Nikolaus, Sohne Dietrich's, die Scultetie dieses Ortes erblich, da er auf seine Kosten Colonisten herbeigeschafft und dadurch die Colonie verbessert hatte (M. B. notit. Hung. IV. 413 und 445).
1369	**Kolbin** und **Mese**	Arva	Gemischt (populos seu Johbagiones quicunque liberae conditionis homines)	"	gründet auf dem Waldboden der Burg Arva diese Orte, um dieselben mit Jobbagen und freien Leuten zu bevölkern und gestattet denselben 24 Freijahre unter königl. Burgschutze (IX. IV. 171).
"	**Eberhard**	Pressburg	Gemischt (Johbagiones possessionis Eberhard)	"	gestattet den Söhnen des Meister Peter von St. Georgen die Befugniss, eine Brücke auf seinem Gute Eberhard zu bauen (IX. IV. 170).
1373	**Skalitz** (Szakolcza)	Neutra	Gemischt (Deutsche, Slaven etc.)	"	befiehlt den Bürgern, diese alte (wahrscheinlich noch grossmährische) Gränzstadt mit Mauern zu umgeben, und ertheilt ihnen besondere Freiheiten (IX. VI. 421), welche er 1382 bestätigt und vermehrt (IX. V. 574).
"	**Temesköz**	Temeser Komitat	Walachen (Valachales)	"	befiehlt sämmtlichen dortigen Bewohnern (militibus nobilibus, clientibus et Valachalibus et aliis familiis in comitatu seu districtu de Temeskuz) dem Temeser Grafen Paul Ilem, ehemaligen Bane, zu gehorchen.

Jahr	Name des Ortes oder Gebietes	Name des Landes oder Komitates	Nationalität	Angabe der Regierung oder des Gründers der Ansiedlung	Bemerkungen und Quellen.
1373	**Eisenstadt** (Einst urkundlich: Weniger Merten,) Kis Marton	Oedenburg	Deutsche	Ludwig I.	Graf Stephan von Kanischa, Bischof von Agram, befreit die Bürger von Eisenstadt von der Gerichtsbarkeit seiner Castellane; Ludwig I. (1373) und Sigmund (1395 und 1397, 1403 und 1428) ertheilen denselben Mauth- u. a. Freiheiten, welche Albrecht (1438), Ladislaus (1457) und die folgenden Könige bestätigen und vermehren; 1440 und 1662 gehörte Eisenstadt mit Forchtenstein, Kobersdorf, Hornstein, Güns, Rechnitz etc. zu Oesterreich. Königl. Freistadt wurde Eisenstadt unter Ferdinand III. im J. 1648 (Stadt-Archiv. Vergl. das J. 1202).
1374	**Eperies**	Saros	Sachsen (cives et hospites Jobbagiones)	"	ertheilt den Bürgern die Freiheiten der Ofner (IX. IV. 575); vermehrt die Privilegien (IX. VI. 178), Sigismund ertheilt (1402) den Bürgern die Gerichtsbarkeit (X. IV. 102 und 584) und befiehlt allen Komitatsgrafen, Castellanen, Richtern etc. Jobbagen nach Eperies zu entlassen, um diesen Ort mehr zu bevölkern.
1375	**Metzenseif**	Abaujvar	Deutsche	"	Propst Paul III. von Jaszó ertheilt den Metzenseifern die Erlaubniss zur Errichtung eines Eisenhammers. (Urkunde im Archiv in der Abtei zu Jaszó). Ferner (X. II. 652) verordnet Sigmund, dass sowohl die Bürger von Schmölnitz und Gölnitz als auch jene von Jaszó und Metzenseif die sogenannten schwarzen Wälder und die Ackergründe im Hotter von Metzenseif — unbeirrt durch die Einsprache der Schmölnitzer — benützen dürfen.
1376	**Nagy-Banya** und **Felsö-Banya**	Szathmár	Sachsen	"	ertheilt den Bürgern Freiheiten (IX. V. 96), Sigismund bestätigt selbe 1393 (X. III. 130).
1377	**Törzburg** (Lapis Tidrici)	Siebenbürgen	Sachsen	"	Die Kronstädter erbauen Törzburg (de novo) und werden desshalb mit Freiheiten begabt (IX. V. 158).
1379	**Libethbánya**	Sohl	"	"	erhebt diesen Ort zur Stadt (IX. V. 312), bestätigt 1382 und vermehrt die Freiheiten der Bürger (IX. V. 577); Sigismund (1405) erweitert die Gerechtsame (X. IV. 399. [1434.] X. VII. 568).

Jahr	Name des Ortes oder Gebietes	Name des Landes oder Komitates	Nationalität	Angabe der Regierung oder des Gründers der Ansiedlung	Bemerkungen und Quellen.
1370	**Zilina** (Solna, Sillein)	Liptau	Deutsche	Ludwig I.	Ludwig verbiethet den Gebrauch (IX. VII. 619) des Teschner Rechtes, die Bürger wählen dafür das Recht von Karpfen (X. VIII. 173), Maria vermehrt die Freiheiten (XI. 527 und 530).
1380	**Breznobánya** (Briesen)	Sohl	Sachsen	„	ertheilt den Bürgern und Gästen die Freiheiten von Zeben (Syhinicia. IX. V. 390) und bestätigt selbe 1381 (IX. V. 461).
„	**Igló** (nova villa in terra Scepus)	Zips	„	„	erlaubt Wochenmärkte zu halten (IX. V. 395), Sigismund bestätigt die Privilegien 1435 (X. VII. 667).
1381	**Ebesfalva**	Siebenbürgen	Sachsen	„	ertheilt den Gästen (IX. V. 465) die Freiheiten der Sachsen von Mediasch und Schelk, welchen sie verbunden waren.
1382	**Arba**	Dalmatien	Kroaten	Elisabeth	beschützt auf Vorwort des Bischofs von Trau die Bürger der Stadt Arba gegen die Uebergriffe des Grafen Stephan von Veglia. (IX. VII. 462).
1384	**Prividgye** (Privitz)	Neutra	Deutsche	Maria	ertheilt den Gästen und Bürgern Freiheiten der Ofner Bürger (X. I. 160) und bestimmt in streitigen Rechtsfällen das Karpfner Recht als Norm.
1388	**Leszina**	Arva	„	Sigismund	befiehlt den Castellanen von Arva, die Privil. der Gäste zu schützen (X. I. 430).
1390	**Ocskova-Lehota**	Thurocz	Gemischt (Sachsen und Slaven)	„	ratifizirt die Verwechslung der Scultetie Bela (in der Zips) mit jener in Lehota durch den dortigen Schulzen Thomas (X. I. 579.)
1393	**Tussina** (Schmidshay, villa fabri)	Neutra	Deutsche	„	überträgt die Scultetie in villa fabri dem Hermann Heckel (Bel. Not. IV. p. 413 und 441).
1394	**Hekelshay**	„	„	„	Der Ort wurde vom Schulzen Heckel gegründet, und den dortigen Bewohnern der Gebrauch des Karpfner Rechtes bestätigt (a. a. O. p. 441).
„	**Jaszó**	Abaujvár	„	Maria	ertheilt den Gästen von Jaszó das Marktrecht, gleich den k. Freistädten (X. II. 195), Sigismund (1399) verleiht ihnen die Freiheit (X. II. 652), dass sie sich des Schwarzwaldes ungeachtet der Einwendungen des Propstes, zur Förderung des Bergbaues bedienen sollen.

Jahr	Name des Ortes oder Gebietes	Name des Landes oder Komitates	Nationalität	Angabe der Regierung oder des Gründers der Ansiedlung	Bemerkungen und Quellen.
1399	**Leibitz**	Zips	Deutsche	Sigismund	befiehlt den Zipser Grafen die Gäste in ihren Rechten zu schützen (X. II. 639).
,,	**Altdorf** (antiqua villa)	,,	Deutsche (Cives, hospites et universi habitatores)	,,	ertheilt den Bürgern, Gästen und anderen Bewohnern das Recht der 24 freien Zipser Städte (X. II. 668).
1400 / 1428	**Ráczkeve** (St. Abraham), **Thekei**, **Sz. Martin**	Pest	Serben (Razen aus Kövin)	,,	Auf der Insel Csepel wurden Serben (Razen) aus Kövin (Kubin) in dem Dorfe St. Abraham, welches seither Keve, Kis-Keve, später Rácz-Keve genannt wurde, aufgenommen, von wo sie sich in die übrigen Orte verpflanzten. (Math. Bel notitiae P. III. p. 530.) — 1428 erhielten die Serben in Keve (cives de Keve) von Sigmund ein Privilegium (X. VI. 928).
,,	**Ofen**	Pest	Serben	,,	Um dieselbe Zeit erschienen zuerst Serben in Ofen mit Georg Brankovich, Despoten von Serbien, und Lazar, Despoten von Rascien (Buda-Pest §. 16 und 18).
1403	**Brazza**	Dalmatien	Italiener, Kroaten	,,	bestätigt ihre Rechte (X. IV. 246).
1404	**Steinamanger** (Szombathely, Sabaria)	Eisenburg	Gemischt	,,	Der Raaber Bischof Johann bestätigte ihre alten Freiheiten, welche Ferdinand I. (1534), Max II. (1567), Rudolph II. (1578) bestätigten (Städt. Archiv).
1409	**Achynus Polyana** (beim eisernen Thor-Pass)	Siebenbürgen (distr. Hatszek)	Gemischt? (vorzüglich Romanen)	,,	Die Wojwoden Jacob Lachk de Zantou und Johann Hermann de Thomasi, ertheilen den Knesen im Hatszeker Distrikte, welche dieses für die Strassensicherheit wichtige Dorf erbauten, ein Privilegium, dass sie und die sämmtlichen Ansiedler abgabenfrei sein sollen (Schuller's Umr. I. 8).
1411	**Miskolcz**	Borsod	Gemischt (cives, hospites et tota communitas civitatis)	,,	ertheilt den Bürgern, Gästen und der gesammten Gemeinde zu Miskolcz das Recht, die Pfarrer an der Kirche des heil. Königs Stephan zu wählen (X. V. 182).
1412	Zipser Städte	—	—	,,	verpfändet Gnesen, Bela, Leibitz, Menhartsdorf, Deutschendorf, Michelsdorf, Neustadt, Risdorf, Wallendorf, Fölk, Kirchdorf, Georgenberg und Durlsdorf an Wladislaus um 37.000 böhm. Groschen.
1416	**Deutsch-Pitsen** (Börsöny)	Hont	Deutsche	,,	Wahrscheinlich wurde der Bergbau hier schon im 13. Jahrhunderte betrieben; 1416 gab Sigmund dem Graner Erzbischofe die Erlaubniss, hier auf Erze zu graben (Bel. Not. IV. 715), was auch Albert 1439 bestätigte.

Jahr	Name des Ortes oder Gebietes	Name des Landes oder Komitates	Nationalität	Angabe der Regierung oder des Gründers der Ansiedlung	Bemerkungen und Quellen.
1418	**Eulenbach** (Welbach)	Zips	Sachsen	Sigismund	ertheilte den Kaufleuten daselbst Befreiung vom Waarenzoll und Abgaben (X. VII. 96).
1419	**Százkézdy** (civitas)	Siebenbürgen	„	„	bestätigte die eigene Jurisdiction dieser Stadt und andere Freiheiten (X. VI. 188), auf Ansuchen des Szekler Grafen Michael von Nadasd.
„	**Szenitz** (oppidum)	Neutra	Slaven (cives, populi et Jobbagiones)	„	ertheilte (X. VI. 214) Befreiung vom Dreissigst und Tribut zu Land und zu Wasser, soferne sie ihre eigenen Waaren verführen. —
„	**Szempnitz** (Sempcz, Wartberg)	Pressburg	Deutsche, Slaven	„	ertheilte dem Orte die Marktgerechtigkeit von Skalitz (X. VI. 216).
„	**Faad**	Kroatien	Kroaten (cives et Jobbagiones)	„	Albert von Nagymihal, Prior von Aurana, ertheilt ihnen Jurisdiction und andere Freiheiten und bestimmt ihre Leistungen (X. VI. 244).
1426	**Bereczfalva** (in confinio Sicul. et Mold.)	Siebenbürgen	Romanen (Walachen)	„	ertheilt ihnen eigene Gerichtsbarkeit durch ihren Knesen mit Beiziehung von Szeklern etc., um die Bevölkerung daselbst zu vermehren und bestellt sie als Gränzwächter. (X. VI. 796).
„	**Siwa, Chetnek**	Gömör	„	„	verbietet den Edlen von Pelsőcz, die im Walde Chetnek vom Auslande herbeiziehenden Walachen mit ihren Heerden weiden zu lassen (Reisz. M. S.).
„	**Lippa**	Arad	Gemischt (Deutsche, Ungern ?)	„	erlässt den Bürgern die Neujahrgeschenke (X. VI. 791).
„	**Almagyar** (vicus)	Borsód	„	„	bestätigt das (1406) ertheilte Marktrecht (X. VI. 817).
1430	**Keöres** (Köres)	Siebenbürgen	Sachsen u. a. Gäste (Saxones et alii hospites)	„	Der Wojwode Ladislaus Chaak spricht das Richteramt (Judicatum vel Grebionatum) dem Pfarrer Ladislaus von Etzel und seinem Verwandten Nicolaus etc. zu (Schuller's Umrisse etc. I. 28).

Jahr	Name des Ortes oder Gebietes	Name des Landes oder Komitates	Nationalität	Angabe der Regierung oder des Gründers der Ansiedlung	Bemerkungen und Quellen.
1430 / 1440	**Skalitz, Vag-Ujhely** (Neustadtl), **Skalojk etc. Rima-Banya, Krassko, Lukvistje, Ralko, Kamenni, Sirekre, Murany Lehota, Horka etc. Czinobanya, Lovinobanya, Rowno, Uhorska, Ché-Brèzo, Tomassovce, Zeleno, Poltar, Osdin, Praga etc.**	Neutra Gömör (Kishont) Neográd	Čechen (böhmische Brüder, Hussiten, Taboriten, Kalixtiner etc. besonders aus den nordöstl. Kreisen Böhmen's)	Sigismund, Elisabeth und Ladislaus Posthumus	Sie kamen vorzüglich unter den Führern Blasko und Johann Giskra, dem Anhänger der Königinn Elisabeth und ihres Sohnes Ladislaus Posthumus in Ober-Ungern an, und liessen sich in den gedachten Komitaten in der Folge grossentheils häuslich nieder (Bartholomeides de Bohem. Kis-Hontentibus und dessen Comitatus Gömör. Notit. hist. geogr. Statist.). Böhmische Nachwanderungen geschahen auch unter Ferdinand II. (nach 1620). An der mähr. Gränze herrscht daher noch der čechisch-mährische Dialect (M. Bel Not. Hung. T. IV. 307. S. Reisz. Ms. vergl. §. 48). Auch in den Komitaten Trencsin, Sohl, Hont, Liptau wanderten zum Theile Čechen ein, die sich aber slowakisirten.
1433	—	Ungern und Wojwodina	Serben	„	Serben langten mit G. Brancovich auf dessen Gütern an. S. §. 50.
1434	**Libethen** (Lybeth-Bánya)	Sohl	Sachsen	Sigismund	bestätigt die 1405 verliehenen Freiheiten.
„	**Königsberg** (Kwinegsberg civitas) (Ujbánya)	Bars	Deutsche (Sachsen) (cives hospites et comunitas)	„	ertheilt das Jahr- und Wochen-Marktrecht (X. VII. 568).
1437	**Kapolna**	Siebenbürgen	Gemischt	„	Ungern, Szekler und Sachsen schlossen hier am 2. Sept. 1137 die erste Union (fraternam unionem). Siehe St. Katona hist. crit. XII. 793. MSS. Cornisedanis. Daselbst erfolgte die Erneuerung der Union am 2. Feb. 1438. (Eder Supplex libellus Valachorum p. 34). S. beim J. 1459, 1506, 1508. 1542.
1438	—	„	Gemischt (meist Sachsen)	Albrecht	Die Türken schleppen bei 70.000 Bewohner aus dem Lande.
1439	**Janopol**	Arad	Serben	„	Serben unter Johann Gregorievich wanderten um diese Zeit ein, und erhielten ein Privilegium unter Wladislav I. (Engel §. 86).
1450	—	Warasdiner Generalat (im damaligen Slavonien)	Serben und Bosnier	Wladislaus I.	erhielten bei Nachwanderungen anderer Stammgenossen unter Max II. und Rudolph II. Privilegien 1572, 1582. Sieh bei gedachten Jahren.

Jahr	Name des Ortes oder Gebietes	Name des Landes oder Komitates	Nationalität	Angabe der Regierung oder des Gründers der Ansiedlung	Bemerkungen und Quellen.
1453	**Bulkos** (Bolkáts), **Zeiden** (Zsitve)	Siebenbürgen	Sachsen	Ladislaus Posthumus	Diese Dörfer erhielten unter Ladislaus Posthumus das jus gladii (Ehemal. Sieb. H. K. Archiv).
"	**Szász Regen** (Sächs. Reen)	"	"	"	Wohnen als freie Leute im Marktflecken und zahlen bloss an den Grundherrn Erbzins, bilden eine von dem Komitate unabhängige Jurisdiction und besitzen das jus gladii. a. a. O.
1459	**Salankemen**	Syrmien	Serben	Mathias Corvinus	Unter Anführung Brankovich's eingewandert, und vermehrt 1465. §. 50.
"	**Kapolna**	Siebenbürgen	Gemischt	"	Erneuerung der Union der Ungern, Szekler und Sachsen.
1474	**Vissegrad**	Pest	Sachsen aus Siebenbürgen, später Deutsche aus dem Breisgau	"	Die Urkunde befindet sich im Archiv der sächs. Nation zu Hermannstadt und ist gedruckt im Verfassungszustande der sächs. Nation p. 24—27. Die Breisgauer kamen erst gegen Ende des siebzehnten Jahrhunderts in Vissegrad an (Pfarr-Protokoll).
1478	—	Eisenburg	—	"	Aus diesem Komitate allein führten die Türken bei 30.000 Menschen in die Sclaverei.
1481	**Sirmien und Banat**	Wojwodschaft, Serbien und Temeser Banat	Serben, Türken	"	Paul Kinisi brachte 51,000 Familien (50.000 Serb. und 1000 Türken) herüber (Epistolae Regis Matthiae Corv. p. 25 u. 80 vergl. L. A. 1481 §. 3 u. §. 4). Die Vermehrung mit neuen serbischen Ankömmlingen sieh bei den J. 1689 u. 1690.
1485	—	Ungern	Polen u. Venetianer	"	erklärt dieselben unfähig für alle Aemter und Besitzungen in Ungern (Art. 32 vom Jahre 1485).
1488	**Loipersdorf** (Leopoldsdorf, Csötörtök)	Pressburg (Schütt-Insel)	Deutsche (seit 1527 Ungarn)	"	Bei M. Not. Hung. II. 230 etc. nach dem Orts-Protokoll.
1498	**Karansebes**	Banat	Gemischt (Deutsche, Romanen?)	Wladislaus II.	Die Ofner theilen auf mündlichen Befehl des Königs der Stadt Karansebes Auszüge aus der goldenen Bulle und andere Privilegien mit. (Podhradczky Jos., Buda és Pesteto 125 l. etc. Vergl. Ofner Stadtrecht S. 257 etc.; X. IV. 237, 310 etc.).

Jahr	Name des Ortes oder Gebietes	Name des Landes oder Komitates	Nationalität	Angabe der Regierung oder des Gründers der Ansiedlung	Bemerkungen und Quellen.
1502	**Temesvár**	Wojwodina und Temeser Banat	Serben	Wladislaus II.	Aus Widdin, Gladova und anderen Orten wurden dort Serben aufgenommen (Bárány à Torontalivárm. 150 Cap).
1506	**Schässburg** (Segesvár)	Siebenbürgen	Sachsen	„	Daselbst wurde die Union der drei Nationen erneuert (eine alte Abschrift Nr. 76 befindet sich im sächs. National-Archiv, nach siebenb. Vereins-Archiv I. Bd. 2. Hft.) 1508 wurden die Sachsen von Wladislaus II. in Schutz genommen, dass sie nicht früher durch die Wojwoden, als die Ungern (Nobiles) und Szekler zur Ergreifung der Waffen verhalten werden dürfen (Schuller's Umrisse etc. 1. S. nach dem Nat. Archiv).
1522	**Clissa**	Dalmatien	Uskoken (Serben auch Wlachen genannt)	Ludwig II.	Chrusich, der Dinast von Clissa, nahm Uskoken auf (Flüchtlinge aus Bosnien und Serbien etc.), welche den Türken Widerstand leisteten. §. 54.
1524	—	Sichelburger oder Uskoken Distrikt	Uskoken	„	Die Privilegien derselben v. J. 1524 und 1535, dann die landesfürstl. Verleihung der Grundstücke als Erblehen v. J. 1535 sich im K. M. Archiv). Ihrer im Kriege gegen Szapolya erworbenen Verdienste wegen erhielten sie ein eigenes Privilegium von Ferdinand 1564 (Hitzinger Statist. der M. Gränze 1. 18).
1526	**Zengg** (Segnia, Seyna, Sena)	Kroat. Militär-Gränze	Kroaten und Uskoken	Ferdinand I.	Sena gilt als Ansiedlung der senonischen Gallier, wurde im Mittelalter Seyna genannt und von Kroaten bewohnt. — Ferdinand I. nahm daselbst Uskoken auf, welche aber nicht nur türkische, sondern auch venetianische Schiffe caperten, desshalb wurden im J. 1617 in Folge eines Vertrages zwischen Venedig und dem Erzherzoge Ferdinand die Uskoken nach Karlstadt, Krain und den Uskoken-Bezirk der kroatischen Gränze geschafft (vergleich §. 55).
„	—	Ungern (zwei Drittheile des Landes) sammt der Wojwodina.	Türken	Suleimann II.	Nach der Schlacht von Mohács besetzten die Türken allmälig fast zwei Drittheile des Landes, d. i. die östlichen Komitate, und verblieben insbesondere in den festen Plätzen als Besatzung, woraus sie erst 1699 und 1718 vertrieben wurden (Sieh §. 35).

Jahr	Name des Ortes oder Gebietes	Name des Landes oder Komitates	Nationalität	Angabe der Regierung oder des Gründers der Ansiedlung	Bemerkungen und Quellen
1538	—	Kroatien und Slavonien (in dominiis regis)	Uskoken (oder Wlachen)	Ferdinand I.	Nikolaus Jurichich (Baro in Güns Generalis Capitaneus), der berühmte Vertheidiger von Güns, erwirkte ein Privilegium (vom 5. Septemb. 1538) für die Kapitäne und serbischen oder rascischen Wojwoden (Capitaneos et Waiuodas Servianos seu Rascianos), wornach jede Familie auf den von dem General zu bestimmenden Herrschaften und Orten sich mit dem Genusse zwanzigjähriger Steuerfreiheit ansiedeln konnte und noch andere Vorrechte genoss. (K. M. Archiv VII. Nr. III. lit. F).
1547	**Meichau** (Schloss und Herrschaft Meichau)	Krain	Uskoken	„	Uebergabe von Meichau an die Uskoken, 7. März 1547 (K. M. Archiv VII. IV. lit. d). Diese Uskoken-Aufnahme im Sichelburger Bezirke bildet den Beginn der sogenannten windischen oder slovenischen (jetzt einen Theil der kroatischen) Militärgränze.
C. 1550	—	Totság (Mur-Insel)	Kroaten	„	Daselbst wurden viele flüchtige Kroaten in verschiedenen Ortschaften aufgenommen. (Szegedy de Rubric. jur. hung. II. p. 90—95).
„	**Gross-Schenkwitz, Ratzersdorf, Csánok, Tarnok etc.**	Pressburg	Serben und Kroaten aus Costainica, Sabac etc.	„	Die Flüchtlinge der gedachten Orte wurden durch General Serédi, Grafen von St. Georgen und Pösing angesiedelt (Szegedy a. a. O. II. p. 93, Gyurikovich illust. crit. etc. III. p. 12. etc.).
1553	**Koraksonfalva, Fayz, Serveufalva, Tothárinka**	Siebenbürgen.	Gemischt (Walachen, Ungern und Sachsen)		Fayz war ein walachisch. Ort von 50 bevölkerten und eilf verlassenen Sessionen (Arch. Albens.; Coll. Rosenfeld; Schuller's Umrisse I. 4).
1575/1584	—	Wieselburg und Oedenburg	Kroaten aus Buxin, Chazin, Zrabiza, Zrin etc.	Rudolph II.	(Szegedy a. a. O. pag. 91 und Karl Dufresne Illyrici vet. et nov. IV. 187 etc.).
1576/1580	**Klein-Schenkwitz, Klein-Sissek, Náhacz, Kroat. Gurab, Vistuk, Poroba, Sarfö, Zeila, Grünau, Bracsa**	Pressburg	Kroaten aus Sissek u. a. Orten Kroatien's, dann aus Schenkwitz Csánok in Ungern etc.	„	Diese Kroaten wurden grossentheils durch Stephan Graf Illyeshazy, den berühmten Palatin Ungern's angesiedelt.

Jahr	Name des Ortes oder Gebietes	Name des Landes oder Komitates	Nationalität	Angabe der Regierung oder des Gründers der Ansiedlung	Bemerkungen und Quellen.
1579	**Wüst Somerein** (WisSumerein, Pusta Somoria, früher Gefernitz)	Wieselburg	Magyaren aus der Schütt von Somerein	Rudolph II.	Gefernitz wurde durch die Türken verwüstet und 1579 durch Magyaren aus dem Marktflecken Somerein in der Schütt wieder bevölkert. (Kirchenprot. zu St. Johann. — Mauthtarif von Neusiedl v. J. 1579).
"	**Karlstadt**	Kroatien	Gemischt (Kroaten, Deutsche, Ungern etc., später auch Uskoken)	"	Erzherzog Karl erbaute die Festung Karlstadt und Rudolph II. ertheilte den Kriegsleuten ein Privilegium (v. 24. April 1581), worin dasselbe als Schild- und Vormauer genannt wird (K. M. Archiv VII, Nr. 17). Im J. 1617 wurden nach Karlstadt und Umgebung auch Uskoken aus Zengg verpflanzt.
"	**Trau** (Bezirk von Trau)	Dalmatien	Morlachen (Murlachi, veteres coloni Ungarorum)	"	Die Morlachen im Bezirke von Trau werden, soferne sie sich als k. Unterthanen bekennen, gegen die Angriffe der Uskoken in Zengg in Schutz genommen (K. M. Archiv Nr. 13, lit. C.).
1580	**Szalonak, Rechnitz** (Rohoncz)	Eisenburg	Kroaten	"	Aus der Gegend von Kopreinitz durch Graf Bathyáni (sieh §. 54).
C. "	**Lamač** (Blumenau), **Neudorf, Dubrawka** (Kaltenbrunn), **Marienthal** etc.	Pressburg	"	"	Dieselben wurden durch die Stadt Pressburg auf ausgerodete Waldgründe angesiedelt (städt. Archiv und Gyurikovich MS.).
1572/1582	**Marcha** (Marča)	Slavonien, nunmehr Kroatien (Warasdiner Generalat)	Serben sogenannte Wlachen (aus Bosnien und Macedonien)	"	Unter Maximilian kamen einige Mönche aus dem Kloster Hermel in Bosnien mit Serben 1572, Rudolf ertheilte ihnen 1582 ein Privilegium, in Folge dessen im J. 1600 mehrere tausend serbische Familien aus Bosnien und Macedonien unter dem Metropoliten Gabriel nach Slavonien einwanderten und Marcha herstellten. (Finanz M. Archiv und K. M. Archiv 121, sieh §. 56. β).
1597	—	Bezirk zwischen Culpa u. Unna (kroatische Militär-Gränze)	Serben (Wlachen oder Uskoken)	"	Sie besetzten einen Theil der 70 verlassenen Schlösser. Rudolph II. ertheilte ihnen 1598 Religions- und Abgabenfreiheit und machte ihnen die Bebauung ihrer Grundstücke und die Vertheidigung der Gränze zur Pflicht. Diess Privilegium wurde bestätigt von Ferdinand II. (1627) (K. M. Archiv und Hitzinger I. S. 18 etc.).

Jahr	Name des Ortes oder Gebietes	Name des Landes oder Komitates	Nationalität	Angabe der Regierung oder des Gründers der Ansiedlung	Bemerkungen und Quellen.
c. 1620/1630	**Andau, St. Andrä, St. Johann, St. Peter, Kaltenstein, Podersdorf, Pomagen, Walla** etc.	Wieselburg (im sogenannten Seewinkel)	Deutsche (Heidebauern, meist Protestanten aus Schwaben)	Ferdinand II.	Bei den damaligen Religionswirren zogen viele der gedachten Bewohner, besonders aus der Gegend des Bodensees, in den Heideboden des Wieselburger Komitates (Sieh §.71. Szegedy de Rubricis Juris Hung. etc. II. S. 94. Scheib M. S. über die österreich. ungr. Gränze, Csaplovic, Kroaten und Wenden, — Angaben der betreffenden Herren Pfarrer, und Tradition).
	Drassmark, Mattersdorf, Agendorf, Eisenstadt, Frakno, Kobersdorf, Kreuz, Neckenmark, Neufeld,	Oedenburg	Kroaten aus der Türkei, aus Kroatien und Bosnien		
	Pernstein, Holzschlag, Kohlstätten, Rechnitz etc.	Eisenburg			
1622	**Szobotist, Gross-Schützen** (Nagy Levard), **St. Johann** (Sz. Janos)	Neutra, Pressburg	Deutsche (mähr. Brüder, oder Habaner, Wiedertäufer)	"	Ein Theil der Habaner, durch Edict des Cardinal Franz Dietrichstein aus Mähren verwiesen, liess sich in Ungern in den drei erwähnten Orten nieder, ein Theil ging nach Siebenbürgen von Bethlen berufen (Vergl. Hesp. J. 1810. II. S. 202, ung. Magazin 1783. S. 214 etc. mit dem Privilegium im ehemaligen siebenb. Hofkanzlei-Archiv).
"	**Alvinez** (Vinz), **Buberek** (Borberg)	Siebenbürgen	"	"	
1630	**Kreuz, Kopreinitz, Ivanich**	Kroatische Gränze	Serben (Wlachen)	"	Die Gesammtheit der Wlachen (communitas Valachorum) in den Districten: Kreuz, Kopreinitz und Ivanich (im trium Supremorum Capitaneorum Crisiensis, Caproncensis et Ivanichensis Districtibus) erhalten ein Privileg. (1630), das 1642 und 1659 bestätigt wurde. K. M. A. Nr. 59.
1652	**Bägendorf**	Siebenbürgen (Leschkirchner Stuhl)	Sachsen (Romanen)	Ferdinand III.	Der Vertrag über die Aufnahme von 20 romanischen Familien (Eder de initiis. etc. p. 162).
1659	**Ofen** (Razenstadt)	Pest	Serben	Leopold I.	Ein Zuwachs von Serben aus Rácz-Keve kam in Ofen's Razenstadt (Pfarrprotokoll der nichtunirten Griechen in Ofen).

Jahr	Name des Ortes oder Gebietes	Name des Landes oder Komitates	Nationalität	Angabe der Regierung oder des Gründers der Ansiedlung	Bemerkungen und Quellen.
1680	**Becse** (bei Rácz-Keve)	Pest	Serben (früher Magyaren)	Leopold I.	Die Ungern wanderten 1680 nach Makad, an ihre Stellen wurden Serben angesiedelt (Ferenczi Pest Várm, nach dem Komitats-Protokoll).
1683	—	Kroatische Gränze.	Kroaten	„	Mehrere entvölkerte Orte wurden mit 5800 frischen kroatischen Ansiedlern vermehrt (Frast Karlstädt. Militär-Gränze Siehe §. 58).
1684	—	„	Serben	„	Dasselbe geschah mit 4000 Serben.
1686/1700	**Ofen**	Pest	Deutsche (auch Ungern, Italiener, Spanier, Kroaten, Serben)	„	Nach Ofen's Wiederbefreiung aus türk. Herrschaft (1686) liessen sich wieder Deutsche und einige Ungern (besonders in der Festung), Italiener (in den Unterstädten), Kroaten (in der Wasserstadt, wo noch die Kroatengasse daran mahnt) und Spanier (in Neustift) nieder; die Nichtdeutschen starben aber bald aus oder germanisirten sich; Serben liessen sich bei ihren Brüdern in der Razenstadt nieder.
1686	**Jenö**	„	Deutsche (Schwaben)	„	Durch die Familie Muzslay wurden Deutsche daselbst auf dem verheerten Gute angesiedelt (Kom. Protokoll).
1688 ?	**Solymar, Vörösvár**	„	„	„	(Vergl. beim Jahre 1002).
1689	**Licca, Corbavia, Zwonig rad**	Kroatische Gränze	Kroaten (aus Zengg, Jablanac, St. Georgen, Racanac, Podgorje etc.)	„	Die verheerten drei Grafschaften wurden den Türken entrissen; wieder mit Kroaten verstärkt, und später als Gränze organisirt. Siehe §. 58.
„	**Bago** (Stripa, später Carlobago)	„	Kroaten aus den erwähnten Orten	„	Bago, fast ganz entvölkert, erhielt Bewohner aus Zengg etc. a. a. O.
1689/1692	**Ostaria, Brussare, Risvanussa, Ternorac, Buxim, Smilian**	„	„	„	Diese Orte wurden von den eingewanderten Kroaten auf den Gütern der vertriebenen Türken angelegt. a. a. O.
„	**Udbina, Podlapac**	„	Kroaten (Bründler, Ptanicaner etc.)	„	Bründler und Ptanicaner unter Anführung des Nicolaus Holievac und Stephan Pezell. a. a. O.

Jahr	Name des Ortes oder Gebietes	Name des Landes oder Komitates	Nationalität	Angabe der Regierung oder des Gründers der Ansiedlung	Bemerkungen und Quellen.
1689 / 1692	**Ribnik, Budak, Skiwka, Kula.**	Kroatische Gränze	Kroaten (Ottochaner)	Leopold I.	Unter Anführung des Modrovich. a. a. O.
„	**Mutelich**	„	„	„	Unter Marian Knezevich und Messich Mussaluk. a. a. O.
„	**Novi, Canixa** (Kanisă), **Bilaj etc.**	„	Kroaten (Jablaner, St. Georger, Kermpetaner etc.)	„	Unter Jerko Rukawina. a. a. O.
„	**S. Michael, Vratnik, Ričice Kossin, S. Rochus**	„	„	„	Durch die Bunevičische Familie mit Kroaten aus der Hercegowina angesiedelt (a. a. O.).
„	**Buxim** (Busim), **Smilian, Verbac, Mogorich, Plocha**	„	Bosnier	„	Bosnier u. a. türk. Unterthanen wurden in den letzterwähnten Orten angesiedelt (Fras. a. a. O. 130 — 145 vergl. §. 58).
1689	**Syrmien, Báeska, Janopol, Vlaska** (parva Valachia) etc.	Wojwodina, (Bács, Arad, Posega)	Serben (Razen)	„	Mit Georg von Brankovich kamen mehrere tausend Serben nach Ungern und wurden in den gedachten Bezirken aufgenommen (K. M. u. F. M. Archiv.).
1690	Ebendaselbst, dann in **Ofen, St. Andrä, Komorn**	„ Pest Komorn	„	„	In Folge des Patentes Kaiser Leopold's vom 6. April 1690 führte der Patriarch von Ipek, Arsenius Chernovich, 36,000 serbische Familien (aus Serbien, Rascien, Bosnien, Albanien und der Walachei nach Ungern. Die Privilegien v. 21. Aug. 1690 u. 20. Aug. 1691 bestätigten den Serben die ungestörte Ausübung ihrer Religion, den Gebrauch des griechischen Kalenders, die freie Wahl des Metropoliten und Wojwoden etc. (K. M. u. K. F. Archiv.)
1690 / 1700	Gebiet zwischen Donau und Theiss (partes in Danubium et Tissam, parva Walachia sic dicta)	Báeska, Pest, Kumaner Feld (Campus Cumanorum), Slavonien (Posega)	„	„	Neue Nachwanderungen von Serben folgten in dem Decennium 1690 — 1700 von circa 6000 Serben-Familien. A. Chernovich spricht 1706 in einem Hofgesuch daher von 40,000 Eingewanderten. In diesem Decennium folgte auch die wirkliche Unterbringung und 1694 die Zusage, dass die raszische Nation nur dem Kaiser unterthan sein und wo möglich in ihre alten Sitze zurückgeführt werden soll. Sieh §. 51 u. 52.

Jahr	Name des Ortes oder Gebietes	Name des Landes oder Komitates	Nationalität	Angabe der Regierung oder des Gründers der Ansiedlung	Bemerkungen und Quellen.
1690	**Issaszegh**	Pest	Deutsche (Schwaben)	Leopold I.	Issaszegh wird 1290 urkundlich (IV. III. 468) erwähnt; 1690 wurde der verheerte Ort von Deutschen colonisirt (Kom. Protokoll.).
„	**Kis-Körös**	„	Slovaken	„	Durch die Familie Vattay wurden Slovaken aus den obern Komitaten (Thurocz, Arva, Neutra, Neógrad etc.) daselbst angesiedelt (a. a. O.).
„	**Gyömrö**	„	„	„	Bei 60 slovakische Familien eben daher (a. a. O.).
„	**Tóth-Györk**	„	„	„	Bei 60 „ „
„	**Horna-Jurka** (Sülly)	„	„	„	„ 30 „ „
1694	**Haraszti**	„	Deutsche (Schwaben)	„	Dieser Ort wird in den J. 1270 und 1365 (VIII. I. 181) urkundlich genannt, und an die Stelle des von den Türken verheerten und zerstörten Dunaharaszti von Deutschen erbaut (a. a. O.).
1696	Weindorf (Boros - Jenő bei Ofen)	„	„	„	wurden von den Clarisserinen in Ofen aufgenommen (a. a. O.).
1699	**Bátya**	„	Serben (damals Nichtunirte, jetzt Šokacen)	„	Durch die Familie Janosi wurden Serben in Bátya angesiedelt (über diese Ansiedlungen vergl. a. a. O.). Vergl. über alle diese Orte auch M. Bel. II. und Ferenczy Pest- Vármeggenek névtara.

Nachtrag.

Jahr	Ortes oder Gebietes	Landes oder Komitates	Nationalität	Regierung oder Gründer	Bemerkungen und Quellen
1201 1235	**Felnémet, Cűzépnémet, Olugnémet, Puruen, Guney, Uruza, Uisl, Igybazasuisl, Ceee, Dubucya**	Ujvár (provincia noui castri)	Deutsche (Regine hospites Theutonici)	Andreas II.	Deutsche Gäste der Königin (Gertrud) in den angezeigten zehn Orten erwähnt das Regestrum de Varad, in Stephan. Ladislaus Endlicher's Rerum Hungaric. Monum. Arpadiana p. 668.

39*

Beilagen.

Vorbemerkung.

Von den zahlreichen Privilegien der Deutschen in Ungern werden hier in den Beilagen nur einige angeführt, und zwar: theils jene Privilegien, welche wie die von Stuhlweissenburg, Ofen, Karpfen u. s. w. Muster für die meisten deutschen Freiheitsbriefe und Rechte in Ungern wurden; theils solche, welche in den bisherigen Urkundensammlungen und grösseren Werken über ungrische Geschichte, z. B. in G. Fejér's Codex diplomaticus et epistolaris, in St. Endlicher's Monumentis Arpadianis, in Katona historia critica, in Pray's, Kaprinay's, Kovachich's u. a. Werken, in Michnay's und Lichner's Ofner-Stadtrecht u. s. w., gar nicht oder nur theilweise enthalten sind, z. B. Emerich's Schenkungsbrief betreffend die villa St. Martin und die Privilegien für Eisenstadt; jene für Klausenburg, Kaschau u. s. w., oder welche sonst eine ethnographisch-rechtshistorische Eigenthümlichkeit enthalten.

Uebersicht der wesentlichsten urkundlichen Grundlagen des ungrisch-deutschen Städtewesens, dann geringe Beiträge hiezu, sind sonach der Zweck dieser Beilagen, der wohl durch eine archivalische Bereisung Ungern's vollständiger erreicht werden könnte. Bei der folgenden Darstellung ist zwar die chronologische Ordnung beobachtet; jedoch, wo es dienlich erscheint, der innern Einheit des Gegenstandes wegen, die einen Ort betreffenden Documente aus verschiedenen Jahren der II. Periode aneinander gereiht. Dabei werden zuerst die im eigentlichen Königreiche Ungern befindlichen Orte, dann jene in Siebenbürgen, und endlich jene in Kroatien, Slavonien und Dalmatien aufgeführt. An letztere reihen sich einige die Kroaten betreffenden Actenstücke. Die Privilegien der Serben, obwohl theilweise noch dieser Periode angehörig, werden des Zusammenhanges wegen am Schlusse der III. Periode beigefügt.

A. Privilegien für Deutsche und andere hospites im Königreiche Ungern.

I.

König Emerich's Schenkungsbrief der villa St. Martini, vulgo Martun (angeblich Eisenstadt), für den Wojwoden Benedict vom Jahre 1202.

(Nach dem im k. k. Staatsarchive befindlichen Originale.)

In nomine Sancte trinitatis et indiuidue vnitatis. Hemericus Dei gracia Hungarie. Dalmacie. Croacie. Rame. Seruieque. rex in perpetuum. Ad regie benignitatis serenitatem pertinere dinoscitur. insignem fidelium constanciam et omnium pro vtilitate et honestate Regni desudanciam merita equitatis lance metiri. et opportunitatis tempore. que usu habet ad esse emeritis. manu dapsali. et larigiflua gratanter remunerare. Sane igitur ad uniuersorum noticiam volumus peruenire. quoniam villam quamdam. quæ willa Martini dicitur. quam pater noster. gloriosus Rex Bela. ab Ecclesia Budensi quondam precio comparauerat. dilecto ac fideli Joubagioni nostro Benedicto Woyouode. intuitu meritorum ipsius. regia benignitate contulimus. Eadem autem villa ex parte Orientis conterminalem habet villam Wolbrum. deinde villam Mouruhe. de qua procedunt mete versus Austriam ad locum. qui dicitur Forcosfertes. de quo ad Sumpotoch feu. Inde transeunt ad fines Austrie. Item ex alia parte conterminalis est eidem ville Mortun villa Kethuch. de qua descendunt mete ad Zolounta. Inde transeunt ad villam Pugym. et hinc reflectuntur ad predictam villam Wolbrum. et terminantur. Vt autem hec nostra donacio inuariabilis et inconcussa duret in posterum. presentem paginam. rei ueritatem continentem. sigillo regie Maiestatis fecimus communiri. Datam per manus Petri Albensis Prepositi. et Aule Regie Cancellarii. Anno ab Incarnatione Domini Millesimo ducentesimo secundo. venerabili Job strigoniensi Archiepiscopo existente. Reuerendo Johanne Colocensi Archiepiscopo. Calano quinqueecclesiensi episcopo. Vgrino geurensi episcopo. Simone waradiensi episcopo. Desiderio Cenadiensi episcopo. Benedicto palatino et byhoriensi comite. Iula curiali et Cenadiensi comite. Ipoche bachiensi. Tiburtio budrogiensi. Cepano Supruniensi. Thoma posoniensi. Mauro Mussuniensi. Ochyz Albensi.

(Das grosse Siegel König Emerich's hängt noch wohlerhalten an dieser Urkunde.)

Eisenstadt (Kis-Marton) gilt gewöhnlich für die in obiger Urkunde Emerich's genannte Villa Martini vulgo Martun [1]). Diesen Ort hat Bela IV. der Ofner Kirche (ecclesiae Budensi) [2]) abgekauft, und dessen Sohn Emerich dem Wojwoden (von Siebenbürgen) Benedict geschenkt. Dass jedoch unter villa Martini nicht Eisenstadt (Kis-Marton) oder Mattersdorf (Nagy-Marton), sondern vielmehr Öri-Sz. Marton an der Pinka im Eisenburger Komitate zu verstehen sei, wird aus Nachfolgendem klar. — Die obige urkundliche Gränzbestimmung dieses Ortes lautet [3]):

„Eadem autem villa (Martini) ex parte Orientis conterminalem habet villam Wolbrum — deinde villam Mouruhe. de qua procedunt metae versus Austriam ad locum qui dicitur Forcosfertes. de quo ad Sumpotoch Feu. Inde transeunt ad fines Austrie. Item ex alia parte conterminalis est eidem villae Mortun villa Kethuch. de qua descendunt mete ad Zolounta. Inde tranceunt ad villam Pugym. et hinc reflectuntur ad predictam villam Wolbrum et terminantur."

---

[1]) Vergl. Cod. dipl. Fejérs II. 395. Fényes Magy. Ország. leirása I. 255.

[2]) D. i. dem Kapitel der Kirche St. Peter und Paul zu Buda (Altofen).

[3]) Die im k. k. Staatsarchiv befindliche Urkunde ist mit einigen Fehlern und Weglassung der Zeugen abgedruckt in Fejérs Cod. dipl. II. 395.

Nimmt man Martun für Kis-Marton (Eisenstadt), so dürfte Wolbrum das jetzige Breitenbrunn sein; die übrigen Orte sind nicht bekannt. (Forkosfertes könnte zwar dem Wortlaute nach Balf, d. i. Wolfs oder Farkads am Neusiedlersee sein, darauf passt aber die Lage nicht, welche der Urkunde nach an der österreichischen Gränze war.)

Für Nagy-Marton (Mattersdorf) würde zwar der Umstand sprechen, dass die älteren Orte öfters mit Nagy und die jüngeren mit Kis bezeichnet wurden; allein da findet sich gar keine Spur von einer passenden Uebereinstimmung der urkundlichen und jetzigen Orte.

Für Öri-Sz. Marton im Eisenburger Komitate an der Pinka scheint aber folgende Lage der urkundlichen und jetzigen Orte zu sprechen.

Szalonta (Zolunta), jetzt Szalonak oder Schlaining, wo ein altes Schloss besteht, und wo sich Andreas Baumkirchner's Grabstein mit dessen lebengrossem Standbilde befindet; Forkosfertes an der österreichischen Gränze dürfte das jetzige Farkasfalu oder Wolfsau sein; von der anderen Seite Kethuch wäre dann Kethély (Neumarkt), Pugym dürfte vielleicht Puyschach sein. Wolbrum, Muruhc (Muruk), Sum-potok-Feu (Sumbachquelle) sind unbekannt.

Noch andere urkundliche Spuren über diese villa Martini sind: König Emerich bestätigt 1202 auf Bitten des Wojwoda Benedict der Gemalin desselben Thota [1]) (Tutta?) den Besitz der ihr zum Heirathsgute angewiesenen villa Martini und villa Boicith, wahrscheinlich ein in einer andern Urkunde Boicuth genannter Ort, vielleicht Pojsach?), und schenkt ihr alle darauf haftenden k. Abgaben [2]). — Andreas II. bestätiget 1221 der Gattin des Wojwoden Benedict de Korláth, Thota, die von Emerich bekräftigte Uebertragung des Besitzes der villa Martini et Boicuth auf ihr Heirathsgut.

Um den Irrthum über Verwechslung von villa St. Martini mit Eisenstadt (Kis-Marton) näher zu beleuchten, folgen hier die ältesten Privilegien für Eisenstadt, welche theils von den ungrischen Königen und Königinnen ausgingen, sofern sie sich auf Handels- und andere Vorrechte im Lande bezogen, theils von den Grundherren, der Familie Kanisa, herstammen, und den stufenweisen Aufschwung Eisenstadt's zur k. Freistadt zeigen.

Die Original-Urkunden und Transumte, nebst einem Privilegien-Buche Kaisers Ferdinand II. v. J. 1621, worin alle frühern zusammengefasst erscheinen, befinden sich im städtischen Archive zu Eisenstadt. Das erwähnte Privilegien-Buch, auf Pergament geschrieben und in rothen Sammt gebunden, zeigt zwar die Spuren eines Brandes, doch ist die Schrift ganz unversehrt geblieben. Die völlige Uebereinstimmung der Urkunden mit dem Privilegien-Buche wurde an Ort und Stelle untersucht; aus letzterem sind die folgenden Urkunden entnommen.

II.

Privilegien für Eisenstadt (Kis-Marton).

a) Ludwig der Grosse gestattet am 29. Sept. 1372 den Eisenstädtern — gleich den Oedenburger Bürgern, — freie Weinausfuhr nach Mähren, Böhmen und Polen.

(Nach dem Bestätigungsbriefe Sigismund's vom 19. December 1395.)

Ludouicus Dej gratia, Rex Hungariæ, Poloniæ, Dalmatiæ, etc. Fidelibus suis Judicibus, Juratis Ciuibus, et vniuersis hospitibus de Supronio, de Posonio, de Tirnauia, et de Dewen, Salutem et gratiam. Cum Vniuersis populis, ad Castrum Zarwkoö [3]) pertinentibus, nos

[1]) Thota war eine Landsmännin und Dienerin der Königin Constantia.

[2]) Die Urkunde auf Pergament gut erhalten, mit einer schönen Goldbulle an rothseidener Schnur, befindet sich im k. k. Staatsarchive und ist nicht gedruckt, aber das Inserat in einer Urkunde von 1221, sich bei Fejér III. 1, 317.

[3]) Szarvkö (Hornstein).

de gratia annuimus speciali, ut ipsi vina sua propria venditioni exponenda, de regno nostro ad Morauiam, Bohemiam et Poloniam, ad instar Ciuium nostrorum de dicta Sopronio, deducere, et deduci facere possint, pacifice, et absque omni impedimento. Mandamus fidelitati vestrae vniuersitati firmissime et districte omnino volentes, quatenus memoratos populos seu homines, ad Castrum Zarwkeö pertinentes, in huiusmodi eductione Vinorum suorum propriorum de' Regno nostro ad partes superius specificatas facienda, impedire uel molestare nullatenus praesumatis, nec sinatis eos per alios quos piam aliquatenus perturbari, sed admittatis ipsos Vina sua pacifice educere, seu educi facere versus partes prænotatas, prædictorum ciuium vel hospitum Sopronicnsium, aut aliorum quorumcunq', hominum contradictione non obstante, secus sub nostræ Regiæ gratiæ obtentu facere non ausuri in præmissis: Prout etiam præmissam gratiam per alias literas nostras, secretiori et rotundo Sigillo nostro consignatas, prætitulatis populis ad ipsum Castrum Zarwkeö spectantibus, fecisse meminimus luculenter. Datu Posonij in festo beati Michaelis Archangeli, Anno Domini, millesimo, trecentesimo, septuagesimo secundo [1]).

b) Die Bürger zu Weniger-Martinsdorf oder Eisenstadt werden am 6. Jänn. 1373 durch Stephan von Kanisa, Bischof von Erlau, von der Gerichtsbarkeit der Grafen von Hornstein und Eisenstadt befreit und erhalten Bürgermeister, Richter und zwölf Geschworne.

(Nach dem Bestätigungsbriefe der Neffen des Verleihers, dd. Eisenstadt 2. Febr. 1388).

Wir Johannes von Gottes gnaden Bischoff zu Erla, vnd der Wert [2]) Erzbischoff zu Gran, dess Künigs vndt der Künigin in Hungern Obrister Cantzler etc. Vnd Ich Graf Niclass von Hornstain, die Zeit Graf in Oedenburg, vnd in Eisenburger Grafschafft, vnd Ich Graff Steffan, dess obgenannten Herren Johanns Bischoffs Brueder, Bekennen offentlich mit dem Brieff, vnd thueen khundt Allen Leuten, die nu sein, oder hernach khunftig werden. Dass für Vnss kommen sein, die Erbarn Leüth, der Burgermaister, der Richter, die Geschwornen Burger, vnd die gantze Gemein Vnsor Statt zu dem Wenigen Mertestorff, anders genannt, zu der Eysenstatt, vnsere getreire Burger, vnd haben für Vns bracht ainen Offenen Brieff dess Ehrwürdigen in Gott Vatters weyland Herrn Steffans, Bischoffs zu Agereyen [3]), Vnsers Lieben Ohaims, deme Gott genad, über der Statt freythum, mit desselben Herrn Steffans, Bischoffs anhangenden Insigl besigelt, vnd haben Vns vleissiglich gebeten, dass wir In vnd Iren Erben vnd Nachkumben, denselben Brieff, vnd den Freythumb geruhen verneüen, ewigen, vnd confirmiern, dess Brieffs laut, ist von wortt zu wortten der: „Wir Steffan von Gottes gnaden Bischoff zu Agerein, verjehen offentlich mit dem Brieff, vnd thuen khundt Allen Leüthen, gegenwertigen vnd künfftigen, dass Wir mit wohluerdachten Muthe, zu der Zeit da Wir ess wohl gethain möchten, vnd mit vnserer Nechsten Freundt, Niclass, Jansens, Lorentz, vnd Steffans Vnsers Bruedern Janssens Sun, Rath, Willen, vnd gunst, vnsere treire Burger zu dem wenigen Mertestorff, begnadet haben, Vnd in allem dem Freythumb vnd Rechten behalten wöllen, Vnzerbrochentlich vandt stettiglich, die hernach geschrieben stehendt. Wir wöllen, dass kain Burggraff zu Hornstain vnd Eysenstatt über Sy nichts zugebieten haben, oder Vill oder wenig zu schaffen hab mit Ihn, oder gebieten, oder geschaffen möge, in Kainen sachen. Wir wöllen auch, dass Sy Burgermaister, Richter vnd Zwölffer setzen sollen, nach Ihrer selbst willen allss gewonhait ist in den Andern Stetten, in dem Lande vndt sollen Sy

[1]) Eine neuerliche Bestätigung ertheilte K. Sigmund zu Tyrnau, am Feste der Bekehrung des h. Paul am 25. Jänner 1396.

[2]) (Der Wert, d. i. dermal).

[3]) Ageria und Agerin, gewöhnlich Agria, bedeutet Erlau (Eger), aber nicht Agram (Zágráb), wie in Fényes E. Magyar orszagnak etc. mostani állapotja, I. Köt. 255 l. irrig angegeben ist.

ollen gewalt haben, Alle Sachen zurichten, die Mündern vnd die grössern Was zwischen Inen geschicht: Wer aber dass der Richter saumig wer an dem Rechten, durch lieb vnd durch Leuth willen. Vnd wolt ainen Thail damit geholffen, vnd fürderlich sein, vnd dem Andern thail ablegen: So soll man den Richter für Vns, oder für Vnsere Freundt, die die Zeit der Statt gewaltig sein, bieten, der soll die Sache danne verantworten, warumben er an dem Rechten saumig sei gewesen, da sollen Wir, oder Vnsere Nachkomben Vberrichten. Wer aber, dass der Iren ainer anders Ichs thet. Wo das were auff Vnsern güttern, das solle niemandt anders richten, den Ir Stattrichter zu dem wenigen Mertestorff. Auch sollen Sy freyung haben, von St Georgen Tag der schierist kombt, vntzen vber Zehen gantze Jahr, die nacheinander künftig seind, vnd sollen Vnss alle die Zeit, nach vnsern Freündten, weder Dienst, noch gaab, noch Steyr geben. Wann aber dieselben Zehen Jahr ausskummen Vnd endtnehmend, so sollen fürbass Järlichen dienen, Vnss vnder Vnsern Freindten Sibentzig Pfundt Pfennig, gibig vnd gäbig, in dem Lands vnd nicht mehr, Ihr halb Pfennig zu St. Georgen Tag, vnd Ir halb pfennig zu St. Michäels Tag, vnd soll man Vnss das geldt Järiglich raichen vnd geben, von der ganzen Statt Innen vnd aussen, von Christen, vnd von Juden. Wir wollen auch, wer sich zue Inen Zihen will, durch beleiben vnd wohnung willen, der soll freylich zu Inen fahren, vnd soll alle die Recht haben, die andere Vnsere Burger da haben. Wann aber das ist, dass ainer von dannen fahren will, vnd nicht lenger will da bleiben, der soll freylich fahren, wollendt Er will, vnd frey vnd ledig sein, mit Leib vnd mit guett, vnd vngenött, vnd vngeirrt, von Vnss, von Vnsere Ambtleüthen, beede mit Erbgüttern, vnd mit fahrenden güettern. Wir wollen auch, Ob vnser Freundt Ire Kinder mit Heürat aus bestätten wolten, wann das ist, dass Sy dann an Vnsere Vorgen: Burger kain hilff, khainen Dienst, kein steür fordern mögen, vnd sollen ihn dar nichts nit gebunden sein, zu raichen noch zu geben, Sie wollen in dann von aigen willen Ichs raichen, oder geben zu Ehrenge zu der Heürat. Wir wollen auch, wann Wir, oder Vnsere Freundt zu Ihn kommen, in die vorigen Statt, so sollen Vnser Diener, vnd Vnser Freündt Diener zihen, mit allen Iren sachen, mit Leib, mit Pferdten in ain offenes Gasthauss, vnd sollen darinnen zehren Iren aigenen pfennig, allss ander Gest, one aller Leuth schaden. Wir wollen auch, Ob Sy kinder hetten, die zu Iren Jahren kommen weren, oder Wittiben Zwischen Ihn würden, reich oder arm, dass wir, noch vnsere Freündt, die mit nöten sollen, vnd auch Sy nit bitten sollen, dass Sy nach vnserm Rath heürathen, oder nach vnserm Willen, Sy sollen Ire Kinder, Ir Wittiben verheürathen, wo Sy hin wollen, nach allem jren willen, da sollen Sy vollen gewalt haben, darzur verbünden, wir Vnss Vorgen: Niclass, Janss, Lorentz, vnd Steffan Janssens Suhn, wann das ist, dass Wir der vorigen Statt gewaltig wurden, So sollen Wir inn den gegenwertigen Brieff verneuen, Vnd Sy in allem dem Freythum vnd Rechten behalten Alles vorgeschriben ist, dass Lyben wir ihn mit Vnsern treiren, an Aydtsstatt, alles stett zuhalten. Darüber zu Urkundt, vnd zu ainen Lebendig Zeugen der Sache, geben wir Inen den Brieff, Behangen mit Vnsers vorigen: Steffans dess Bischoffs von Agereyn Insigl, Vnd wann wir vorigen: Niclass, Janss, Lorentz, vnd Steffan, zu dieser Zeit aigene Insigel nit haben, So verbündt wir Vnnss Vnter Vnsers vorigen Herren, Herren Steffans Insigel, Alles das stett zuhalten, das vorgeschrieben ist. Geben nach Christus geburt dreyzehenhundert Jahr, darnach in dem drey vnd Sibentzigisten Jahr, an dem Perichtage. Nun habenn Wir angesehen der obgen: Vnser getreiren Burger von dem Wenige Mertestorff vleissig gebet, durch Irer vnd der obgen: Vnser Statt besserung vnd nutz willen, vnd haben mit wolbedachtem Mueth denselben obgeschribenen Vnsers Ohaimbs Brieff, den wir redlichen an dem Perment, an der schrifft, vnd an dem Insigl, ohne alle Verdächtnuss, vnndt falschung derfunden haben, in allen seinen Stucken, vnd Artiklu, vnd Puncten, den obgenannten Vnsern Getreiren vnd lieben Burgern vonn dem Wenige Mertestorff, vnd Iren Erben vnd Nachkommen verneurert, gefertigt, vnd bestätt, Vnd verneüren Beuessten, vnd confirmiern, mit Craft dieses gegenwertigen Vnsers Brieffs, besigelt zur ainer Vrkundt vnd ewiger gezeugnuss mit Vnserm anhangenden Insigel. Geben daselbst zu dem Wenigen Mertestorff, nach Christus geburt. Dreyzehenhundert Jahr, darnach in dem acht vnd Achtzigisten Jahr, an dem heiligen Vnser Frauen Tag zu der Liechtmesse.

c) Sigmund ertheilt, Ofen am 8. Mai 1397, den Bürgern von Kis-Marton (Eisenstadt) freien Handelsgang durch ganz Ungern, und befiehlt allfällige Klagen gegen Eisenstädter Bürger bei dem Richter von Eisenstadt vorzubringen.

Sigismundus Dei Gratia, Rex Hungariæ, Dalmatiæ, Croatiæ, etc. Fidelibus suis Vniversis, Prælatis, Baronibus, Comitibus, Castellanis, Nobilibus, Officialibus, et possessionatis hominibus, Item Ciuitatibus et liberis Villis, ipsarumq' Rectoribus, Judicibus et Villicis, quibus præsentes offeruntur, salutem et gratiam. Cum Justi pro iniustis impediri non debeant, eapropter fidelitati uestræ firmiter præcipiendo mandamus, quatenus Vniversos Ciues de ciuitate munita Kismarten, alio nomine Eisenstath appellata uel aliquem ex eis, dum ijdem pro acquisitione suorum victuum, aut alia necessitate compulsi, cuncta climata Regni nostri perlustrando, omnium eorum rebus mercimonialibus ad uestras possessiones, tenuta dominia, honores, seu uestri in medium peruenerint, ad aliquorum instantiam arrestari, seu prohiberi facere, nullatenus præsumatur, nec sitis ausi modo aliquali. signanter pro debitis, delictis et offensis aliorum. Si qui enim ex Vobis quicquam actionis uel quæstionis, contra præfatos Ciues de ipsa Kismarton, alio nomine Eisenstath, uel aliquem ex eis habent uel habuerint, id in præsentia Judicis et Juratorum Ciuium de eadem contra ipsos legitime, prosequantur, ex parte quorum inibj meri juris, et iustitiæ, ac plenariæ satisfactionis exhibebitur complementum cuilibet querulanti, pro ut dictauerit ordo juris. Aliud igitur sub obtantu gratiæ nostræ facere non ausuri in præmissis. Præsentes post earum lecturam semper reddi iubemus præsentandj. Datum Budæ Sancto die festi Apparitionis Beati Michäëlis Archangeli, Anno Domini, Millessimo, trecentesimo, nouagesimo septimo.

d) Die Königinn Barbara, Sigmund's Gemalin, befreit die Bürger, Gäste und Bewohner Eisenstadt's von jeder Abgabe in den k. Orten am 24. Jänn. 1414.

Barbara Dei Gratia Romanorum ac Hungariæ Regina etc. Fidelibus nostris Vniversis et singulis Castellanis et Officialibus nostris, ac eorundem Tributarijs et Teloniatoribus vbiq' intra ambitum regni nostri Hungariæ prædicti tam in terris, quam super aquis tributa nostra et telonia tenentibus et conseruantibus, præsentibus et futuris, præsentium notitiam habituris, Salutem et gratiam. Cum Nos, tum antiquæ et priuilegiatæ Ciuitatis, Reuerendissimi in Christo Patris, Domini Joannis Archiepiscopi Ecclesiæ Strigoniensis, ac Aulæ Regis Romanorum Cancellarij, Cancellarij fidelis nostri dilecti, Kismarton vocatæ, gratia et libertatis prærogatiua requirente, tum etenim supplicationibus ejusdem Domini Joannis Archiepiscopi, nostra deuote et sumiliter per ipsum porrectis et oblatis Majestati fauorabiliter inclinatæ, Vniuersos et quoslibet Ciues, mercatores, hospites, Incolas et habitatores dictæ ciuitatis, Kismarton vocatæ, ab omni solutione tributaria, alias per ipsos, de eorum et hominum, ipsorum personis rebusq' bonis et mercibus, in nostris reginalibus tributis solui consueta, duxerimus liberandos et eximendos, liberosq' habere velimus et penitus exemptos. Ideo vestræ et cuiuslibet vestrum fidelitati firmissime praecipimus et mandamus, aliter habere nolentes, quatenus amodo et deinceps in antea a Ciuibus, Mercatoribus, Hospitibus, Incolis et habitatoribus dictæ, Ciuitatis Kismarton vocatæ, nec non hominibus ac rebus, bonis et mercibus ipsorum, in dictis nostris reginalibus, tributis, et tributorum locis, nullum tributum, nullamne exactionem tributariam, quouis modo et colore exquisito, directe vel indirecte petere, exigere, et extorquere petiq', exigi et extorqueri facere præsumatis, nec sinatis, ausi modo aliquali, imo eosdem et quemlibet eorum, ac ipsorum homines, cum dictis bonis, rebus et mercibus ipsorum libere recedere, et abire, per loca dictorum tributorum nostrorum sinatis, absq' solutione tributi aliqualis. Secus contra nostræ indulsionis prædictæ formam, sub poena nostræ indignationis facere non ausuri in præmissis. Præsentesq' post lecturam reddj semper edicimus præsentanti. Datum Budæ, feria tertia proxima post festum beatorum Fabiani et Sebastiani Martyrum, Anno Domini, millesimo quadringentesimo, quarto decimo.

Ueberdiess sind in dem Archive von Eisenstadt noch folgende königliche Freiheitsbriefe enthalten: K. Sigmund befreite im Jahre 1429 am 29. Mai die Bürger dieser Stadt von der Dreissigst- und jeder andern k. Abgabe, — worüber Albrecht im Jahre 1438 am 14. Febr. die Bestätigung ertheilte. — Auch dehnte derselbe am 1. Mai des nämlichen Jahres diese Befreiung auf die daselbst wohnenden Jobbagen des Ladislaus von Kanisa aus.

Herzog Albrecht bestätigte in Eisenstadt am 29. September 1447 alle Rechte, Gnaden und Herkommen der Eisenstädter, worüber K. Friedrich, nachdem er und bezüglich Konrad Eytzinger in den Besitz von Eisenstadt gelangt war, am 14. Feb. 1455 die Genehmigung gab.

Derselbe schenkte der Stadt einige Weingärten zu Rust, St. Georgen u.s.w. zur Ausbesserung der Stadtmauer.

Aehnliche Bestätigungen der sämmtlichen Freiheiten und Vorrechte Eisenstadt's ertheilten Mathias I. am 15. März 1488, Stephan Zapolya am 5. Sept. 1490, Kaiser Maximilian I. am 18. December 1493, Ferdinand I. (als Erzherzog von Oesterreich, wozu damahls Eisenstadt gehörte) zu Neustadt am 23. Februar 1523, dann Maximilian II. zu Pressburg am 31. Juli 1567. Auch sicherte derselbe, Wien am 5. März 1572, der Stadt gegen Erlag von 400 fl. Rheinische Münze zu, dass sie nicht weiter verpfändet oder verscheukt, sondern unter der k. Kammer bleiben soll. Rudolph II. erneuerte den verbrannten Schutzbrief der Stadt, Wien am 16. August 1589. Mathias II. bestätigte, Wien am 27. October 1611, die früheren Freiheitsbriefe, und Ferdinand II. nahm, Wien am 2. August 1621, eine förmliche Reassumirung sämmtlicher Privilegien der Eisenstadt in Form eines königlichen Buches vor; auch verlieh er den Eisenstädtern, Wien am 6. Juli 1623, die Befugniss, ausser den frühern zwei Jahrmärkten noch einen dritten in der Fastwochen am Samstag Oeculi (19. März) zu halten.

Ferdinand III. erhob, nach der auf dem Landtage 1647 zu Pressburg erfolgten Wiedereinverleibung Eisenstadt's zu Ungern, dieselbe, Wien am 26. October 1648, zur freien königlichen Tavernical-Stadt.

Die ferneren Privilegien von Joseph I. bis K. Franz I. (1706—1810) betreffen Zoll- und Marktrechte, Schutzbriefe gegen Militär-Einquartierungen, und Bestätigungen der frühern Freiheiten.

III.

Privilegien für Stuhlweissenburg.

a) Bela IV. bestätigt (1237) den Bürgern von Stuhlweissenburg die vom heiligen Stephan erhaltenen Freiheiten.

(Nach der Sentenz der königlichen Curie vom Jahre 1496 in der Process-Angelegenheit des Bischofes von Neutra gegen die Städte Stuhlweissenburg, Ofen etc. wegen Tribut-Entrichtung in der Besitzung Zsiveteo.)

Judicis et Juratorum, ac ceterorum ciuium Ciuitatis Albensis exhibitarum prima littera olim incliti Regis Belæ quarti Anno Dominicæ Incarnation's 1237, secundo nonas Maii, regni autem sui anno secundo priuilegaliter exorta, sigillo ejusdem dupplici in pendenti vallata, continebat in se omnes prærogatiuas es libertates ipsis ciuibus Albensibus concessas; inter cetera in principio caedem litteræ exprimebant: quod cum priuilegium Sancti Regis Stephani pariter et legati tunc sedis apostolicæ hospitibus Albensibus concessum, infausto casu incendii fuisset conuersum in cineres, iidem ciues Albenses libertatis suae statum timentes tractu temporum in dubium reuocari, seu aliquatenus aggrauari, eidem Domino Belæ Regi humiliter supplicassent, ut concessam ipsis a memorato Sanctissimo rege libertatem, ipse Dominus Bela Rex suo dignaretur priuilegio communire. Idem igitur olim Dominus Rex Bela ipsorum ciuium preces fauorabiliter admittendo, cum esset notorium, et nullatenus veniret in dubium, ipsos priuilegiatos exstitisse, absque ulla interruptione libertate in dictis litteris suis annotata usos continue fuisse, benigne concessit, quod petebant. Porro ipsorum ciuium Albensium libertas erat talis: Quod in toto regno suo, nec in aliqua porta confinii, tributum alicui soluere compellantur. Præterea quicumque ad eos transire, et cum eis conuersari voluerint, ea libertate, qua ipsi fruuntur, similiter in perpetuum potiantur; quod si quis tributum violenter ab ipsis extorserit, iram regiæ Majestatis et rerum suarum dispendium merito sustinebit.

(Fejérs Cod. dipl. IV. I. 73 nach der Collectio Georgio-Gyurikovich.)

b) Eine andere Spur des den Bürgern von Stuhlweissenburg durch den heil. Stephan verliehenen Privilegiums findet sich in Fejérs Cod. dipl. VII. I. 109.

Rex Stephanus (Sanctus) cum Legato tum Sedis Apostolicæ Hospitibus de Alba (regia) Priuilegio mediante talem elargitur libertatem: „quod in toto Regno suo nec in aliqua porta confinii tributum alicui soluere compellantur; præterea quicunque hospites ad eos transire et cum eis conuersari voluerint, ea libertate, qua ipsi fruuntur, similiter in perpetuum potiantur; quod siquis tributum violenter ab iis extorserit, iram Regiæ maiestatis et rerum suarum dispendium merito sustinebit." Libertates has — ipso Priuilegio Stephaneo infausto casu incendii in cineres conuerso Rex Bela IV. ad humilem supplicationem ciuium Albensium libertatis suæ statum tractu temporis in dubium reuocare timentium, velut notorias, dubio omni carentes et absque vlla interruptione vsu roboratas — Priuilegio suo Anno Dominicæ Incarn. MCCXXXVII. secundo nouas maii regni vero sui II. emanato mediante confirmat.

Auch die Privilegien der Städte Szathmar, Gran, Raab, Tyrnau, Neutra etc., welche mit den Freiheiten Stuhlweissenburgs betheiliget waren, liefern einige Ergänzungen zu den vom h. Stephan den Bürgern Stuhlweissenburgs ertheilten Vorrechten. — So heisst es in der goldenen Bulle Bela's für Tyrnau vom Jahre 1238: hospites de Zumbodhol super solutione tributuum eodem jure censeantur, quo ciues Albenses (Cod. dipl. IV. I. 132 etc.; Ofner Stadtrecht S. 243), und in dem Privilegium desselben Königes für Neutra vom Jahre 1258 sagt er: „Talibus ergo tantisque eximiis meritis et obsequiosis fidelitatibus in nostri memoriam revocatis volentes eis civibus castri Nitriensis respondere gratuita repensiva, licet ipsi fuissent prius libertatis utique commendandæ, tamen suorum servitiorum in retributionem eorem etiam instantissimis petitionibus de benignitate regia inclinati, ipsis et ipsorum successoribus perpetuo Albensium civium dedimus libertatem: ut villicus ex se ipsis, qui pro tempore fuerit constitutus, omnes causas pecuniares, civiles et criminales ad instar civium Albensium prædictorum cum duodecim iuratis debeat fine debito iudicare, nec ipsi cives Nitrienses aliquorum extraneorum iudicum, palatinorum videlicet et comitum provincialium adstare iudicio teneantur, sed si super arduis negotiis diffinire forsitan ignorarent, volumus, ut ad nostram præsentiam vel magistri tavernicorum ad examen pro determinanda et impetranda iusticia convocentur; et quotiescunque expedierit, contra inimicos regni nostri, datis ex eis duodecim armatis, sub vexillo regis militabunt; quibus etiam, ut eorum numerus augeatur, in ipso castro dedimus forum liberum, quo die Martis perpetuo celebratur ita, ut in illud venientes et recedentes de eodem sine aliquo debito tributu cum suis mercimoniis libere veniant et secure recedant." etc. (Fejérs Cod. dipl. IV. II. 355 etc.)

Die angeführten Privilegien *a*) und *b*) betrafen bloss die Bürger und hospites Stuhlweissenburg's. Zur Vervollständigung der Freiheiten sämmtlicher Bewohner dieser altungrischen Haupt-, Krönungs- und königlichen Begräbniss-Stadt fügen wir noch bei:

c) Bela's IV. Freiheiten für die Leute der Stuhlweissenburger Kathedral-Kirche vom Jahre 1254.

Bela dei gracia Hungarie, Dalmacie, Croacie, Rame, Seruie, Gallicie, Lodomerie Cumanieque rex, omnibus Christi fidelibus, ad quos presens scriptum perueniet, salutem in omnium saluatore. Etsi omnium ecclesiarum regni nostri libertates seruare tenemur ex debito nostri regiminis illibatas, uberiore tamen cautele presidio illis debemus adesse, que et prerogatiua libertatis et excellencia tituli plus ceteris gloriantur. proinde ad uniuersorum tam presentium quam posterorum noticiam harum serie uolumus peruenire, quod cum uniuerse regni ecclesie ex generali subustione Tartarice nacionis adeo periissent, ut pene penitus desolate, et plures earum suppeditate, resurgere in iuribus spiritualium et temporalium, quibus aliquando gauise fuerant, non ualerent, nos circa Albensem ecclesiam intenti, non immerito, utpote ubi solium regni et corona conseruatur et ubi reges Hungarie sacro consecracionis munere perunguntur, ubi nostrorum eciam antecessorum sacra corpora requiescunt, ipsius dispendio cauere tenemur, ne in libertatibus, quibus ex antiquis progenitorum nostrorum constitucionibus hactenus inuiolabiliter freta fuit, et precipue beati regis Stephani, qui prius ipsam fundauit et dotauit, possessionibusque plurimis ditauit, ac libertatibus et libertatum prerogatiuis specialiter decorauit, nostris diebus et temporibus debeat uacillare: ea enumerando, que temporibus successiuis in detrimentum memorate ecclesie uergi possunt, priuilegia ipsius antiquitus obtenta, et per consequens libertates, et libertatum prerogatiuas innouantes, cum ratihabicione omnimoda confirmamus innouata.

Itaque firmo statuimus edicto, quod pronti a progenitoribus nostris primitus fuit ordinatum, sicut iobbagyones tam nobiles, quam condicionarios ejusdem ecclesie non tenemur iudicare, sic nec heredes nostri, nobis in regno succedentes, nec Palatinus pro tempore constitutus, nec comes alicuius castri seu parochialis, nec iudices nobilium quorumcumque comitatuum, et generaliter nullus uel iusticiariorum regni nostri, quocunque nomine, honore et dignitate prefulgeat, super aliqua causa, ut puta super furto, latrocinio uel in moneta, et generaliter super nullis causarum articulis, ipsos possit, debeat et audeat iudicarē, excepto eo, quod si populi et iobbagiones ecclesie terras communes cum aliis populis diuersarum condicionum habuerint, et questio de diuisione terrarum orta fuerit, tunc rex uel uicem suam gerens ipsos, si consortes ejusdem litis fuerint, simul cum aliis poterint judicare. et similiter in aliis causis omnibus, que totam prouinciam tangerent, rex, uel ab eo missus, ipsos cum ceteris eorum comprouincialibus iudicet. in aliis autem majoribus et minutis causis, et generaliter in omnibus, solius prepositi cum capitulo, uel decani, aut officialium eorumdem, iobbagyones et populi ipsius ecclesie ad stare in iudicio teneantur. Si quidem in reddenda alicui iusticia ipsos suspectos habere conarentur, ob huiusmodi suspicionis causam remouendam, pro cerciori facti cautela, hominem regium adiungendum et audiendum producere possunt. Iudicium eorundem, prout ipsam ecclesiam per pios decessores nostros hac libertatis prerogatiua nouimus ab olim decoratam, ad dictam eciam ratihabicionem innouata, quod iobbagyones et populi eiusdem ecclesie Albensis, nec Palatini seu uicepalatini ad congregacionem generalem, aut eciam specialem et particularem, neque comitum parochialium seu eorumdem simul cum aliis communem, uel sine aliis uictualium administracionem et solucionem, uel expensarum quarumlibet pro ipsis clargicionem faciendam, ullo unquam tempore teneantur. Quod nec contra piorum antecessorum nostrorum statuta et nostra, Palatinus uel uicepalatinus, aut comes quicunque Parochialis et generaliter nullus baronum uel procerum regni nostri, super eos descensus uiolentes facere debeant atque possint. imo si casu residenciam inter eosdem facere uel super eosdem contingeret, nihil inuiti facere eisdem teneantur. neque per hoc iurisdictionem aliquam descensus exigendi ab ipsis poterant uel possint quodammodo uendicare. Statuimus eciam mandantes, quod intra tocius regni nostri confinia nullas cuique, neque in terris, neque in aquis, excepto naulo nauigii, tributum, telonium aut pedagium seu eciam.... populi et iobbagyones ipsius ecclesie dare teneantur...... a progenitoribus nostris ecclesie memorate. Ut igitur premissarum concessio libertatum et earundem innouucio robur obtineat firmitatis, nec ac aliquo successorum nostrorum processu temporis ualeat perturbari, memorate Albensi ecclesie presentes in stabilitatem perpetuam concessimus literas, sigilli nostri duplicis munimine communitas. datum anno incarnacionis dominice millesimo ducentesimo quinquagesimo quarto, nonis Augusti, per manus Benedicti archipiscopi Strigoniensis, aule nostre cancellarii, regni uero nostri anno decimo nono.

(Endlicher's Monumenta Arpadiana p. 484, aus dem Manuscripte Stephan Kaprinai's.)

IV.

Privilegien für Szathmár-Némethi.

a) Andreas II. ertheilt (1230) den deutschen Gästen von Szathmár-Némethi Freiheiten nach sächsischer Sitte.

In nomine Sanctæ Trinitatis et indiuiduæ Vnitatis. Andreas, Dei gratia, Hungariæ, Dalmatiæ, Croatiæ, Ramæ, Seruiæ, Galliciæ, Lodomeriæque Rex perpetuum. Regiæ Serenitatis gratiæ plurimum expedit, quia ex fonte nascitur pietas, vt omnes hospites ad sinum suæ, benignitatis, tanquam ad postum salutis confugientes, colligat; sed ordo rationis expostulat, vt eos propensius protegat et confoueat, quos pro posse suo ad regni vtilitatem, et coronæ honorem inspexit efficacius inhærere. Hinc est, quod tam præsentis aetatis, quam futuræ posteritatis notitiæ volumus elucescere, quod nos charissimi Progenitoris nostri, regis Belæ, nec non Baronum nostrorum ducti consilio, dilectis et fidelibus nostris hospitibus Teutonicis de Zathmár-Némethi, juxta fluuium Zamos residentibus, qui se dicebant in fide Dominae Reginae Keyslae ad Hungariam conuenisse, talem dedimus, donauimus et concessimus libertatem, quod, more Saxonum, villicus ipsorum armatus cum quatuor personis sagittariis, nobiscum exercituare teneatur. Eximimus etiam eos, ab omnium Judicum jurisdictione, judicandi facultate nobis tantum, et Magistro Tauernicorum nostrorum, pro tempore constituto (reseruata) hoc specialiter declarato, vt quemcunque voluerint, majorum ac minorum consensu pariter concordante, majorem villae constituendi liberam habeant facultatem. Qui in villa eorum in furto, latrocinio, homicidio, seu quouis crimine malefactorio, ac maligno deprehensi vel accusati fuerint, eos judicet et condemnet, juxta criminis quantitatem. Praeterea postum ab omni exactione seu infestatione tributi liberum super praenotato fluuio eisdem concessimus; ita, vt nec Comes Castri de Zatthmar, nec Comes Camerae nostrae, nec alius quispiam super jam dicti pontis tributo ipsos possit, aut debeat aliquatenus molestare. Concessimus etiam eisdem, vt Decimatoribus pro tempore constitutis, pro capetia duodecim denarios vsualis monetae solvere teneantur. Item Sacerdotem, quemcunque voluerint, in eorum ecclesia possint conseruare, ab omni jurisdictione et potestate Archidiaconi de Sasvar, cum quarta parte decimarum, in villa ipsorum continente, penitus duximus eximendum et ad majorem statutae libertatis ipsorum cautulam, assensum et consensum Reinoldus venerabilis Pater, Episcopus Transiluanus, praebuit nostris ordinatis et statutis, et nos in retributionem praefatae concessimus Episcopo praedicto in potiori donatione manum poreximus regiae largitatis. Istud etiam non est silentio praetermittendum, quod nobis ad villam eorum accedentibus prandium et coenam administrent, secundum villae ipsorum incrementum. Praeterea quandam terram, eorum terram contiguam, quae olim Dionysii filii Simonis fuerat, eis et eorum heredibus jure perpetuo contulimus possidendam. In ipsius possessionem per fidelem Pristaldum nostrum, Chudruch, ipsos introducti statuentes. Vt igitur tum a nobis liberaliter concessa libertas, quam memoratae terrae donatio, salua semper, et inconcussa permaneat, praesentem paginam secretiori sigillo nostro, aureae videlicet bullae charactere, fecimus insigniri. Datum per manus Vgrini, Colocensis Archiepiscopi aulae regiae Cancellarii, anno Dominicae Incarnationis millesimo, ducentesimo, trigesimo, Venerabili Roberto, Strigoniensi Archiepiscopo, Gregorio Jaurinensi, Cleto Agriensi, Alexandro Varadinensi, Bulchu Chanadiensi, Rajnoldo Vltrasiluano, Benedicto Vaciensi, Stephano Zagrabiensi, Bartholomaeo Quinqueecclesiensi, Bartholomaeo Veszprimiensi, episcopis existentibus et aliis ecclesias Dei feliciter guberrantibus. Moys, Comite Palatino; Ladislao aulae nostrae Curiali Comite et Comite Bachiensi; Petro fratre Marcelli, Curiae Comite Reginae et comite noui Castri, Dionysio, filio Dionysii, magistro Tauernicorum, et Comite Zounkiensi, Demetrio, magistro Dapiferorum; Luca, magistro pincernarum, et Comite de Bors; Nicolao, magistro Agazonum, Comite Supouniensi; at aliis, quam pluribus magistratus et Comitatus tenentibus, regni nostri Anno XXVII."

Fejérs Cod. dipl. III. II. p. 24.

h) Stephanus V. ertheilt den Bürgern von Szathmár-Némethi die Freiheiten der Bürger von Stuhlweissenburg.

(Aus dem königlichen Buche.)

Anno CDXLVIII. Augustae Vindelicorum 26. die Maii datae sunt literae priuilegiales regiae Maiestatis Ferdinandi manuscriptae, ac sigillo eiusdem munitae impendenti. Quibus literas confirmationales Serenissimi Principis, Domini Lodouici, Regis Hung. praedecessoris sui bonae memoriae quae tenores literarum Serenissimarum Principum Caroli et Stephani, similiter Regum Hungariae continebant, quibus mediantibus idem Stephanus Rex, ciuibus populisque inhabitatoribus oppidi Zathmar concessit, vt dicti oppidani ejsdem libertatibus, quibus Albenses perfruere dinoscuntur, ipsi quoque ciues vti et frui possent; ita vt villicum, quem voluerint, inter se eligant, qui omnes causas maior'. et minores inter se exortas iudicare possit. Nec tributary aut aly officiales in Zathmar constituti, contra iustitiam eorundem possint molestare; sed siquid habuerint, cum eisdem coram villico oppidi more prosequatur. Qui si facere iustitiam negligeret, non ciuis, sed ipse villicus in praesentiam Regis citare deberet. Item nec officiales, nec aliqui aly extranei in tabernis vinum vendere possint, nec mercatores extranei pannos suos incidendo vendere valeant. Item Sacerdotem, quem voluerint, eligant, qui per Episcopum Dioecesanum per praesentationem eorumdem debeat confirmari, et ipsorum Ecclesia sit exempta a iurisdictione archidiaconi. Item ingruente necessitate ad exercitum regalem proficiscantur, cum sex loricatis, qui esse debeant sub vexillo regio, et cum Rex ad illos venerit, ciues ipsi procurationem eorum vnius tantum diei habeant, et non ultra. Praeterea, quod de ipsorum ciuis nullo in loco tributum soluere teneantur, et forum habeant liberum feriis sextis vt antea. Et insuper quaedam sylua eis per Comitem Woch de Vgocha iussu eiusdem Regis Stephani, ciuius prima meta est etc. Honoratis ciuibus, populisque et inhabitatoribus oppidi praedicti Zathmar has libertates, ipsorumque successoribus ac posteritatibus roberauit, et perpetuo valituras gratiose confirmauit. Saluis iuribus alenis.

Ex libro regio Kaprinay MSS. C. tomo XXVIII. p. 221 und 222. Vergl. Endlicher monu. Arpad. p. 505 etc. wo der Eingang und Schluss weggelassen ist.

V.

Privilegien der Städte Pesth und Ofen.

a) Bela's IV. goldene Bulle (1244) für Pesth.

In nomine sanctae trinitatis et individuae unitatis amen. Bela, dei gratia Hungariae, Dalmatiae, Croatiae, Ramae, Serviae, Galiciae, Lodomeriae Cumaniaeque rex in perpetuum, omnibus Christi fidelibus praesentem paginam inspecturis salutem in omnium salvatore. Cum in multitudine populorum regum ac principum gloria summopere attendatur, non immerito regalis decrevit sublimitas suos subditos provisionibus amplioribus ordinare, ut populus sibi serviendo fidelitate et numero augeatur. Ad universorum igitur notitiam praesentium ac posterorum harum tenore volumus pervenire, quod cum tempore persecutionis Tartarorum, quorum impetus et saevitia domino permittente grande dispendium intulit regno nostro, hospites nostri de Pesth privilegium super ipsorum libertate confectum et concessum amisissent; nos seriem libertatis memoratae, cum esset notoria, duximus renovandam et praesentibus annotandam, quae talis est; videlicet quod in expeditionem, in quam personaliter ibimus, debent nobis cum mittere decem milites decenter armatos. Item infra limites regni nostri ab omni tributo, salva tricesima et salvo jure ecclesie Budensis, quandum ad tributa de salibus exigenda, sint exemti. Item, de vineis eorum cibriones nullatenus exigantur. Item, nullus principum nostrorum violentum descensum facere possit super eos nec aliquid contra eorundem recipere voluntatem, sed descendens justo pretio sibi necessaria debeat comparare. Item, quod nullus hospes ex ipsis posessiones suas vel domos vendere valeat alicui extraneo, nisi in eadem villa volenti amodo habitare. Item, quicunque ex ipsis sine lege herede decesserit, posessiones dimittendi habeat facultatem, cui volet. Item, quicunque ex eis posessiones emerit, si per annum et diem nullus ipsum ruper hoc impetierit, de vetero eas sine contradictione aliqua possideat pacifice et quiete. Item, habeant liberam electionem plebani, quum eorum ecclesia vacaverit, nec plebanus vicarios constituat iis invitis. Item, ipsi majorem villae sibi eligant, quem volent, et nobis electum praesentent, qui omnes causas eorum mundanas debeat judicare; sed si per ipsam debita justitia alicui non fuerit exhibita, ipse villicus et non villa debeat conveniri coram nobis vel illo, cui duxerimus committendum. Item, vicepalatinus violenter descendere non possit super eos nec eosdem judicare. Item omnia, quae post recessum Tartarorum eis contulimus, possint sine contradictione qualibet possidere. Item, quicunque cum eis habitare voluerint, habendo ibi possessiones, cum iis teneantur servitia debita exercere. Item, duellum inter eos non judicetur, sed secundum qualitatem et quantitatem commissi, super quo quis impetitur, purgationem exhibeat congruentem. Item, cum impetiti fuerint per quempiam ab aliquo extraneo, non possint produci testes contra eos, nisi ex ipsis vel aliis habentibus consimilem libertatem. Item, tam terram Kuer[1]), quam eis de novo contulimus, quam alias, quas prius habuerunt, dividant in communi habita contemplatione facultatem cujuslibet, quantam possit facere araturam, ne terrae supra dictae incultae maneant et inanes. Item, naves et carina descendentes et ascendentes cum mercibus et currus apud eos descendant, et forum, sicut prius, habeant quotidianum. Item, minor Pesth ultra Danubium sita quantum ad naves ascendertes et descendentes et cibriones non solvendos consimili gaudeat libertate. Item, homo magistri tavernicorum nostrorum non debeat stare cum monetariis inter ipsos, sed unus ex ipsa villa fide dignus illis associetur, qui super receptione monetae regalis curam habeat pervigilem et undique diligentem. Ut autem hujus praenominatae libertatis series salva semper et inconcussa perseveret in posterum, nec aliquo successu temporum possit aliquatenus retractari, praesentem eis paginam duximus concedendam charactere bullae nostrae aureae perenniter roboratam, Verum quia exhibitio

---

[1]) Kuer, d. i. Kö-ér, Steinbruch.

privilegii ipsorum existens sub aurea bulla propter viarum discrimina esse periculosa videbatur, transscriptum ejusdem de verbo ad verbum sub munimine duplicis sigilli nostri concessims eam praesentibus fidem volentes adhiberi, ut ad exhibitionem illius nullatenus compellantur. Datum per manus venerabilis patris Benedicti, Colocensis archiepiscopi, aulae nostrae cancellarii venerabili patre Stephano, archiepiscopo Strigoniensi, Bartholomaeo Quinqueecclesiensi, Cleto Agriensi, Stephano Zagrabiensi, Blasio Chanadiensi, Artolfo Ultrasilvano, episcopis ecclesias dei salubriter gobernantibus, Vincentio in episcopum Varadiensem electo confirmato, Jaurinensi et Vezprimiensi sedibus vacantibus; Ladislao, palatino et comite Simegiensi, Dionysio, bano et duce totius Slavoniae, Matthaeo, magistro tavernicorum et comite Posoniensi, Demetrio, judice curiae et comite Mosoniensi, Laurentio, vaivoda Ultrasilvano, Rolando, magistro dapiferorum et comite Soproniensi, Mauritio, magistro pincernarum et comite Jaurinensi, Stephano, magistro agazonum et comite de Orbacz, Arnoldo, comite Nitriensi, Henrico, Terrei Castri, ac ceteris magistratus et comitatus regni nostri tenentibus, anno ab incarnatione domini millesimo, ducentesimo quadragesimo quarto regni autem nostri anno nono et octavo Kal. Decembris.

Abgedruckt in Kaprina Hung. diplom. I. p. 484 fg. Katona VI. p. 44 fg. Fejér cod. diplom. IV. I. 326 fg. (im Ofner Stadtrecht — von Andreas Michnai und Paul Liechner. Pressburg 1845 p. 239 etc.). Ueber den Namen **Pesth-Ofen**, das Verhältniss beider Städte und die Weise, wodurch das Pesther Privilegium für Ofen Geltung erhalten hatte, siehe II. Periode §. 90.

b) Bela's IV. Tarif der Marktabgaben im Pesther-Castell (Ofen) 1255.

Bela dei gracia Hungarie, Dalmacie, Croacie, Rame, Seruie, Gallicie, Lodomerie Cumanieque rex omnibus presencium inspectoribus salutem in omnium saluatore. De singulorum prouisione solliciti, circa personas domino deuote famulancium curam debemus impendere specialem, ut quod eternorum intuitu seminauerimus in terris, cum multiplicato fructu in celis, dante domino recipere ualeamus. proinde ad uniuersorum noticiam uolumus peruenire, quod nos **tributum fori**, siue solemnis, siue quotidiani, in **castro Pestensi**, nec non extra districtum eiusdem castri, **quod nobis prouenire solebat**, **monasterio sancte Marie de insula leporum**, **ad sustentacionem sororum**, iugiter ibidem deuote domino famulancium, pro **affectu donauimus** et contulimus perpetuo possidendum. quamobrem uolentes amputare omnem calumniam et sopire materiam iurgiorum, in tributis exigendis sive persoluendis, taliter duximus ordinandum et taxandum: Quod tributarii pro tempore constituti, modis et taxacionibus infra adnotatis iura triborum debeant exercere. Inprimis statuimus, quod currus panno oneratus, cum castrum intrauerit, tributarii ad hospicium mercatoris accedant et estiment pannum, et de panno ualente quinque marcas recipiant unum pondus. Item de curru onerato cum frugibus, qui intrat per portam, duos denarios. Item de quinquaginta salibus dimidium salem, et de decem salibus unum denarium, et sic ascendendo usque quadraginta. Item de curru cumulonis recipiant tres denarios. item de curru ferro onerato tres denarios. item de tunella uini, quod uenditur in foro, duo pondera. item de tunella uini, quod ponitur in cellario, duo pondera. item in curru, in quo extra castrum tres tunelle deferuntur tributarii dimidium fertonem, infra autem tria pondera. item de curru plumbi tria pondera. Item de curru, qui portat pelles ferinas, et intrat castrum, tributarii decedant ad hospicium mercatoris, secundum quod estimantur pelles, de quinque marcis recipiant unum pondus. similiter statuimus de cera. Currus magniqui portant pelles bouinas, statuimus ut soluant dimidium fertonem. item de pecia panni grisci duo denarii exigantur. item de brachiis, de pannis lineis duo denarii. Item tempore nouemonete, dum celebris est ipsa moneta, de mensura quatuor garlarum unum denarium recipiant. cum autem denarii incipient descendere, pro tribus gartis unum denarium. Item de uenditore equi duos denarios, similiter de emtore. item ab eo qui uendit pecudes unum denarium. item de tribus bouibus, qui emit uel uendit unum denarium. item de tribus porcis unum denarium, similiter et qui emit. Item de mensura cere non pure, quod uulgo masa dicitur, qui uendit duos denarios, similiter et qui emit. de mensura uero pure cere, qui uendit duos denarios, similiter et qui emit. item de mensura serei, quod uulgo masa dicitur, qui uendit unum denarium, similiter et qui emit. item de mensura plumbi, ferri, cupri supradicto modo tributum censum exigendum. Ceterum si mercator non deferret aliquas merces, nisi argentum, de quinque marcis debet soluere unum pondus, secundum quod in argento uel moneta habebit plus uel minus. si autem habere se negauerit argentum, purgabit se suo et sui hospitis sacramento. Item statuimus nominatim Strigonienses, Albenses, et breuiter omnes, qui ad forum mercandi causa uenerint, de mamonis suis in supradicto ad solucionem tributi teneantur. excipimus autem fabros nostros de Strigonio illos, qui tempore noue monete domi in frabica laborarunt, si cum uxore et familia sua in castro superius morabuntur. cum autem ab opere predicte monete fuerint expediti, statuimus, quod de mamonis suis tributum soluant sicut alii. Item censuimus, quicunque decimam episcopi Vesprimiensis eximit, siue decimator extiterit, eciamsi sit ciuis in castro Pestensi, si uinum in castrum detulerit causa vendendi, modo supradicto ad prestacionem tributi teneatur. Preterea ordinauimus, quod de carina frugum medium fertonem recipiunt tributarii, de simplici naue frugibus onerata unum pondus. item de curru magno piscium, quod uulgo masa dicitur, medium fertonem. item de strue lignerum, qui regitur per duos remos, duo pondera. et sic de strue lignorum adscendencium tributum persoluatur. item de curru ferri duos denarios. item currus herbarum unum denarium, item quilibet currus lignorum intrans castrum debet dimittere in porta unum lignum.

In cujus rei testimonium presentes literas concessimus, duplicis sigilli nostri munimine roboratas. Datum per manus magistri Smaragdi, aule nostre cancellarii, Albensis electi. Anno domini MCCLV. octauo Kal. Augusti. regni autem nostri anno uigesimo.

(Endl. Mon. Arpad. p. 493 nach Hevenensi's M. S., Fejérs Cod. dipl.)

c) Ladislaus, des Kumaner's, Freiheitsbrief 1276.

Insuper nos habito tractatu de consilio baronum nostrorum ex gratia consessimus speciali, ut, si qui ex ipsis habentes heredes vel proximos pro homicidio vel alio aequli excessu casuali, vel malefico vel quocunque nocumento grandi commisso pro devensione personae suae recesserint fugitive; de bonis et possessionibus talium nec per nos seu per barones nostros nec per judicem eorum aliquid auferatur, sed integra et salva apud uxorem seu heredes aut proximos eorum conservetur: ne possessionibus eorum receptis seu distractis ipsis fugitivis redeundi omnino spes tollatur, sed ut laesis satisfacere valeant de eisdem. Si vero heredibus aut proximis ipsi fugitivi caruerint, de possessionibus et bonis eorum cives laesis satisfacere teneantur secundum commissi qualitatem, residuum vero, si quid fuerit, ad opus castri Budensis expendatur. Si vero quispiam ex praedictis hospitibus nostris intestatus decesserit, possessiones et bona talium in tres partes dividantur, et una distribuatur per eleemosynas pro remedio anime decedentis duae partes ad munimenta et aedificia castri Budensis reserventur. Ad haec concessimus eisdem, ut non cogantur recipere aliquem judicem per nos datum, sed ex electione sua libera assumant in villicum, quem volent, prout in tenore privilegii avi nostri superius est expressum: qui quidem villicus in anni revolutione villicatum debeat in manus civium resignare. Ceterum ut iidem cives nostri ut merito sic numero augeantur, valeantque honestius et commodius sublimitati nostrae deservire, concessimus et concedimus, quod pro nullo gravi excessu eorum possessiones eorum alienentur per manus regias aut barones seu per judicem ipsorum, sed excedentibus inferatur debita poena in personis, hereditates vero seu possessiones ipsorum vel bona uxoribus, heredibus, proximis vel cognatis indemniter conserventur.

* (Fejér cod. dipl. VI. 2. 400 fg. Podhradczky Cuspin. pag. 60 fg. Abgedruckt im Ofner Stadtrecht von Andreas Michnai und Paul Lichner. Pressburg 1845. pag. 240.)

d) Ladislaus des Kumaner's Jahrmarktsprivilegium 1287.

Ladislaus dei gracia Hungarie, Seruie, Gallicie, Lodomerie, Cumanie, Bulgarieque rex. Omnibus Christi fidelibus tam presentibus, quam futuris, presentem litteram inspecturis, salutem in omnium saluatore. Quoniam regale culmen fastigii celsioris mortali, licet diuinitis sumpni potencia presegnitum, supra metas geny perelatum expergefactum, condicionis humane, parentes primi contagio libertatis a primeno nature tanquam beneficio manumisse, liberioris arbitrii feliciore sint antidoto, ad utrumlibet perstipatum perangariata iusticia necessitatis exigencia reuera produxit inortum fortitudini uirtuali, ast ea ipsa iudicia legitime prepolente prout teste iubetur apostolo. omnis anima sris principibus esse subjecta, et ducibus missis ab illis, nam precssendi, quam imo proficiendi pocius subiectis patrocinio diuinitus ad instar super celestis usie, prime et ultime, suis ordinibus et obsequiis, limitate expedensius mancipatis, quibus nature artificio doctioris eciam in sensu carentibus uerisimilia paradigmata concluduntur, dum in apibus unus princeps statuitur, qui mero prorsus imperio preditus, ceteris sui generis antefertur, uerum lauciore fortune aplausu diuini libra consilii cum singulis non competeret generum singillatim cum inter principem presidentem, et subiectos esse debeat distinctio personalis fulgencia regum euexit solia, certis commissa personis. realios suos in posteros propaganda, mirifico. gratificacionis sue modo, occulciore iudicio taliter in ipsorum regum, mundique principum diuersorum propaginem, peculiarius deriuata, quibus ipsis parciendam talentum iusticie autumpnandum fore creditur certa lege, ut bonos et fideles producciorem ad spem demulceat rediuina largicio premiorum; malos uero principalis dextre uibratilis suis compar demeritis ultor gladius persecatur. Hinc est, quod cum Budensium ciuium nostrorum uniuersitatis indefesse semper fidei uirore uiguerit illibate, regiis nosiris obsequiis studiosius obsecundausquam in ipsis elegancius augere cupimus: et intendi, uotiuis ipsorum beneplacitis principalis gracie munificenciis occurentes: nundinas, seu ferias ac congregacionem fori annui iniciandi per spacium octo dierum ante festum dedicacionis ecclesie beati Joannis euangeliste, quod dominico proximo subsequenti post festum natiuitatis uirginis gloriose assolet celebrari, nec non post ipsum dedicacionis diem, similiter ad octavam, concessimus perpetuo et irrefragabiliter obtinendam, annis singulis pacifice celebrandam, liberam omnino et exemptam a iurisdictione regni nostri Palatini; qui regia de gracia pro tempore fuerit illius in fascibus dignitatis, aliorumque omnium uniuersaliter nostrorum regni magnatum et baronum, et specialiter magistri Tauernicorum nostrorum, ac iudicis curie nostre imperiosa iurisdictione qualibet in eisdem sibi nundinis foro congregacione generali, seu feriis; prorsus per omnia denegata, ipsius tandummodo Budensis nostri castri iudicis potencie, seu iudicie reseruatam. De teulonio seu tributo tam per uias terrestres seu aquaticas accedentibus ultra citraque, uidelicet per uillam Pesth uenientibus, uel passim undecunque uel de quibuscunque regionibus, occurrerint ubicunque in territorio, seu metis ipsius ciuitatis ad congregacionem sepedictam, dictas nundinas, forum, generalem congregacionem seu ferias illas eis esse uolumus per omnia liberas, et ab omni exactione tributi exemptas, ut nichil ab ipsis penitus exigi ualeat census naui per quempiam uel imponi in ipsa duntaxat fori nundinalis area dum mercantur. Preterea uolumus, quod si que littere quovis modo habite et obtende contra eosdem ciues nostros et contra donacionem huiusmodi ipsis per nos factam per quempiam quouis tempore exhiberentur, casse sint et inanes et uiribus penitus cariture. Ut igitur huius nostre donacionis series robur obtineat perpetue firmitatis, nec processu temporum ualeat retractari, presentes ipsis fidelibus ciuibus nostris concessimus litteras dupplicis sigilli nostri munimine roboratas. Datum per manus discreti uiri, magistri Theodori, prepositi Scebeniensis, sancte Albensis ecclesie electi, aule nostre uicecancellarii, dilecti et fidelis nostri. Anno domini MCC octuagesimo septimo, nono Kalend. Julii, indictione quinta decima, regni autem nostri anno sedecimo.

Endlicher's Mon. Arpad. p. 603. Fejér cod. dipl. V. 3. 350 fg. Ofner Stadtrecht von Andreas Michnai und Paul Liechner, Pressburg 1845 p. 240 etc. Mit Weglassung des

Einganges. — Vergl. die Satzungen in diesem Stadtrecht S. 60—125 von der Kaufleute und Handwerker Rechten und Niederlage aller Kaufmannsschätze nach Anweisung der goldenen Bulle und anderer Handfesten; dann die S. 204—218 enthaltenen auf den Handel bezüglichen Vorschriften und Rechtsgewohnheiten.

e) Sigmund's Privilegium 1403.

Nos Sigismundus, dei gratia rex Hungariae, Dalmatiae, Croatiae etc. marchioque Brandenburg etc. sacri Romani imperii vicarius generalis et regni Bohemiae gubernator, memoriae commendamus harum serie significantes, quibus expedit, universis, quod prudentes et sapientes viri, judex et jurati cives et alii consiliarii antiqui consilii civitatis nostrae novae Montis Pesthiensis seu Budensis suis nec non omnium civium, hospitum et incolarum civitatis ejusdem rempublicam et commune bonum in eadem affectantium personis nostrum ad entes conspectum nostrae querulose curarunt significari majestati, quod libertates eorum institutae per serenissimos principes, reges Hungarie, scilicet nostros praedecessores divae reminiscentiae, eis gratiose concessae per aliquos ex eis ulciscentes aliqui iram ipsorum aliquando concipientes etiam dolosa et odiosa consilia ac magna excogitata versutia et in publicum producta in multis articulis forent negligenter imminutae et parviatae, nosque superinde ipsi judex et jurati multoties et universitas dictae civitatis precibus et instantia debita pulsaverunt, ut super informatione civitatis et regulatione nonnullarum iniquarum consvetudinum noviter inter eos per quosdam ipsa vitia sectantes et rempublicam impugnare non verentes regaliter intendere et providere dignaremur. (Nos igitur) dante domino subditorum et praesertim salubribus eorum votis, ex quibus commune bonum et regni statum pacificum singularumque personarum utilitatem speramus indubie resultare, maxime quia inter ipsos cives civitatis nostrae novae Montis Pesthiensis seu Budensis occasione hac jam saepius ad distrusionem (disturbiorum) rancorem, odiorum et damnorum amaritudines non modicas est processum, quod, ut regia (majestas) ex eo honoretur, status civitatis conservetur, utilitas reipublicae augeatur, pax, unio et gaudium observetur, cautius convenit evitare. Ad haec (itaque) aciem nostrae considerationis converteutes universas et quaslibet libertates et libertatum praerogativas a divis regibus Hungariae, nostris scilicet praedecessoribus, memoratae civitati et civibus ac inhabitatoribus factas, datas et concessas eisdem valere et firmiter stare volentes alia ad statum dictae civitatis conservandum, informandum et augmentandum pertinentiae superaddendo praelatorum, baronum, magnatum, procerum et nobilium regni nostri infra declarandorum et aliorum quam plurimorum lateri nostro assistentium digesto consilio et maturo superinde deliberatione cum eisdem praehabita salubrius ordinamus in hunc modum. Et primo, quod nullus judex vel juratus civis inter eos eligatur et fieri possit, nisi sit possessionatus inter eos, et si non, ex tunc talem fideiussoriam det cautionem, de qua regia majestas vel magister tavernicorum nostrorum aut castelanus Budensis possit et valeat contentari. Nullus etiam ex communitate tempore electionis judicis et juratorum inibi debebit accedere armatus; quod si fecerit, poenae amputationis unius manus, si vero ibidem rixas facto vel ope inchoaverit, poena capitis subjacebit. Nec alius ipsorum civium civile consortium, nisi sit paterfamilias, bonae conditionis et famae laudabilis habensque domum aut aliquas hereditates, assumatur, haereditatibus autem carens fideiussoriam praestet cautionem, ut cum ipsis civibus per annum constanter maneat regiae serenitati fideliter serviturus. Judex quoque et jurati per cives electi regiae majestati vel magistro tavernicorum aut castellano castri Budensis debeant in signum demonstrandae majoris fidelitatis praesentari. Praeterea omnino volumus, et ex intentione stabilimus, ut communitas nullo unquam tempore quacunque de causa et pro quovis facto salvo mandato regis aut magistri tavernicorum vel castellani castri Budensis in hoc remanente absque scitu et voluntate judicis et juratorum possit et debeat congregari; quod si quis fecerit et contra hoc attentare praesumserit, in centum marcis puri et fini argenti camerae regiae irremissibiliter applicandis eo facto convincatur. Nullus denique in casum quemvis vel eventum in taberna aut in plateis, locis latentibus, aut obscuris seu etiam patentibus occulta aut manifesta consilia citra, extra et contra consilium judicis et juratorum sub poena centum marcarum denariorum per regiam majestatem plenarie super et contra hoc praesumentem seu praesumentes extorquendarum facere audeat aut praesumat. Demum homines impossessionatos . . . judicis et juratorum vacare et actu carere volumus et stabilimus. Volumus insuper et praesenti voluntate declaramus (ut), ultra duodecim juratos, quos de jure in dicta ciuitate nostra Budensi annuatim eligere consveverunt, viginti quatuor supra illos duodecim novissime eligi incepti et inchoati per aliquos . . . conditionis homines ulterius nullatenus eligantur. Praeterea taxam, si quam regiam majestatem et etiam civitatem pro se causa necessitatis aut utilitatis ultra collectam a dicta ciuitate regi annuatim provenientem quavis de causa aut ratione per ipsam civitatem imponi contigerit ex tunc huiusmodi taxa per probos et idoneos viros ad hoc per communitatem eligendos taxetur et exigatur, exactaque juratis assignetur per ipsos juratos curiae regiae assignanda vel pro necessitate aut utilitate civitatis exponenda; et de ea singulis annis ante festum sancti Georgii in depositione officiorum eorundem mediante expeditione curiae et aliis sufficientibus documentis rationem dare et assignare tenebuntur. Et ut omnium praemissorum series vim obtineat perpetuae firmitatis, praesentes literas nostras patentes secreto sigillo nostro consignatas cum insertione praelatorum, baronum regnique procerum tempore huiusmodi dispositionis, limitationis et regulationis nec non libertatum supperadditionis nostro lateri assistentium eisdem civibus duximus concedendas. Nomina autem praelatorum, baronum et procerum, de quibus supra fit mentio, sunt ista: primo reverendissimi patres dominus Valentinus cardinalis Quinqueecclesiensis, Andreas archiepiscopus Spalatensis, Joannes episcopus Jaurinensis; Nicolaus de Marchal et alter Nicolaus de Chaak, pridem vaivodae Transilvani, Stephanus de Kanisa, pridem magister janitorum, Jacobus filius Laczk, Vaivoda Transilvanus, comes Carolus de Corbavia, castellanus castri Visegradensis, et Zaoeltus de Kassis, castellanus castri Budensis, et praesentibus aliis compluribus regni nostri proceribus, militibus, regni nostri comitatus tenentibus et honores. Datum Budae die dominico proximo post festum conceptionis B. M. V. anno domini millesimo quadringentesimo tertio.

Fejér cod. diplom. X. 4. 237. fg. Ofner Stadtrecht von Andreas Miechnai und Paul Liechner, Pressburg 1845, pag. 241. etc.

VI.

Bela's Privilegium für Karpfen vom Jahre 1244.

„Bela, Dei gratia, Hungariae, Dalmatiae, Croatiae, Ramae, Seruiae, Galliciae, Lodomeriae, Cumaniaeque Rex, Universis Christi fidelibus, praesentium nostrarum notitiam habituris, salutem in eo, qui regibus dat salutem. Ex suscepti regiminis officio tenemur jura et libertates nostrorum fidelium obumbrantibus auctoritatis nostrae scapulis conseruare, ut peccatis exigentibus dissipatae, succurente coelesti opifice, restaurentur. Proinde ad universorum tam praesentium, quam posterorum, notitiam harum serie volumus pervenire, quod fidelium hospitum nostrorum de Karpona supplicantium nobis, ut privilegium ipsorum, tempore Tartarorum amissum, eis iterato condi juberemus; jura et libertates in certam formam redigi praecepimus praesentibus annotatam. Dictis siquidem hospitibus congregatis, ac etiam congregandis, de benignitate regia concessimus: quod presbiterum sibi ipsi eligant, quem voluerint, nec ad receptionem alicujus presbiteri compellantur, dum tamen in hoc nulli praejudicium generetur. Item quod judicem de Villa eadem, quemcumque voluerint, libere sibi assumant, quem confirmandum nobis praesentent, et quod annuatim possint illum renovare; sed, si ante anni complementum, culpis exigentibus, suum judicem voluerint amovere, excessu ejus coram posito, nos requirant. Item, quod nullius judicis, neque Comitis de Zolum, nec alterius judicio adstare teneantur, praeter suum judicem specialem, qui tam in causa sanquinis, quam vero in aliis causis ipsorum debeat judicare, nisi forte adeo ardua et notoria sit causa, quod nostram audientiam requirat: in quibus casibus ad nostri judicii examen causa debeat deferri; et quod duellum non judicetur inter ipsos, sed super juramento duodecim hominum majorum ex ipsis etiam magnae causae decidantur, nisi forte ex sui arduitate, vel etiam notoria fuerint, ad nos, ut praediximus, devoluantur. Item quod ligna et lapides intra metas terrae suae libere et absque alicujus contradictione possint succidere et secare. Item quod ob omni tributo regali, praeterquam in confiniis, sint liberi penitus, et immunes. Item quod comes de Zolyum, vel curialis comes, non possint violenter descendere super ipsos, vel in domo alicujus ipsorum tamquam super ipsorum consuetudinem exercendo, sed petendo, de voluntate ipsorum, condescendere poterunt, omnia necessaria justo ab eis pretio comparando. Item quod testimonium Hungarorum tantum contra ipsos non admittatur, sed mox totum cum Saxonibus seu Teutonibus vigorem obtineat, prout decet. Item quod domos vacuas defunctorum, quarum legitimi successores post trinam proclamationem in eas venire neglexerint, facultatem habeant aliis supervenientibus conferendi. Item terram Pomagh, vicinam eis et commetaneam; exemtam a Castro Huntensi eis, ut melius congregentur, dedimus perpetuo possidendam, terrae ipsorum antiquis metis circumcinctae, eam de benignitate regia conjungendo, et terram monasterii de Bosok nomine Brechina per cambium, sive per emtionem, sicut poterimus, dabimus eisdem. Ipsi vero juxta possibilitatem suam, videlicet secundum quod commode potuerint, inspecta multitudine et facultatibus ipsorum, tenebuntur nos, quum expedierit, procurare et seruire nobis in exercitu nostro. Verum tamen quinque annorum, ne intra eorum spatium ad exercitum veniant, eis ex libertate regia indulgemus. Datum apud Kurpuna anno Domini incarnati millesimo ducentesimo, quadragesimo quarto. Kal. Jan. regni autem nostri anno decimo.

(Fejérs Cod. dipl. IV. I. p. 329; vgl. V. II. 199). Dieses Privilegium war das Muster für viele Bergstädte u. a. deutsche Orte, z. B. für Lipse (im Sohler Komitat), für Loppena, Topschau, Prividgye und für die meisten Krikehayer Colonien. Das Sohler und Schemnitzer Privilegium stimmen damit in den Grundlagen überein, vergl. §. 75—78 u. §. 81 u. 82 der II. Periode.

VII.

Stephan's, Erzbischof von Gran, Freiheiten für die Bewohner von Keresztur 1246.

Stephanus archiepiscopus Strigoniensis incolis oppidi keresztur has dedit libertates: nimirum quod hospitibus, qui ad terram sancte crucis in Susal uenire uoluerint, tam sibi quam comiti suo per triennium non soluant. libertatem autem tam presentibus quam futuris talem concessit: Decimas suas dimittent in campo more Teutonicorum. Item de uno aratro soluent comiti suo unum fertonem. hi qui sunt sine aratro, et in domibus aliorum, soluent unum pondus et dimidium hospiti suo. Item femine ad multas causas legitimas admittuntur, excepta causa furti. Cum uicini ad purgacionem faciendam non ueniunt, tunc mulier admittitur ad faciendam purgacionem cum iuramento. et si iurauerit soluet sacerdoti duodecim denarios, si non iuret, soluet majori uille. Item in omnibus causis pecuniariis, preter uindictam sanguinis, pro multa debent dare sexaginta denarios. in criminalibus causis puniuntur more hungarico. Item de rebus morientis sine herede comes accipiat unam, quam uoluerit. de ceteris moriens disponet pro sua uoluntate. si uero intestatus decedit, deuoluantur bona sua ad uxorem uel ad filiam suam, si habet, saluo tamen iure comitis sui, ut predictum est. de ceteris disponat sicut uoluerit. Item pro homicidio uel aliquo alio maleficio mariti, si maritus fugiat, uxor non damnatur, sed cum omnibus bonis suis libere in domo sua permanebit. Item comes ipsorum eos inuitos ad dicendum testimonium non mittet nec compellet. Item si quispiam recedere uoluerit, datis duodecim denariis libere recedet, et poterit domos suas et alia bona, que habebit, hominibus de eadem uilla uendere, sed destruere non audeat nec transferre. Item comiti debent dare pro descensu semel in anno dimidiam marcam, et uicecomiti dimidium fertonem. Item in causis que in uilla ipsorum oriuntur, testes extranei contra eos non admittuntur atque duo uel saltem unus de eadem uilla producantur. Item maiorem uille ex se eligent quem uoluerint, et electum nobis presentabunt ad probandum, qui causas usque marcam inter ipsos iudicabit. Maiores uero causas, scilicet sanguinis, uel ultra marcam iudicabit comes cum uillico et aliis maioribus de uilla. sed si maiorem uille pro suis excessibus remouere uoluerint, de nostra consciencia remouebunt. Item prestaldus in maioribus et minoribus causis non debet plus habere, nisi quadraginta denarios. et fures ipse prestaldus detinebit usque ad decisionem cause sue. Item postquam ipsi deo uolente multiplicati fuerint, et nos illic uenire contigerit, nobis delicias facere tenebuntur. Ut autem premisso libertatis series firma sit et stabilis, presentes dedimus literas sigilli nostri munimine roboratas. Datum anno gracie M. CCXLVI. pridie Nonas Februarii.

(Endlicher Mon. Arpad. p. 469 e tabulario Strigoniensi.)

VIII.

Stephan's V. grosser Freiheitsbrief für die Zipser Sachsen 1271.

Stephanus, dei gratia Hungariae, Dalmatiae, Croatiae, Ramae, Serviae, Galiciae, Lodomeriae, Cumaniae, Bulgariaeque rex, omnibus tam praesentibus, quam futuris praesentem paginam inspecturis salutem in omnium salvatore. Regiae sublimitatis immensitas, cujus est in subjectorum opulentia et populi multitudine gloriari, solet suorum formam libertatis subditorum et solutionum ac servitiorum meritum sive modum misericorditer moderari, ut populis certa lege fruentibus eorum numerus augeatur. Proinde ad universorum notitiam harum serie volumus pervenire, quod, cum per transitum domini Belae, illustris regis Hungariae, patris nostri carissimi felicis recordationis ad nos regni gubernaculum devenisset jure successorio seu ordine geniturae, placuit nobis inter caetera libertatem fidelium nostrorum hospitum Saxonum de Scepus gratiosius reformare, concedentes eisdem hunc statum et gratiam libertatis, quod nobis ratione terragii singulis annis trecentas marcas fini argenti cum pondere Budensi in festo b. Martini confessoris solvere teneantur, quibus solutis ab omnibus exactionibus et collectis, dicis et victualibus, quae in regno nostro exigi contigit, sint liberi penitus et exemti. Deinde cum nos in regno nostro, vel extra regnum exercituare vel militiam exercere coegerit temporis necessitas, ut parati cum quinquaginta viris armatis lanceatis venire teneantur sub vexillo regis viriliter pugnaturi. Cum autem nos provinciam intrare acciderit, quotiescunque cum baronibus nostris et nostra militia veniemus, ipsi hospites nostri nobis introitum dare tenebuntur opulentum et similiter in egressu decessum delicatum nostrae celsitudini competentem. Et quia crebrius in conflictibus nostris sanguinem suum uberius effuderunt nostrae majestatis regiae in conspectu, hanc eisdem gratiam et libertatem duximus concedendam, quod liberam habeant licentiae facultatem inter se comitem vel judicem, quemcunque voluerint, eligendi, qui una cum comite (de Scepus) pro tempore constituto omnes causas inter ipsos emergentes judicabit in Leucha, civitate provinciae capitali, juxta jus et consvetudines provinciae approbatas; de poenis vero seu mulctis seu birsagiis de causis majoribus provenientibus comes pro tempore constitutus duos recipiet denarios comiti provinciae tertio denario remanente, hoc expresso quod de simplici vulnere, quod non transit in mutilationem, cedit media marca de mutilatione quinque marcae, de fissura similiter quinque marcae, de caede vero cedent decem marcae, causas vero minores pro pecunia vel hereditatibus comes provinciae per se judicabit. Concessimus etiam eisdem liberam licentiae facultatem sacerdotes, quoscunque decreverint, in suas ecclesias eligendi, qui de ubertate nostrae gratiae liberis decimis jugibus temporibus potientur ad omnipotentis gloriam et honorem. Volumus etiam, quod nullus comitum pro tempore constitutorum ipsos contra libertates eisdem concessas molestare audeat vel praesumat. Insuper de praerogativa speciali hanc ipsis dedimus libertatem, quod per nullius conditionis, status aut ordinis hominem possint ad nostri praesentiam extra provinciam evocari vel citari, maxime, quia homines sunt simplices et in jure nobilium nequeunt conversari, agriculturis et laboribus intenti proprio jure et lege speciali perfruuntur, verum omnes causae pro possessionibus et hereditatibus, metis et limitibus, facultatibus et mortibus seu quibuscunque casibus per comitem pro tempore constitutum et comitem provinciae terraneis mediantibus judicabuntur in loco superius memorato secundum formam juris. Deinde singulis annis in ramis palmarum monetam nostrae camerae regiae cum omni reverentia suscipere tenebuntur et solenniter permittere currere, secundum jus. vigorem et lucrum camerae regiae cambire universaliter tenebuntur, ita, quod comes camerae vel sui officiales, quos ad hoc deputaverit, altero dimidio mense sive sex hebdomadis plenam habeant potestatem cambiendi, jus et lucrum camerae prosequendi; de qualibet marca in cujuslibet fori vel emtionis titulo recipient unum pondus. Volumus etiam monetam quintae esse combustionis. Finito autem tempore sex hebdomadarum expresso superius comites camerae surgent de cambio cessante omni vigore eorundem; ipsa moneta nihilominus curret per totum annum usque ad revolutionem novae monetae, quod quilibet habeat liberam licentiam emendi, vendendi cum ipsa moneta, cum auro et argento vel cujuscunque substantiae, facultatis. Nec praetermisso, quod saepe dictis hospitibus nostris fidelibus in aquis piscandi, in campis, in silvis venandi plenam concessimus libertatem. Volumus insuper, quod in metis et limitibus, silvis et nemoribus per nullius conditionis hominem impediantur vel graventur, verum ipsi larga potiantur licentia silvas exstirpandi et in terram arabilem redigendi suisque usibus applicandi. Cum autem collectores terragii nostri certo tempore praescripto ad ipsos pervenient, tenebuntur eos suscipere honorifice et gratanter in certo numero quatuor personarum et quinque equorum, quibus in victualibus et in delitiis lautius providebunt, donec summa tercentarum marcarum cum pondere praenotato integraliter colligatur. Postremo ipsis petentibus hanc concessimus gratiam, quaerendi mineras et metalla in montanis, invento tollere et suis usibus applicare salvo jure nostro dedimus potestatem. Ut igitur hujus a nobis concessae libertatis series robur obtineat firmitatis perpetuae, nec per quempiam processu temporis retractari valeat aut in irritum quomodolibet revocari, praesentes concessimus literas duplicis sigilli nostri munimine roboratas. Datum per manus magistri Benedicti, Orodiensis ecclesiae praepositi, aulae nostrae vicecancellarii, dilecti et fidelis nostri anno domini millesimo ducentesimo septuagesimo primo, octavo Kal. Decembris indictione decima quarta, regni autem nostri secundo.

Die Urkunde ist gedruckt bei Wagner: Analecta Scepusii I. p. 189 in Fejér's Cod. dipl. V. I. p. 132. im Ofner Stadtrecht S. 237 etc. Karl Robert bestätigte dreimal mit mehreren Zusätzen obige Freiheiten und zwar von 1312 und 1328 in deutscher Sprache (Wagner a. a. O. p. 196, Hormayr's Taschenbuch 1827, S. 333 etc., Fejér's Cod. dipl. VIII. I. 435 etc.), im Jahre 1317 aber lateinisch. — Auch Ludwig der Grosse stellte (1347) eine Bestätigungsurkunde in deutscher Sprache aus (Fejér's Cod. dipl. IX. I. 470 etc.).

IX.

Andreas III. Freiheitsbrief für Pressburg vom Jahre 1291.

(Nach dem im städtischen Archive befindlichen Originale.)

Andreas, dei gracie Hungarie, Dalmacie, Croacie, Rame, Servie, Gallicie, Lodomerie, Comanie, Bulgarieque rex. Omnibus Christi fidelibus presentes literas inspecturis salutem in omnium saluatore. Regie Sublimitatis immensitas, cujus est in subiectorum et populorum multitudine gloriari, solet suorum formam libertatis subiectorum et solucionum numerum misericorditer moderari, vt numerus populorum eius augeatur fruencium certa lege. Proinde ad vniuersorum noticiam harum serie volumus peruenire, quod cum Hospites nostri de Ciuitate Posoniensi per seuiciam seu furiam Teutonicorum tempore guerre inter dominum regem

Lad. fratrem nostrum patruelem, et regem Boemorum habite nec non per Albertum, ducem Austrie et Stirie, dispersi extitissent, et in combustione domorum suarum ac in amissione aliorum bonorum suorum magnum dampnum perpessi fuissent, ipsorum congregacioni inuigilare cupientes, vt congregati valeant commorari et congregandi securitatem omnimodam habeant veniendi, hanc ex regia liberalitate et munificencia statuimus libertatem, et graciam eisdem duximus faciendam. Quod infra Spacium Annorum decem a data presencium de Sol . . . Transactis autem ipsis decem annis in quolibet anno, in festo videlicet sancti Georgy martyris, non nisi tria pondera racione terragy de qualibet mansione soluere teneantur. Preterea concessimus, quod racione sylue uel lignorum aut quorumlibet edificiorum Comiti Venatorum, pro temporis spacio nullum debitum et nullam solucionem dare debeant. Celerum volumus, quod de Tabernis cuiuslibet potus Curiali camere . . . nullum tributum nullamque exaccionem dare teneantur. Item, Villicum sev Judicem inter se a festo sancti Georgy Martyris vsque anni revolucionem duraturum eligent, quem voluerint, de communi, qui omnes causas ipsorum et eciam extraneorum exortas inter ipsos ut intra metas Ciuitatis more Hospitum aliorum cum duodecim Juratis conciuibus suis possint iudicare. Ordinauimus eciam et concessimus, vt de vineis ipsorum antiquis et de nouo plantatis uel plantandis nullum debitum, scilicet nec acones, qui vulgariter chybriones dicuntur, uel aliquam aliam exaccionem vllo unquam tempore dare et soluere teneantur. Concessimus insuper eisdem portum in Chollokwz transeundi infra Ciuitatem Posoniensem in capite fluuii Chollo existentem, ubi terra ab utraque parte ipsius fluuii pertinet ad eandem Ciuitatem nostram cum vtilitate ipsius portus perpetuo possidendum ita, quod naves et nautas in ipso fluuio pro suo commodo, quos voluerint, conservandi et tenendi liberam habeant facultatem. Statuimus insuper, vt, cum iidem Hospites nostri cum suis mercibus uel Curribus vbicunque in regno nostro causa mercandi voluerint proficisci, nec de mercibus nec de equis uel personis eorum cum mercibus et sine mercibus euntibus et redeuntibus nullum tributum nullamque exaccionem, videlicet in portu Posoniensi, si versus Haimburgam, in portu Chollo, in Seculeus et in transitu fluuii Morawa et in aliis locis quibuscunque in Comitatu Posoniensi et alias, vbi tributum exigi consueuit, soluere teneantur. Item volumus, vt de hominibus ad Ciuitatem eandem causa commorandi de quibuslibet uillis uel Ciuitatibus venientibus uel se transferentibus nullum tributum in veniendo exigatur. Item si aliquis de ipsa Ciuitate aut de suburbiis Ciuitatis documentum inferret in provincia, et posset venire super metas terre Ciuitatis eorundem; ipsum iudicabit Judex et duodecim Jurati eiusdem Ciuitatis, cum actor forum rei sequi debeat, nisi causa exorta fuerit in eadem Ciuitate vel in suburbio ipsius Ciuitatis. Item statuimus, quod contra ipsos ciues nostros testes extranei uniuersaliter produci non possint, nisi duo uel tres intersint de eadem Ciuitate uel de aliis Ciuitatibus sev uillis eandem habentibus libertatem. Item, si qui excessus emerserint uel inciderint de eadem Ciuitate uel pertinenciis ejusdem Ciuitatis, continuus Judex et Jurati secundum morem consuetum et solitum iusticiam faciant conquerenti, prout consuetudo Ciuitatis et libertas exigit eorundem. Si vero Judex ipsorum Jurati uel ciues in reddenda iusticia defecerint, non partes, sed Judex et Jurati, si inter se ad faciendam iusticiam partibus conuenire non poterunt, ad nostram presenciam euocentur. Item, si aliquis de quacunque uilla in Ciuitatem Posoniensem causa commorandi venire voluerit, dominus ipsius uillae seu possessionis ipsum impedire non presumat, sed cum omnibus bonis suis eundem libere abire permittat iusto tamen et consueto terragio domino terre persoluto. Item, Judei in ipso Ciuitate constituti habeant eandem libertatem, quam et ipsi Ciues, Saluo iure Archyepiscopi Strigoniensis et Prepositi Posoniensis remanente. Item, Monetarios nostros precedat homo Judicis de ipsa Ciuitate, qui eam faciet celebriter acceptari exclusa potestate Comitis Parrochialis de ipsa nostra Ciuitate. Item, decimas frugum persoluant more Teotonico, prout Hospites aliarum

Ciuitatum dare et soluere consueuerunt, sicut eciam hactenus extitit obseruatum. Si qui autem in eadem Ciuitate residere voluerint permaneant et fruantur eadem libertate, qua alii Ciues de ipsa Ciuitate perfruuntur. Sed si qui in eadem residentes se de libertate Ciuium nostrorum predictorum pretextu Seruicii uel occasionis alterius alicuius eximere vel retrahere voluerint, Judex et Jurati ac Ciues ipsos habeant excludendi facultatem, preter Canonicos et Sacerdotes in ipsa Ciuitate existentes. Item, piscatores eandem habeant libertatem, qua primitus sunt gavisi, istam videlicet, quod de captis vsonibus et piscibus sub glacie comprehensis et aliis piscibus captis in reti, quod protenditur in profundum, terciam partem Comiti Posoniensi persoluant piscatores in eadem Civitate constituti. Nichilominus iidem piscatores singuli et universi cum Ciuibus Posoniensibus in aliis exaccionibus et libertatibus congaudebunt. Item, nec per nos nec per Barones nostros super ipsos Hospites nostros de Posonio descensum fieri volumus violentum. Item volumus, quod iidem Hospites nostri iudicio Palatinatus in nullo astare teneantur. Item concessimus, quod omnes mercatores pannorum, Boum et piscium de quibuscunque Regnis uel locis ad ipsam Ciuitatem venientes descendant in eadem mercimonia sua libere et secure uendicioni exponendo. Et hec omnia propter augmentum Hospitum nostrorum predictorum et municionem ipsius Ciuitatis nostre de gracia concessimus speciali. In cujus rei memoriam perpetuamque firmitatem presentes concessimus litteras dupplicis Sigilli nostri munimine roboratas. Datum per manus discreti viri, magistri Theodori, Prepositi ecclesie Albensis, aule nostre vicecancellary dilecti et fidelis nostri Anno Domini Millesimo Ducentesimo Nouagesimo Primo. Quarto Non. Decembr. Indiccione Quarta, Regni autem nostri Anno Secundo..

Die oben mit durchschossenen Lettern gedruckten Worte sind in der Original-Urkunde unlesbar, und aus Karl Robert's Bestätigungs-Diplome vom Jahre 1313 ergänzt. Ein correcter aus dem Originale entnommener Abdruck dieses Privilegiums — doch ohne Hervorhebung der gemachten Ergänzungen — befindet sich im Ofner Stadtrecht von A. Michnay und P. Lichner. Pressburg 1845. p. 246 etc. — Der Abdruck in Fejér's Cod. dipl. VI. I. 107 etc. ist aus späteren Transumten entlehnt. — Auch eine 1323 gemachte deutsche Uebersetzung dieses Privilegiums Andreanum befindet sich im städtischen Archive zu Pressburg und ist gedruckt in Fejér's Cod. dipl. VIII. III. 297 etc. — Weitere Bestätigungen erfolgten von Mathias Corvinus (1464) sub bulla aurea, von Wadislaw II. (1498). etc.

X.

Privilegien der Stadt Güns.

a) König Karl's I. Freiheitsbrief für Güns vom Jahre 1328.

Carolus, Dei gratia Hungariae, Dalmatiae, Croatiae, Ramae, Seruiae, Galliciae, Lodomeriae, Cumaniae Bulgariaeque Rex, Princeps Salernitanus et honoris ac montis Sti Angeli Dominus. Omnibus Christi fidelibus, praesentibus et futuris, praesentium notitiam habituris, salutem in omnium saluatore. Fauorabilis supplicantium petitio plenum debet consequi effectum, vt dum ea, quae postulant, promerentur, ad fidelitatis opera exercenda magis eorum devotio accendatur. Proinde ad universorum notitiam harum serie volumus peruenire; quod accedentes nostram Praesentiam fideles Hospites seu Ciues nostri de Keöszegh nostro Culmini humiliter supplicarunt, ut ipsis easdem Libertates, sub quibus ipsam Ciuitatem olim Herricus Banus, et Joannes Palatinus Filius suus construxerunt et fundaverunt, siue statuerunt, concedere, et nostro priuilegio confirmare de benignitate Regia dignaremur, Nos itaque, qui ex debito Regiminis nostri condignas subditorum preces admittere et exaudire debemus, tamquam Diuina favente gratia omnibus superexcellentes, et nichillo indigentes, ea semper conferimus et intendimus, quae nostris sunt subditis utilia, non quae nobis, precibus eorumdem Ciuium nostrorum benignius inclinati, praemissas Libertates prout ex Litteris Nicolai, Filii Gregorii, nepotis dicti Joannis Palatini, collegimus, eis duximus annuendum et concedendum, praesenti nostro Priuilegio confirmantes, quod videlicet ab omni dono, seu censu statuto, qui vulgariter Ruga vocatur, liberi sint, nec ab ipsis aliquid postuletur, nisi quantum eorum voluntas voluerit, poterit etiam et facultas. Item concedimus praedictis nostris Ciuibus de Keöszegh, ut omnes causas tam majores quam minores, tam super effusione sanquinis, quam homicidii inter ipsos emergentes, ipsorum pro tempore constitutus judex, quem iidem Cives communiter singulis annis eligere decreuerint, judicet et decernat. Item si aliquis ipsorum a Ciuitate nostra antedicta recedere voluerit, saluis rebus omnibus et persona, justo Terragio persoluto venditis domibus recedere poterit de eadem. Item volumus, ut Ciues nostri memorati de qualibet capetia frugum decem denarios tantummodo soluere teneantur. Concedimus etiam et volumus, vt Decimae vini de Torculari, tempore vindemiae cum musto exigantur, vel denarii pro ipsis decimis vini persoluantur eodem modo, sicut mustum tempore vindemiae comparatur, vel fundatur dicta Decima vini in dolium cum mosto, ibique stare permittatur, quousque Decimatores recipiant, et hoc, si ipsi Decimatores primo in recipiendo fuerint negligentes. Adiungimus etiam quod quicunque nobiles de rouincia circumquaque, nostram Ciuitatem intrare voluerit, ibique actualiter permanere, eo jure, quo nostri Ciues utuntur, frui debeat et gaudere; nec non Possessiones ipsorum, si quas habuerint, Prouentus et utilitates ad Ciuitatem nostram ipsis poterunt libere, quo voluerint deportare. Insuper volumus et admittimus, ut quandocunque inter nostros Ciues lis in Sententia aliqua in ordine Judicii oriatur, si duodecim Jurati inter se pro eadem sententia non valeant concordare, extunc ipsa sententia deferri debet in Sopronium, et Ciues ibidem eam decernere poterunt, secundum quod Juris fuerit, et expediens ac honestum. Praeterea promittimus fide nostra debita firmiter et constanter, quod universos nostros Ciues de Keöszegh in omni eo jure, quo Ciues utuntur in Sopronio, volumus conseruare, augmentando ea jura potius, et nullatenus minuendo. Prae his omnibus volumus, ut si qui Ciuium nostrorum in Civitate nostra, vt supra diximus, recedere voluerint, saluis rebus et personis venditis domibus, solutis duodecim denariis tamtummodo de domo integra, recedere poterunt ab eadem, vineae etiam cum venduntur, de integra videlicet duodecim etiam denarii persoluantur, et hi denarii tam de domibus, quam vineis debent ad vsus Judicis pertinere. Item volumus, ne ab aliquo nostrorum Ciuium aliquo tempore tributum aliquod exigatur, nisi secundum antiquam consuetudinem. Item volumus, vt quandocunque litis sententia inter nostros Ciues ventilatur, et si ex duodecim Juratis septem concordaverint vel plures, quinque alii non consenserint, extunc maiori parti consentiendum, illis septem videlicet, et non his quinque, et extunc sententia eadem non debet alias, sed secundum arbitrium septem Juratorum finaliter terminari. Volumus etiam, ut nostri praedicti Ciues exemti sint in decimis porcorum, ne unquam Decimae porcorum dicentur super ipsos. Statuimus etiam, ut quod Ciues dictae Ciuitatis collectam, eis pro tempore impositam, vel emergentem, sic communiter persoluant juxta uniuscujusque exigentiam facultatis, quod nullus habitatorum dictae Ciuitatis a solutione huiusmodi collectae, praetextu cujuscunque libertatis vel Exemtionis retrahere se possit. Item statuimus Plebanum siue Sacerdotem, aut etiam Judicem Ciues de communi voluntate et Consensu eligant, nec volumus, quod aliquis Castellanus vel nobilis in praejudicium Communitatis Ciuium in Electione Plebani vel Judicis aliquatenus se intromittat. Ceterum cognoscentes ipsos Ciues nostros ad nos purae deuotiones affectum habere, promisimus eis, quod delatoribus, siue accusatoribus quibuslibet; si qui vellent ex eisdem Ciuibus aliquem vel aliquos erga nostram Majestatem de facto, vel crimine accusare, si accusatus vel delatus per Communitatem dictae Ciuitatis super delato crimine excusabitur, minime praebemus faciles aures nostras. Item eisdem Ciuibus nostris a nobis instanter postulantibus promisimus et promittimus firmiter tenore praesentium assecurantes, quod ciuitatem eandem, seu ipsos et ipsorum posteritates semper immediate ad nos, nostrosque Haeredes et Successores spectare volumus, nec eos ex quavis causa cuiquam subi icimus, vel per nostros successores subi ici atque ab immediato Regio Dominio nusquam volumus separari. Item prohibemus, ne ab omnibus rebus, quaecunque ad ipsam Ciuitatem tam in Fori, quam aliis diebus venditione exponendae deferuntur, vel inibi comparantur, prout ab antiquo consuetum est, tributum aliquod exigatur. Item eisdem Ciuibus fecimus gratiam, ut per tres annos a data praesentium nullam collectam vel exactionem soluere teneantur, elapsis autem ipsis tribus Annis ipsa ciuitas Keöszegh eo modo collectas pro tempore impositas persoluat, quo ciuitas persoluat Supruniensis. Vt igitur hujus libertatis per nos facta concessio, et confirmatio rata semper ac firma in consensu perseueret, nec ullo unquam tempore possit per quempiam in irritum retractari, vel reuocari, praesentes concessimus litteras nostras privilegiales, noui et authentici sigilli nostri munimine roboratas. Datum per manus Magistri Endreae Praepositi Ecclesiae Albensis, et Aulae nostras Vicecancelarii dilecti et fidelis nostri. Anno dominicae Incarnationis MCCCXXVIII Tertio nouas Junii, regni nostri anno similiter vigesimó octauo. Venerabilibus etc.

Fejér Cod. dipl. VIII, III. p. 279 nach dem im ehemal. ung. Hof-Kammer-Archive befindlichen Originale. Eine Bestätigung der erwähnten Freiheiten und bezüglich eines Schutzbriefes gegen jeden Eingriff in das Eigenthum und die Jurisdiction der Stadt Güns ertheilte Karl I. im Jahre 1337 (Fejérs Cod. dipl. VIII, IV. p. 214).

b) Karl's Privilegium in Betreff der Weinausfuhr aus Güns (durch die Städte Oedenburg und Pressburg) vom Jahre 1341.

Carolus dei gratia rex Hungarie fidelibus suis judicibus, juratis ciuibus et universis hospitibus de comitatibus Soproniensi et Posoniensi Salutem et graciam. Conqueruntur nobis ciues et hospites nostri de Kewszegk, quod vos eos vina et alias res suos ducentes per ciuitatem transire non permitteretis, imo nec per suburbium, vulgariter Vorstatt dictum, viam daretis eisdem. Cum igitur ipsi ciues et hospites de Kewszegk ita sint nostri et de Regno nostro sicut et vos, in omni fidelitate. Admiramur quomodo vos nostris fidelibus viam per regnum nostrum prohibetis et non dabitis. Quapropter fidelitati vestre firmiter et districte regio edicto precipiendo damus in mandatis quatenus dictos fideles ciues et hospites nostros de Kewszegk cum vinis et aliis rebus eorum per ciuitatem seu ciuitates et viam eorum libere ire et procedere permittatis et molestare ac perturbare non audeatis, aliud (sicut nostram regalem potenciam offendere pertimescitis) non facturi. Datum in ciuitate praedicta Posoniensi Sabbato proxime ante festum sancti Martini confessoris (10. Nov.) Anno domini Millesimo Trecentesimo quadragesimo primo.

(Nach der mit dem Originale verglichenen Abschrift im Copial-Buche fol. 7 der Stadt Güns). — Eine besondere Bestätigung dieser Weinausfuhr-Erlaubniss, und bezüglich eines Verbotes an die Stadt Oedenburg, die Günser dabei zu hindern, ertheilten Ludwig I. im Jahre 1367 (im Günser Copial-Buche fol. 1), dann K. Sigmund im Jahre 1407 (a. a. O. fol. 2).

c) König Ludwig's I. Nachlass des Kammergewinns (lucrum camerae) für Güns vom Jahre 1353.

Lodouicus, dei gracia rex hungarie, fideli suo Magistro Petro literato Exactori lucri camere sue Salutem et graciam. Dicunt nobis Johannes Judex Stephanus Pokker et Nikolaus ciues de Kewzegk in eorum et uniuersorum ciuium ac hospitum de eadem personis, Quod ipsi libertate eorum antiqua requirente nunquam lucrum camere persoluissent nec debitores essent cum eodem. Vnde cum nos dictos fideles ciues et hospites nostros de Kewzegk in confinio regni nostri constitutos in eorum libertatibus illesos uelimus perseruare, fidelitati tue firmiter precipiendo mandamus, quatenus predictos ciues et hospites nostros de Kewzegk racione lucri camere non debeas molestare sed eosdem in facto ipsius, lucri camere comittas expeditos, Aliud obtentu nostre dilectionis non facturus, datum Bude feria tercia proxima post festum beati Laurencii martyris (13. Aug.) Anno domini MillesimoTricentesimo quinquagesimo tercio.

(Im Günser Copial-Buche fol. 17. — Derselbe König Ludwig I. bestätigte (1366) den Günser Bürgern und Gästen ihr Privilegium hinsichtlich des Kammergewinnes und verbietet wiederholt dem Ofner Kammer-Grafen denselben zu erheben (Fejérs Cod. dipl. IX, IV. 569).

d) König Ludwig's Privilegium für Güns vom Jahre 1366, welches Verhandlungen fremder Gerichte über Günser Bürger oder Gäste verbietet.

Lodouicus, dei gracia rex hungarie, fidelibus suis uniuersis Prelatis, Baronibus, Comitibus, Castellanis, Nobilibus, Officialibus, Item ciuitatibus et liberis uillis eorumque rectoribus, judicibus et villicis quibus presentes ostentuntur, Salutem et graciam. Ex relatu fidelium ciuium et hospitum nostrorum de Kewzegk percepimus, Quod dum ipsi vel aliquis ex eisdem in expedicione suorum negociorum per se aut cum rebus ac mercibus suis per vestras possessiones tenutas ac per vestri medium transitum facerent; per nonnullos ex vobis et ad vos pertinentes iudicarentur, in rebusque et personis prohiberentur et infestarentur indefesse. Precipue pro conciuium et sociorum suorum tricesimas, pro censu tenencium factis debitis et offensis. Vnde cum insontes pro culpalibus (sic) non debeant molestari, fidelitati vestre firmissime regio edicto precipientes mandamus quatenus a modo et deinceps, predictos ciues et hospites nostros de Kewzegk, vel aliquem ex eisdem in vestris prossessionibus tenutis ac vestri in medio specialiter pro factis, debitis et excessibus tricesimatorum tam conciuium, quam aduenarum, nunc et pro tempore constitutorum contra quemquam iudicare vel vestro astare iudicatui compellere, aut res et bona eorundum arrestare vel facere prohiberi nullatenus presumatis, nec sitis ausi modo aliquali. Sed si qui aliquid actionis vel questionis contra ipsos ciues et hospites nostros habent vel habuerint, id prius in medio dicte ciuitatis coram iudice et iuratis ciuibus exequentur. Et si idem in reddendo cuipiam iustitia remissi extiterint. Ex tunc non hii contra quos agitur, sed memorati iudex et iurati in nostram vel magistri Tauernicorum nostrorum presenciam per querelantes legitime euocentur racionem abnegate iusticie reddituri. Ex parte quorum nos vel idem Magister Tauernicorum nostrorum meri juris et iusticie exhibebimus complementum omni querulanti prout dictauerit ordo iuris. Aliud igitur facere non ausuri in premissis. Datum in Wissegrad secundo die festi Conceptionis beatae Virginis (9. Dec.). Anno domini milesimo Tricentesimo Sexagesimo sexto.

(Im Günser Copial-Buche fol. 5.)

e) Bestätigung der Gränzmarken von Güns durch Königin Maria vom Jahre 1383.

Nos Maria, dei gracia regina hungarie, dalmacie, croacie etc. Memorie comendantes significamus quibus expedit uniuersis presencium per tenorem, Quod gloriosissimo principe recolende memorie domino rege Lodouico genitore nostro charissimo Nutu diuino absque prole masculina de medio sublato, Nobisque iure successorio et ordine geniture in solium regiminis eiusdem nostri genitoris feliciter sublimatis. — Johannes filius Kayser, Judex et Dyonisius, filius Gregorii, ac Benedictus filius Benedicti, Jurati ciuitatis nostre Kewzegk nuncupate ad nostre serenitatis accedentes presenciam exhibuerunt nobis quasdam literas patentes eiusdem illustrissimi principis domini regis Lodouici felicis recordationis genitoris nostri charissimi confirmatorias super reambulacione et metarum erectione cuiusdam particule terre ad dictam ciuitatem nostram Kewzegk pertinentis facta, confectas, Tenoris infrascripti, Supplicantes nostre humiliter Maiestati in personis uniuersitatis dicti ciuitatis nostre ut easdem, literis nostris patentibus transsumi et transcribi facere dignaremur uberioris rei ad cautelam, quarum tenor talis est, Nos Lodouicus dei gracia Rex Hungarie Memorie comendantes tenore presentium significamus quibus expedit uniuersis, Quod Joannes filius Laurencii Judex Ciuitatis nostre de Kewzegk Nikolaus filius Stephani et alter Nicolaus, ciues nostri de eadem. In suis et uniuersorum ciuium et hospitum nostorum de dicta Kewzegk personis ad nostre serenitatis accedentes presenciam, exhibuerunt nobis quasdam litteras priuilegiales Capituli Ecclesie castriferrei super reambulacione et metarum erectione cujusdam particule terre ad dictam ciuitatem nostram Kewzegk pertinentis legitime facta, Confectas, Tenoris infrascripti supplicantes exinde nostre maiestati humiliter et devote, ut easdem ad maioris rei euidenciam uberioremque cautelam nostris literis patentibus transscribi et transsumi faciendo dignaremur confirmare pro eisdem, quarum tenor talis est. Nos Capitulum Ecclesie castriferrei Notum facimus tenore presencium quibus expedit uniuersis, Quod nos literas excellentissimi principis domini Lodouici regis hungarie domini nostri recepimus reuerenter, in quibus idem dominus noster rex nobis firmiter dabat in preceptis quatenus nostrum mitteremus hominem pro testimonio fidedignum, quo presente Nicolaus filius Gothardi de Chow, homo ejusdem domini nostri regis ad faciem cuiusdam particule terre partibus vicinis et cometaneis suis legitime conuocatis accederet et ipsam per suas veras et antiquas metas reambularet, Nouas juxta veteres, ubi necesse foret, erigeret reambulatamque et ab aliorum possessionariis Juribus metali renouatione distingueret, et relingueret ipsam ciuibus de Kewzeg perpetuo possidendam si non fieret contradictum. Contradictiones vero si fierent, citaret ipsos contra eosdem ciues ad presenciam eiusdem domini nostri regis ad terminum competentem. Et post hec seriem tocius facti cum cursibus metarum et nominibus citatorum ac termino assignato dicto domino nostro regi fideliter rescriberet. Nos itaque preceptis predicti domini nostri regis obediendo (ut tenemur) Cum prescripto Nicolao filio Gothardi de chow, homine ejusdem domini nostri regis, hominem nostrum Magistrum Dominicum cantorem ecclesie nostre ad premissa negocia videnda et peragenda pro testimonio transmisimus. Qui postmodum ad nos reuersi Nobis concorditer et uniformiter retulerunt eo modo. Quod ipsi feria secunda proxima ante domenicam Letare proxime preterita ad faciem predicte particule terre vicinis et cometaneis suis uniuersis, scilicet castellano de Leuka [1]), villicis et populis villarum Leuka: Rewth [2]) et Kedhel [3]) vocatarum, ipsius particule terre vicinatarum et contiguatarum legitime conuocatis accessissent et eandem ipsis partibus per suas veras metas et antiquas reambulassent, Nouas iuxta veteres, ubi necesse fuisset erexissent, reambulatamque et ab aliorum possessionariis juribus metali renouacione distinxissent ipsamque terram predictis ciuibus de Kewzeg perpetuo possidendam nullo contradictore existente. Mete autem ipsius particule terre hoc ordine distinguuntur. Quod prima meta incipit in monte iuxta terram abbatis de Kedhel secus quandam viam et locum aquosum ab occidente, ab hinc de ipso monte versus occidentem descendit inter vineas ad terras arabiles egidii sub ipso monte in fine cuiusdam uinee scilicet Symonis ioculatoris de Rewth, deinde directe transit ad fluvium Dgyngyes [4]) et ibi iuxta ipsum fluvium Dgyngyes ab oriente unam metam erexissent, Ab hinc ipsum fluvium saliendo flectitur versus villam Rewth ad longitudinem unius Jugeris ascendendo ad montem, ubi in latere ipsius montis unam metam secus quandam viam ab oriente erexissent. Ab hinc in eodem monte asscendit in una via versus occidentem non longe: ubi quandam Magnam arborem Ilicis frondibus carentem secus ipsam viam a parte meridionali Meta terrea circumfusam pro meta erexissent. Deinde unam vallem versus occidentem saliendo ascendit ad unam montem iuxta quandam arborem Tremuli et in uertice ipsius montis inter lapides unam metam erexissent. Ab hinc descendit de latere eiusdem montis et similiter unam vallem transiliendo peruenit et ascendit uersus meridiem ad unum Monticulum: Ibique unam metam erexissent deinde ad occidentem currit per arbores cruce signatas descendens ad riuulum putei Warkhuta [5]) dictum de transitu metarum per ipsum riuulum in Longitudine duorum Jugerum a meridie situati, Ipsum fluvium saliendo ascendit per montem uersus occidentem et peruenit ad unam viam Magnam, Warwtha [6]) dictam. Secus quam ab aquilone unam metam erexissent. Deinde in eadem via eundo versus villam Leuka peruenit ad Locum Gerechhedgy [7]) dictum Ibique inter duas

[1]) Lockenhaus.
[2]) Reuth (Die deutsche Uebersetzung des Copial-Buches setzt: „Ratesdorff").
[3]) Kethely „ „ „ „ „ „ „ „Manestorff").
[4]) Güns „ „ „ „ „ „ „ „günspach").
[5]) Várkuta, Burgbrunn (die deutsche Uebersetzung des Copial-Buches setzt: „hawszprunn").
[6]) Várutza (die deutsche Uebersetzung a. a. O. setzt: „hawss- oder schlosswege").
[7]) Gerecshegy Gratschen (die deutsche Uebersetzung a. a. O. setzt: „Cratschenperg").

vias subtus quandam arborem ilicis secus foveam cementi ab aquilone habitam unam metam erexissent ab occidente, Deinde in eadem una via Arkutha[1]) dictam decsendendo longe per arbores cruce signatos et peruenit ad unum Monticulum inter duos riuulos wulgo Mezehee, Lenuelyke et fons welyke existentem et inferiori acie ipsius montis unam Metam erexissent, Ab hinc progrediendo per uallem uersus occidentem ascendit ad montem. Et in latere ipsius montis secus quandam viam Louaghgyolugwta[2]) dictam ab occidente unam metam erexissent. Deinde per uallem Suz dictam ad occidentem vergendo tendit uersus partem Meridionalem per locum feneti et arbores cruce signatas ad montem ascendendo usque ad Magnum montem. In eius vertice sub arbore Juniperi fenyhedgy[3]) dictum et secus quandam viam subtus ipsam montem ab aquilone unam metam erexissent ibique terminantur que ad meridiem distinguuntur possessionem Rohüncz[4]) et ad orientem relinquit prossessionem seu terram ciuitatis Kewzeg, et ad aquilonem ville Leuka separat. In cuique rei Memoriam perpetuamque stabilitatem presentes concessimus literas priuilegiales pendente sigillo nostro consignatas medioque alphabeto intercisas. Datum tercio die Statucionis prenotate Anno domini Millesimo Tricentesimo quinquagesimo quarto, Magistris Petro preposito. Michaele Custode, dominico cantore et Stephano decano ecclesie nostre existentibus. Nos itaque supplicacione prefatorum ciuium nostrorum iustam et iuriconsonam fore decernentes predictas literas iamdicti capituli castriferrei Metas dicte particule terre in se exprimentes de uerbo ad uerbum transcribi et transumi faciendo catenus quatenus eodem rite et legitime emanate existunt Aut prout dicta reambulacio et metarum erectio premisse particule terre ueritati suffraganter pro eisdem perpetuo valere confirmamus, presencium testimonio mediante Saluis iuribus alienis presentes in formam nostri priuilegii redigi faciemus dum nobis fuerint raportate. Datum in Wissegrad feria tercia proxima post festum beatorum Philippi et Jacobi apostolorum (2. Mai) Anno domini Millesimo trecentesimo quinquagesimo septimo. Nos itaque iustis et iuriconsonis supplicationibus predictorum hospitum nostrorum de dicta Kewzeg nostre humiliter porrectis Maiestati generose exauditis et admissis premissas literas dicti domini regis Lodouici genitoris nostri charissimi de verbo ad verbum presentibus nostris litteris patentibus transscribi et transumi fecimus uberiorem ad cautelam. Datum Bude feria sexta proxima post octauas festi Epiphaniarum domini (16. Jänner). Anno eiusdem Millesimo Tricentessimo Octuagesimo Tercio.

(Günser Copial-Buch fol. 28.)

f). Königin Elisabeth's Mauthnachlass für die Holz- und Kohleneinfuhr nach Güns vom Jahre 1385.

Elisabeth dei gracia regina Hungarie, Polonie, Dalmacie etc. fideli suo Magistro Fank (sic.), castellano de Kewzegk et vicecastellano eiusdem salutem et graciam. Nobis datur intelligi, quomodo vos a ciuibus ciuitatis nostre Kewzegk vocate de lignis, Carbonibus fabris necessariis, palis vinearum asseribus aliisque paramentis pro recuperatione dicte Ciuitatis nostre ficuöis, que idem ciues et singuli eorum Ceterique homines ex utrisque partibus more alias consueto ad ipsam ciuitatem conducere et apportare absque omni tributaria solucione solebant, tributum exigere conaremini in preiudicium ipsorum ciuium dicte ciuitatis nostre valde magnum. Cum tamen ipsi ciues nullo unquam tempore huiusmodi tributum ex laudabili eorum Libertate, dare et assignare consueti fuissent et nec essent de presenti, Verum quia nos dictos ciues ipsius ciuitatis nostre Kewzegk nuncupate ab huiusmodi Tributo rite et legitime vellmus deliberari. Ideo fidelitati vestre firmiter precipiendo mandamus, quatenus a modo et deinceps prelibatos ciues predicte ciuitatis, ac alios eciam homines premissa paramenta et alia quevis necessaria pro recuperacione edificiorum, ut premissum

---

[1]) Ar-Kuta (Die deutsche Uebersetzung des Copial-Buches setzt: „Graben").
[2]) Reitsteig („ „ „ „ „ „ „ „Ross- oder gee-steig").
[3]) („ „ „ „ „ „ „ „Kranbitstauden oder Tannen").
[4]) Rohoncz („ „ „ „ „ „ „ „Rechnitzer gründe").

est, ipsi ciuitati fienda deferentes et conducentes, racione premissi tributi impedire et molestare non presumatis, modo aliquali, aliud pro nostra gracia non facturi. Et hoc idem iniungimus futuris castellanis dicti castri Kewzegk vocati et vicecastellanis eorumdem dantes eisdem firmis similibus sub preceptis, Presentes autem post earum lecturam semper iubemus reddi presentanti, datum Bude secundo die octavarum festi beatorum petri et pauli, Apostolorum (7. Juli). Anno domini Millesimo Tricentesimo octogesimo quinto.

(Im Günser Copial-Buch fol. 6).

g). Sigmund's Bestätigung der Freiheiten der Stadt Güns vom Jahre 1387, mit der Zusage, dieselben nach seiner Krönung neuerdings zu bestätigen.

Nos Sigismundus, Dei gratia Marchio Brandenburgensis, sacri romani imperii Archicamerarius, nec non regni Hungarie Dominus, notum facimus tenore presentium uniuersis, quod quia fideles ciues nostri et uniuersitas populorum nostrorum de Kewsegh nobis et serenissime Domine Marie, regine Hungarie, omni reuerentia et obedientia paruerunt, ac constanti fidelitate et sollicitudine indefessa gratos exhibuerunt famulatus; ideo ad humilem corundem ciuium et populorum nostrorum de dicta Kewsegh instantiam promittimus et spondemus quod ipsos in uniuersis ipsorum libertatibus, gratiis et bonis consuetudinibus, quibus ipsi hactenus temporibus sanctorum Regum Hungarie et tempore condam Domini Ludouici, regis Hungarie, patris nostri, felicis memorie, freti sunt et potiti, prout in literis ipsorum priuilegialibus plenius continetur; sine variatione illicita, volumus liberaliter tenere et conseruare, mandantes uniuersis nostris fidelibus, Comitibus Sopronien. nec non Castellanis et Vice-Castellanis de dicta Kewzegh nunc constitutis, vel in futurum constituendis, omnino volentes, ut dictos ciues et populos nostros de Kewzegh in eisdem gratiis, juribus et laudabilibus consuetudinibus, uti premittitur, debeant inviolabiliter conseruare, nec eosdem ciues et populos nostros in contrarium et contra predictas libertates audeant quomodolibet perturbare seu molestare, gracie nostre sub obtentu presencium nostrarum litterarum testimonio mediante, quas ipsis ciuibus nostris, dum dante Domino sceptro et corona Hungarie feliciter insigniti fuerimus, confirmare volumus et corroborare. Datum in Kewzegh, feria sexta proxima ante Dominicam Reminiscere (1. März). Anno Domini MCCCLXXXVII.

Aus dem Günser Originale, bei Fejér Cod. dipl. X. I. 325. Daselbst ist bemerkt, dass Sigmund in einem Diplome vom Jahre 1409 (in Pray Annal. P. II. p. 164) sich vor seiner Krönung einen Vormund des ungrischen Reiches (Regni Hungariae tutor) nennt.

h). König Sigismund's Befreiung von Zoll- und Mauth-Abgaben für die an seinen Hof reisenden Günser vom Jahre 1388.

Sigismundus dei gracia rex Hungarie, Dalmacie, Croacie etc. ac marchio brandenburgensis etc. Vniuersis Tributariis suis et aliorum quorumcunque in regno nostro Hungarie ubique constitutis et existentibus harum noticiam habituris Salutem et graciam. Pro parte fidelium ciuium et populorum ac hospitum nostrorum de Kewzegk nobis datur intelligi, quomodo Nonnulli ex vobis (dum ipsi pro ipsorum necessitatibus nostre maiestati explicandis nos et nostram curiam volentes accedere et uisitare, ad solucionem tributariam eosdem compelleretis vobis faciendam in ipsorum ciuium preiudicium et iacturam, Super quod fidelitati vostre firmiter precipimus et mandamus, quatenus a modo et deinceps prenominatos ciues nostros de dicta Kewzeg, dum et quocies idem vel aliqui ex ipsis nos et curiam nostram accedere voluerint, cum curribus et equis ac eorum rebus in eundo et redeundo ad nullam Tributariam solucionem compellere audeatis vobis faciendam, sed sinatis ipsos transire libere tute et secure, Ita tamen quod idem ciues sub presencium confidencia mercimoniales res ducere non audeant modo aliquali, aliud igitur non facturi

43 *

gracie nostre sub obtentu, datum Bude secundo die festi Epyphaniarum domini (7. Jänn.). Anno ejusdem Millesimo, Tricentesimo octogesimo octauo.

(Im Günser Copial-Buch fol. 7).

i). König Sigmund's Befreiung von der Zoll- und Dreissigstabgabe für die Günser auf fünf Jahre. 1404.

Sigismundus dei gracia rex Hungarie, Dalmacie, Croatie etc. Marchioque brandenburgensis etc. Sacri romani imperii vicarius generalis et regni boemie gubernator fidelibus suis uniuersis et singulis Prelatis, baronibus, comitibus, Castellanis, proceribus, nobilibus, Tributa tam in terris quam in aquis habentibus et conseruantibus, Item Ciuitatibus et villis liberis ubique intra ambitum regnorum nostrorum predictorum existentibus, ipsarumque rectoribus, Judicibus et villicis presencium continenciam cernentibus salutem et graciam. Quia nos ciues et hospites de Kewzeg attentis et consideratis ipsorum spoliis, tribulacionibus et pressuris, que ipsi proxime preteritis temporibus disturbiorum, propter eorum fidelitatis constanciam pertulerunt, et Nihilominus supplicacione humillima fidelis nostri viri Magnifici Nicolai de Gara regni nostri Hungarie palatini interueniente, eosdem ab omni Exaccione tricesimarum et tributorum volumus (ut premisimus) intra limites jamdictorum regnorum. nostrorum exigi consuetorum, infra quinque annorum spacia eximimus et exoneramus. Fidelitati igitur vestre firmo regio damus sub edicto, quatenus et quandocunque seu quociescunque annotati ciues seu hospites de dicta Kewzeg cum eorum rebus mercanciis per vestras tenutas possessiones, dominia, pontus, passus et pedagia, nec non Tricesimarum et tributorum vestrorum loca harum sub confidencia peruenerint aut pertransierint, ipsos cum preannotatis rebus ipsorum et mercibus secure abire et absque omni Tributaria et tricesime exaccione ire, redire, stare et morari permittatis. Volumus insuper ut de vinis per eosdem Ciues et hospites de predicta Kewzeg de ea quocunque et eciam per forenses et extraneos educendis et exportandis nulla tricesima nullumque tributum tributariamque et tricesime exaccionem ab eisdem vel eorum alteris petere aut exigere petique seu exigi facere presumatis modo aliquali, Presentesque post lecturam semper reddi iubemus presentanti. Quas post quinquennium nullius esse valoris volumus vel momenti, datum Posonii feria tercia proxima post dominicam Quasimodo geniti (8. April). Anno domini Millesimo Quadringentesimo quarto.

(Im Günser Copial-Buch fol. 8). Nach Verlauf der fünf Jahre erliess Sigmund den Günsern 1409 auch ferner die Entrichtung der Dreissigstgebühr (Fejér Cod. dipl. X, IV. 713). Die Königin Barbara stellte Güns (auf Vorwort des Palatinus Nicolaus von Gara) auf gleiche Stufe mit dem hinsichtlich des Dreissigst begünstigten Oedenburg (Copial-Buch fol. 13).

k). Freiheitsbrief des Palatin Nicolaus Gara und des Grafen Johann für Güns vom Jahre 1407.

Nos Nicolaus de Gara, regni Hungarie palatinus et judex Comanorum etc. Johannes Comes de eadem etc. Memorie comendamus tenore presencium significantes, quod accedentes ad presenciam nostram fideles et prouidi ciues ac hospites nostri de ciuitate nostra Kewzeg, nobis humiliter supplicarunt, vt ipsis easdem libertates, sub quibus ipsa ciuitas nostra Kewsegk temporibus dominorum regum permansisset, concedere et nostris literis confirmare de benigna nostra annuencia dignaremur. Nos itaque qui ex debito nostri regiminis condignas subditorum nostrorum preces exaudire et admittere debemus, ea semper attendentes et conferentes, que nostris sunt subditis vtilia, precibus eorundem ciuium et hospitum nostrorum benignius inclinati, premissas libertates, prout eciam ex literis serenissimorum principum felicissime recordacionis dominorum regum Karoli et Lodouici ac Marie regine eis superinde concessas collegimus, eisdem duximus annuendum et concedendum presentibus nostris literis confirmantes: Primo videlicet, quod ab omni dono seu censu statuto liberi sint, nec ab ipsis postuletur aliquid, nisi quantum eorum voluntas voluerit; poterit eciam et facultas, igitur concedimus predictis nostris ciuibus et hospitibus de Kewzeg, vt omnes causas tam maiores, quam minores tam super effusione sanguinis quam homicidii, inter ipsos emergentes, judex eorum pro tempore constitutus, quem idem ciues et hospites communiter singulis annis eligere decreuerint, judicet et decernat. Item si aliquis ipsorum e ciuitate nostra antedicta recedere voluerit, saluis rebus omnibus et persona, justo terragio persoluto venditis domibus recedere poterit de eadem. Item volumus, vt ciues nostri memorati de qualibet capecia frugum decem denarios tantummodo soluere teneantur. Concedimus eciam et volumus, vt decime vini de torculari tempore vindemie cum musto exigantur, vel denarij pro ipsis decimis persoluantur eo modo, sicut mustum tempore vindemie comparatur. — vel fundatur dicta decima vini in dolium cum musto, ibique stare permittatur, quousque decimatores recipiant, et hoc si ipsi decimatores primo in recipiendo fuerint negligentes. Adiungimus eciam, quod quicunque nobiles de prouincia circumquaque nostram ciuitatem intrare voluerint ibique actualiter permanere, eo jure quo nostri ciues vtuntur frui debeant et gaudere, nec non possessiones ipsorum si quas habuerint prouentus et vtilitates ad ciuitatem nostram ipsis poterint libere, quo voluerint deportare. Insuper volumus et admittimus, vt quandocunque inter ipsos ciues seu hospites nostros lis in sentencia aliqua ordine iudicij oriatur, si duodecim iurati inter se pro eadem sentencia non valeant concordare, extunc ipsa sentencia deferri debet in Soproniam et ciues ibidem decernere poterunt secundum quod iuris fuerit et expediens ac honestum. Preteria promittimus fide nostra debita firmiter et constanter quod vniuersos nostros ciues et hospites de Kewzeg in omni eo iure, quo ciues vtuntur in Sopronio, volumus conseruare augmentando ea iura pocius et nullatenus minuendo. Pre hijs omnibus volumus, vt si qui ciuium nostrorum a ciuitate nostra Kewzeg recedere voluerint, saluis rebus et personis venditis domibus, solutis duodecim denarijs tantummodo de domo integra recedere poterunt ab eadem. Vinee eciam, quum venduntur de integra videlicet duodecim eciam denarij persoluantur. Item volumus, vt quecunque litis sentencia inter nostros ciues ventilatur. Et si ex duodecim iuratis septem concordauerint vel plures, alij quinque et si non consenserint, extunc maiori parti consenciendum, illis septem videlicet et non illis quinque. Et tunc sentencia eadem non debeat alias, sed secundum arbitrium septem iuratorum finaliter terminari. Volumus eciam, quod predicti ciues et hospites nostri exempti sint et liberi in decimis porcorum. Ne vnquam decime porcorum dicentur super ipsos. Statuimus eciam, vt ipsi ciues et hospites dicte ciuitatis nostre collectam eis pro tempore impositam vel immergentem, sic communiter persoluant iuxta vniuscuiusque exigenciam facultatis, et quod nullus habitatorum dicte ciuitatis nostre a solucione huiusmodi collecte pretextu cuiuscunque libertatis vel exempcionis retrahere se possit. Item statuimus, quod plebanum siue sacerdotem aut eciam judicem ciues de communi voluntate et consensu eligant, nec volumus, quod aliquis castellanus vel nobilis in preiudicium communitatis ciuium in electione plebani vel judicis aliquatenus se intromittat. Ceterum cognoscentes ipsos ciues nostros ad nos pure deuocionis affectum habere, promisimus eis, quod delatoribus siue accusatoribus quibuslibet, si qui vellent ex eisdem ciuibus aliquem vel aliquos erga nos de aliquo facto vel crimine accusare, si accusatus vel delatus per communitatem dicte ciuitatis super delato crimine excusabitur, minime prebemus faciles aures nostras. Ceterum perhibemus, ne ab omnibus rebus quecunque ad ipsam ciuitatem tam in die fori, quam alijs diebus vendicioni exponende deferuntur, prout ab antiquo consuetum est; tributum aliquod exigatur. Vt igitur huiusmodi libertatis per nos facte concessio et confirmacio rata semper et firma habeatur, nec vllo vnquam tempore possit per quempiam in irritum retractari vel reuocari. Presentes concessimus literas nostras patentes secret inostri sigilli munimine roboratas, promittentes, vt quamprimum presentes nobis deportabuntur, in formam nostri priuilegij easdem redigi facimus ciuibus et hospitibus nostris de Kewzeg prenotatis. Datum in dicta Kewzeg secundo die festi beatorum Petri et Pauli apostolorum (30. Juni). Anno domini millesimo quadringentesimo septimo.

(Im Günser Copial-Buch. Fol. 42.)

XI.

Privilegium Karl I. für Kremnitz vom Jahre 1328.

(Nach dem im Kremnitzer Archive befindlichen Originale.)

Carolus Dei Gratia Hungariae, Dalmatiae, Croatiae, Ramae, Serviae, Galliciae, Lodomeriae, Comaniae, Bulgariaeque Rex, Princeps Salernitanus et Honoris Montis Sancti Angeli Dominus.

Omnibus Christi Fidelibus praesentibus et futuris Notitiam praesentium habituris Salutem in omnium Salvatore; Providentia Regalis Culminis debet ex officio suscepti Regiminis providere, qualiter subjecti gaudeant certa Lege, ut Distinctio Libertatibus Eorundem ultra non graventur, quam in concessione Regia sit expressum. Proinde ad universorum Notitiam harum serie volumus pervenire; quod Nos attendentes Regis Gloriam in multitudine Populorum crescere jugiter et augeri, universis Hospitibus Nostris ad Cremnich-Banya congregatis, et congregandis de Gratia Regiae Liberalitatis speciali unanimi Consilio Praelatorum et Baronum Regni Nostri hanc perpetuae Libertatis Praerogativam duximus concedendam, ut iidem Hospites nostri de ipsa Cremnich-Banya ad duo Milliaria Terras sive Sylvas habitatoribus destitutas vicinas Eis, et contiguas Collationi Nostrae subjectas, absque Praejudicio Juris alieni Cultui ipsorum, et Usui applicandi liberam habeant Facultatem. Item Judicem seu Villicum, et Juratos, quos voluerint inter se eligant, Eorum libera voluntate, item nullius alterius nisi Judicis ipsorum, sive Villici pro Tempore constituti Judicio in omnibus Causis adstare teneantur, qui si in reddenda Justicia ex Parte alicujus Cohospitis sui cuipiam fuerit tepidus, vel negligens, extunc non Hospites, sed idem Villicus ad Regiam Praesentiam citari debeat eo facto: Item eosdem vel aliquem ex eis ubique in Regno nostro propter propria, sive aliorum quorumcunque Debita nullus valeat impedire, nisi prius ibidem Ordine Juris requiratur Debita sibi reddi. In caeteris autem omnibus eisdem Libertatibus, quibus Hospites Kutunbanya Regni Bohemiae existunt, iidem Hospites nostri perpetuo perfruantur. In cujus rei Memoriam perpetuamque Firmitatem, praesentes concessimus Litteras Nostras Privilegiales dupplicis Sigilli nostri novi et authentici Munimine roboratas. Datum per Manus discreti Viri Magistri Albensis Ecclesiae Praepositi, Aulae Nostrae Vice-Cancellarii dilecti, et fidelis Nostri. Anno Domini 1328 quintodecimo calendas Decembris, Regni Nostri Anno similiter 18-o Venerabilibus in Christo Patribus et Dominis Fratre Ladislauo Colloczensi Archi-Episcopo Aulae Nostrae Cancellario, Benedicto Csanadiensi, Nicolauo Jaurinensi, Georgio Syrmiensi, Ladislauo Quinqueecclesiensi, Ivanka Varasdinensi, Fratre Petro Bosznensi, Laurentio Vacziensi, Andrea Transylvaniensi, Henrico Vesprimiensi, Chanadino Agriensi, Ladislauo Zagrabiensi, et Meskone Nitriensi Episcopis, Ecclesias Dei feliciter gubernantibus, Magnificis Baronibus Joanne Palatino, Demetrio Magistro Tavernicorum Nostrorum, Thoma Wayvoda Transylvano et Comite de Zolnik, Mikes Bano totius Slavoniae, Paulo Judice Curiae Nostrae, Joanne Bano de Machov, Dionisio Dapiferorum, Stephano Agazonum Nostrorum Magistris, Nicolauo dicto Trentul Comite Posoniensi, et aliis compluribus Regni Nostri Comitatus tenentibus et Honores.

(Dieses Privilegium ist auch gedruckt in Fejér's Cod. dipl. VIII. I. p. 295.) Bestätigungen dieser Vorrechte ertheilten 1358 Ludwig I. (a. a. O. IX. IV. 665) und 1395 und 1396 Sigmund (X. III. 129, und X. VIII. 416).

XII.

Privilegium Ludwig's des Grossen für Silein vom Jahre 1379.

Quoniam Dominus noster Serenissimus Lodovicus dei gratia Inclytus Hungarie, Polonie, Dalmacie Rex ect. nos de Juribus Tessinensibus hucusque in nostra Civitate habitis per edictum sue Majestatis prohibuit volens nos in Regno suo ubi legum perfectissimarum copia fore dignoscitur leges suscipere et earundem perfrui (usu) nunc et semper. Praeterea liberum nobis arbitrium eligendi Administratores legum quarumcunque ciuitatum in regno contentarum dictus D. noster Rex pro sue Majestatis gratia nobis tribuit atque dedit. Ideo cum nos advocatus, Consules, et Scabini et tota Universitas Civium et Hospitum in Zelina leges distinctorum Virorum Judicis, et Juratorum et Civitatis Korpona iustas, perfectas atque deificas esse recognovimus, ad easdem nos et nostram Civitatem et habitatores eius una cum nostris posteritatibus in requisitione Juris et Justitiae confederationem constringimus, ut in Caussis ambiguis dictos Cives, et eorum leges nunc et in perpetuum requirere debeamus Testimonio presentium mediante ad quam per literaria instrumenta regalis excellentiae super hujusmodi leges sumus confirmati, in cujus rei testimonium praesentem chartam fieri jussimus nostrae Civitatis pendenti sigillo roboratam. Datum sub Anno Domini Millesimo trecentesimo septuagesimo nono, feria tertia proxima post Dominicam reminiscere (8. März).

(Ex originali Nic. Jankovich in Fejér's Codex diplomat. Tom. IX. VII. pag. 619.)

XIII.

Privilegien für die Stadt Kaschau.

a). Stephan II. Privilegium für diese Stadt vom Jahre 1271.

(Nach dem im städtischen Archive befindlichen Originale.)

Stephanus, Dei Gratia Rex Primogenitus Illustris Regis Hungariae, Dux Transylvanus, Omnibus Praesentem Paginam intuentibus Salutem in eo, qui Regibus dat Salutem. Cum in multitudine Plebis Honor Regum attendatur et accrescat merito regiae convenit sublimitati Hospites ad eum confluentes Libertatibus seu donativis stàbilire. Hinc est igitur, quod ad universorum Praesentium Posteriorumque notitiam harum serie volumus pervenire. Quod Nos attendentes fidelitatem Samphteben et Obt dilectorum Hospitum nostrorum de Cassa quondam Terram superior Cassa nuncupatam, super qua quidam Homines, videlicet Gallus Petrus Theodorus et eorum cognati residebant, praenominatis viris Samphteben et Obt, ut ex hoc Iidem ad obsequendum nobis habiliores promptioresque redderentur, — de Regia libertate contulimus, ab ipsis et ab eorum Haeredibus Haeredumque Successoribus perpetuo possidendam, sub tali libertate, quod Iidem et Eorundem Haeredes Nobis pro Censu praefatae Terrae in Festo Sancti Georgii dimidium Fertonem Auri boni annuatim solvere tenebuntur. Volumus siquidem, quod tam ipsi quam eorum Haeredes ab Exercitu, et a Jurisdictione Comitis Castri penitus sint absoluti, sed Ipsi et ad Eos pertinentes coram Judice eorum, quem elegerint, juxta libertatem et consuetudinem caeterorum Hospitum, si opus fuerit, debeant convenire. In praefatae itaque Terrae corporalem Possessionem praenominatos Viros per fidelem Hominem nostrum Fecus Comitem de Saáross auctoritate regia fecimus introduci. Cujus Terrae Metae, quemadmodum idem Fecus Comes nobis retulit hoc ordine distinguuntur. Prima Meta incipit in fluvio Hernad ubi est Meta Terrea juxta aquam ab Occidente, ibique per modicum spatium transit Paludem nomine Blathan, deinde directe eundo cadit in Rivulum Chermele, per quem vadit superius ex parte Terrae Hospitum de Cassa usque ad Magnam Sylvam per magnum spatium, et pervenit ad locum ubi exit de dicto rivulo circa Limites Terrae Dyonisii, et cognatorum suorum et vadit ad Berch ad Montem per illum vero Montem in Metis descendit in rivulum Pistrunk Potol nuncupatum et per ipsum rivulum veniendo cadit in praefatum Fluvium Hernad, et per illam aquam descendens pervenit ad priorem Metam, ubi prius fuit incepta, ibique terminatur. Et ut haec a Nobis facta donatio seu Libertatis Collatio perpetuo perseveret, nec unquam per quempiam in irritum valeat revocari Praesentes praedictis Viris concessimus Litteras Duplicis sigilli Nostri munimine roboratas. Datum per Manus Magistri Benedicti Aulae nostrae Vice-Cancellarii, Praepositi Scibiniensis Anno Domini Millesimo, Ducentesimo Sexagesimo Primo.

(Ladislaus der Kumane bestätigte im Jahre 1275 dieses Privilegium.) Weitere Freiheiten ertheilten 1369 Karl I. (VIII. II. 213), Ludwig I. 1364 und 1368 (IX. III. 402 und IX. IV. 135). Sigmund fasste sie 1435 im nachfolgenden Privilegium zusammen.

b) Sigmund's grosser Freiheitsbrief für die Stadt Kaschau vom Jahre 1435.

Sigismundus, dei gratia Romanorum imperator semper augustus, ac Hungariae, Bohemiae, Dalmatiae, Croatiae, Ramae, Serviae, Galiciae, Lodomeriae, Cumaniae Bulgariaeque etc. rex, omnibus Christi fidelibus praesentibus pariter ac futuris praesens scriptum inspecturis salutem in eo, qui est salutis largitor. Imperialis atque regalis dignitatis inclyta sublimitas tanto laudabilius in virtute suae majestatis illustratur, quanto per suarum lucidarum privilegialium literarum civitatum libertates et praerogativae, quibus ex gratiosis regum concessionibus gaudeant, robarantur; tunc enim fidelium numerus adaugetur, et in pacis amoenitate exsultet civitas plena populo, vitaque amoena hilariter perfruantur gaudeantque se a glorioso principe tantis muneribus gratiarum esse illustratam. Proinde ad universorum tam praesentium, quam futurorum notitiam harum serie volumus pervenire, quod fideles nostri, providi et circumspecti viri Joannes Hebenstreit, judex, ac Gabriel dictus de Scepusy, et Ladislaus Knol, jurati cives nostrae Civitatis Cassoviensis, nostrae celsitudinis venientes in praesentiam suis et aliorum universorum juratorum ceterorumque universorum civium, hospitum, et incolarum ejusdem nostrae civitatis Cassoviensis nominibus et in personis nostrae serenitati curaverunt significari, quomodo ipsa civitas nostra Cassoviensis ejusque incolae et inhabitatores a primaeva ejus fundatione libertatibus, prerogativis et indultis infra scriptis, per divos reges Hungariae, nostros scilicet praedecessores, eis gratiose concessis et in litteris eorundem et praesertim quondam Caroli et Ludovici regum sed et nostrae majestatis privilegialibus contentis quas ad praesens propter viarum discrimina niviumque densitatem atque aquarum inundationes, ne ipsis in amissione literarum ipsarum privilegialium aliquod periculum evenire contingeret, nostro conspectui praesentare nequivissent, fruiti fuissent et gavisi, fruerenturque et gauderent de praesenti, supplicando nostro culmini annotati Joannes, judex, ac Gabriel et Ladislaus Knol, jurati cives dictae civitatis nostrae Cassoviensis, suis ac aliorum, quorum supra, nominibus et in personis prece humillima et devota, ut praedictas eorum libertates et praerogativas articulatim praesentibus literis nostris modo infra scripto insertas eisdem ac ipsorum heredibus et posteritatibus universis denuo et ex novo concedere et elargiri, pro ipsisque ex nostra liberalitate ratificare, roborare ac confirmare dignaremur. Quarum quidem libertatum et praerogativarum ipsius civitatis nostrae Cassoviensis series articulatim sequitur hunc in modum. Quod ipsi cives et incolae ipsius civitatis nostrae Cassoviensis ad solvendos census seu datia chybriones vocata de eorum vineis nullo modo compellantur. Item, quod nullus omnino praelatorum, baronum et ceterorum regni nostri Hungariae procerum aliquem violentum descensum in ipsa civitate nostra Cassoviensi contra eorum voluntatem facere aut alia victualium genera ab ipsis exigere possit, sed quilibet in ipsa civitate nostra descensum faciens omnia necessaria pro condigno pretio, prout consuetudo ejusdem civitatis nostrae pro tempore requirit, emere debeat et comparare. Item, quod nullus e medio ipsorum suas domos et alias hereditates, quocunque nomine vocitatas, in ipsa civitate nostra Cassoviensi ac ejus territorio et pertinentiis situatas, cuiquam extraneo in eadem civitate nostra Cassoviensi residentiam personalem facere non valenti vendere, seu alio quesito colore tradere valeat seu perpetuare. Item, quod nullus omnino hominum in ipsa civitate nostra Cassoviensi personaliter non residens in eadem seu ipsius territoriis et pertinentiis aliquas haereditates facere, conservare et possidere possit quovis modo, nisi idem in omnibus censuum et datiorum ac aliorum exactionum solutionibus aliisque juribus, scilicet factis, negotiis et servitiis ipsi civitati pro tempore occurrenti expedientibus condignam et licitam cum ipsis civibus, hospitibus et incolis faciat contributionem. Item, quod quemcunque eorum e medio ab hac luce absque heredum solatio decedere contingeret, suas hereditates resque et bona mobilia et immobilia, cujuscunque generis existant, quibus maluerit in suis extremis legandi et dimittendi plenam et liberam habeat facultatem. Si vero quispiam ex eis intestatus decesserit, ex tunc haereditates resque et bona sua per judicem et juratos cives ac per eorum homines per ipsos ad id deputatos, in tres partes dividantur aequales, quarum una pro salute animae ipsius decedentis, et aliae duae partes pro munimentis et aedificiis aliisque negotiis ejusdem civitatis nostrae dispensentur. Item, quod quicunque ex ipsis civibus, hospitibus et incolis ejusdem civitatis nostrae aliquas haereditates in eadem ac ejus territorio et pertinentiis juxta consuetudinem ipsis legitimam emerit et comparaverit, hujusmodique emtioni juridice infra anni circulum contradictum non fuerit, ex tunc talis emtor ipsarum haereditatum post revolutionem ipsius anni hujusmodi haereditates absque quorumlibet contradictione possidere et tenere et in eisdem ipsum nullus inquietare valeat ullo modo. Item, tum et quotiescunque plebanum seu rectorem parochialis ecclesiae dictae civitatis ab hac luce migrare contigerit, tunc ipsi unum virum idoneum, quemcunque voluerint in ipsorum plebanum et pastorem animarum suarum eligere et eadem plebania sibi nostris juris patronatus auctoritate providere valeant, idemque plebanus pro tempore constitutus loco sui vicarios seu conventores ipsis civibus, hospitibus et incolis praefatae civitatis nostrae invitis substituere possit nullo modo. Item, quod ipsi tempore debito et consueto judicem et juratos cives, quoscunque voluerint, annis singulis liberam habeant eligendi facultatem, qui universas et quaslibet causas inter eos emergentes lege et laudabili memoratae civitatis nostrae consvetudine per omnia in hac parte observatis deum et justitiam ferendo prae occulis judicare et fine debito terminare valeant atque possint. Item, quod ipsi ad acceptandos aliquos plebanos seu judices per nos aut nostros successores, reges scilicet Hungariae, praelatos et barones nostros aut alterum eorum forsitan in medio ipsorum constituendos non sint nec esse debeant adstricti et neque compellantur. Item, quod judex et jurati cives aliique ipsius nostrae civitatis officiales, prouti moris est et consvetudo ejusdem civitatis nostrae requirit, hujusmodi judicatum et officiolatus post anni, in quo ad eosdem electi fuerint, plenariam revolutionem in manus dictorum civium, hospitum et incolarum ac totius communitatis praefatae civitatis nostrae resignare teneantur. Item, quod pro quibuscunque causis, factis et negotiis d u e l l u m i n t e r i p s o s n o n j u d i c e t u r, sed causae definientur juxta antiquam et ab olim observatam consvetudinem civitatis nostrae Cassoviensis. Item, quod contra ipsos seu alterum eorum ratione quorumcunque factorum et negotiorum testes extranei produci non debeant nec quomodolibet in judiciis acceptari, sed testes sive ex incolis et inhabitatoribus ipsius civitatis nostrae Cassoviensis aut aliarum civitatum et locorum regni nostri similibus libertatibus utentium. Item, si quis ex ipsis civibus, hospitibus et incolis dictae civitatis nostrae Cassoviensis haereditates in eadem et suis pertinentiis habens et possidens homicidium, latrocinia et alios excessus et maleficia quaecunque commiserit et in quamcunque notam casualiter vel alio quocunque modo inciderit, de ipsaque civitate nostra pro tuitione suae personae fugitive recesserit, ex tunc nos seu nostri successores aut magister tavernicorum vel alii praelati et barones nostri seu judex et jurati cives dictae civitatis nostrae de haereditatibus rebusque et bonis sic fugitive recedentis se intromittere aut easdem occupare vel auferre non valeamus nec valeant quovis modo, sed ipse hereditates resque et bona erga manus uxoris, filiorum et haeredum seu prolium et consanguineorum ipsius fugitivi illaese et inviolabiliter permaneant, et neque quocunque quesito colore dissipentur. Si vero iidem fugitivi vice versa ad ipsam civitatem nostram morandi causa non venerint, et de eorum adventu nulla spes extiterit, ex tunc per judicem et juratos cives de hereditatibus rebusque et bonis ipsius fugitivi laesis et injuriatis, prout eis videbitur, juri consonam impendere debeant satisfactionem, et residuum erga manus uxoris, filiorum, heredum, prolium et consanguineorum praedicti fugitivi permaneat omnibus modis. Item, si ipsi fugitivi heredibus et consanguineis caruerint, ex tunc judex et jurati cives de hereditatibus et bonis laesis et injuriatis satisfaciant, residuum vero, si quid remanserit, dispensent pro munitione et utilitate civitatis nostrae Cassoviensis praenotatae. Item, quod nos et nostri successores praelatique et barones vel magistri tavernicorum nostrorum aliquem ex ipsis civibus, hospitibus et incolis pro quibuscunque ipsorum excessibus, hereditatibus rebusque et bonis eorum in toto vel in parte nequaquam privare valeamus nec possimus, sed juxta excessus qualitatem in persona puniantur, hereditates autem resque et bona eorundem remaneant illaese erga manus uxoris, filiorum, heredum et consanguineorum talis modi delinquentis. Item, quicunque currus rebus mercimonialibus onerati ad ipsam civitatem nostram pervenerint, iidem more antiquo et consueto inibi disligari et hujusmodi res mercimoniales deponere debeant, sub poena amissionis et ablationis eorundem. Item, quod ipsi cives, incolae et inhabitatores ejusdem civitatis nostrae Cassoviensis ac suarum pertinentiarum a solutione lucri camerae eorum parte nobis et fisco nostro regio singulis annis provenire debente exemti sint et emancipati. Item, quod ipsi aut alter ipsorum vel homines et familiares eorundem pro victuum suorum necessaria acquisitione diversa climata regni nostri perlustrando in civitatibus, oppidis et villis tam nostris regalibus, quam aliorum quorumcunque in personis judicari aut res et bona eorundem mercimonialia et alia quaecunque ad cujusvis instantiam arrestari sub poena occupationis talium possessionum, in quibus contrafactum fuerit, nequaquam debeant, sed si aliquis contra eos seu eorum alterum aliquid actionis vel quaestionis habuerit, id in praesentia judicis et juratorum ciuium dictae civitatis nostrae Cassoviensis legitime prosequatur, ex parte quorum iidem omnis justitiae complementum exhibere tenebuntur omni contra eos querulantibus juris ordine et consvetudine ipsius nostrae civitatis in hac parte observato. Item, quod nullus omnino hominum, cujuscunque status et conditionis existat, ipsos seu alterum ipsorum coram nostra majestate aut successoribus praelatisque et baronibus aut magistro tavernicorum nostrorum in causam attrahere aut convenire valeat, sed causas prius prosequantur in praesentia judicis et juratorum civium ipsius Civitatis nostrae Cassoviensis, si vero iidem in reddenda cuipiam justitia tepidi exsisterent aut remissi, ex tunc eaedem causae pro finali conclusione reduci possunt in praesentiam nostrae majestatis aut magistri tavernicorum nostrorum. Item, quod omnes mercatores, tam regnicolae nostri, quam forenses, temporibus deputatis et consvetis, prout ab antiquo est observatum, eorum negotiationes in praefata civitate nostra Cassoviensi facere et exercere valeant atque possint. Item, quod ipsi universa palatia, domos, vineas, molendina, aedificia, curias et alias quaslibet hereditates quocunque nomine vocitatas sub censu purkrecht vocato testamentaliter, aut aliquo quocunque modo ecclesiis, monasteriis, capellis, altaribus aut pro aliis quibuscunque divinis officiis dispositas et deputatas ab ipsis ecclesiis, monasteriis, capellis, altaribus etc. sub novis formis et conditionibus in quibusdam litteris nostris patentibus exinde confectis et specificatis redimere et liberare valeant atque possint. Nos igitur attendentes et considerantes praemissas libertates et praerogativas juri consonas fore, in magnumque commodum et utilitatem vergere civitatis nostrae praedictae, supplicationibus praenarratorum Joannis Hebenstreit, judicis et Gabrielis Scepusy nec non Ladislai Knol, juratorum civium, per eos majestati nostrae propterea porrectis imperiali atque regali benignitate exauditis et clementer admissis praetactas libertates, praerogativas, exemtiones et indulta superius limpide conscriptas et specificata praefatis judici, juratis ceterisque civibus, hospitibus et incolis civitatis nostrae Cassoviensis praenotatae denuo et ex novo damus, concedimus et clargimur meraque auctoritate et potestatis plenitudine ex certaque scientia nostrae majestatis praelatorum etiam et baronum nostrorum ad id accedente consilio praematuro pro eisdem ac eorum posteris universis ratificamus, roboramus (et) perpetue valituras confirmamus. Nihilominusque ex abundantiori plenitudine nostrae potestatis et gratia speciali concedimus, ut ipsi et eorum quilibet universis et singulis aliis libertatibus et praerogativis, indultis, exemtionibus, privilegiis et immunitatibus, quibus semper et ab antiquo tum ex regum Hungariae gratiosis concessionibus, tum aliis quibuscunque juribus ac justis et legitimis consvetudinibus rite et rationabiliter usi fuerunt et gavisi, successivis perpetuis temporibus uti, frui et gaudere valeant atque possint praesentis scripti nostri patrocinio mediante salvis juribus alienis. In cujus rei memoriam firmitatemque perpetuam praesentes concessimus literas nostras privilegiales praesentis novi duplicis et authentici sigilli nostri, quo ad praesens uti rex Hungariae utimur, munimine roboratas. Datum per manus venerabilis domini Mathiae de Gatholocz, praepositi Quinqueecclesiensis, aulae nostrae supremi cancellarii, fidelis nostri dilecti, anno domini MCDXXXV. decimo quarto Kal. Novembr. regnorum autem nostrorum anno Hungariae etc. quadragesimo nono, Romanorum vigesimo sexto, Bohemiae decimo sexto, imperii vero tertio, venerabilibus in Christo patribus dominis Georgio archiepiscopo

Strigoniensi, Colocensi, Spalatensi et Jadrensi sedibus vacantibus, Petro de Rozgon Agriensis, fratre Joanne de Korchula Varadiensis, Georgio Lepes Transilvaniensis, Zagrabiensi sede vacante, Henrico Quinqueecclesiensis, Simone de antedicta Rozgon Vespriniensis, Clemente Jauriensis, Vaciensi sede vacante, Georgio Nitriensis, Chanadiensi sede vacante, Josepho Bosnensis, Jacobo Sirmiensis, Tininiensi sede vacante, Vito Corbaviensis, Joanne de Dominis, Segniensis ecclesiarum episcopis ecclesias dei feliciter gubernantibus, Sibinicensi, Nonensi, Scardonensi, Traguriensi, Macarensi et Pharensi sedibus vacantibus; item magnificis Mathia de Paloch, praedicti regni nostri Hungariae palatino, Ladislao de Chyak, vaivoda nostro Transilvaniensi, comite Stephano de Bathor, judice curiae nostrae, Matkone de Tallocz totius regni nostri Slavoniae, Joanne et Stephano de Frangepanibus, Vegliae, Segniae et Modrusiae comitibus, regnorum nostrorum Dalmatiae et Croatiae praedictorum, Desew et Ladislao de Gara, Machoviensi banis, honore banatus Zewriensis vacante, Joanne de antefata Rozgon, tavernicorum, Emerico, filio Nicolai, vaivodae de Marczaly, janitorum, Joanne et Stephano Kompelth de Nana, pincernarum, Laurentio de Hedervara, agazonum nostrorum magistris, ac Stephano et Georgio de praefata Rozgon, comitibus nostris Posoniensibus aliisque quam plurimis regni nostri comitatus tenentibus et honores.

Nach einer in Math. Bel's Nachlasse befindlichen Abschrift abgedruckt im Ofner Stadtrecht von Andreas Michnay und Paul Lichner. Pressburg 1845. pag. 250 etc.

B. Privilegien der Sachsen in Siebenbürgen.

I.

Andreas II. grosser Freiheitsbrief für die Siebenbürger Deutschen (hospites teutonici Ultrasylvani) vom Jahre 1224.

(Aus Karl's I. Transumt vom Jahre 1317.)

In nomine sancte trinitatis et individue unitatis. Andreas, dei gratia Hungarie, Dalmacie, Croacie, Rame, Servie, Galicie Lodomerieque rex in perpetuum. Sicut ad regalem pertinet dignitatem superborum contumaciam potenter opprimere, sic eciam regiam decet benignitatem oppressiones humilium misericorditer subleuare et fidelium metiri famulatum et unicuique secundum sua propria merita retributionis gratiam impertiri. accedentes itaque fideles nostri hospites Teutonici Ultrasilvani universi ad pedes nostre majestatis, humiliter nobis conquerentes sua querimonia suppliciter nobis monstraverunt, quod penitus a sua libertate, qua uocati fuerant a piissimo rege Geysa, auo nostro, excidissent, nisi super eos majestas regia occulos solite pietatis nostre aperiret, unde pre nimia paupertate nullum majestatis regiae servitium poterat impertiri. nos igitur justis eorum querimoniis aures solite pietatis inclinantes ad praesencium posterorumque noticiam uolumus devenire, quod nos antecessorum nostrorum piis vestigiis inherentes pietatis moti visceribus pristinam eis reddimus libertatem, ita tamen: quod universus populus, incipiens a Uaross usque ad Baralt cum terra Siculorum, terra Scebus et terra Daraus, unus sit populus et sub uno judice censeatur omnibus comitatibus praeter Cibiniensem cessantibus radicitus. Comes vero, quicunque fuerit, Cibiniensis, nullum presumat statuere in praedictis comitatibus, nisi sit intra eos residens, et ipsum populi eligant qui melius videtur expedire. nec etiam in comitatu Cibiniensi aliquis audeat comparare pecunia. Ad lucrum vero nostrae camerae quingentas marcas argenti dare teneantur annuatim. nullum predialem vel quemlibet alium volumus intra terminos eorundem positos ab hac excludi reddicione, nisi qui super hoc gaudeat privilegio speciali. Hoc eciam eisdem concedimus, quod pecuniam, quam nobis soluere tenebuntur seu dignoscuntur, cum nullo alio pondere. nisi cum marca argentea, quam piissime recordationis pater noster Bela eisdem

44*

constituit, videlicet quintum dimidium fertonem Cibiniensis ponderis cum Coloniensi denario, nisi discrepent in statera, solvere teneantur. Nunciis vero, quos regia majestas ad dicam colligendam statuerit, singulis diebus, quibus ibi moram fecerint, tres lotones pro eorum expensis solvere non recusent. Milites vero quingenti intra regnum et regni expeditionem deputentur, extra vero regnum centum, si rex in propria persona iuerit. si uero ex regno iobagionem miserit sive in adiutorium amici sui, siri in propriis negotiis, quinquaginta tantumodo milites mittere teneatur. Sacerdotes vero suos libere eligant, et electos repraesentent, et ipsis decimas persoluant, et de omni jure ecclesiastico secundum antiquam consuetudinem respondeant. Uolumus eciam ac firmiter praecipimus quatenus illos nullus iudicet, nisi nos uel comes Cibiniensis, quem nos eis loco et tempore constituemus. si uero coram quocunque judice remanserint, tantumodo judicium ordinarium reddere teneantur. nec eos eciam aliquis ad praesentiam nostram citare praesumat, nisi causa coram suo judice non possit terminari. Preter supra dicta siluam Blacorum et Bissenorum cum aquis usus communes exercendo cum predictis scilicet Blacis et Bissenis eisdem contulimus, ut praefata gaudentes libertate nulli inde servire teneantur. Insuper eisdem concessimus, quod unicum sigillum habeant, quod apud nos et magnates nostros euidenter cognoscatur. Si vero aliquis eorum aliquem convenire velit in causa pecuniali coram judice, non possit uti testibus, nisi personis infra terminos eorum constitutis. Ipsos ab omni iurisdictione penitus eximentes, salesque minores secundum antiquam libertatem circa festum Georgii octo diebus, circa festum d. regis Stephani et circa festum b. Martini similiter octo diebus omnibus libere recipiendos concedimus, quod nullus tributariorum nec ascendendo nec descendendo praesumat impedire eos. Siluam vero cum omnibus appendicibus suis et aquarum usus cum suis meatibus, quae ad solius regis spectant donationem, omnibus tam pauperibus, quam divitibus libere concedimus exercere. Uolumus eciam et regia auctoritate precipimus, ut nullus de iobagionibus nostris uillam uel predium aliquod a regia majestate audeat postulare. si uero aliquis postulaverit, indulta eis potestate a nobis contradicant. Statuimus insuper dictis fidelibus, ut, quum ad expeditionem ad ipsos nos uenire contigerit, tres descensus tantum solvere ad nostros usus teneantur. si uero uaiuoda ad regalem utilitatem ad ipsos vel per terram ipsorum transmittetur, duos descensus, unum in introitu et alterum in exitu, solvere non recusent. Adiicimus eciam supra dictis libertatibus, quod mercatores eorum, ubicumque voluerint, in regno nostro libere ac sine tributo uadant et revertantur efficaciter jus suum regie majestatis intuitu prosequentes. omnia eciam fora ipsorum sine tributis praecipimus observari. Ut autem haec, quae ante dicta sunt, firmiter et inconcussa permaneant in posterum, presentem paginam duplicis sigilli nostri munimine fecimus roborari.

Datum anno ab incarnatione domini millesimo ducentesimo uigesimo quarto, regni autem nostri uigesimo primo.

Bei Katona hist. crit. V. p. 16; Eder comment. p. 179; J. Schuller's Umrisse II. I. 60—101. Fejér's Cod. dipl. III. I. 441—445. Ofner-Stadt-Recht, herausgegeben von A. Michnay u. P. Lichner p. 236 u. 237. St. L. Endlicher's Mon. Arpad. p. 420—423. Toppeltin. org. Trans. p. 16 enthalten die irrige Lesart: libertate, qua donati statt: qua uocati fuerant etc.

II.

Karl's I. Privilegium für Klausenburg vom Jahre 1331.

Nos Carolus Dei gratia rex Hungariae etc. significamus . . . . quod nos circumspectis fidelitatibus fidelium hospitum nostrorum de Koluswár [1]), qui etiam in praesenti expeditione

[1]) Bei Fejér (VIII. IV. 171) lautet die ungrische Uebersetzung: a mi Kolosvári hiv lakóiknak.

nostra, quam in partibus habuimus Transalpinis, infinita et irrecuperabilia dampna rerum et bonorum ipsorum in observatione fidelitatis nobis et sacrae coronae debitae passi exstiterunt inter ceteros regnicolas nostros et perpessi, nolentes eorum inviolabili constantiae, obsequiose quam erga nostram continuo gesserant Majestatem regio occurrere cum favore, has libertatum praerogativas eisdem duximus concedendas: ut ad nullam congregationem per Palatinum item Voyvodam Transsilvanum, vel quemcumque justitiarium regni nostri in dictis partibus Transsilvanis quovis tempore celebrandam accedere teneantur, nec aliqualiter compellantur. Ceterum volumus et eisdem annuimus gratiose, ut omnes malefactores, fures videlicet vel latrones, nobiles aut ignobiles, qui maleficia committentes intra metas eorundem hospitum nostrorum reprehensi fuerint, per judicem eorum et per comitem ipsorum per nos deputatum praedictos judicentur in medio eorumdem. Praeterea concessimus eisdem, ut sylvas nostras, vulgariter Fekete erdeu vocatas in partibus illis, ad quas pervenire poterunt, libere percipiant et utantur. Igitur vobis Palatino, item Voyvodae Transsiluano et eorum vices gerentibus ac quibuslibet justitiariis . . . . . . praecipimus firmiter per praesentes, quatenus praetextu praemissarum libertatum . . . . . . eosdem hospites non praesumatis molestare aut aliqualiter inquietare audeatis, nec quisquam et specialiter Episcopus ecclesiae St. Michaelis Transylvaniae, vel ejus Castellani et officiales ratione usus dictarum silvarum nostrarum in transeundo per villas et tenutas et praecipue in exigendis tributis eosdem hospites nostros praesumant molestare . . . . . . Datum in Vissegrad feria quarta proxima post quindenas festi nativitatis S. Johannis Baptistae (10. Juli), anno Domini millesimo trecentesimo tricesimo primo.

Eine Bestätigung ertheilte Ludwig „Ddo. Cassoviae in octavis festi nativitatis. b. virginis a. d. 1364." Nach den in der Batthyanischen Bibliothek in Handschrift befindlichen: Privilegia Civitatis Claudiopolitanae p. 134, mitgetheilt von J. Teutsch. — Der Vergleich mit den im Cod. diplom. in ungrischer Sprache übersetzten Privilegium (VIII. l. 596) zeigt manche Abweichungen. Nach der Privilegiums-Bestätigung v. 1316 wurde Klausenburg 1271 von Stephan V. gegründet. Neuerliche Bestätigungen Karl's. I. Ludwig's I. und Sigmund's siehe: Cod. dipl. VIII. IV. 171, IX. V. 257, X. I. 576 u. 672. Eine Ofner Rechtsabschrift, als Norm für Klausenburg, erhielt die Stadt im J. 1488 (Siehe Ofner Stadtrecht a. a. O. S. 454).

III.

Ludwig I. Freiheitsbrief für die Sachsen in Kronstadt (Brassó) vom Jahre 1353.

Ludouicus, dei gratia Hungariae, Dalmatiae, Croatiae, Ramae, Seruiae, Gallicíae, Lodomeriae, Bulgariae Rex, Princeps Salernitanus et Honoris montis S. Angeli Dominus. Omnibus Christi fidelibus praesentibus et futuris notitiam praesentium habituris salutem in omnium saluatore. Quoniam rex magnus super gentes suas is digne fari potest, qui multitudine populorum gratulatur; vt in pacis pulchritudine et quietis tranquillitate sedeat ciuitas plena populo, et vita opulenta perfruantur. Proinde ad vniuersorum notitiam harum serie volumus peruenire. quod Comes Jacobus, filius Nicolai, filii Sandur, villicus de Brassou, in nostrae Maigstatis praesentiam procedendo vice et nominibus vniuersorum fidelium ciuium et hospitum nostrorum Saxonum de eadem Brassou, ac ad ipsam pertinentium nobis proponendo declarauit, quod pii progenitores nostri olim illustres reges Hungariae beatarum recordinationum infrascriptis libertatum praerogatiuis eos decorassent et praeditos fecissent. Super quibus quidem libertatibus instrumenta eorundem per impacati temporis discrimina extitissent alienata ab eisdem; petens nostram Excellentiam cum instantia, vt pristinam et antiquam eorum libertatem eisdem restituere, ac in eadem ipsos conseruare de benignitate regia dignaremur. Nos itaque humillimis supplicionibus eorundem fidelium ciuium et hospitum nostrorum Saxonum de Brassou et ad eandem spectantium, per praedictum Comitem Jacobum, villicum ipsorum, in personis eorumdem nostrae Maiestati porrectis inclinati, libertates eorum antiquas, vt iidem sicut numero, sic et fidelitate augeantur, dictis ciuibus et hospitibus nostris de Brassou et pertinentibus ad eaudem, nobis et sacrae regni coronae fidelitatem illibate obseruantibus in futurum, restituimus et restauramus in his scriptis, quas tenore praesentium specificando declaramus isto modo: quod de vniuersitate eorumdem fidelium ciuium et hospitum nostrorum de Brassou, et ad eandem spectantium annis singulis pro collecta eorum regali CL marcas fini argenti rationis Scybiniensis dent et soluant nostrae Maiestati, hominique nostro, exactori videlicet dictae collectae, litteris nostris mediantibus ad hoc deputato; a die praesentationis earumdem ipsis factae, qualibet die, donec ipsa collecta plene fuerit persoluta vnum fertonem argenti pro expensis suis, praeter summam dictae collectae, dare tenebuntur. Praeterea si nostram Maiestatem ad partes orientales personaliter exercitum ducere contingat, tunc quilibet eorum iuxta suas facultates equester vel pedester propria eorum in pecunia, nobiscum proficisci teneantur. Si vero ad partes occidentales personaliter exercitum duxerimus, tunc quinquaginta viros agiles bene armatos et lanceatos in ipsum exercitum nostrum ex parte communitatis eorum debebunt et tenebuntur destinare. Caeterum Judex ipsorum, siue Comes terrestris, quem ipsi de communi eorum voluntate eligerint, de vniuersis iudiciis, seu birsagiis Judici nostro regali, per nos in medio ipsorum deputato, prouenientibus, quartam partem et prolocutor similiter per communitatem eligendus, quintam partem recipiendi habebunt facultatem. Item si aliquis eorum homicidium inter ipsos patrauerit, tunc Judex noster ipsum cum suo aduersario potest captiuare; sed ad domum suam accedere, et res aut bona sua aufferre non possit modo aliquali, donec idem homicida non proscribitur per communitatem, et exulabitur; sed post proscriptionem per praefatam communitatem factam et exulationem suam omnia bona eiusdem praefatus Judex noster auferendi plenariam habeat facultatem. Si autem dictus homicida cum suo aduersario et inimico poterit concordare; tunc Judici nostro pro Judicio habitae pacis quinque marcas dicti compoti Scybiniensis dare teneatur. Syluas autem et aquas, ac piscaturas communiter perutantur, contradictione qualibet non obstante. Hoc tamen expresse declarato; quod iidem ciues et hospites nostri semper nobis, et sacrae regiae coronae fidelitatem debitam illibate, immutabiliter teneantur obseruare. Vt igitur haec nostra libertatum restauratio et donatio salua semper et inconcussa permaneat; nec per quempiam valeat in irritum retractari, praesentes eisdem concessimus litteras nostras priuilegiales pendentis et authentici sigilli nostri dupplicis munimine roboratas. Datum per manus Venerabilis in Christo Patris Domini Nicolai, Episcopi Zagrab. Ecclesiae, aulae nostrae Vice-Cancellarii, dilecti et fidelis nostri. Quinto kal. mensis April. Anno Domini M. CCC. LIII., regni autem nostri anno XII. Venerabilibus in Christo Patribus et Dominis Nicolao Strigon. locique eiusdem Comite perpetuo et Dominico Spalaten. Archiepiscopis, fratre Dyonisio Archielecto, Colocen. Nicolao Agrien. Demetrio Varad. Andrea Transyluan. Colomano Jaurien. Nicolao Quinqueeccles. Michaële Vacien. Joanne Wesprim. Thoma Chanad. Fratribus Thoma Syrmien. Peregrino Bosnen. Stephano Nitrien. et Blasio Tinninien. Episcopis Ecclesias Dei feliciter gubernantibus. Magnificis Baronibus Nicolao Palatino et Judice Cumanorum, Nicolao, filio Laurentii; Vajuoda Transyluaniae et Comite de Zonuk, honore magisterii Tauernicatus nostri vacante; Comite Thoma Judice Curiae nostrae, Dominico de Machou, et Nicolao de Zeurino Banis, Paulo Magistro Tauernicorum reginalium, Oliuerio Judice Curiae eiusdem, Leukus Pincernarum et Dapiferorum, ac Joanne Dapiferorum Reginalium Magistris, Simone Comite Posoniensi aliisque quam pluribus regni nostri comitatus tenentibus et honores.

Nach dem städt. Originale bei Marienburg. Tom. MSS. XIX. p. 15. und darnach im Codex Diplomat. Fejér's Tom. IX. II. pag. 236 etc.

IV.

Union der Ungern, Szekler und Sachsen zu Thorda in Siebenbürgen vom Jahre 1542.

Ad primum articulum in Comitiis Thordensibus factum feria 4. post Dominicam Judica (29. März) Anno Domini 1542, Deliberatio facta.

1. Delagatur ex Dominis nobilibus de quolibet Comitatu unus usque ad Numerum septenarium, qui sit cum Domino Locumtenente, quotiescumque interfuerit Regno, ut vocatus ipse veniat, vadat ad quem locum vocabitur, ut cuncta consilia simul fiant pro Bono et Utilitate et Conservatione Regni.

Eodem modo domini Siculi eligant de septem sedibus, et domini Saxones de ipsorum Comitatibus similiter septem eligant, qui vocati ad aliquem tractatum teneantur, venire ac sub Juramento fideliter agere et consilia secreto tenere.

2. Item. Quod nemo privatorum hominum cujuscunque nationis audeat mittere nuncium ad aliquod Regnum externum sine speciali voluntate et consensu Domini Locumtenentis ac Substituti ab eo in persona ejusdam.

Si vero Siculi Sedium Csik-Gyergyo, Sepsi et Orbai voluerint pro mercibus ad necessitatem ducendis proficisci in Moldaviam aut Regnum Transalpinense, teneantur suam profectionem aperire et proponere coram Dominis Siculis ejusdem Sedis sub poena amissionis capitis et Bonorum. Siculi autem ejusdem Sedis adstricti sint mox rescribere Domino Locumtenenti nomen ejus, qui proficiscitur et causam.

3. Item. Ex gratia Dei omnes tres nationes convenerunt de mutua pace fovenda, et rebus omnibus regni eodem modo et pari consilio, ac consensu gerendis ex obedientia Domino Locumtenenti praestanda secundum libertatem et antiquam consuetudinem Regni.

4. Item. Omnes tres Nationes convenerunt in hoc: Quodsi aliquis hostis externus venerit, ad hoc regnum vel etiam internus fuerit hostis, tunc teneantur singulae nationes, cum omni apparatu bellico alias ordinato venire per singula capita, vel in ea parte: Sicut Dominus Locumtenens eam curam habeat, ut saltem eam partem Regni de tribus Nationibus ad bellum vocet, quae necessaria et sufficiens fuerit; alioquin puniantur, qui non venerint, poena capitis, Bona autem talium remaneant heredibus.

5. Item. Quod Domini Regnicolae ad fidelitatem filii Regiae Majestatis defuncti in festo S. Mariae Magdalenae anni preteriti (22. Juli 1541) non solum accesserunt, sed etiam Juramento fidelitatem confirmarunt.

6. Item ut inquisitio diligens fiat inter tres nationes eodem modo et per illos, sicut in conventu Wásárhellyensi proxime celebrato definitum est et damna restituantur.

7. Item decretum est, ut illi exercitus, qui pro Regni conservatione venerunt more solito et antiquo, deinceps quoque paratas Gentes habeant.

8. Item. Quando per singula capita, tam Equites, quam pedites et cum omnibus colonis vocata fuerint, extunc de singulis decem nationibus unus maneat domi ad custodiam villae et insuper Mercenarii sive Servitores conducti juxta Dominorum libitum pro custodia domus domini ipsorum domi maneant.

9. Item. Visis litteris domini Locumtenentis vel cruentato gladio, nobiles prout vocati fuerint, vel in toto, vel in parte, vel etiam aliqui Comitatus vel sedes seorsim sub amissione Capitis eorum insurgere, et ad alterum non respiciendo convenire sine mora, quo vocati fuerint, teneantur; si autem quis quis non surrexerit, et non venerit, Dominus Vojvoda, circare faciat et punire cum amissione capitis.

10. Item. Kolosvarienses infra tempus istius belli teneantur conservare Pedites pixidarios 50. Si vero necesse fuerit, duae partes civitatis exeant, tertia parte ad custodiam civitatis permanente.

Ceterae vero Civitates Regiae more solito cum bono apparatu bellico, vexillis et gentibus exire debeant, ut semper consuetudo ipsarum antiquitus fuit.

11. item dominus Locumtenens comittat armare tam nobiles, quam ignobiles, sicut jam saepius constitutum est, quod scilicet unusquisque nobilium teneatur, habere galeam, loricam, hastam, frameam, clypeum et equum bono modo.

12. Item pauperiores videlicet unius Sessionis aratrum proprium habentes teneantur, consurgere equites, clypeum, frameam, et hastam habentes; si qui vero Servitores sunt, loco sui alium modo simili armis bellicis statuere teneantur. Alii adhuc pauperiores aratrum non habentes, neque equos, insurgunt pedestres cum hastis, clypeis, et securibus vel arcu et sagittis bono modo.

13. Item Coloni sex boum habeant frameam, clypeum, arcum, sagittas et securim; aratrum vero non habentes sex boum habeant clypeum, cuspides et securim, sive hastam.

14. Item quod loca Camerarum teneant unum in hoc cum Regno.

15. Item quod Universitas Praepositorum debeant conservare 20, sive equites sive pedites; Requiratur dominus Reverendus, ut compellat eos.

16. Item omnes scholastici arma ferre valentes, teneantur sub eadem poena capitis consurgere et defensioni Regni interesse.

17. Item scribatur Domino Episcopo Transilvaniensi super consensu Scholasticorum.

18. Item. Ceteri Coloni omnes, qui non consurgerent et non venirent ad levationem officialium Domini Locumtenentis, extunc circator domini Locumtenentis, suspendat talem, et res apud eum reperiendas, tam scilicet equum, quam vestes et pecunias auferre valeat; res tamen domi existentes Domini terrestres obtineant. Si vero Circator domini Locumtenentis talem reperire non posset in eodem processu, extunc per anni quoque circulum semper habeat potestatem tales puniendi et Judex atque Jurati cum juramento illos extradare debeant.

19. Item. In singulis molendinis unus tantum molendinator maneat.

20. Item personae decrepitae vel debiles vel adeo pauperes, ut ambulare non valerent, illi domi manere possunt, et non impediantur, sed si decrepitus habuerit substantiam loco sui alium appretiare debeat et teneatur.

21. Item quod dominus Locumtenens belli ductoribus Comitatibus ex Sedibus regestrum de pretio victualium et omnium rerum et armorum extradari faciat, ne taxent vendentes pro libitu suo emtores accipiant absque pecuniis, sed faciant gentes pecuniis vivere.

Item quod equos et equas Dominus Locumtenens ne permittat educere de Regno, nam si quis nobilium invenerit educentes auferre valeat.

Item imprimis, ut omnis Comitatus debeat eligere duodecim juratos et nobiles, qui fures, praedones, combustones domorum ac novarum vel falsarum monetarum cusores comitatibus, Comitatus judici nobilium et notario signanter hos tales, quorum annus nondum integer praeteriisset super patratione facinorum extradare debeant, tandem Comes illi nobili, cujus Jobbaggio extradatus est, mittere velit: Si ipse nobili cedulam acceperit, tunc Jobbaggionem suum suspendere debeat, et si suspenderit tantum res ex bona ad suum Dominum terrestrem devoluantur. Si vero Dominus ejus cedulam accipere voluerit tunc Comites illum ubicumque offendere poterant, suspendant, resque latronis illius propriam suam personam concernentes demtis filiorum filiarum Comites libere habere possint et valeant.

Item quodsi aliquis nobilis per alios duos nobiles furticinio uteretur, vel cum Jobbagionibus aut servitoribus suis furari faceret, ita ut idem nobilis de furtis et rapinis frueretur.

(Nach einer aus Emerich von Jancsó's Collect. M. S. S. durch Prof. C. Wenzel mitgetheilten Abschrift.)

C. Auf Kroatien, Slavonien und Dalmatien bezügliche Privilegien.

I.

Eidliche Privilegiums-Zusage des Königs Koloman für die Bürger von Trau vom Jahre 1108.

Anno dominice incarnacionis MCVIII. mense V. die XXV. anno XII. regni mei. Ego Colomannus, rex Hungarie, Chroacie, atque Dalmacie iuro super sanctam crucem uobis Traguriuis, meis fidelibus ciuibus, firmam pacem. mihi et filio meo, aut succesoribus meis tributarii ne sitis. episcopum uero, aut comitem, quem clerus et populus elegerit, ordinabo. et lege antiquitus constituta uos uti permittam. preterquam introitus ciuitatis de extraneis duas partes rex habeat, terciam uero comes ciuitatis. decimam autem episcopus. in ciuitate quoque uestra neminem Hungarorum, uel alienigenarum habitare permittam, nisi quem uoluntas uestra expecierit. quum ad uos coronandus, aut uobiscum regni negocia tractaturus, aduenero, nemini uis inferatur domorum suarum, nisi quem dilectio uestra receperit. At si forte aliquando dominium meum aliquem aggrauare uidebitur, et alias ire uoluerit; secure cum uxore, et filiis, et familia et omnibus suis, quocumque sibi placuerit, eat. Hoc autem Sacramentum a rege, et ab archiepiscopo Laurencio, et Comitibus Hungarie confirmatum est. Ego Joannes palatinus Comes laudo et confirmo. ego Appa Comes laudo et confirmo. ego Thomas, Albanensis Comes laudo et confirmo. ego Jacobus Borsodiensis Comes laudo et confirmo. ego Ugudi Uuasuariensis Comes laudo et confirmo. ego Slauiz Comes Neogradensis, laudo et confirmo.

Bei Lucius: De Regno Dalmatiae p. 167. Farlati Illyr. r. sacr. Tom. VI. p. 323. G. v. Fejér: Cod. dipl. II. 45 und 80, IV. I. 246. — Stephan. Ladislaus Endlicher: Rerum Hung. monumenta Arpadiana p. 376 und 377. — Aehnliche eidliche Zusagen erhielten die Bürger Spalato's von Geysa II. im Jahre 1142 (Farlati Illyr. sacrum III. 174); jene Sebenico's durch Stephan III. im Jahre 1167. (Endlicher's Mon. Arpad. p. 381 ex apographo coaevo.)

II.

Andreas II. Freiheiten für die in Warasdin angesiedelten Gäste vom Jahre 1209.

In nomine sancte trinitatis et indiuidue unitatis. Andreas dei gracia Hungarie, Dalmacie, Croacie, Rame, Seruie, Gallicie Lodomerieque rex in perpetuum. Ordo iuris expostulat, et racio exigit equitatis, ut bone fidei contractus perpetue stabilitatis gaudeant firmitate, nec iniquorum fraudibus dissoluantur, que inicio ex equitate processerunt. hinc est quod ad peticionem fidelis nostri Pech palatini et comitis Musinensis, et maxime fidele seruicium hospitum nostrorum in uilla Uarasd commoranciuum, quod nobis deuote fideliterque, dum in Kene detineremur in carcere, exhibuerunt, pro affectu regio considerantes, eis tam in presenti existentibus quam eciam superuenientibus, perpetuo iure contulimus statum huiusmodi libertatis, ac terram circumdatam undique metis precipimus eis assignare. libertas prenominatorum hospitum nostrorum hec est: quod comes uel suus comes curialis non habeant potestatem eos iudicandi, sed inter eos quemcunque uolunt, iudicem constituant, quem ricthardum solent appellare. nullus autem burgensis tributum et tricesimam soluere teneatur, nisi qui uadit in Teutoniam cum suis mercimoniis, de quolibet curru ponderato soluet tres denarios, de singulis uero equis uenalibus duos denarios. a duobus bobus unum denarium, de tribus porcis unum denarium, in portu Draue de quolibet curru unum denarium. si quis autem herede carens decesserit, libere disponat possessionem suam, siue ecclesie siue cuilibet suorum cognatorum. si quis uero uoluerit de uilla recedere, uenditis omnibus suis edificiis libere possit abire. quicunque uero burgensis per aliquem extraneum in rebus suis damnum pateretur, et idem malefactor ab eodem burgensi in uilla sua recognosceretur, rietbardus eiusdem loci inter eos faciat iusticiam. Datum per manus magistri Thome, aule nostre cancellarii, anno ab incarnacione domini millesimo ducentesimo nono.

(Endlicher's Monumenta Arpadiana ex apographo p. 405. Fejér's Cod. dipl. III. I. 86.)

III.

Herzog Koloman's Freiheiten für die beim Castell Walko (Vukovár) angesiedelten Gäste (hospites) vom Jahre 1231.

Colomanus dei gracia rex et dux tocius Slauonie salutem et omne bonum. Ne ea que aguntur in tempore labantur cum eodem, prudentum stabiluit prouidencia literarum testimonio roborari. ad uniuersorum igitur uolumus peruenire noticiam, quod nos hospitibus iuxta castrum Valkow commorantibus, uidelicet Teutonicis, Saxonibus, Hungaris et Sclauis, consilio et consensu omnium iobbagionum nostrorum libertatem talem constituimus: ut omnem causam inter ipsos ortam, preter effusionem sanguinis, major uille eorundem, quem ipsimet exposuerint, iudicare teneatur. effusionem tamen sanguinis non per se, sed per ianitorem castri possit iudicare, cum quo iudicium habeat commune. Statuimus eciam quod de qualibet porta annuatim dimidium fertonem, transactis in nouitate tribus annis dare teneantur, ita tamen quod in festo s. Georgii tria pondera, in secundo festo s. Martini tria pondera persoluerent. Statutum est eisdem, quod si quis sine heredibus ex ipsis decedere contigerit, pecuniam suam cuicunque uellet possit disponere. Statuentes eciam eisdem, quod nullus absque serie iudicii de uilla eorum ligatum uel uinctum possit quempiam extrahere. Et insuper, ne aliquo indigeant, terram castri eiusdem, nomine . . . ad habitandum dandam ipsis contulimus integraliter, cum silua terre eiusdem nomine . . . . de qua domos exstruendas et curias preparandas liberum eis permisimus arbitrium. quibus eciam Danubium et fluuium Walkow piscandos libere permisimus. Statuimus eciam eisdem, quod si quis uult, libere ueniat et libere cum uolerit omnibus rebus uenditis et domibus recedat. Et ut hec talis a nobis facta disposicio in irritum non possit reuocari, consilio et consensu iobbagionum nostrorum presentem sigilli nostri munimine iussimus confirmari, superaddentes eisdem, quod nulla causa inter ipsos ad certamen duelli debet peruenire. Istis tamen iobbagionibus presentibus: Jula bano, filioque eiusdem altero Jula, magistro Tauernicorum nostrorum, Nicolao de Zala, Opoi de Simig, Petro de Walkow, Georgio de Barana comitatus tenentibus, et aliis quam plurimis. datum per manus magistri File nostri notarii. ab incarnacione domini anno MCCXXXI.

(Endlicher Monumenta Arpadiana p. 434. Vergl. Fejér's Cod. dipl. III. II. 237, IV. II. 315 u. IV. III. 79 u. 154.) Auch in Veröcze (Vereucze) werden ausdrücklich Deutsche, Ungern und Slaven als hospites urkundlich angegeben. (Siehe Cod. dipl. III. II. 212.)

IV.

Bela's IV. goldene Bulle für die Stadt Grech (Agram) vom Jahre 1242.

In nomine sanctissime trinitatis et indiuidue unitatis amen. Bela, dei gracia Hungarie, Dalmacie, Croacie, Rame, Seruie, Galicie, Lodomerie, Cumanieque rex in perpetuum. Regum celsitudo requirit, et sublimium dignitati debetur, ut tanto amplius in multitudine plebis gaudeat, quanto ipsi auctoritate antecellunt. Hinc est, quod tam presentibus quam posteris harum serie declaramus, quod cum nostre placuisset uoluntati in Zagrabia in monte Grech ciuitatem liberam construere et ibidem hospites conuocare et illam partem regni ad securitatem confinii et alia commoda munire et firmare, conuocato consilio cum dilecto et fideli nostro Dionysio, bano tocius Slauonie, et aliis regni principibus nostram hanc intencionem et uoluntatem unanimiter approbantibus, nostrum propositum perduximus in effectum, concedentes ut in predicto monte libera ciuitas fiat, hospites libere conueniant, terras et possessiones, condiciones et libertates a nobis assignatas et subscriptas habeant, teneant et custodiant inconcussas. Condiciones itaque et libertates hospitum predictorum in predicto monte habitancium et conueniencium, quas ipsi inter se fecerunt, et nos approbamus, tales habent. Quod, si iidem hospites in districtu Hungarie, Dalmacie, Croacie, Slauonie spoliati per latrones uel alios malefactores fuerint, dominus terre, in qua spoliati fuerint, estimata pecunie quantitate iuxta arbitrium bonorum uirorum et sacramentum conciuium ad hoc electorum uel ablata refundat, uel malefactorem ostendere teneatur. Item, tributa infra regales terminos in nullo loco soluere teneantur. Item, quicunque ciuis alium ciuem uituperiis, opprobriis aut contumeliis affecerit, si inde conuictus fuerit, leso decem pensas, in communes expensas centum denarios soluat; quod si post trinam correctionem se non emendauerit, rebus omnibus in commune applicatis tanquam infamis de ciuitate turpiter expellatur. Si quis etiam alapam alteri dederit, uel per crines maliciose traxerit, eandem penam paciatur. Si quis uero cultello, gladio, lancea aut sagitta aut aliquo tali modo alium uulnerauerit, uulneratusque sine defectu membrorum resanatus fuerit, medico lesi satisfaciat et leso uiginti quinque pensas, quinque uero ad usus ciuitatis persoluat; si uero in aliquo membrorum debilitatus fuerit, medico lesi satisfaciat, et leso decem marcas et ad usus ciuitatis decem pensas soluere teneatur; si uero mortuus fuerit, due partes rerum suarum cedant parentibus occisi, tertia pars ciuitati; si uero captus fuerit; secundum consuetudinem de ipso uindicta sumatur; nisi quis in ludo sine premeditata malicia aliquem interfecerit, in hoc enim casu centum pensas agnatis interfecti, uiginti uero pensas ad communes usus refundat interfector, cui si facultates non suffecerint, ciuium arbitrio relinquatur. Item si quis de extraneis intrans ciuitatem siue in uico siue in domo siue in foro similia ut supra notatum est, perpetrauerit, per iudicem ciuitatis iudicetur et eisdem penis subiaceat condemnatus. Item si quis extraneus aliquem de ciuitate in causa pecuniaria uel illata iniuria uoluerit conuenire, coram iudice ciuitatis conueniatur, et nulla causa ad duellum iudicetur, sed per testes et iuramenta terminetur, siue sit cum extraneis siue cum indigenis. Testes autem eiusdem condicionis et libertatis, cuius isti, assumantur. — Eodem modo siue extraneus inueniat apud incolas siue incole apud extraneos equum aut bouem aut aliquas res furtiuas, semper testes, ut supra dictum, producantur. Item, ciues de predicta ciuitate uel iobbagiones de uillis ad ipsam pertinentibus, que prope territorium ipsius ciuitatis fuerint site, nullius iudicio nisi iudicio ciuitatis adstare teneantur. Quod si iudex suspectus habebitur, et actor legitimam causam recusacionis inallegauerit, conuocatis omnibus maioribus ciuitatis ipso iudice presente negocium decidatur, de quorum sentencia, si adhuc contigeret dubitari et actor importunus eos ad regis citauerit presenciam, solus iudex pro aliis omnibus ire teneatur. Eodem modo, (si) pro quacunque causa iudicem ciuitatis et ciues uel ciues solos ad regis presenciam quis citaret, non tenetur ire nisi solus iudex ciuitatis. Quod si quis aliquem ciuem uel ciues non requirens antea iusticiam sibi fieri a iudice ciuitatis ad regem citauerit, pro illo uel illis iudex ire tenebitur, et ei citator refundet expensas eo, quod contemta auctoritate regalis priuilegii sibi cogniti irrequisito iudice ciuitatis fatigauerit eum frustra laboribus et expensis. Ciues autem liberam habeant, undecunque uoluerint, eligendi facultatem iudicem ciuitatis nobis presentandum et mutandi eundem annuatim pro sue arbitrio uoluntatis. Item, si quis de ciuitate sine herede decesserit, de rebus suis mobilibus liberam habeat disponendi facultatem, cuicunque uoluerit; res uero immobiles, domus, curiam, uineas, terram et beneficia suorum conciuium habito consilio uxori sue uel alicui cognatorum suorum relinquat, ita tamen, quod nec per ipsum nec per uxorem nec per cognatos a jurisdictione ciuitatis possint alienari uel eximi uel auelli. Item, si quis intestatus decesserit, et nec uxorem nec filios nec cognatos habuerit, due partes rerum suarum per uiros fide dignos consilio ciuium ad hoc deputatos pauperibus et ecclesie ciuitatis eiusdem distribuantur, tertia uero pars ad utilitatem ciuitatis reseruetur. Item statuimus, quod in eadem ciuitate forum solenne duobus diebus in hebdomada, uidelicet die Lune et die Jouis, celebretur, et preterea forum quotidianum quotidie habeatur. Uniuersitas uero ciuitatis supra dicte nobis tenetur ad seruicia infrascripta. Cum enim rex Hungarorum expedicionem ad partes maritimas uel Carinthiam uel Austriam facere uoluerit, dicti ciues decem milites mittere teneantur cum armis militaribus apparatos; preterea domino regi, quando ipsum illuc ire contigeret, debent dare pro prandio duodecim boues, mille panes et quatuor tunellas uini, duci autem tocius Slauonie, si sit de prole regia, medietatem predictorum dare tenentur, bano uero pro tempore constituto, non tamen uicebano, nihil aliud soluere, nisi in principio introitus banatus unum bouem, centum panes, tunellam unam uini semel, quamdiu durauerit in banatu. Sane ab omnibus istis seruiciis usque quinquennium erunt liberi et immunes, transacto quinquennio tenebuntur. Item, iidem ciues uoluntate spontanea super se assumserunt, quod expensis propriis dictum montem Grech muro firmissimo communirent. Ad sustentacionem autem hospitum in predicto monte habitancium dedimus terram circa eundem montem Grech statuentes eam per dilectum et fidelem nostrum, Dionysium, banum tocius Slauonie, eisdem hospitibus sub certis metis et distinctis perpetuo possidendam, cuius terre mete sic uadunt. . . . . Ut igitur dicta ordinacio nostra et dictorum libertas hospitum firma et inuiolabilis perpetuo perseueret, presens eis priuilegium concessimus auree bulle munimine perpetuo confirmantes. Datum apud Verucha per manus magistri Benedicti, prepositi Albensis, aule nostre cancellarii, electi in archiepiscopum Colocensem, Bartholomeo Quinqueecclesiensi, Cleto Agriensi, Stephano Zagrabiensi, Bartholomeo Nitriensi, Blasio Chanadiensi episcopis, Benedicto Varadiensi et postulato Jeuriensi, Stephano Vaciensi et postulato in archiepiscopum Strigoniensem, ecclesias dei gubernantibus; dilecto cognato nostro, Joanne Angelo, domino Sirmie et comite Bachiensi, Ladislao, Palatino, Mattheo, tauernicorum et comite Soproniensi, Sol, dapiferorum et comite Castri Ferrei, Mauricio, pincernarum, Stephano, agazonum magistris, Arnoldo, Simegiensi, Paulo, Albensi magistratus et comitatus tenentibus, anno incarnacionis domini millesimo ducentesimo quadragesimo secundo, sexto decimo Kal. Decembr. regni autem nostri anno octauo.

Fejér cod. diplom. IV. I. 258. Kerczelich not. praelimin. pag. 124. Katona VI. pag. 460. Eine erneuerte Bestätigung vom Jahre 1266 enthält Fejér cod dipl. IV. III. 330. Ofner Stadtrecht von Andreas Michnay und Paul Lichner, Pressburg 1845, pag. 244 etc. Endlicher Monum. Arpad. pag. 451. — Die Gränzbestimmung ist bei Fejér IV. I. und Katona nach einem spätern Transsumt angeführt.

V.

Bela IV. Freiheiten für die Fremden in Szamobor. 1242.

Bela dei gracia Hungarie, Dalmacie, Croacie, Rame, Seruie, Galicie Cumanieque rex omnibus Christi fidelibus presens scriptum inspecturis salutem et omne bonum. Ubicunque nostri nominis interuentu posse credimus aliquibus subueniendum, pium nos decet adhibere fauorem, presertim ne ueritas occultetur, aut iniquitas preualeat equitati. eapropter ad noticiam uniuersorum uolumus peruenire, quod accedentes ad nostram presenciam hospites nostri de Zamobor, prope castrum Oseckich existens humiliter a nobis flagitarunt et instanter, ut modum et statum libertatis eorum de gracia et prouidencia pie memorie regis Colomanni, carissimi quondam fratris nostri, iuxta tenorem libertatis hospitum de Petrina liberaliter concesse, nostrarum auctoritate literarum dignaremur confirmare. Nos itaque considerata eorum utilitate, precibus ipsorum fauorabiliter annuentes, sub libertate iam facta ipsos duximus perpetuo statuendos. cuius seriem in priuilegio memorati fratris nostri taliter uidimus contineri: ut scilicet ipsos nullus iudicum nostrorum, preter maiorem uille eorum, quem uoluntarie elegerint, audeat iudicare, et si ab eorum iudice conquerentibus satisfieri non poterit, iudex eorum in nostra presencia, et non alias super ipsa causa citatus, debeat et teneatur respondere, et si ipsi alias coram iudice, quem peterent super aliquo, eius iudicetur iuramentum. Statuimus item, quod si banus eis ad ualorem unius marce damnum faceret, in centuplo eisdem restitueret. Tandem bano non aliud nisi domos suas occasione descensus daré teneantur, pro aliis uero necessitatibus precium recipiant. Et si aliquis ipsorum prole caruerit, tam ipso uiuente quam a seculo transmigrante, bona sua cuicunque uoluerit libere conferat retinenda. Et si aliquis de uilla super equo uel boue calumniatur, et ab aliquo pro quanto sacramentum facere presumserit, is calumnias testibus adstantibus restituat, et res pro qua causabatur ad requirentem deuoluatur. Et si quis ipsam uillam intrare uoluerit, moraturus, omnia bona sua, domus uidelicet et alia que possidet, omnibus scientibus liberam habeat uendendi facultatem, et recedens de uilla retineat eandem. Statuimus eciam, ut sacerdotem quemcunque uoluerint, in suam recipiant ecclesiam. De decimis eorum, prout mos est hospitibus ubicunque manentibus, disponant. Nec hoc tamen sub silencio uolumus preterire, quod predicti hospites nostri nobis annuatim pro collecta centum pensas, et pro tributo fori triginta pensas soluere teneantur. Ut igitur enarrate libertatis series sepedictis hospitibus salua semper et irreuocabilis permaneat, presentem ipsam auctoritatem, ac duplicis sigilli nostri impressionem propensius confirmamus. Datum in uilla Wereuze. anno dominice incarnacionis MC.C.XLII. regni uero nostri anno VIII.

(Endlicher's Monumenta Arpadiana ex autographo p. 457.)

VI.

Freiheiten des Ban's von Slavonien, Stephan, für die Gäste der neuen Stadt Kreuz. 1252.

Nos Stephanus, banus tocius Slauoniae, significamus omnibus, praesens scriptum inspecturis, quod nos pro utilitate ac honore domini regis fecimus ac locauimus nouam et liberam uillam in Crisio, dantes hospitibus in ea habitantibus eamdem libertatem, qua utuntur hospites de Graecz, et de noua uilla Zagrabie: a potestate autem comitis Crisiensis omnino duximus eosdem eximendos, ex nunc idem comes Crisiensis nec iudicare nec descendere super eos teneatur. Uolumus igitur: quod nullam collectam soluere debeant hospites antedicti. pro libertate autem ipsorum, in tercio anno a data presencium, de qualibet porta quadraginta denarios bano, pro tempore constituto, soluere tenebuntur. Forum enim ipsorum, a nobis concessum, celebretur tercia feria, de cuius tributo in eodem anno tercio due partes bano, tercia uero pars ipsis hospitibus incipiat ministrari. Omnes autem causas, tam maiores quam minores, siue in die fori, siue in aliis diebus emergentes, maior uille, quem communis populus elegerit, debeat penitus iudicare. Maior uero uille, si querulantibus iusticiam denegaret, idem maior uille coram presencia solius bani pro tempore constituti impetatur. citacio quippe maioris uille non aliter, nisi cum specialibus litteris bani, mediante bono testimonio, fieri debeat, et ipse maior uille citatus per quempiam banum, ultra Gozd et ultra Drauum non sequatur. Uolumus eciam, quod super quacunque causa coram nobis. uel maiore uille emergente, productio testium de extraneis, nisi de eadem uilla, impetuose non comitatur, sed iuramentum ipsis ciuibus iudicetur. Preterea quisquis extraneus, si ciuis eiusdem loci in ipsa uilla contra alium pre ira gladium seu cultellum euaginaret, et hoc cum testimonio probaretur, uel quis uulnus non mortiferum afficiet, iudicio unius marce condemnetur. quisquis igitur casu accidente, suum interfecerit conciuem, centum pensis, ex quibus due partes parti aduerse, tercia uero pars maiori uille solui teneatur. et nisi homocida pecunia sua se defendet, caput eiusdem ad manus partis aduerse statuatur. Fur autem et calumpniator manifestus, contra quem communis populus faceret testimonium, ablatis omnibus, que habet de uilla expellatur, cum pudore. Decedentes autem sine heredibus omnia bona sua relinquant, cuicunque uolunt retinenda. Ipsi eciam ciues ad exercitum bani aut regis aut iudicis sui non ire tenebuntur, nec alicui ipsorum uis domorum suarum, nec a familia nostra, neque ab aliis inferatur, sed quem uolunt, hospicio recipiant uoluntarie. Preterea maior uille, reuoluto anno uillicacionis sue, suam debeat reponere uillicacionem, et si communis populus uoluerit, eidem uillicacio conferatur, sin autem alteri, cui uoluerit, ipsa conferatur uillicacio. Si quis igitur ad ipsam uillam uenire uoluerit, libere ueniat. recedant eciam secure, uenditis bonis suis, qui recedere uolunt ab eadem. Uolumus eciam quod homines, qui marturinas soluere solent, ad ipsam uillam non recipiantur. Item super causa pecuniaria, si quis conuicetur, quadraginta denarios pro iudicio soluere tenebitur. Preterea ipsi ciues tributum in foro non soluent de suis mercimoniis. Assignauimus eciam terram eisdem de superiore parte uille Crisiensis, quam nos personaliter inspeximus, per Georgium comitem Crisiensem atque Prelsam terrestrem metari facientes. Ut autem huius uille libertas inconcussa permaneat, litteras presentes duximus eisdem concedendas. datum in festo sancti Georgii. anno domini millesimo ducentesimo quinquagesimo secundo.

(Endlicher's Monumenta Arpadiana ex autographo p. 479.)

VII.

Der Ban von Slavonien Matthaeus bestätigt und anerkennt die Rechte des Landes und des Banats bezüglich der Ausübung der Gerichtsbarkeit. 1273.

Nos Matheus Banus tocius Sclavonie significamus omnibus presencium per tenorem . . . . . regni tocius Sclauonie generali, nobiles et iobbagiones castrorum hec iura regni et banatus infrascripta redacta in scriptis nobis exhibuerunt, petentes quod eadem in iudiciis exercendis et banatus iuribus . . . . per nostros iudices obseruare. nos itaque qui de bonis regni et utilitatibus gratulamur, ipsorum peticionem iustam, eo quod premissa iura ueris et legitimis racionibus fundabantur, admisimus debito cum effectu. Primum: secundum . . . . pristaldum, suum consanguineum et cognatum, aut seruientem, aut suum parochialem sacerdotem pro testimonio recipere nullus possit. Ad hec si actio fiat in presenciam nostram, quindena diei actionis, si uero in presencia nostrorum iudicum, actio debet pro termini . . . . . . si actor primo certificacionis edicto in litis iudicio sue exprimeret actionem, ne locus fraudibus reseruetur, et si conuentus in primo non comparuerit termino, XL denariorum iudicio subiacebit, pro ceterorum uero obmissionibus terminorum, consueta iudicia regni soluere. Item citatus in causa possessionis, furti, uiolencie, homicidii aut infidelitatis, si personaliter uel per hominem suum comparuerit, responsio peremptoria siue iudicii grauamen usque ad septimum terminum debeat prorogari, accepcione cuiuslibet termini quindecim dierum iudicia obseruentur. uel pro septem edictis que legitime recipi possent, unus terminus peremptorius assignetur, et si quis in premissis casibus in septimo termino non comparuerit, iudex in octauo termino publice faciet proclamari, quod reus iuri parere debeat, quare in prioribus terminis non comparuerit, ostensurus iustam et legitimam racionem. qui si eciam tunc se absentauerit, actor mittetur causa rei summende in possessionem contumacis, pro modo delicti uel maleficii in litis iudicio declarati. Preterea si quis pristaldo contradixerit uel maculam obiecerit falsitatis, si ipsum legitime conuincere non possit, soluet pro iudicio marcam unam. item si quis pristaldum uerberauerit uel hominem capituli datum pro testimonio, conuinctus tamen legitime pene decem marcarum subiacebit. si quis autem in figura iudicii litterio capituli uicium apposuerit falsitatis, et non conuincerit regni legitimis documentis, decem marcarum penam soluet. Ceterum cum quis in causa pecuniaria condemnatus, iudici uel aduersario suo usque ad secundum terminum satisfacere non curauerit, dicto termino unus de iudicibus per regnum constitutis ibit cum homine comitatus Zagrabiensis uel Crisiensis, adhibito testimonio capituli Zagrabiensis uel Csasmensis, et de bonis seu rebus contumacis iuxta condignam estimacionem iustum exiget iudicatum. in peculio autem petito magne quantitatis iudices inspecta qualitate personarum secundum suam discrecionem moderabuntur terminos pro solucionibus faciendis. Item si quis alteri crimen obiecerit lese maiestatis uel dixerit quod falsam cudi faciat monetam, si conuincere non possit, penam pati debeat talionis. Statutum fuit eciam, si quis contra alterum in iudicio proposuerit, quod in regno ducat uitam publice uiolentam, et non conuicerit secundum iuris processum, soluet dimidii homagii iudicium, pensas scilicet sexaginta. Si uero actor proposuerit contra reum, quod ipse rerum suarum fur extiterit, si satis et legitime non conuicerit, iudicia duo soluet. Si quis autem in iudicio constitutus, alterum seruum suum in iudicis presencia uituperauerit, iudicium lingue soluet, scilicet XXV pensas. in minoribus autem causis conuinctus solo iudicio aggrauabitur. Item si cui obiectum fuerit in iudicio quod super domum alterius manu uenerit uiolenta, et non conuicerit iusticia mediante, iudicium soluet duplex. Adiectum fuit eciam premissis, quod in quolibet genere actoris adiudicato ad duellum siue sacramentum, si partes ad composicionem fecerint, iudex ultra formam composicionis habite plus petere non ualebit, item in una causa, siue actor reo deferat, siue reus actori referat sacramentum, iudex inter ipsos duellum non possit iudicare, sed per sacramentum causa debeat emanere, nisi partes examen duelli assumpserint spontanea uoluntate. Extitit eciam ordinatum, quod causa homicidii uel furti, si quis per sacramentum adiudicatum se purgabit, soluet purgacionis denarios XL. ut eciam in causis uinearum, molendinorum, si ad iudicatum fuerit sacramentum, idem debet iudicium obseruari. Item in causa pecuniaria reus conuentus nullatenus debet captiuari, si pecunia uel possessione carere inuentus fuerit manifeste. In actione eciam furti siue uiolencie, uel cuiuslibet maleficii, homo possessionatus sine caucione fideiussoria iudicetur. Item alter pro alterius delicto, sicut pater pro filio emancipato, uel e conuerso, aut frater pro fratre diuisionis titulo separato, non debeat condemnari, nisi fuerint conscii uel participes criminis perpetrati. sed quisque in bonis propriis uel porcionibus iuxta suum meritum aggrauetur. Item porcio hereditaria sine herede decedentis cognacioni sue debeat remanere, uti et pertinencie. quod se eciam alterius reambulacionis iudex ad fructus uel utilitates eius non debebit mittere manus suas, donec causa per partes fuerit fine debito terminata. Item dum hostilis incursus uel exercitus uenerit super regnum, aut dominus rex processerit in expedicionem personaliter, tunc nobiles regni dicti Sclauonie singuli et uniuersi ire ad exercitum tenebuntur. ita tamen quod idem cum baronibus quibus uoluerint exercituandi habebunt liberam facultatem. Item super dicatores zalusinarum, uel procuracionum aut descensuum exhibita satisfactione, banus descensum facere non debet, nisi iusta causa regni et legitime imminente. et nobiles ac iobbagiones castrorum de descensibus bani debent usque dies s. Martini modis omnibus expediri Item si quis in soluendo mardurinas, collectam septem denariorum, iudicia, exercitualia, uel eciam collectam que in regno fieri continget, seu iudicia in quibus si conuictus contumax extiterit et rebellis, comes Zagrabiensis uel Crisiensis cum eo de coiudicibus sibi . . . . . . ad exigendum procedet, assumto secum testimonio capituli Zagrabiensis uel Csasmensis, pro eo ne plus iusto debito exigatur. Et in processu suo super aliquem nobilem uel iobbagionem castri descensum facere non debebit, sed expensas quas fecerit descendendo, de bonis eciam recipiet contumacis. Insuper uolumus, sub silencio pene, quod nobiles in Zagoria et aliis comitatibus similibus, eo die prout alii descensum dare non teneantur, nec eius adstare iudicio, sed banus eos iudicabit pro tempore constitutus. Sane collectores eciam mardurinarum non cum pluribus procedere debeant, nisi cum duodecim hominibus, habentes XIV equos, et non plures. quibus quidem de qualibet condicione pro uictualibus administrari debeat . . . . . una, seu gallina, anser unus, quarcio cubili de uino, cum cubulo tuni palmarum XII. cubuli de pabulo cum cubulo quatuor palmarum et non ultra, prout felicis recordacionis domini nostri illustris regis Bele in priuilegio continetur. Collectores autem septem denariorum uel iudiciorum, exercitus, de medietate habebunt descensus memorati. dictique collectores mardurinarum in curiis nobilium uel iobbagionum castri, domus aliquas aut domum uillici aut preconis, molendina et stubas dicare non debeant ullo modo. Uillico eciam domus una acturie sue pro recipiendis hospitibus libera relinquatur. et talis debet habere uillicum uel preconem, qui decem iobbagiones possidet et non infra. Item aliqui commorantes super terris nobilium uel iobbagionum castri dicari non debent, sed iobbagiones eorum, si quos habent. Et quod omnia premissa debito ordine obseruentur, cum comite Zagrabiens continuo nobiles et duo iobbagiones castri, et totidem cum comite Crisiensi, quos regnum eligendos duxerit, iudicabunt. qui si omnino adesse non possent, tres uel duo iudices eo die sufficient ad iudicium faciendum. Ut autem hec statuta suprascripta seu constituciones robur perpetue obtineant firmitatis, presentes concessimus literas sigilli nostri munimine roboratas. datum Zagrabie, quinta feria proxima post octauas pasce. anno ab incarnacione domini millesimo, ducentesimo septuagesimo. . . . . .

(Endlicher's Monumenta Arpadiana p. 536 ex transumto Capituli Csasmensis ab anno 1350.)

VIII.

Ferdinand's I. Privilegium für die serbischen Capitäne und Wojwoden v. J. 1538.

Ferdinandus Diuina Fauente Clementia Romanorum Rex Semper Augustus, ac Germaniae, Hungariae, Bohemiae, Dalmatiae, Croatiae, Sclauoniae etc. Rex, Infans Hispaniarum, Archidux Austriae, Dux Burgundiae etc. Marchio Morauiae etc. Comes Tyrolis etc.

Recognoscimus et notum facimus tenore praesentium, quibus expedit uniuersis, Cum Nobilis fidelis nobis dilectus Nicolaus Juritschytz Baro in Guns, generalis Capitaneus noster Nobis Significauerit esse nonnullos Capitaneos et Wainodas Seruianos, Seu Rascianos, qui una cum hominibus et personis sub Waiuodatibus suis existentibus, ad Seruitia nostra uenire in eisdemque ac deuotione fideque erga nos inconcussa perpetuo manere et perseuerare decreuerint. Quod nos idcirco uolentes eosdem Wayuodas et Capitaneos Seruianorum Seu Rascianorum, eorumque homines et Personas seu adhaerentes praedictos aliquo Regiae beneficentiae et liberalitatis nostrae Munere prosequi.

Eisdem pro suo erga Nos, Rempublicam Christianam pio animo et instituto, ut illum eo diligentius re ipsa comprobare studeant, infrascriptum Priuilegium, Exemptionem praerrogatiuam, atque libertatem promittendam, dandam, donandam, et concedendam duximus, prout damus, donamus, concedimus, elargimur atque promittimus praesentium per tenorem uidelicet.

Quod postquam ipsi Wainodae et Capitanei Seruiani seu Rasciani hominesque et Personae eis subditae, et adhaerentes praedictae Deuotionem et fidem Nobis inconcussae Seruandam amplexae fuerint Vnaque Familia, qua scilicet in una Domo, et sub uno tecto et super uno fundo habitauerit, debeat, possit, atque ualeat per viginti Annorum Spatium continue libere et sine aliqua Censuum seu affictuum quorumcunque solutione in Dominijs nostris et locis per dictum Generalem Capitaneum nostrum eisdem assignandis degere et fundos hujusmodi colere, seu coli facere, fructusque et emolumenta quaecunque exinde percipere omni impedimento et contradictione cessante. Deinde quod unicuique Capitaneo siue Wainodae eorundem Seruianorum Seu Rascianorum qui Scilicet sub suo ductu siue Regimine ducentos homines habebit, Singulis annis, quae diu sese bene fideliterque in Seruicijs nostris geret, et exhibebit, Quinquaginta florenorum Rhenensium in Moneta Prouisionem dari, solui et numerari faciemus.

Praeterea, quod quidquid ipsi ex Infidelium et perpetuorum fidei Christianae Hostium Turcarum manibus in potestatem suam redegerint, et lucrifecerint id omne praeter Ciuitates, oppida, Castra, Arces, Capitaneos insignesque personas, que omnia depositioni nostrae reseruamus ipsorum Rascianorum esse debeat. Ea tamen adiecta etiam conditione. Quod si a Nobis Stipendia habuerint, et sub hujusmodi Stipendijs nostris ipsis Infidelibus aliquid ademerint ultra dictam Reseruationem, Tertiam etiam partem hujusmodi lucri et Praedij ad manus nostri Solutionis Magistri dare et consignare teneantur. Quod quidem lucrum siue pecuniam Nobis et hujusmodi tertia parte cessuram non recussabimus. Imo uolumus cum opus fuerit, iterum in ipsorum Seruianorum seu Rascianorum commodum atque utilitatem exponere et conuertere ueluti in Redemptionem Captiuorum, Si qui fortasse ex eis in hostium manus et potestatem inciderint, atque ad remunerandos eos et beneficentia aliqua afficiendos. Qui pre ceteris aliquod egregium et laudabile facimus pro Republica Christiana contra perpetuos ejus hostes ediderint. Quandoquidem plane confidimus: quod praefati Waiuodae eorumque homines et adhaerentes ita se pro bono Nostro totiusque Reipublicae Christianae gerent, atque demonstrabunt, ut non solum hoc nostro eis concesso Privilegio merito gaudeant, sed etiam majorem et ampliorem fauorem et gratiam tam apud nos, quam totam Christianitatem inire possint. Hoc autem nostrum Priuilegium eisdem firmiter manutenere, spondemus atque promittimus et ab omnibus illud eisdem obseruari uolumus et mandamus. Harum Testimonio Litterarum manu nostra subscriptarum et Sigilli nostri appensione munitarum, Datum in oppido nostro Lyntij die Quinta Septembris Anno Domini millesimo Quingentesimo tricesimo octavo, Regnorum Nostrorum Romani octavo, aliorum vero duodecimo.

Ferdinandus m. p.
Rd's. Card'lis. Tridentinus.

(L. S.)

Ad mandatum Sacrae Regiae Majestatis proprium.

Ad. Carolus manu propria.

Authent. Copie im K. M. Archiv. Lit. F. Nr. 3.

IX.

Unterbringung der Uskoken.

Ferdinand von Gottes genaden Römischer (Kaiser) zu Hungern vnd Behaim etc. König.

Instruction auf vnsere getrewen, lieben Jacoben von Lamberg, vnsern Rat vnd Panndtssverweser in Crain, Pangration Sawer, Wilhelmen Schnitzenpauer und Hanns Josefen von Egg, was dieselben samentlich oder der Merertail auss Ihnen, als unsere geordente Comissaryi von unsern wegen der Abledigung unserer Herrschaft vnd Schloss Meichaw, auch underbringung der unangesetzten usskhokhen halben hanndlen, verrichten vnd schliessen sollen.

Erstlichen nachdem wir nun zum Offtermalen erjndert, Auch sonnderlichen von Ainer Ersamen vnserer Landschafft vnnsers Fürstenthumbs Crain, vnderthaniglichen bericht worden, welchermassen auss vilbeweglichen vrsachen diser Zeit Jnen den Comissarien nach lenngs zuerzellen vnot, weil Sy deren vorhin genuegsambs wissen haben, ain vnuermeidliche notturfft sey, damit angeregte Vsskhoken, allen vnsern Nideroesterreichischen Lannden, zu hilff und guetem, vndergebracht werden mugen, Auf solches wir dann in erwegung des, das wir sonnst in allem dem, so vnnsern getrewen Landen vnd leuten, zu guetem, aufenthalt, beschutz vnd hilff khumbt, auss vaterlichem gemuet, nicht gern etwas erwinden lassen wolten, mit weilenndt Hannsen Puchlers gelassen wittib und Erben welche berurte vnser Herrschaft vnd Sloss Meichaw phanndssweiss innen haben, vnd Jr der wittib hiervor auf derselben lebenlang durch vnns verschrieben worden, handlung pflegen lassen, Also das Sy gegen erlegung des ernennten Phandtschillings angeregte Herrschaft und Sloss sambt seiner Ein vnd zuegehörung, nichts vorbehalten, unns zu genedigisten gefallen vnderthäniglichen vnd willig abtretten wolte. Des Sy sich dann auf solche volbrachte Handlung vnd vnser genedigsts ersuechen Vnd nemlichen zunechst khunfftigen Sanct Georgen tag dises gegenwirttigen Jars, die abtrettung vnd Einantworttung berurter Herrschafft gegen Darpiettung vnd erlegung des Pfanndtschillings, zu thuen und volziehen diemuetiglich bewilligt. Weil dann nun die gedachten Usskoken, sonnst nindert als derselben orten, versehen und eingelegt werden mugen, So waren wir als vorgemelt vnseren Landen vnd Leuten zu guet mit gnaden entschlossen, Sy daselbst hinvnderzubringen, Vnd wiewol wir gleichesfalls genediglich genaigt, den Phandtschilling gedachts Puhlers Wittib, vnd Erben erlegen vnd bezallen zu lassen, So ist es doch, wie genediglich vnd gern wir darthun wollten, bey andern vnsern treffenlichen hochobgelegnen aufgaben auf dietzmall in vnserm vermuegen nit, derhalben vnd damit diser vnser vorhaben vnd gephlegne bewilligte Hanndlung nit stegkhen beleibe, haben wir mit den ausschussen vnd Gesanndten vnserer dreyer Lanndt, Steyer, Kärnnten und Crain, So yetzo zu Prag gewesen, hanndlen lassen, dieweil denselben vnsern Landen am maisten guete Aufenthaltung vnd nutzperkhait durch vnderbringung der vermelten Vsskhoken, vnd enntgegen wo soches nit beschicht, allerlay schaden vnnd geferligkait erfolgen khan, das Sy angeregtes Phanndtschilling vnns zu genedigisten gefallen, vnd Inen zu nutz vnd guetem erlegen vnd bezallen wolten. In welches vnser genedig begern vnd hanndlung, sich aber genannte ausschuss mit entschuldigung, das Sy dises anbringens halber nit gewalt oder beuelh heten, nit einlassen noch begeben wellen, Sonder solches auf kunfftigen Lanntag angestelt etc. Dieweil dann auss vorgeschriebnen gegrunten Vrsachen, vnser vnvermeidliche notturfft erfordern wirdet, Dises anbringen auf bestimbten Lanndtagen neben andern Handlungen thuen zu lassen. So sein wir des genediglichen vnd tröstlichen versehens, die vorbemelten drew Landt werden angeregten Phandtschilling angesehen das inen sohe Losung Meichaw vnd vnderbringung der gemelten Vsskokhen selbst nit wenig zu guetem khumbt nit verwaigern noch abschlagen. Was Sy sich nun nach gepflegner Handlung dartzue zu geben vnnd bezallen bewilligen worden, das wellen wir zu Ir der Comissary Haunden zu erlegen verordnen, vnd beuelhen dise[r] hieuorgeschribne maynunng wirdet gedachten Vnsere Comissarien, darumben nach lannge angezaigt, damit Sy vnser gemuedt vmb souil leichter hernach versteen vnd abnemen mugen.

Wann dann nun gedachte drew Lanndt, wie wir vnns als vorgemelt genediglich vnd genutzlich versehen, vorangeregten Phandtschilling richtig zumachen bewilligt, Derselb auch zu Ir der Commissary hannden erlegt worden, So sollen sich vnsere Comissary den nechsten geen Meichaw verfuegen, den Phandtschilling vmb berurte Herrschafft vnd Sloss gedachten Puhlers Wittib vnd Erben, neben vberantworttung des Beuelhs, den wir Inen an Sy die Wittib und Erben lauttendt, hieneben geferttigt, zuestellen vnd onverzug erlegen, dagegen die bestimmt Herrschafft und Sloss Meichaw sammbt aller ein vnnd zuegehörung von Ir vbernomen, Volgundts das bestimbt Schloss Meichaw vnd die nechsten darumben ligunden hueben vnserm getrewen lieben Hannsen Lengkhowitsch, vnserm Haubtmann vber gemelte Vsskokhen nach gelegenhaidt eingeben, zuestellen und vberantworten. Vnd auf die andern hueben vnd gueter alle Vsskhoken, doch die guet und gegen den Turkhen erfarn Kriegspersonen vnd vor nit vnderbracht sein, vnderbringen vnd setzen, Wodann hueben vnd gueter zu der Herschafft Meichaw gehörig vorhannden, die zu weit entlegen, Also das genannte Vsskoken dardurchwillen nit bey einander sein khundten. So sollen vnd mugen vil gedachte vnsere Comissary die hueben so noch bei dem Sloss Sichlberg sein, auch zu vnderbringung der vbrigen Usskokhen gebrauchen, vnd in sonderhait mit unsern Lanndtleuten so daselbst nahendt vmb Meichaw vnd Sichlberg hueben haben, vmb die weit entlegnen Meichawischen Gueter vnd hueben, verwechslungund Tausch treiben, Vnd dieweil wir Inen den Comissarien, in diesem Faal, aus vrsach das wir der Ort vnd gelegenhait diser gueter, nicht wissen haben, kain ausfuerlichen noch aigentlichen bericht thuen khunden, So sollen Sy alles das, des vnns, der Herrschaft Meichaw vnd furnemlich Landes vnd Leuten zu guetem khomen mag, mit aufrichtung gueter bestenndiger Ordnung, auch vnderbringung vilgenennter Vsskockhen handlen vnd furnemen.

Wo aber angezaigte vnsere drew Lanndt auf kunfftige Lanndtagen, den begerten Phandtschilling, des wir doch nit gedenngken, nit gar Richtig zu machen bewilligen, Also das, was daran Es sey nun der Halbthaill, weniger oder mer abgeen vnd manglen wurde, So erindern wir hiermit gedachte Vnsere Comissary, das sich genannter Haubtman vber die

Vsskhoken, hanns Lengkhowitsch erpoten, denselben manngl vnd abgang zu erstaten vnd darzugeben, dergestalt, das Ime wie vor angezaigt, das Schloss Meichaw als ainem Haubtman, vnnd souil gulten vnd vnderthanen darrzue eingeben werde, das Er desselben Phandtschillings seines Darlehens, ain geniess vnd ergezlichait Emphahen, auch das Schloss vnderhalten mochte.

Vnnd dann auf die vbrigen gueter, zu derselben Herrschafft gehörig, Souil Immer muglich Vsskoken vnderbracht wurden. — Demnach sollen vorgedachte vnsere Comissary, wo der Erst Articl sein völligen Furgang vnd besluss nit erraichen khundte, Auf dise maynung wie yetz geschrieben, mit Ime Lengkowitsch hanndlen und besliessen, So mugen Sy auch zu merer vnderbringung der berurten Vsskoken, ain halben Thail, wie sich der Lenngkowitsch, wo Ime Meigkaw zuegestelt wurdt, volgen zu lassen erpeten, von Sichlberg herdan nemen vnd gebrauchen.

Vnd Im Fall aber das angeregte vnsere drew Lanndt etwas bewilligen, vnd aber dieselb bewilligung, so baldt vnd auf sanndt Georgentag nit gefallen, oder aber berurte Lanndt, des wir vnns doch in kainen weeg versehen, gar nicht geben oder bewilligen wurden, So hat vnns obgedachter Hanns Lengkowitsch, damit nur die Vsskokhen, vnsern Lannden vnd Leuten zu nutz vnd guetem erhalten khunden, weiter vnndlesslich disen furschlag gethan, das er angezaigter Hanns Puhlers Wittib vnd Erben, zunechst khomenden sandt Georgentag die vollig Suma des Phanndtschillings Meichaw erlegen, vnd richtig machen wolle, doch das Er enntgegen von stundan dasselbig Schloss Einnemt, vnd von vnns mit einem notturfftigen Phandtbrief, sambt anndern, was vonneten zuuor versehen werde, So wollte er zu ainem anfanng vnd trosst der Vsskhoken auf bemelte Schloss Meichaw vnd Sichlberger gueter von stundan biss zu funffzig Heuser der ansehenlichsten Vsskockhen, So erfarn Kriegsleut, weren, vnd welhem die maisten Vsskoken anhenngig, ansezen und vnderbringen, vnd die vbrigen auf vnnser genedigiste vnd hilff vnd verordnung Irer vnderbringung halber vertresten vnd so lanng Ime muglich aufhalten, Miller Zeit vnd wann wir Ime die völlig oder halb Suma des Phanndtschilling widerumben erlegen vnd bezallen, und die halben oder mer gueter vnd hueben zu der Vsskokhen vnnderbringung gebrauchen werden wolte Er sein gelt wider vnd vnns dieselben gueter abtreten. Darauf sollen sich nun genannte vnsere Comissary auf solhen vergeschribnen furschlag wo wie die vorigen zwen Articl oder einer darauss nit erhalten werden khan, mit Ime Lenngkowitsch der Eingebung halber Meichaw vnd vnderbringung der Vsskokhen zu enntlichen beschluss vergleichen, vnd wie Sy die sachen allenthalben handlen vnd verrichten, Was vnd wieuil auch Er Lenngkowitsch auf ain oder den andern weeg, zu abledigung vil gehörts Phandtschilling ausgeben, vnns solchen lautter Inschrifft berichten, damit wir alsdann Phanndtbrief vnd was in dem Fall vonneten, aufrichten und ferttigen lassen mugen, daran thuen, Sy unsern Ernnstlichen willen vnd Maynung. Geben zu Drässden den Sibenden tag Marty, Anno MDXLVII. Vnnserer Reiche des Römischen Jm XVII., vnd der anderen Jm Ainvundzwainzigsten.

Ferdinand m. p.

(L. S.)

Ad Mandatum Domini
Regis pprium.
Be, Kamenhuber m. p.
Philipp Breyner m. p.
F. Lanndsidl m. p.
Rgta. Dunant.

Original im K. M. Archiv Lit. D. Nr. 4. vom Jahre 1547 (Militär-Gränz-Verhandlungen).

X.

Ferdinand II. Privilegium für die sogenannten Wlachen (Serben) v. J. 1627.

Nos Ferdinandus Secundus Dei gratia Electus Romanorum Imperator Semper Augustus ac Germaniae, Hungariae, Bohemiae, Dalmatiae, Croatiae, Sclavoniae etc. Rex, Archi Dux Austriae, Dux Burgundiae, Styriae, Carinthiae, Carniolae ac Superioris et inferioris Silesiae, marchio Moraviae et utriusque Lusatiae, Comes Habspurgi, Tyrollis et Gorritiae etc., memoriae Comendamus tenore praesentium, Significantes quibus expedit Universis, quod nos Clementer Considerantes, dignitatis et eminentiae Regalis Fastigij, ad quod Dei praepotentis nutu, et dispositione nos quoque Constitutos esse agnoscimus. Id cum primis Curae et Solicitudini incumbere, ut Regna et diciones Populosque Sibi Subditos ea lege et gubernatione moderari satagat, quatenus et Salutem Populi Constabiliendam, Sibi maximopere Cordi fuisse constare possit et tutamen limitum dicionum Suarum longe lateque pro possibilitate propagare ad laborasse: hinc est, quod nos quoque inde ab initio Regiminis et gubernationis nostrae, quo Regni istius nostri Hungariae et Regnorum dicionumque ejusdem Sacrae Regni Coronae Subditorum habenas modorandas Suscepimus, eorum quoque mediorum et adminiculorum procurandorum Curam haud quaquam nobis deponendam existimavimus, ut etiam Regnorum nostrorum Croatiae et Sclavoniae, injuria temporum per hostes Turcas, non Solum multis Cladibus attritam et vastatam, verum etiam potiori ex parte, in Servitutem Sibi Subjugatorum Securitati et tranquilitati, quam optime prospectum esse potuisset, unde etiam adinstar Suarum Majestatum, quondam Rudolphi Secundi et Matthiae Similiter Secundi, Romanorum imperatorum et Regum Hungariae praedecessorum nostrorum felicis recordationis, qui nimirum Nationi Valachorum, dum Sub certis ductoribus et Antesignanis ex ditionibus Turcarum emigrarent, ac in domicilliorum loca, quae pro nunc in partibus Sclavoniae et Croatiae incolunt, Collocarentur pecularibus gratijs et favoribus, prosecuti fuerunt, Subquorum etiam clientela et protectione absque quorumvis impetitione et turbatione hactenus permanserunt. Nos quoque Considerantes et expertum plane habentes dictam nationem Vallachorum Militarem eorum operam excubandoque et Vigilias agendo, quae pro bono et emolumento partium illarum et etiam locorum Confiniatiorum (inde a tempore emigrationis et Condescensionis in Sedes ac domicilia quae etiamnum incolunt) exhibuerunt et impenderunt, etiam Communi Reipublicae Christianae Rebus, non nihil Commodi attulisse; Cupientes deinceps quoque tam Regno isti Sclavonie adjacentibus partibus Securiori et tranquilliori permansioni et etiam Communi Statui ditionum, Sacrae Regni Nostri Hungariae Coronae, optime Consuctum esse, non secus ac praelibati Praedecessores Nostri benigne inclinamur, uti imposterum pariter absque Cujusvis impedimento ac impetitione non Secus quam hactenus in Sedibus et domicilijs Secure permanere possint, utpote quorum Clientelam et directionem nobismet clementer reservandum esse duximus, ita nimirum, ut a quoquam alio, quam Majestate nostra aut vero successoribus nostris legitimis Scilicet Regibus Hungariae, moderationem et directionem accipiant et agnoscant, a nobisque futuris temporibus, Praefectum seu gubernatorem, pro beneplacito nostro Nominandum es Costituendum, aut per Successores nostros nominandos et Constituendos, a quibus nempe dependentiam habent ijsdemque Subjectionem et obedientiam praestare; Sineque quorumvis injuria laesione damnificatione aut quavis molestiae illatione vitam ducere debeant. Pronti etiam Nos quoque de Secura et tuta permansione ipsorum, in dicionibus Sacrae Coronae, ubi nempe domicilia et Sedes mansionem Susceperunt clementer prospecturi, ipsosque Superinde assecuratos redituri sumus; ut quiete et tranquile tegere possint; in partibus quidem dicionum; ad jus Sacrae Regni nostri Coronae fiscumque nostrum Regium per Caducitatem aut alium quemvis titulum devolutorum ac Spectantium ex peculiari indulto et Concessione nostra: In aliorum vero Regnicolarum, qui Jus

Haereditarium, in territoria ejusmodi habere dignoscerentur, per Commutationem aut alias Contentationes per nos ijsdem proprietarijs et Dominis terrestribus impendendas. — In ipsorum omnium fidem et documentum proque assecuranda et affidanda praemissa natione Vallachorum, quae indebita Consvetaque, ac hactenus Constanter declarata fidelitate et obsequio, juxta necessitatis exigentiam fuisse et permansisse Majestati nostrae Comendata exstitit, eademque Natio postmodum etiam pari obsequio, Constantiaque ac fidelitate allacri studio perdurare debebit, ac obligata erit; Praesentes Litteras nostras Secreto et authentico Sigillo nostro, quout Rex Hungariae utimur impedenti Comunitar, dandas duximus et Concedendas. Datum in Civitate nostra Vienna, die decima quinta Mensis Novembris, Anno Domini Milesimo Sexcentesimo Vigesimo Septimo, Regnorum Romani Nono Hungariae et Reliquorum decimo, Bohemia vero anno undecimo.

Ferdinandus.

(L. S.)

Stephanus Seungey m. p.
Eppus Vesprimensis

Laurentius Ferenczffy m. p.

(Authent. Copia im K. M. Archiv Nr. 598 vom Jahre 1755.)

XI.

Ferdinand's II. Privilegium für die Wlachen v. J. 1630.

Nos Ferdinandus Secundus Divina favente Clementia electus Romanorum Imperator semper Augustus, ac Germaniae, Hungariae, Bohemiae, Dalmatiae, Sclavoniae etc. Rex, Archidux Austriae, Dux Burgundiae, Brabantiae, Styriae, Carinthiae, Carniolae, Marchio Moraviae, Dux Luxemburgae, Superiorisque et inferioris Silesiae, Würthembergae et Thekae, Princeps Sueviae, Comes Habspurgi, Tyrolis, Ferreti, Kiburgi et Goritiae, Landgravius Alsatiae, Marchio Sacri Romani Imperij Supra Anasum, Burgoviae ac utriusque Lusatiae, Dominus Marchiae, Sclavoniae, Portus Naonis et Salinarum.

Memoriae Commendamus tenore praesentium Significantes, quibus expedit universis. Postquam ineffabili Dei optimi Maximi munere, ad Majestatis Nostrae Culmen Sublimati Reipublicae Gubernacula gerimus, nil unquam antiquius, chariusve habemus, quam ut providentiae nostrae Studia in ea praecipue conferamus, quae ad Christianitatis Augmentum Stabilimentumque cedere, ac cunctis ditionibus, et populis, qui Clementiae et Sceptrorum nostrorum parent Imperio, quoquomodó utilia esse possint. Unde cum tota Valachorum Communitas, quae ex Antecessorum nostrorum Divinae Memoriae Rudolphi Secundi et Matthiae Romanorum Imperatorum et Hungariae Regum Concessionibus et Gratijs jam ad triginta abhinc annis in partibus Regni nostri Sclavoniae inter Szavum et Dravum, domicilium habuerunt, nuper a nobis etiam singulares nostrae, Successorumque nostrorum Legitimorum Hungariae Regum, Protectionis et directionis Diplomate donati fuissent, Nos jam ulteriori benignitatis nostrae cura, cum ipsorum Valachorum, tam totius Christianae patriae Commodo et tranquillo, ac Securo statui et Conservatione, in alijs quoque, quae a benigna Directione nostra dependent, utiliter prospectum esse cupientes, eidem Valachorum Communitati inter praedictos Szavum et Dravum Commoranti Sequentes, Legum et Statutorum Articulos, quorum Norma imposterum Vitam ducant et guberentur, Secundum praesentem rerum Statum et Conditionem clementer concedendos et Sanciendos praescribendosque duximus, ut nimirum Regna ditionesque nostrae contra infensissimos Christiani Nominis Turcas, ac alios hostes non minus egregia et fideli hujus populi Militari opera ac fortitudine, quam certarum etiam tramite, atque vi Legum, quarum observatione, inter eosdem Valachos, tam in toga quam in Sago juxta Justitiae et disciplinae incrementa vel maxime omnipotentis gratia et benedictio fructifere conciliari ac bene Christianoque more recte vivendi Ratio, Salutariter conservari possit, tanto magis ac firmius munirentur, obvallarenturque. Quorum quidem Articulorum tenor talis est.

De Magistratibus.

Articulus 1mus.

Cuilibet Pago Valachorum inter dictos fluvios Szavum et Dravum habitantium Suus sit Judex, sive Knezius vir Scilicet ad id genus officij obeundum sufficiens et idoneus, qui Statuto ad id tempore mense nimirum Aprilj ante festum Sancti Georgij, a Sui pagi Communitate, pro uno anno eligatur et electus Generali ad ipsius notitiam significetur.

Articulus 2dus.

Qemadmodum universa Valachorum Communitas in trium Capitaneorum Supremorum nimirum Crisiensis, Capronczensis et Ivannichensis Districtibus Commoratur, ita quoque in quolibet Capitaneatu Separatim eligatur, et Constituatur supremus Judex, vir peritus, Legumque Patriarum gnarus, qui una cum octo Assessoribus, Judicijs in Suo districtu praesideat, ac universas Causas et Controversias Secundum praesentia Statuta cognoscat et decidat. Electio autem judicis et octo Assessorum in vel circa festum Sancti Georgij, eo fiat modo, ut nimirum omnes Knezij, Sui Districtus una cum duobus vel tribus Senioribus vel Juratis ex uno quoque pago, in certo ejusdem Capitaneatûs loco conveniant, ibique judicem et octo Assessores pro districtu sui Capitaneatûs rité eligant. Qui Judices et Assessores ita in quolibet Capitaneatu ellecti Generali proponentur, et ab eo Nomine nostro nullis Legitimis obstantibus causis confirmabuntur, aut si quae Legitimae Causae obstare viderentur, illae Statim nobis Significabuntur.

Singulis autem annis ijdem Supremi Judices, tempore et modo quibus dictum est, per Knezios et Seniores Pagorum in quolibet Capitaneatu libere ab officio removebuntur, vel si ita visum fuerit, idque Patriae Commodum, et utilitas Svaserit, in eodem officio relinquentur, et a Generali memorata Ratione denuo confirmabuntur.

Articulus 3tius.

In delictis publice tranquillitati et Utilitati contrarijs, atque alijs etiam Criminalibus poenam Sanquinis inferentibus Knezij delinquentes, absque mora comprehendere et Capitaneo Supremo Sui districtus ad manus Profosij tradere teneantur, interim autem Supremus Judex, cum Suis Assessoribus, Statim causas cognoscat, ut ijdem delinquentes, cum talis delicti et Criminis Rei judicati fuerint, ad Regimen Bellicum transmittantur, ibique Servato Juris ordine, non in pecunia, vel bonis, Sed Solum in Corpore, vel opere publico vel alijs Supplicijs puniantur.

Articulus 4tus.

In Levioribus autem Knezij reos carceri includant, donec vel ab ipsis idonee Caveantur, vel tempus Juris dicendi appropinquet et tunc Judicio Sistantur, ac contra eos, Servatis de Jure Servandis, procedatur.

Articulus 5tus.

Kneziorum munijs, non solum illud incumbet, ut in Suis districtibus, cunctarum numerum domorum, ex familiarum, nec non omnium capitum virilis Sexus decimum Septimum aetatis annum excedentium exacte Sciant, cumque utrumque numerum in Cathologo descriptum habeant Sed et, ut unusquisque patrum familias eosdem masculos, annum Decimum Septimum excedentes in Suis domibus alant, Sollicite curae habebunt.

Articulus 6tus.

Si quis ex Turcia vel aliunde transmigrans, Sub hoc, vel illo Capitaneatu, Sedem figere voluerit, id cum praescitu Supremi Capitanei fieri necesse est, Sin autem Valachus, qui jam

Semel in aliquo loco Sedem fixit, vel alias ibi legitime commoratus est, domicilium in eodem Capitaneatu mutare velit, id cum Solo Supremi Judicis, Assessorum et Knezij praescritu fiat, Sufficit.

Articulus 7mus.

Knezij Summâ Vigilantiâ et Studiô omnia delicta, et maleficia praecavere conabuntur, quodsi vero quispiam ex ijs, de praevaricatione et collusione cum Reis, in quocunque delicto Judicialiter convictus fuerit, ex tunc Supremus Judex et Assessores talem Knezium, tanquam infamem Officio movebunt, juxtaque ob ipsum factum, pro ejus qualitate, multa merita afficiant, vel Si enormitas delicti poenam Sanquinis mereri judicabitur, ad Regimen Bellicum transmittant, aliô interim idoneô virô in locum legitime Subordinato.

Articulus 8us.

Tenebuntur insuper Knezij advigilare, ut fures, quamprimum capiantur et Profosio suo assignentur, res autem furtô ablatae apud Judicem Supremum deponantur, ut ibi Servatis de Jure servandis Suis Dominis restituantur.

Articulus 9nus.

Omnia Conventicula et Congregationes extra eas, quae pro eligendis Knezijs, Assessoribus et Judicibus modo quo Supra dictum est, legitime celebrabuntur, in universum Sub poena Vitae interdicta sunto, Si quas autem necessitas exigerit, ex permissu Generalis instituantur.

Articulus 10mus.

Juramentum autem Judicum, Assessorum et Kneziorum per *DEUM* vivum et per gloriosam *DEJ* genitricem Virginem Mariam, per omnes Sanctos et Electos Dej, in Articulos praemissos concipiatur, addito insuper, ut promittant Se Deo, Christianae Reipublicae, Nobis et Successoribus nostris, Legitimis Hungariae Regibus, Generali et Supremis, Capitaneis, fidem et obedientiam exhibituros, omnia Reipublicae perniciosa, et bonis moribus contraria, revelaturos et quod omnibus et Singulis coram Se causantibus, absque cujusvis personae, divitis scilicet et pauperis acceptione, omnibusque prece, praemio, favore, amore et odio postpositis et remotis, prout Scilicet secundum Deum et Ejus Justitiam cognoverint, justum et verum Judicium et Justitiam atque executionem in omnibus rebus faciant, pro suo posse. Sic ipsos Deus adjuvet et omnes Sancti.

De Judicijs.

Articulus 1mus.

Omne Judicium una cum Supremo Judice, ex octo assessoribus Valachis, ut Supra memoratum est, juratis consistere debet, quibus insuper Notarius et ipse juratus adjungatur. Unius autem vel duorum Assessorum absentium Judicium non impediat, et si Judex Supremus ipse judicijs interesse nequeat, ipsius loco proximus in ordine Assessor praesideat.

Articulus 2dus.

Judicis Officium Sit una cum Assessoribus, dies Judiciales praefigere, ita tamen, ut termini citationum et evocationum ultra quindecim dies non excedant; Semper autem tertia citatio peremptoria sit.

Articulus 3tius.

Reus in Causam attractus ad Actoris instantiam in Jus vocetur, tumque respondere non teneatur, nisi rite et legitime citetur.

Articulus 4tus.

Reus, Si tribus vicibus per Litteras Judiciales, sive birsagiales citatus, non comparuerit, contra eum in Contumaciam procedatur et Actori finale Judicium et Justitia administretur ipseque Contumax in expensas condemnetur.

Articulus 5tus.

In Citationibus pro primo Sigillo, quinquaginta Denarij Hungaricales, pro Secundo duplum et pro tertio triplum solvatur. Ita ut causa finita et decisa haec byrsagia in duabus partibus pro Judice et Assessoribus et in tertia pro parte Victrice exigantur.

Articulus 6tus.

Nullae exceptiones dilatoriae praeter impedimenta Legitima admittantur ac de cetero etiam processus in Omnibus Summarius Sit et sine strepitu et figura Judicij Ordinarij observetur, adeoque factum et merita Rei dundaxat Simpliciter et de plano considerentur, et Secundum allegata et probata judicetur, finaliter autem decisiones, et Sententiae in Casibus, qui in istis Statutis Specificati non sunt, Secundum Regni Jura ferantur.

Articulus 7mus.

In Testimoniis deponendis non more Sclavonico, in alterius animam jurabitur, sed quilibet Seorsim de visu et Scitu examinatus Juramentô testabitur. Quis autem melius probavit, Judicis et Assessorum erit determinare.

Articulus 8vus.

Nullus ad Juramentum praestandum nisi Jejunus admittitur.

Articulus 9nus.

A Sententia Judicis intra decennium ad Generalem appellare fas esto. Quod si non fiat, elapsis fatalibus, Sententia transeat in rem Judicatam. Appellans autem Appellationem Suam, intra unum introducere, ac intra duos alios menses prosequi obligatus sit. Alterutro enim non ita observato appellatio pro deserta habeatur, ex Sententia executionem Sortiatur, et qui male appellaverit, in expensas damnabitur.

Articulus 10mus.

Sententiae, ubi nullae appellationes interpositae fuerint, elapso decimo die per Knezium vel unum ex Assessoribus Executioni demandentur. Qui autem parere recusaverint Secundum qualitatem delicti puniantur. Vel etiam, Si enormitas Resistentiae id ità meruerit, ad Regimen Bellicum remittantur. Procedente nihilominus Executione.

De Rerum Dominio.

Articulus 1mus.

Cuilibet pago vel oppido, Sui certi Limites determinentur.

Articulus 2dus.

Si quis de frumento adhuc in agris, existente, vel de alijs rebus mobilibus cum alio Convenerit, emptorque hoc duobus vel tribus testibus probare poterit, Contractus validus esto.

Articulus 3tius.

Qui autem domos, uti etiam agros vel alios fundos vendere, vel oppignorare, aut quocunque alio titulo, et quacunque de Causa, alij dare voluerit, id ut Coram Knezio et duobus vel tribus testibus faciat, necesse est, alias contractus nullam vim habeto.

Articulus 4tus.

Cuique, Si fundum Suum aliter adire non potest, per agrum Viciuj Sui Consveto tempore eundi, vehandique Jus esto. Sed quantum fieri poterit, vicini agro ab ipso parcatur.

Articulus 5tus.

Si quis rem Suam alteri ad certum tempus oppignoraverit, illeque tempore elapso debitum non solverit, tunc ad instantiam Creditoris, de redimendo pignore, per Knezium admoneatur, et nisi id intra tres menses fecerit, pignus per eundem Knezium et duos vel tres Seniores pagi aestimetur et de eo Creditoribus debitum, cum eo, quod interest, exsolvatur, Residuum vero Domino pignoris restituatur.

Articulus 6tus.

Rebus alienis contra pactum et Voluntatem sui proprietarij cum damno ejusdem utens, eidem proprietario pro arbitrio Judicis, secundum justam damni aestimationem satisfacere teneatur.

Articulus 7mus.

Testamentariae dispositiones coram Knezio, et quatuor vel quinque testibus fide dignis, aut coram sacerdote, et duobus vel tribus itidem fide dignis testibus celebrentur, adhibito tamen semper Notario, vel locô ipsius duobus alijs testibus legitimis.

Articulus 8vus.

Patre familias absque liberis defuncto major natu frater vel proximus agnatus, unà cum Vidua relicta, familiam gubernet. Quodsi vero defunctus juxta Viduam liberos quoque reliquerit, ipsa Vidua, una cum tutoribus vel Curatoribus familiae praesit, et Junior Liberorum cum reliquis nullo Sexus discrimine habito, ex aequo ad haereditatem admittatur.

Articulus 9nus.

Boves, equos, vaccas, oves, capras, porcos, vinum et frumentum omnis generis cuilibet Valachorum sicut alijs Regnicolis intra et extra Capitaneatus Sui districtus Secundum Legitimam Regni Consvetudinem, ac Regia decreta observandis observatis, praestitisque praestandis, pro Libitu vendere et emere inducere et educere liberum et permissum sit.

De Delictis Privatis et Publicis.

Articulus 1mus.

Omne furtum, cujus pretium triginta vel effractione simul Comissa viginti florenos Hungaricales non excedit, a Supremis Judicibus vinculis vel opere publico puniatur. Majora autem furta Committentes ad Regimen Bellicum mittantur, ubi non pecuniarijs poenis, Sed Supplicijs Corpori infligendis coërcendi.

Articulus 2dus.

Ita etiam Si quis secunda vel tertia vice in furto deprehensus sit, atque ejusmodi furta duabus vel tribus vicibus Commissa, quadraginta florenos excedant, et ipse ad Regimen Bellicum in corpore poenas Soluturus transmittatur.

Articulus 3tius.

Si quis violenta manu alteri quippiam Surripuerit, ille raptum cum damno illato restituat, nec non quatuor, vel pro arbitrio Judicij plurium, Sed ad Summum decem florenorum Hungaricalium poenam luat, Si vero insuper aliquem etiam absque Laethali Laesione percusserit, vel vulneraverit, ei peccuniaria Mulcta major, Sed ad plurimum Sedecim floreni Solvendi Sint. Attamen, Si reus utroque casu pauperioris sit, conditionis, vel ob enormitatem delicti, alias id ita videatur, is carcere aut opere publico, aut alia ejusmodj animadversione castigetur.

Articulus 4tus.

Si cujuspiam Jumenta, vel animalia alteri damnum fecerint, illud Damnum per Vicinos aestimetur, et ab animalis Domino Sarciatur. At interim damnum passo liberum sit, ipsum animal, quod damnum fecit, donec sibi satisfaciat, retinere.

Articulus 5tus.

Siquis vero alterius animalia, post aestimationem et damnj Compensationem adhuc detinuerit, ad id, quod interest, tenebitur.

Articulus 6[tus.]

Si quis alterius jumenta noxam Committentia, ex malitia verberaverit, vel occiderit, is animalium Domino, compensato prius quantum ipse noxae passus est, damnum refundat et nihilominus ob malitiam pro qualitate facti, puniatur.

Articulus 7[mus.]

In Rixis et tumultibus, qui cum Sanquinis profusione fient, Reus quinque vel etiam pro arbitrio Judicij plures, Sed ad Summum octo florenos hungaricales, ac Laeso expensas, et damna, nec non Chirurgo Debitam mercedem solvat. In alijs vero, quae absque Sanquinis effusione, vibratis gladijs Sola percussione ad vibicum Signa, vel alio insolentiori modo committentur, florenos Ungaricales medium aut integrum aut summum etiam quatuor pendat. Ansam quoque talium Rixarum et tumultuum praebentes Singuli medium, vel ad Summum tres florenos Hungaricales Solvant. Ita tamen, ut in arbitrio sit Judicij reos jam dictarum, mulctarum vice, sicut in tertio articulo pro qualitate personae, vel facti, alijs in corpore Supplicijs afficere.

Articulus 8[vus.]

Post tales autem Rixas et tumultus et si Laesa pars ob suam offensionem, nullam ad Judicem deferret, querellam, nihil ominus tamen, contra reos, Si judicio ob enormitatem facti ita videbitur, ex officio erit inquirendum, et pro qualitate facti procedendum.

Articulus 9[nus.]

Fornicarij manifesti, uti et ipsae Fornicariae, vinculis in pane et aqua, per aliquot dies, vel opere publico puniantur. Adulteri vero et raptores Regimini Bellico judicandi, ac etiam in Corpore castigandi, Subjiciantur.

Articulus 10[mus.]

Inobedientes filij vel etiam gravius in parentes peccantes, a Judicibus pro gravitate facti, carcere vel similibus Supplicijs coërceantur, vel etiam, et si delictum Iudicibus ita enorme videatur, ad Regimen bellicum transmittantur. Sin autem Levior sit filiorum culpa, contra illos absque parentum accusatione, judicialiter non procedatur.

Articulus 11[mus.]

Pecuniariae mulctae pro Judicum et Ceterorum officialium, Solarijs alijsque Judicij expensis applicentur.

Articulus 12[mus.]

Profosio ab incarceratis et arrestatis personis imposterum, non ultra viginti quinque denarios exigere permissum sit.

De Re Militari.

Articulus 1[mus.]

Qui ex Valachis Stipendia merent, Jure militari, ut reliqui nostri Stipendiarij, in omnibus Subsint, et Sua munia fideliter obeant. Quod et de reliquis intelligendum, qui licet Stipendia non habeant, nihilominus Militaria munia obeunt, et eorum Respectu immunitate donati sunt.

Articulus 2[dus.]

Vayvodae Sint viri Militares, illibatorum morum, et vitae Integritate praediti, ac quovis Suspitionis vitiö carentes, Si tamen casu quocunque in alicujus Criminis generi Suspecti hab rentur, vel etiam de malefactis accusati forent, causae tales coram Capitaneo vel Vice Capitaneo, ac Suis Officialibus Militaribus, inter quos Semper aliquot et ad minimum tres, vel quatuor Vayvodae sint, examinentur, et prout visum fuerit, rei, vel poena merita per eosdem afficiantur, vel ulterius ad Regimen Bellicum dirigantur.

Articulus 3tius.

Dadem Ratione, Si Vojvodae quempiam ex Suis Haramijs alicujus delicti reum vel accusatum habuerint, id ipsum etiam Capitaneus vel Vice Capitaneus cum officialibus militaribus et tribus Vayvodis Judicialiter examinent, et si delictum Levius fuerit, in reos pro qualitate animadvertent, in gravioribus autem eosdem ad Regimen transmittant.

Articulus 4tus.

Ita etiam caeterae omnes lites et Controversiae fundos ac alia bona immobilia non concernentes, quae inter vel contra Vayvodas et Haramiales, aliosque omnes Solaciatos Milites motae fuerint, praescripta Ratione cognoscantur et dirimantur, quae autem circa fundos, aliasque res immobiles orientur, eae solis Judicibus et Assessoribus Subsint, decidendae.

Articulus 5tus.

In Vayvodarum, uti etiam Vexilliferorum, aliorumque officialium, demortuorum vel etiam Judicialiter ab Offycijs depositorium Loca, alij benemerito per Communitatem Generali Commendabuntur.

Articulus 6tus.

Solaria et Stipendia q. Vayvodis Haramialibus militibus Solventur et distribuentur Juxta modum et consvetudinem antiquam.

Acticulus 7mus.

Cum vero tota Valachorum Communitas, rebus potissimum bellicis ac militaribus vacet, ob idque singularibus Privilegijs gaudeat, ideo omnes et Singuli ipsorum sive stipendarij sint, sive non, ad Secandum desertum et Sylvas inter Szavum et Dravum, Singulis annis, relictis tantum in munitionibus vigilibus Sufficientibus Sint obligati, ut nimirum eo labore Turcis, et inimicis, omnis ad illa Loca aditus et in Christianos impetus intercludatur.

Articulus 8vus.

Similiter Castella, in Sui defensionem exstructa et adhuc exstruenda, Suis laboribus coadjuvabunt.

Articulus 9nus.

Insidias et Machinationes Suspectas fideliter ad Nos, vel Generalem nostrum deferent.

Articulus 10mus.

Fines Patriae in omnibus tribus Capitaneatibus, ne ullus Christiani Nominis hosti pateat aditus, praeter Solarcatos Milites, etiam caeteri cuncti Valachi Stipendio carentes, Suis sufficientibus excubijs et vigilijs Semper tueri et custodire obligati sint.

Articulus 11mus.

Quocunque autem tempore (quod Deus clementer avertat) quidam impetus, aut Suspitio majoris momenti oriretur ex ominibus omnino Capitaneatibus, quotquot inveniuntur Valachi, imó ipsa Juventus, decimum octavum annum excedens ad Turcas, et hostes, conjunctis viribus, omni ex parte, cum Vitae, et Sanquinis effusione propulsandos, Subito erunt parati, adeoqoe militaribus Signis, ad hoc per generalem deputatis excitati, inter duas vel ad Summum tres horas cum omni bellico apparatu, semper ad minimum Sex, vel Septem Millia Militum Valachorum, in unum Locum congregabuntur, donec et qui longius distant, percepto Signo accurere, Seque cum illis conjungere vel alio, ubi Necessitas id requisiverit, Secundum Generalis dispositionem convolare possint.

Articulus 12mus.

Si contra hostem extra Provinciam ducentur, absque Stipendio in partibus Turcae subjectis, per quatuordecim dies, in alijs vero provinciis per octo dies, castra Generalis sequentur, quibus elapsis, ut reliqui, Stipendia accipient.

47

Articulus 13^{mus}.

Et quia pauci Stipendiarij inveniuntur, plurimaque pars Solario caret, Generalis noster, illis omnibus utriusque Conditionis prout hactenus moris fuit, plumbum pro conficiendis globis, et pulverem tormentarium ad Suffucientiam suppeditabit.

Quapropter omnibus et Singulis nostris Ministris et Officialibus, alijsque Subditis et fidelibus, cujuscunque Statûs gradûs Conditionis vel praeeminentiae existant, praesertim vero Regimini nostro Bellico, nec non praesentibus, ac futuris Confiniorum Regni nostri Sclavoniae Generalibus, nec non Supremis Capitaneis, ceterisque omnibus Militaribus Officialibus nostris hisce benigne ac Serio committimus atque mandamus, ut praememoratum Valachorum Communitatem, inter Szavum et Dravum Commorantem, Secundum clementem Nostram, et Successorum Nostrorum Legitimorum Hungariae Regum voluntatem praescriptis Legum, Statutorumque Articulis quiete et absque omni molestia, impedimento et perturbatione uti, frui, et gaudere sinant, illosque in eisdem manuteneant, atque defendant et nihil contra eorum tenorem et continentiam attentent, aut faciant, aut ab alijs quovis modo attentar et fieri permittant; Quatenus Nostram, Successorumque Nostrorum indignationem ac poenam gravissimam evitare voluerint. Harum testimonio Litterarum Manu Nostra propria Subscriptarum, ex Sigilli Nostri appensione munitarum. Datum in Nostra et Sacri Romani Imperij Civitate Ratisbona, die quinta Mensis Octobris. Anno Domini Millesimo Sexcentesimo, Trigesimo, Regnorum Nostrorum Romanj Duodecimo, Hungariae et Reliquorum decimo tertio, Bohemiae vero annô decimo quarto.

Ferdinandus.

Jo. Bapt. Liber Baro
de Werdenburg.

Ad Mandatum Sacrae
Caesareae Majestatis
proprium
Casparus Frey.
Schmidt von Greiffenau.

Copie im K. M. Archiv Nr. 598 vom 30. September 1755. — Bestätigungen des Privilegiums vom Jahre 1630 erfolgten von Ferdinand 1642 und 1659, dann von Leopold I. 1708 (K. M. A. Nr. 59).

FSC
www.fsc.org
MIX
Papier aus verantwortungsvollen Quellen
Paper from responsible sources
FSC® C141904

Druck:
Customized Business Services GmbH
im Auftrag der KNV-Gruppe
Ferdinand-Jühlke-Str. 7
99095 Erfurt